Jack Kerouac

Sulla strada

Introduzione di Fernanda Pivano
Traduzione di Magda Maldini de Cristofaro

OSCAR MONDADORI

© 1959 Arnoldo Mondadori Editore S.p.A., Milano
Titolo originale dell'opera: *On the Road*

I edizione Medusa febbraio 1959
I edizione Oscar Mondadori febbraio 1967
I edizione Oscar Scrittori del Novecento giugno 1995

ISBN 88-04-46608-1

Questo volume è stato stampato
presso Mondadori Printing S.p.A.
Stabilimento NSM - Cles (TN)
Stampato in Italia - Printed in Italy

Ristampe:

11   12   13   14   15   16   17   18

2001   2002   2003   2004   2005

http://www.mondadori.com/libri

La « beat generation »

Il libro che presentiamo al pubblico italiano è il secondo in ordine cronologico nella produzione di Jack Kerouac, lo scrittore americano di origine franco-canadese nato nel 1922 a Lowell, Massachusetts.[1] Il primo uscí nel 1950: di chiara impostazione lirica, *The Town and the City* suscitò un certo interesse nella critica tradizionale e mise l'autore in crisi. Passarono sette anni prima che egli si ripresentasse ai critici, con questo romanzo che è la somma delle sue esperienze e la descrizione di un modo di vita che egli ha scelto come suo; parti di esso erano però uscite su riviste d'avanguardia come *"The Paris Review"*, *"New World Writing"*, e *"New Directions"*. Questi brani avevano suscitato una grande attesa attorno al romanzo che doveva comparire; l'attesa non venne delusa e un'intera generazione, la *beat generation*, acclamò in Kerouac il suo portavoce e il suo interprete. Balzato al centro di un interesse nazionale pari a quelli che sorgono in America per le stelle del cinema o gli eroi sportivi, Kerouac fu preso d'assalto dagli intervistatori della televisione, della radio e dei quotidiani ma anche dai critici letterari, e ad un certo momento dagli studiosi di sociologia. Era già diventato un "personaggio" quando pubblicò, nel '58, *The Subterraneans*, che presto venne considerato il ritratto in prosa della *beat generation* come il poema *Howl* di Allen Ginsberg ne è il ritratto in poesia. Pochi mesi dopo uscí *The Dharma Bums*, che pare rispondere una volta per tutte alle interminabili domande degli intervistatori circa l'atteggiamento religioso di Kerouac.

Ormai parlare di questo scrittore significa parlare insie-

---

[1] Jack Kerouac è morto nel 1969 in Florida.

me di un *revival* estetico, di un modo di vita, di una capitale letteraria: il *revival* della Scuola di San Francisco e la rinascita poetica che ne derivò, il costume della gioventú bruciata americana, la nuova importanza assunta da San Francisco nel quadro letterario d'America; fenomeni noti soltanto in parte, fra noi, ma strettamente connessi con la formazione dell'autore di questo libro.

San Francisco si può considerare oggi [1] la nuova capitale letteraria d'America: dopo essere passata da Boston a Chicago e da Chicago a New York, pare ora che essa si sia trasferita sulle coste del Pacifico. Lo spostamento non vale tanto per la cultura ufficiale quanto per le correnti d'avanguardia; ma anche le università hanno partecipato al movimento. C'è stata perfino una battaglia tra due scuole d'arte di San Francisco, l'Istituto delle Belle Arti e la Facoltà di Belle Arti dell'Università di California, per conquistare la palma di quello che loro chiamano "insegnamento creativo"; e all'Università di Stato c'è un Centro di Poesia finanziato dal Fondo Rockefeller che fa affluire in città i piú illustri poeti americani. La televisione locale trasmette un programma non-commerciale (vale a dire culturale) famoso, le biblioteche circolanti sono specializzate in testi stranieri, i Piccoli Teatri sono molti, al punto da lasciare soltanto tre sale disponibili per le compagnie provenienti da Broadway, l'orchestra sinfonica si è affermata nel quadro musicale internazionale e il Teatro dell'Opera è uno dei pochi in America capaci di una produzione autonoma.

Il revival californiano è iniziato in questo secondo dopoguerra quando la presenza di molti illustri profughi europei cominciò a mostrare la sua impronta caratterizzando San Francisco come la città americana meno legata a tradizioni rigorosamente locali. Nella marea sempre piú dilagante del conformismo di massa, questa metropoli andò delineandosi come una specie di oasi di individualismo, dove la libertà personale è ancora possi-

---

[1] Si noti che "oggi" si riferisce al 1958, data in cui è stata scritta la prefazione.

bile grazie forse alle tracce mediterranee e messicane di un *laissez-faire* e dolce far niente che si cercherebbero invano in qualsiasi altra città degli Stati Uniti. A noi europei questo può sembrare uno stereotipo o un luogo comune, ma chi a New York ha provato ad arrivare con cinque minuti di ritardo ad un appuntamento o ha cercato di strappare per mezz'ora un amico alle sue occupazioni, a San Francisco si accorge subito del miracolo di un banchiere o di un industriale che lasciano l'ufficio, sia pure per poche ore, per andare in barca a vela o a giocare al golf.

La città si fece cosí la reputazione, oltre che di centro culturale di prim'ordine, anche di città "facile": molti la considerano "la città piú facile d'America" e gli artisti cominciarono ad affluirvi come allodole agli specchietti. Vi affluirono artisti famosi e giovani speranzosi, vecchi dadaisti e ragazzi ribelli; finché anche la estrema avanguardia si spostò da New York in California e San Francisco divenne la nuova culla delle arti americane.

Se l'ambiente culturale universitario attirò scrittori e artisti già affermati, furono soprattutto le caratteristiche vagamente mediterranee di vita ad attirare i giovani "di punta". Il barlume californiano di distensione nella frenetica vita americana è sensibile soprattutto sulla collina e nel quartiere dove si raccolgono i bohémiens di San Francisco e dove gli affanni e le ansie del Greenwich Village, l'analogo quartiere di New York, sono infinitamente smorzate dalla presenza dei pescatori italiani che originariamente abitavano la zona e vi sono in gran numero rimasti conservando abitudini non ancora del tutto alienate. Qui gli artisti, giovani e vecchi, possono permettersi il lusso di ignorare, o fingere di ignorare, i problemi editoriali e commerciali, col seguito di mondanità che ne deriva: Kenneth Rexroth scrisse che "i poeti vengono a San Francisco per la stessa ragione per cui tanti ungheresi sono recentemente andati in Austria".

I poeti di cui parla Rexroth hanno assai poco a che fare con la cultura universitaria e ufficiale della città. Con efficacissima immagine, Rexroth disse, parlando della convergenza nazionale di interessi sul mondo culturale americano del sud-ovest: "La tutela delle intelligenze ha formato una spessa crosta di abitudini sulla vita culturale americana: peggio di uno strato di ghiaccio. Di recente l'acqua che vive sotto di esso è diventata cosí ribollente che lo strato di ghiaccio ha cominciato a fondersi, e spezzarsi, e a dirigersi verso l'oblio artico". Dall'acqua ribollente sotto lo strato di ghiaccio della cultura accademica e ufficiale è nata la nuova generazione della letteratura contemporanea americana, quella che i critici hanno via via definito "La nuova generazione di rivolta", o la "Generazione in attesa" o "facile", e comunque è stata considerata per molti anni poco meno che clandestina, tanto che venne descritta nel romanzo intitolato *The Subterraneans*. Oggi che "i sotterranei" sono diventati famosi, i critici, passando da un estremo all'altro, li hanno identificati niente meno che con la "Scuola di San Francisco". Ma è un errore mescolare la Scuola di San Francisco con la *beat generation*. Questa si è come inserita nel "gruppo" di San Francisco, che era costituito da vecchi anarchici quasi sempre di origine dadaista (capeggiati da quel santone californiano che è ormai diventato Henry Miller) e i cui principali esponenti sono Kenneth Rexroth, oggi cinquantatreenne, Robert Duncan, proveniente da *"View"*, la rivista surrealista di Charles Henry Ford, e William Everson, oggi Padre Antonino e quarantaseienne.

Su di loro si sono appoggiati "i sotterranei", i ragazzi che il critico John Clellon Holmes ha felicemente raccolti sotto il nome di *beat generation,* a indicare press'a poco quello che noi chiamiamo la "gioventú bruciata". Sono i poeti di cui parla Rexroth: non sono professori o scrittori "professionisti" aggrappati a un impiego in Case Editrici o giornali, ma giovani per lo piú disperati e inquieti, che credono nella vita ma respingono i sistemi morali e sociali precostituiti e vogliono scoprirne da sé dei nuovi sperando – o illudendosi – di trovarli piú efficienti. Il loro problema è il problema di di tutti i giovani, e specialmente dei giovani che affrontano l'esistenza in un dopoguerra, ma loro caratteristica è stata di svelare, senza paure e senza falsi pudori, gli aspetti della vita di certa adolescenza americana contemporanea. Da quando sono stati classificati da Holmes, questi ragazzi irrequieti hanno bevuto molto, hanno fumato molta marijuana, hanno girato l'America con l'autostop, si sono esaltati ascoltando o improvvisando jazz, ma soprattutto hanno scritto e a volte anche pubblicato parecchi romanzi e raccolte di poesie.

È stato facile scambiare il loro modo di vita per una rivolta antiborghese o per un volgare edonismo e giudicarli come semplici epigoni della "generazione perduta", il gruppo di letterati americani che nel primo dopoguerra si rivoltò contro il costume vittoriano e il conformismo puritano, dando voce ad una protesta che costituí i piú bei classici della narrativa moderna. Con maggiori difficoltà, sono stati accostati alla "Generazione di rivolta" o di "protesta", che nel decennio seguito alla crisi americana del '29 raccolse le inquietudini sociali e le simpatie populiste dell'avanguardia letteraria americana, esprimendo attraverso Richard Wright, Nelson Algren, Irving Shaw e tanti altri la denuncia violenta e spietata del conformismo sociale del tempo. E si è già visto come molti li abbiano riallacciati, con qualche fondamento, agli anarchici di origine dadaista-espressionista, che in America hanno il loro capo riconosciuto in Henry Miller, non per niente fondatore del centro intellettuale-anarchico di Big Sur in California.

In realtà simili accostamenti sono storicamente inesatti. Oltre a una rivolta di costume e a una protesta sociale, gli anarchici dadaisti, la generazione perduta e quella di protesta conducevano una battaglia piú intrinseca all'attività degli artisti: si sforzavano di imporre al pubblico la rivoluzione estetica iniziata al principio del secolo e ostacolata dalla borghesia conservatrice. Allo stesso modo gli artisti dell'800 avevano dovuto lottare per realizzare un programma estetico che si poteva svolgere soltanto al di fuori di una società limitata ed ottusa: le ubriacature di Baudelaire non erano di natura diversa da quelle di Hemingway, anche se i loro programmi letterari erano diversi. Entrambi sapevano con esattezza quello che volevano; entrambi violentemente antiborghesi, conducevano una battaglia senza quartiere per sopraffare il

9

conformismo del tempo e imporre il loro credo estetico ancora prima che il loro credo morale.

I giovani americani d'oggi invece non hanno battaglie da combattere, in sede estetica. La battaglia dell'arte moderna ha ormai vinto su tutti i fronti: coloro che non accettano (non dico capiscono od amano, ma proprio soltanto accettano) Pollock o Eliot o Hemingway e gli altri eroi della rivoluzione moderna americana, in America sono una tale minoranza che non mette piú conto prenderli in considerazione. Dalla fase stizzita della generazione che ha creduto nei vecchi idoli della rivoluzione intellettuale ed ha pagato di persona per divulgarli e farli accettare, trovandosi poi, quando gli idoli sono stati accettati, come antichi bardi sopravvissuti e sopraffatti da eruditi professori dotati di testi e di bibliografie, si è cosí passati ad una fase di silenzio in cui gli artisti non hanno neppure piú ragione di essere stizziti. Tacciono, in una drammatica afonia che il giovane William Katavolos ha definito poeticamente "il silenzio prima della tempesta".

In attesa della tempesta, si sono ripiegati su se stessi e hanno descritto il loro dramma: che non è tanto estetico, quanto morale. Se nel loro mestiere non hanno piú idoli misconosciuti da adorare, ma soltanto maestri illustri e applauditi da giudicare e criticare spesso acerbamente, anche piú sconcertati sono nelle comuni credenze quotidiane. Dalla cibernetica alla bomba atomica, dai missili nella luna alla procreazione artificiale, i giovani d'oggi hanno subíto una serie di violenze psicologiche che tendono tutte ad annullare l'importanza dell'individuo come essere umano nella realizzazione di programmi ultraterreni e ultraumani. I ragazzi che studiano la storia dell'uomo come dominatore della terra e le vicende delle sue gesta meravigliose nei secoli passati, non possono a meno di sorridere e di tirare un bilancio, nel quale quelle gesta meravigliose risultano poco piú che insignificanti e la terra con il suo dominatore risulta un paesino da presepio. Il concetto ortodosso del bene e del male non basta piú a spiegar loro una realtà cosí poco ortodossa, la fede politica, cosí facile causa di massacri e di sanguinose contraddizioni, non basta piú ad additar loro una scelta ideologica, il concetto convenzionale di moralità pubblica e privata, dimostrato inadeguato da scandali giornalistici che rivelano ininterrottamente tradimenti, corruzioni e scappatoie legali, non basta piú a indicar loro una condotta da seguire. E il conformismo livellatore e soffocante di una società di massa sempre piú anonima e impersonale li attanaglia e li soffoca inducendoli a un silenzio inquieto e risentito, carico di rancori e di complessi: un silenzio soprattutto da "incompresi".

Quando si guardano gli altri, i "compresi", ci si trova di fronte al gruppo di scrittori rinunciatari e imborghesiti che hanno deluso le nostre curiosità in questo dopoguerra. È di pochi anni fa la presa di posizione del quindicinale americano "*Life*" che, si noti, non si occupa quasi mai di letteratura: in una specie di articolo di fondo attaccò la letteratura "morbosa" di Faulkner auspicando nel romanzo di Sloan Wilson *L'uomo dal vestito grigio*[1] una ripresa di autentici valori morali e cosí via. Il romanzo è la storia di un reduce di guerra al quale un capitalista di vecchio stampo offre la possibilità di fare fortuna secondo le crudeli tradizioni antiche, che nella corsa al potere non lasciano spiragli per la vita affettiva, familiare o spirituale. Il giovane rifiuta questa possibiltà di successo e si limita e chiedere un aumento di stipendio e la pace della routine familiare tipica della borghesia contemporanea americana: due o tre bambini, frigorifero e lavatrice, una domestica a ore e saltuaria che si va a prendere a casa in macchina, provviste settimanali fatte insieme dai coniugi il sabato pomeriggio; al prossimo figlio, un altro piccolo aumento di stipendio. Il vecchio eroe del libro, che ha sacrificato alla costituzione e al trionfo della sua società l'affetto della moglie e della figlia, inorridisce di fronte all'atteggiamento del giovane e ironicamente gli offre un impiego che gli permetta di non dover neanche piú fare il *commuting*, di non andare neanche piú "in città" ogni giorno.

[1] Mondadori, 1957.

Gli scrittori come Wilson cantano il mondo grigio, uniforme e sommesso realizzato se non auspicato da una civiltà democratica di massa in cui tutti stanno "bene ma non troppo" e la cui saggezza consiste nel desiderare solo piccole mediocri cose facilmente raggiungibili. Cantano la mediocrità: proprio quello che ha gettato in una disperazione senza speranze i giovani della *beat generation* e li ha fatti chiudere in se stessi in un isolamento sempre piú drammatico e insofferente di tradizioni e falserighe sclerotizzate.

Questo quadro sconfortante non vale solo per i giovani artisti, ma comprende anche l'adolescenza diciamo cosí borghese. Come i giovani artisti ribollono sotto lo strato di ghiaccio della cultura conformista, cosí i giovani borghesi, in superficie apatici e indifferenti, sotto lo strato di ghiaccio del conformismo morale ribollono in segreto di passioni spesso morbose, che inducono per esempio ragazzi tredicenni al suicidio per una bocciatura o a scappare di casa per una sgridata.

Sono per lo piú ragazzi maturati troppo in fretta da un'esistenza sempre piú promiscua alla vita degli adulti, partecipi attraverso la televisione e i giornali illustrati degli stessi mezzi di informazione, superficiali e grossolani, di cui si servono gli adulti medi. In questo stato di parità non credono piú alle giustificazioni ed agli accomodamenti dei genitori per spiegare un mondo sempre meno legato alle leggi tradizionali e si cercano da sé, attraverso esperienze personali, una realtà autonoma e svincolata da convenzioni morali che ai loro occhi mascherano solo pregiudizi e luoghi comuni. A volte sono esperienze che fanno inorridire, come quella dell'adolescente che l'anno scorso ha pugnalato un compagno, dicendogli, nel vederlo morire: "Grazie, volevo soltanto sapere che cosa si prova" (un esempio di delinquenza minorile che ha ben poco a che fare con l'influenza esercitata dalla povertà o dall'ambiente o simili); sono sempre però esperienze che tendono a scrutare i recessi piú segreti della personalità: soltanto nella loro personalità certi ragazzi sperano di trovare una chiave morale con cui risolvere l'eterno problema del bene e del male. Costretti a vivere in una società anonima nella quale non riescono a credere, e pertanto ritengono incapace di rispondere alle loro domande, spesso la sfuggono creandosi una società autonoma, e vivono in piccole bande piú o meno segrete secondo un codice primordiale, basato sulla inviolabilità dell'amicizia e delle confidenze. A volte passano a stadi di violenza da teppisti, come fanno certi gruppi di motociclisti che forse alcuni avranno visti descritti in un film interpretato da Marlon Brando, a volte si riuniscono nei quartieri poveri e sfogano tra *teen-agers* (o adolescenti che siano) rancori imprecisi e imperiosi che si alleviano solo in gazzarre e disordini, fino a giungere ad atti di criminalità; ma sono casi limite, perché in generale le loro "società segrete" sono soprattutto bande anticollettivistiche che non vogliono compiere gesti di rivolta verso la società ma soltanto estraniarsene. Di solito la loro è una resistenza passiva alle influenze della società costituita; della droga e dell'alcool si servono nell'illusione di poter scoprire attraverso una esaltazione momentanea "il perché" di tutte le cose, e del jazz sono forse fanatici cultori per ragioni simili a quelle che ispiravano i selvaggi a cercare in ritmi violenti ed ossessivi un mezzo per liberarsi dall'angoscia di un mondo misterioso e spaventevole.

Nel vederli privi di interessi politici, schivi di attività sociali o comunitarie, sordi ai credo religiosi ortodossi, incapaci di seguire le norme morali dei coetanei "perbene", riesce facile agli adulti considerarli degli amorali, degli irresponsabili, dei viziosi e, fin troppo sovente con ragione, dei criminali. Quando Evan Hunter (lo scrittore balzato alla notorietà con una serie di inchieste sulla delinquenza minorile di cui romanzò i risultati in *Blackboard Jungle*, che alcuni ricorderanno come il famoso scandalo librario e cinematografico del '55) raccolse le sue indagini sulla vita segreta degli adolescenti, pubblicò un libro scandalistico e sensazionale: *Second Ending*. Era questa la storia allucinante di un gruppo di diciottenni, tutti figli di rispettabilissime famiglie, ma le cui normali occupazioni sono aborti, orge, iniezioni di eroina e simili. Accanto a questa vita segreta, i ragazzi svolgono la loro vita ufficiale in famiglia e all'Università e i genitori non sospettano che la loro figlia adolescente quando dice di andare al cinema vada in realtà ad iniettarsi di stupefacenti o quando dice di andare in campagna con un'amica vada in realtà ad abortire. Allo stesso modo le madri vittoriane non sospettavano le realtà svelate da Fitzgerald sulla supposta innocenza delle loro figliole adolescenti.

L'intento scandalistico del libro di Hunter è manifesto nel fatto che l'autore non tenta minimamente di spiegare che cosa muova questi ragazzi, che cosa li induca a una simile distruzione di se stessi. I ragazzi appaiono semplicemente come dei viziosi, dei sensuali, e appagano a fondo il ritratto senza speranza che gli adulti impazienti ed egocentrici si fanno di certi giovani, liquidandoli appunto come dei traviati o degli amorali o comunque degli irresponsabili. In realtà non è cosí facile definirli. Se si cerca di capirli attraverso i loro idoli ci si trova a dover esaminare soprattutto il poeta Dylan Thomas o il jazzista Charlie Parker o l'attore James Dean, tutti eroi di passioni violente e di morti tragiche. Di loro il piú popolare tra noi è James Dean, le cui gesta e la cui fine drammatica vennero trascurate da ben pochi rotocalchi: nel primo dopoguerra una pari idolatria aveva circondato Rodolfo Valentino, il piú bello, misterioso, e ricco degli uomini possibili; nel decennio successivo aveva circondato Clark Gable, per la sua forza e la sua virilità. Ma i due vecchi attori erano due ideali, rappresentavano il sogno in cui ogni uomo medio desiderava vedersi realizzato; James Dean non rappresenta un ideale ma un prototipo: è l'esatto ritratto di quello che gli adolescenti *sono*, non di quello che vogliono diventare.

Si badi che i suoi silenzi, le sue inquietudini, le sue diffidenze, le sue silenziose ironie, il senso di disperata solitudine e incomprensione che risulta dalle sue interpretazioni, e insieme la possibilità di esplodere in aperture improvvise capaci di rivelare di colpo segreti spirituali taciuti a lungo, non sono un'invenzione di Dean ma di una scuola di recitazione di New York. Decine e decine di giovinetti laconici e un po' torvi, capaci di far vibrare d'improvviso il pubblico con sbalorditive manifestazioni emotive, sono stati sfornati da quella scuola e il fatto che Dean abbia avuto tanto successo fra i giovani non è che una delle molte facce di una stessa medaglia.

Altri potrebbero riprendere il discorso e mostrare che il fenomeno Dean ha invaso anche l'Europa cosí come ha invaso l'Europa il fenomeno del *rock and roll* e quello delle "società segrete". Non c'è paese europeo e perfino asiatico che non abbia le sue bande di birbanti minorenni: gli illustri – nel loro campo – teddy boys dànno colore e movimento a Londra, i Taiyozoku (che pare voglia dire "ragazzi del sole") a Tokio, i Voyous e i Tricheurs a Parigi, gli Halbstarken o "mezze forze" in Germania, le "giacche di cuoio" in Svezia, gli Stilyagi o "selvaggi raffinati" a Mosca, gli "scippi" a Roma. Ma subito si dovrebbe notare che tali fenomeni hanno "attaccato", in Europa, soprattutto nei paesi di stampo collettivistico, come l'Inghilterra o la Scandinavia; e sono gli stessi paesi dove la delinquenza minorile dilaga in proporzioni sempre piú allarmanti. A Stoccolma, la città meno di tutte contaminata dalla piaga della guerra e delle sue conseguenze psicologiche e sociali, una notte di Capodanno cinquemila adolescenti si abbandonarono per tre ore al vandalismo piú irragionevole e ingiustificato distruggendo per pura esuberanza e necessità di sfogo la strada centrale della città.
Una recente indagine di sociologi austriaci sul contegno di certa adolescenza di Vienna, che passa direttamente dalla rispettabilità alle azioni criminose senza neppure indugiare attraverso lo stadio delle stramberie esibizionistiche in cui si sono specializzati certi ragazzi parigini, ha stabilito che questi precoci delinquenti cercano soprattutto di reagire al clima smorto, sbiadito, opaco della società di massa. Il livellamento del collettivismo, basato su un benessere uniforme e generale, pianifica la società in programmi impersonali nei quali l'individuo ha solo compiti associati, mai fine a se stessi. A questi compiti certi ragaz-

zi si sforzano con ogni mezzo di sottrarsi, perché li considerano noiosi e inutili: non credono negli scopi in base ai quali essi vengono prescritti; non credono nelle associazioni di massa, siano esse politiche o religiose. Il passo è facile per giungere a scambiare la vita associata con la vita ordinata e ribellarsi all'ordine costituito: cosí, secondo i sociologi viennesi, nascono le bande degli Halbstarken. Sono i ragazzi che non uccidono per lucro o le altre consuete ragioni, ma soltanto nell'illusione di affermare, di imporre (a se stessi prima che agli altri) il proprio individualismo e l'importanza della propria personalità. A volte non uccidono neanche: si limitano a gesti violenti e chiassosi, a furterelli senza importanza che consentono loro di sentirsi per un attimo "eroi del male" come certi personaggi dei film, ma soprattutto consentono loro di sentirsi eroi. Quasi tutti, al momento dell'arresto, si augurano una vasta pubblicità giornalistica. Sono i ragazzi piú sciocchi; alcuni invece sono veri e propri banditi in erba. Le statistiche dànno cifre sgradevoli: in America la delinquenza minorile è aumentata nel secondo dopoguerra del 45% rispetto all'anteguerra; a New York ci sono 500 bande, piú o meno segrete, di adolescenti di cui 110 sono "bande di guerra", a Boston ce ne sono 40, a Philadelphia 26, a Chicago 49: complessivamente accolgono il 3% dell'adolescenza americana (solo l'1%, però, appartiene a vere e proprie "bande di guerra"). In Giappone i 50.000 ragazzi arrestati nel 1936 sono diventati negli scorsi anni 450.000; i 15.000 del dopoguerra londinese sono diventati ora 40.000. Nella placida Svizzera l'8% all'anno dei processi è dedicato agli adolescenti; a New York il 14% (i ladri di automobili sono però per il 78% minorenni), a Londra il 25%. È significativo che i ragazzacci inglesi, o teddy boys, siano nati nella periferia di Londra come neoesteti: indossavano parodie degli abiti edoardiani degli ufficiali della guardia. Vennero subito perseguitati dalla stampa per la loro presa di posizione individualistica. Vestirsi in modo insolito è già una cosa pericolosa e sospettabile per una società conservatrice, conformista e collettivista; e presto i ragazzi si disgustarono piegandosi alla "uniforme'

16

parigina dei giovani di St.-Germain: giacconi di pelle, scarpe con la suola di gomma, calzoni scuri e aderenti, e, per le ragazze, maglioni sformati e capelli sempre piú corti.

Non potendosi manifestare *neppure* negli abiti, il loro individualismo cercò sfogo nella danza giunta dall'America, il *rock and roll*, nella quale, si badi, ciascuno deve *inventare* passi e gesti suoi personali. In un anno se ne vendettero in Inghilterra sessantacinque milioni di dischi. Tommy Steele, considerato l'Elvis Presley d'Inghilterra, da apprendista a poche sterline la settimana in un magazzino, giunse in pochi mesi a guadagnare quattromila sterline la settimana: qualcuno calcolò che la cifra corrisponde a uno stipendio venti volte maggiore a quello del primo Ministro. Dopo un anno Tommy Steele venne ricoverato per "esaurimento nervoso"; la tensione a cui si sottopongono questi cantanti improvvisati, ne ridusse alcuni in condizioni tali da cacciarli in scandali sufficienti a fare intervenire la forza pubblica. Anche questa danza rappresentava una pericolosa affermazione di individualismo: la società collettiva riuscí a sopprimerla.

Oggi anche i teddy boys a Londra si sono imborghesiti. Esistono ancora i discendenti di quelli veri: si riuniscono in piccole cantine-bar dove bevono caffè o acque sciroppate indefinibili, aspettano che qualcuno di passaggio introduca una moneta nel juke-box e ballano al ritmo del *rock and roll* una specie di danza alla quale solo la presenza dei vestiti impedisce di essere un coito. Ballano con ragazzine truccate fino al ridicolo, portano come una specie di distintivo lunghe basette possibilmente nere e parlano per lo piú greco o maltese. A volte si accoltellano per ragioni politiche, ma le loro risse sono presto soffocate perché davanti a ciascuna di queste cantine stazionano in permanenza due o tre poliziotti in uniforme. Davanti a costoro passano allucinati giovinetti ubriachi (a volte non tanto per il desiderio di ubriacarsi quanto perché si sono ingozzati di birra prima che alle ore 23 in punto ne venga sospesa la vendita) seguiti dai loro "bravi", anche loro imbasettati ma troppo indaffarati per perdere tempo a ballare.

Gli altri, quelli imborghesiti, piú che veri teddy boys sono poveri ragazzi che si riuniscono negli scantinati di qualche bar, messi a disposizione dai padroni compiacenti per la *jam session*: qualche giovane cantante professionista va lí a cantare gratis, e con un microfono scassato, la voce rauca e la faccia inondata di sudore canta finché il regolamento non impone la chiusura del locale. Il pubblico, costituito di ragazzi e ragazze tra i quali si mescolano bambine che sembrano parodie melanconiche di Brigitte Bardot o di altre eroine del cinema, non lesina ovazioni. I cantanti sono per lo piú imitatori di Tommy Steele o di Elvis Presley, dei quali copiano la pettinatura, gli abiti e gli atteggiamenti e si sforzano di copiare le possibilità magnetiche, per non dire le capacità canore.

Non ci sono poliziotti davanti a questi locali. La società non si preoccupa di questo genere di ragazzi perché sa di trovarsi di fronte a poveri diavoli in cerca di un passatempo poco costoso: sa di averli soggiogati. Ma per quanto la società reprima e sopprima, appartiene alla storia del mondo che i ragazzi non si lascino piegare. Il collettivismo è destinato a far presa sugli adulti, su gente già stanca e rassegnata, gente che non crede piú in se stessa e ha bisogno di appoggiarsi sull'aiuto degli altri. I ragazzi per lo piú hanno in sé tale energia e tale presunzione da riuscire a restar fedeli all'illusione di poter "sfondare": è stato cosí dalle origini del mondo e sono stati i pochi ragazzi capaci di conservare quell'energia e – forse – quella presunzione, a scriverne la storia. L'arte e le invenzioni non sono quasi mai nate da una società collettivista: anche se l'America sta cercando di dimostrare il contrario e con la sua predicazione del Team-work, del lavoro di gruppo, vuol far vedere come *soltanto* dalla comunità arte e invenzioni possano nascere.

È naturale che certa adolescenza non ci creda: gli adolescenti, quando tutto va bene, credono soltanto in se stessi. Il guaio degli adolescenti d'oggi, se ce n'è uno, è che sono scossi proprio nella loro fiducia in se stessi:

la rivoluzione scientifica, le rivoluzioni sociali e la rivoluzione estetica di questo secolo sono state tali da creare in loro una perplessità, uno sgomento, uno spavento, un *mal du siècle* anche piú drammatico di quello dei secoli scorsi. Piú che altrove gli adolescenti ne risentono in America; e in America nascono via via le varie "reazioni", le varie difese, le varie espressioni di un problema identico oggi a quello che si presentò alle origini del mondo: l'affermazione della propria personalità, la scoperta del Motivo di Tutte le Cose.
I ragazzi credono che il problema sia nuovo, ed hanno ragione di crederlo, perché per loro *è* nuovo e dovranno risolverlo ciascuno con mezzi propri; sono nevrastenici e melanconici, taciturni e torvi, presuntuosi e sardonici. Sono anche tanto ignoranti; ma il ribaltamento scientifico seguito alle scoperte di Einstein ha messo molti in una posizione di dubbio rispetto alla cosiddetta "cultura" dell'uomo tradizionale che si erige a loro giudice.

A questa dilagante massa di ragazzi reticenti e scontrosi, tristi e freddi, avidi d'affetto e in perpetua ricerca di una ragione d'essere, staccati senza speranza da "anziani" incomprensibili e che non li capiscono, aggrappati come ad una fede ad un ideale di vita intenso e libero da qualsiasi pregiudizio o sovrastruttura, appartengono gli scrittori della *beat generation*. I piú famosi, e considerati da loro stessi piú importanti, sono i poeti. Lo scorso anno è uscita una raccolta di versi che prende titolo dalla sua poesia piú significativa, *Howl*, di Allen Ginsberg, e può venir considerato il manifesto del giovane gruppo letterario. È una lunga descrizione della vita di questi desperadoes moderni, ed è stato trattato malissimo dalla critica conformista che lo ha accusato soprattutto di essere totalmente "negativo" e inutilmente osceno. È costituito da versi spogli e purissimi, appoggiati soprattutto sul ritmo, e, in un certo senso, popolari, secondo la tradizione conclusa in America da Carl Sandburg. Non sono versi fine a se stessi, non sono un prodotto dell'arte per l'arte: hanno veramente la funzione di un messaggio, di una difesa dello spirito umano di fronte a una civiltà intenta a distruggerlo. La violenza di cui li hanno accusati i critici è in realtà la violenza della società di massa che attanaglia la vita intellettuale americana.

Non c'è violenza nei propositi del protagonista del poema, ma nella società, nel costume, nel mondo che lo circonda. La poesia incomincia cosí: "Ho visto le piú belle menti della mia generazione distrutte dalla follia, affamate in una nudità isterica, – trascinarsi all'alba per le strade negre in cerca di droga rabbiosa, – ... con sogni, droghe, incubi del risveglio, alcool e balli a non finire, – ... fare settantadue ore di macchina per sentire se io o tu o lui avevamo avuto una visione che ci facesse conoscere l'Eternità, – ... sognare e fare spacchi viventi nel Tempo e nello Spazio mediante immagini giustapposte a cogliere i verbi originari e unire il sostantivo e il trattino della coscienza con la sensazione del Padre Onnipotente Eterno Iddio – per ricreare la sintassi e la misura della povera prosa umana – ...".

In questi versi opachi e disperati è veramente descritta la vita fisica e spirituale condotta da ragazzi troppo seri, se si vuole, ai quali si vorrebbe strappare di mano la marijuana e sostituirla con un pallone o una racchetta da tennis; ma che esistono in questo modo, in questa loro realtà tragicamente autentica. È una realtà tipica, che Ginsberg ha vissuto, oltre che individuato e interpretato; e nel cantarla ha creato il ritratto piú esatto ed efficace della sua generazione.

A loro volta, Lawrence Ferlinghetti e Kenneth Rexroth hanno tentato di creare un accostamento tra la loro poesia e il tipo di jazz che piú li entusiasma. In un locale di San Francisco, The Cellar, hanno letto i loro versi accompagnati da jazz improvvisato, e hanno avuto un tale successo da dover chiamare i pompieri per sgombrare la sala i cui settantacinque posti erano gremiti da oltre quattrocento persone. Abbiamo già accennato che Rexroth, con Duncan e Everson, è un esponente della scuola di San Francisco piú che della *beat generation*. Robert Duncan, un vero e proprio letterato, molto d'avanguardia, non ha tradito la sua origine surrealista. È tormentato dal problema della personalità: dal problema dell'io, dell'altro, dell'amore. Sono problemi filosofici più che poetici e anche più attaccato di lui a una posizione filosofica è William Everson, che dopo aver passato la guerra in un campo di concentramento per gli obbiettori di coscienza, è entrato nell'ordine domenicano. I suoi problemi si accentrano sulle responsabilità morali, sui rapporti tra il mondo, la carne e il diavolo.

Più vicino alla *beat generation* sembra invece Philip Lamantia, che scrive versi estatici e illuminati, considera l'arte un mezzo più che un fine e si rifiuta di pubblicarli: ritiene che abbiano compiuto la loro funzione nel momento in cui hanno dato qualche sollievo alle sue inquietudini. Appartiene invece, fino in fondo, al gruppo Gregory Corso, il più giovane di tutti coi suoi ventisei anni, e che pare già una specie di discepolo del caposcuola Ginsberg. Pubblica le sue poesie da Ferlinghetti, che oltre ad essere un esponente del movimento ne è anche l'editore, ed è diventato famoso per un poema semivisivo intitolato *Bomb*, che è ispirato naturalmente alla bomba atomica ed è una dolorosa denuncia della condizione umana, insidiata da minacce psicofisiologiche almeno altrettanto gravi che quelle fisiche della bomba atomica.

Non si creda però che questi scrittori provino per le recenti scoperte nucleari un interesse positivo. A parte la celebre frase di Ginsberg pronunciata non ricordo se alla televisione o in una intervista o addirittura scritta in una poesia rivolta all'America: "Andate a farvi f..., voi e la vostra bomba atomica", è tipica la volontà di questi scrittori di sottrarsi alle metodologie politiche tradizionali. È questo, forse, il più importante elemento connettivo che li lega con scrittori europei apparentemente simili a loro. Anche gli "Angry Young Men" inglesi, che fanno capo al commediografo John Osborne e al romanziere Kingsley Amis, non si stancano di proclamare il loro totale disprezzo sia per gli esperimenti nucleari che per certa politica. Amis ha esplicitamente affermato che gli intellettuali non sono costituiti come classe e quindi non hanno motivi "rispettabili" per occuparsi di politica. Quanto al gruppo francese che fa capo a Françoise Sagan, al pittore Bernard Buffet e al regista Roger Vadim, è inutile ricordare come non abbiano mai rivelato neppure un barlume di curiosità o di interesse politico ma, come vedremo, per ragioni diverse.

Naturalmente questi accostamenti sono molto vaghi, e solo un lungo discorso li potrebbe chiarire tanto diverse sono le origini e le cause del costruirsi di questi gruppi letterari. I "giovani arrabbiati inglesi", che ostentano tanto disprezzo per la politica sono nati proprio da un fatto politico: in fondo, sono nati dalla legge del governo laburista del '44, che apriva le porte delle università a tutti gli strati sociali, abolendo il monopolio dell'educazione che era rimasto fino allora nelle mani dell'alta borghesia. Gli "Angry Young Men" furono e sono i portavoce dei nuovi ricchi della cultura: i provinciali, i poveri, quelli che si accontentano di un posticino di insegnante o di bibliotecario in qualche angolo dell'isola e che si sentono "tagliati fuori" dagli antichi tenutari della cultura ufficiale, tuttora nelle mani dei laureati piú o meno aristocratici e dei direttori della radio e dei giornali. Costoro, e gli esponenti della cultura ufficiale, che gli inglesi definiscono "The Establishment", sono la facile – sempre piú facile, specialmente dopo il fiasco di Suez del '56 – mira delle polemiche e degli strali dei giovani letterati; i quali si riallacciano dunque alla tipica e tradizionale posizione del giovane artista, piú progressista che anarchico, contro il filisteismo borghese e culturale.

Si è già visto che non è questo il centro dell'interesse della *beat generation*. Si potrebbe dire che i giovani inglesi sono attivi, in quanto credono in qualcosa e si battono per ottenerla non diversamente da come gli artisti dell'Ottocento o della generazione perduta si sono battuti per realizzare i loro programmi; ma i giovani americani non hanno programmi da realizzare. In questo si potrebbe trovare una piú facile possibilità di accostamento coi giovani francesi ai quali si è accennato; ma nel gruppo della Sagan manca totalmente, oltre ad un interesse politico o polemico di qualsiasi genere, una base spirituale di appoggio che vada al di là di un atteggiamento assenteista e egocentrico troppo superficiale perfino per essere definito edonistico. I giovani francesi nascono dal nulla creato da Sartre: si muovono nel nulla, in una "nausea" che non è neanche piú disperazione: gli scrittori *beat* americani, invece, nascono da uno sgomento, da una perplessità, da uno spavento del nulla che hanno scoperto da sé e che si sforzano come possono di vincere. Che siano i portavoce dei delinquenti minorili, dei drogati e insomma della *beat generation* non toglie loro una fondamentale ingenuità, un primordiale ottimismo, una vaga fiducia sufficiente a giustificare pratiche pseudoreligiose tali da mostrare un loro residuo barlume di speranza.

È vero che si sono scelti i loro "maestri" tra i poeti maledetti, in una serie di vaga bravata contro i loro professori universitari: giurano nel nome di Poe e Baudelaire, di Rimbaud e Hart Crane; sono in una perpetua ricerca di poeti da "scoprire". Gregory Corso, mentre era in prigione, ha letto su una vecchia rivista di avanguardia una poesia di Edoardo Roditi, un eccentrico di formazione cosmopolita e raffinata della scorsa generazione, e, convinto che fosse morto, ne ha rivalutato la figura coi suoi compagni. Roditi, che oltre ad essere un poeta maledetto è un poliglotta ed un esteta, da bravo anarchico si è assai stupito del loro interesse: perché non riesce a condividere le ansie mistiche e spiritualistiche di giovani che il conformismo definisce ribelli e gli sembrano in realtà alla ricerca di un ordine, di un senso, di una ragione della vita.

È un fatto che la piú autentica caratteristica dei giovani *beat* americani e delle loro produzioni letterarie cosí spesso accusate di oscenità e immoralità consiste proprio nelle loro proposte e esperienze poetiche di carattere spirituale. Se una simile affermazione può sembrare strana, essa riesce piú comprensibile a chi legge la produzione in prosa (piú facilmente accostabile della poesia anche al lettore medio) uscita dalla penna, o meglio, dalla macchina da scrivere, dei romanzieri di questa generazione. Di questi il piú importante è senza dubbio Jack Kerouac. La storia di questo scrittore è tipica. Otto anni fa aveva pubblicato da bravo ragazzo un romanzo, accolto, come ho accennato, con favore dalla critica perbene e tale da introdurlo di colpo come una grande promessa negli ambienti letterari di New York. Presto, però, la tenaglia affaristico-mondana della metropoli si chiuse su di lui sino a farlo fuggire. Disse a Holmes: "Devo scegliere tra questa roba e i camions delle strade. Credo che sceglierò i camions, dove non dovrò spiegare niente e dove non c'è niente di spiegato, ma ci sono soltanto cose reali". Incominciò cosí un'esistenza nomade che gli consentí il contatto continuo con coetanei di ogni strato sociale e l'ininterrotta esperienza di una vita completamente svincolata da autorità o influenze di "anziani". In questi viaggi da vagabondo forsennato incontrò anche poeti e scrittori: poeti che si portano i manoscritti nello zaino, questuanti di autostop che scrivono romanzi folli. Sono gli autori della *beat generation*: scrivono in un linguaggio che non è registrato nelle grammatiche e non si può insegnare, un linguaggio di cui Norman Mailer ha detto: "Se non si conoscono le esperienze di esaltazione e di esaurimento che esso è destinato a descrivere, questo linguaggio speciale non può sembrare che scaltro o volgare o irritante". Holmes ha aggiunto con ragione che lo stesso avviene per la loro vita: se non si capisce quello che hanno in mente non si può capire neanche il loro modo di agire.

Il loro modo di agire è un riflesso delle inquietudini da adolescenti di cui si è parlato prima. I tipici personaggi di questo romanzo tipico compiono, uno dietro l'altro, tutti i gesti che i genitori darebbero la vita per non veder compiere ai loro figli. Vivono come vagabondi, si ubriacano di acool e di droga, passano da un'automobile all'altra schiacciando l'acceleratore fino a bucarsi le suole delle scarpe e sfogano la loro energia, la loro avidità di vita, la loro ansia, in un'intensità spesso apparentemente senza ragione. È tipico questo dialogo: "Dobbiamo andare e non fermarci finché non siamo arrivati". "Dove andiamo?" "Non lo so, ma dobbiamo andare."

Era inevitabile che ai critici superficiali questa corsa affannosa verso una meta cosí poco definibile sembrasse una fuga; ma è chiaro che in realtà essa è soltanto una ricerca. Si è detto che il dramma piú disperato della *beat generation* è quello di trovare una realtà trascendente in cui poter credere, tale da soppiantare la realtà terrena ormai superata dalla scienza moderna e in cui non possono credere piú. Questi drogati, questi alcoolizzati, questi edonisti, sono forse dei mistici che lottano contro le spiegazioni offerte loro dagli adulti e inadeguate a colmare lo spacco tra il mondo di ieri e il mondo di domani, per trovare una giustificazione alla loro vita di uomini e una ragione alla loro capacità intellettuale.

È il loro misticismo a creare la grande differenza tra la *beat* e la *lost generation*. Gli scrittori del primo dopoguerra erano scrittori di denuncia e di violenza; gli scrittori di questo dopoguerra nati in un mondo ormai denunciato, condannato a morte e in procinto di essere giustiziato magari dagli abitanti della luna, cercano di ricostruire i pezzi di una realtà frantumata: forse non ci riusciranno, certo non ci sono ancora riusciti, ma questa è la loro ragione di essere. Mentre i campioni della generazione perduta svelavano alle madri inorridite che spesso le cosiddette fanciulle al momento del matrimonio avevano già avuto esperienze sessuali piú cospicue di quelle materne, i campioni della *beat generation* rivelano gli aspetti piú segreti della misteriosa vita di adolescenti sempre piú lontani, sempre piú sconosciuti ai genitori. Proprio dalla violenza con cui in passato si è cercato invano di ristabilire un equilibrio morale è nato questo gruppo di scrittori che non crede piú nella violenza e quindi in una rivolta attiva e aggressiva: crede nel silenzio e crede in una specie di segreta rinascita della personalità umana. Per un mondo non creato né voluto da loro non provano odio, né indugiano a lamentarsi di essercisi trovati. Lo considerano un caos morale, una causa inesorabile di distruzione dei valori intellettuali e si raccolgono in gruppi di iniziati per isolarsi da quelli che "non capiscono" e frugare la realtà in cerca di una fede, di qualcosa in cui credere, di un bandolo in questa intricata, inestricabile matassa che è la vita moderna.

È ovvio che il loro punto di partenza sia il rifiuto di tutte le norme e di tutti i valori morali ortodossi o convenzionali. Non possono a meno di fare una totale tabula rasa; e di lí sprigionano quel tanto di individualità che sono riusciti a salvare dalla pressione esercitata su di loro dal crescente automatismo americano, per trovare gli elementi primordiali di una vita ormai soffocata da schemi e sovrastrutture. Per questo hanno bisogno di stimolare la loro individualità con ogni mezzo, anche con mezzi artificiali come l'alcool o la droga, e per questo credono solo negli estremi, negli eccessi. La violenza che esercitano su se stessi per svincolarsi da un impianto morale estraneo e rinnegato, non ha niente a che fare con una rivolta contro la società: non cercano adepti, cercano solo di distruggere in se stessi quanto vi rimane di immesso da "gli altri".

I mezzi di cui si servono sono sempre mezzi che valgono a svincolare la personalità: la droga che sgancia il cervello dalle leggi morali o intellettuali, il jazz che originariamente era inteso come improvvisazione ed espressione di una libertà interiore e segreta, la velocità folle o la totale inazione, l'anarchia o la vita monastica. Sono mezzi estremi, e i giovani scrittori sanno che ne verranno condotti alla follia per alcoolismo, alla prigione per uso di stupefacenti, alla morte in un incidente d'automobile; ma preferiscono correre il rischio piuttosto che affrontare una vita collettiva comunitaria che per loro è passiva e rinunciataria, è un baratro senza senso e senza valore.

La ricerca disperata e ininterrotta di un nuovo valore morale, di una nuova ragione del mondo, di una nuova spiegazione della vita, fa dunque di loro una tormentata generazione di mistici e di filosofi; alcuni sono cattolici, alcuni buddisti, tutti credono in Dio, nella vita, nella personalità umana, anche se a volte possono riuscire sconcertanti come Kerouac quando rispose al giornalista che gli chiedeva a chi si rivolgesse nelle sue preghiere: "Prego il mio fratellino morto, mio padre,

Budda, Gesú Cristo, e la Vergine Maria", soggiungendo poi: "Prego queste cinque persone".

Ma per sconcertanti che siano, rivelano che droga e alcool, promiscuità sessuale ed esaltazione musicale, sono per loro solo mezzi per riscoprire un'identità smarrita in un secolo ben piú sconcertante di loro. L'identità che essi cercano è un'identità basata sulla fede, qualunque sia questa fede; il mezzo per raggiungere la fede è la realizzazione della personalità individuale. Nati da una delusione sociale, questi giovani respingono la massa e la società per affidarsi a se stessi e per trovare in se stessi una traccia di valori trascendenti che possano guidarli nel viaggio sempre piú breve, futile, tempestoso della vita. In una recente intervista alla televisione, alla domanda: "Si è detto che la *beat generation* è una generazione alla ricerca di qualcosa. Che cosa state cercando?" Kerouac rispose: "Dio. Voglio che Dio mi mostri il suo volto".

La posizione diciamo cosí religiosa di Kerouac risulta anche piú evidente dal suo ultimo romanzo: *The Dharma Bums*. Per la prima volta egli vi fa una dichiarazione aperta di buddismo Zen: sicché la ricerca della verità che ha tanto incuriosito pubblico e lettori nei libri precedenti, assume un significato preciso. Il buddismo di Kerouac non è ortodosso: esce da una variante giapponese del buddismo indiano, che in America è stato di gran moda, tempo fa, fra i miliardari annoiati e gli intellettuali di punta; da anni vedove ingioiellate ed artisti scamiciati si alternano con fanatica convinzione nelle celle di un certo convento del Giappone, l'unico rifugio, secondo loro, dove si possa meditare e contemplare veramente in pace. Rimbalzata negli scrittori della *beat generation*, questa meditazione si svolge altrettanto proficuamente nei paesaggi e negli ambienti che costituiscono la loro vita: treni merci e pullman, ritrovi fumosi e montagne o spiagge solitarie; con una contraddizione tipica, che immettendo la contemplazione nel trambusto della vita nomade dà al loro strano buddismo un nuovo colore e in fondo testimonia l'autenticità delle loro ansie. (Il protagonista dice: "Al diavolo, il mio buddismo è attività".)

È chiaro che per loro la contemplazione buddista, la ricerca della Verità, è solo un mezzo per estraniarsi dal mondo circostante in un supremo tentativo di realizzare se stessi e di affermare la propria personalità minacciata da un Iato dal collettivismo della vita moderna e dall'altro dalla insistente marcia della scienza verso forme che danno sempre meno importanza alla figura dell'uomo come "persona". La contemplazione è un'esaltazione come un'altra: e si è visto che questi "mistici" sono attratti soprattutto dalle forme religiose che consentono un violento distacco dalla realtà terrena (non per niente i cattolici del gruppo sono devoti soprattutto a Santa Teresa e cercano di riviverne le estasi e le visioni). In fondo non fanno differenza tra l'esaltazione religiosa e quella alcoolica: a loro importa solo di sentirsi "liberi", di assicurarsi cioè un barlume di indipendenza e di realtà individuale in un mondo che li sospinge sempre più verso un determinismo odioso e inaccettabile. Il protagonista dice: "Ricordati il libro del tè: Il primo sorso è gioia, il secondo letizia, il terzo serenità, il quarto follia, il quinto estasi".

È chiaro dunque che, mistici o anarchici, il loro problema è di carattere morale prima che estetico. In questo si riallacciano ad una tradizione pragmatista tipicamente americana; ma anche se il loro intento estetico non ha ancora assunto lineamenti precisi, è facile intuire che da questa ricerca di un valore morale originario e intatto debbano passare alla scoperta di mezzi espressivi altrettanto primordiali e immediati. Al loro linguaggio si è accennato e si è visto che lo ha studiato uno scrittore giovanissimo (e quindi capace di capirlo) come Mailer: è un linguaggio da iniziati, con parole quasi simboliche ricorrenti come ritornelli, e investite sempre di significati allusivi e plurivalenti. A volte sono parole oscene usate con strana intensità, come se nel nominare un organo genitale si celebrasse o si investisse l'intero rito sessuale (si ricordino certi passi di Eliot inspiegabili se non in termini di fecondità o di riproduzione); e a volte sono parole di uno slang vecchio ma di significato rinnovato e veramente incomprensibile per chi non conosce il codice cifrato della loro vita. La chiave piú facile, per ora, per capirli, è quella dell'intensità applicata a parole primordiali: fame, sete, padre, madre, figlio, amore; ed altre che non posso ripetere perché sono troppo vecchia per appartenere alla *beat generation*. È la stessa intensità con cui i musicisti insistono su una nota (non su un tema) o i pittori su un segno (non su un colore); e certo è nell'intensità a volte martellante di certe ripetizioni, col seguito di immagini spesso ossessive che esse recano con sé, che va ricercata la loro caratteristica formale piú evidente. Le loro ripetizioni non si basano sull'importanza delle parole in sé, scoperta da Gertrude Stein e, attraverso le esperienze di Sherwood Anderson, giunta con Hemingway alla realizzazione piú completa. Le parole non li interessano come suono o come concetto o come immagine, ma per la possibilità in esse implicita di risuscitare gesti, situazioni, stati d'animo primordiali, slegati dalle sovrastrutture della società: per esempio i vincoli di sangue, o gli impulsi fisici, o le emozioni allo stato puro. È un sogno letterario che può ricordare il sogno di vita dei giovani esistenzialisti parigini del nostro dopoguerra: naturalmente quelli veri, che vivevano di bacche e di erbe nei boschi di Saint-Tropez, non quelli turistici che si aggiravano per Saint-Germain con le borse di studio americane. Ma i giovani francesi si basavano su una filosofia precisa e volevano soprattutto realizzarla nella vita; questi ragazzi americani, che vanno comunque riallacciati a Kierkegaard assai piú che a Sartre, hanno già superato lo stadio del costume e stanno realizzando in scrittura le loro esperienze.

Se questo risulta chiarissimo in *On the Road*, il romanzo successivo di Kerouac, *The Dharma Bums*, sembra offrircene una chiave inaspettata. A un certo punto il protagonista legge con un amico un testo cinese e insieme si sforzano di tradurlo; l'uno propone all'altro di tradurlo alla lettera, una parola per ogni segno, per esempio: Salendo sentiero montagna fredda (invece di: Salendo per il sentiero della montagna fredda), in modo da valorizzare ogni concetto fino a condurre le singole parole a una tensione, a una vibrazione quasi simbolica ed eliminare ogni elemento del discorso che non sia indispensabile e disturbi quindi l'importanza del pensiero. Quando ho parlato di una nuova intensità applicata a parole primordiali, mi riferivo a un ritorno, comune a tutte le arti, verso forme originarie e pure; questo dialogo conferma che, consapevole o no, Kerouac tende verso una scarnificazione del linguaggio, tanto piú importante in lui che ha da smaltire una chiara origine lirica e una certa verbosità alla Thomas Wolfe.

Ricerca di mezzi espressivi primordiali, ricerca di intensità di linguaggio, ricerca di valori morali originari: tutte le strade, per questi giovani scrittori, riconducono a uno stesso problema di ripiegamento su se stessi per liberarsi dalle pressioni del mondo contemporaneo. Per questo si può credere nel loro avvenire. I filistei e gli ottusi della nuova generazione, non c'è niente da fare, saranno i critici e i borghesi della generazione nostra; e sarà poco male, se la nuova generazione scriverà una pagina nella storia della letteratura.

Fernanda Pivano

Ottobre 1958

Sulla strada

Parte prima

1

La prima volta che incontrai Dean fu poco tempo dopo
che mia moglie e io ci separammo. Avevo appena superato una seria malattia della quale non mi prenderò la
briga di parlare, sennonché ebbe qualcosa a che fare con
la triste e penosa rottura e con la sensazione da parte
mia che tutto fosse morto. Con l'arrivo di Dean Moriarty
ebbe inizio quella parte della mia vita che si potrebbe
chiamare la mia vita lungo la strada. Prima di allora avevo spesso sognato di andare nel West per vedere il continente, sempre facendo piani vaghi e senza mai partire.
Dean è il tipo perfetto per un viaggio perché nacque letteralmente per la strada, quando i suoi genitori passarono da Salt Lake City, nel 1926, in un vecchio macinino,
diretti a Los Angeles. Le prime notizie su di lui mi furono date da Chad King, che mi aveva fatto vedere alcune
sue lettere scritte in un riformatorio del New Mexico.
M'interessai enormemente a quelle lettere perché chiedevano a Chad in modo cosí ingenuo e dolce di inse-
gnarli ogni cosa su Nietzsche e tutti i meravigliosi argo-
menti intellettuali che Chad conosceva. A un certo punto
Carlo e io parlammo delle lettere e ci chiedemmo se
avremmo mai conosciuto quello strano Dean Moriarty.
Tutto ciò accadeva molto tempo fa, quando Dean non
era quello che è oggi, ma solo un giovane carcerato avvolto di mistero. Poi arrivò la notizia che Dean era uscito dal riformatorio e stava venendo a New York per la
prima volta; si diceva anche che avesse appena sposato
una ragazza di nome Marylou.
Un giorno stavo bighellonando per la Città Universitaria
e Chad e Tim Gray mi dissero che Dean abitava in un
appartamento senza acqua calda corrente nell'East Har-

lem, la Harlem spagnola. Dean era arrivato a New York la notte precedente per la prima volta, con Marylou, la sua bella e vivace pollastrella; erano scesi dall'autobus della Greyhound nella 50ma Strada, e avevano girato l'angolo in cerca di un posto per mangiare ed erano entrati difilato da Hector, e da allora in poi la rosticceria di Hector era sempre stata per Dean un grande simbolo di New York. Avevano speso parecchi soldi in grossi bellissimi dolci con la ghiaccia e in bombe alla crema.

Tutto questo tempo Dean andava dicendo a Marylou cose del genere: "Dunque, tesoro, eccoci qua a New York e anche se non ti ho detto proprio tutto quello che avevo in mente quando attraversammo il Missouri e specialmente nel momento in cui siamo passati davanti al riformatorio di Booneville che mi ricordava il mio problema carcerario, ora è assolutamente necessario posporre tutte quelle cose sorpassate concernenti i nostri personali affari amorosi e cominciare immediatamente a pensare a specifici progetti di vita lavorativa..." e cosí via nel modo che gli era solito in quei primi tempi.

Andai con i ragazzi all'appartamento senza acqua calda, e Dean si fece sulla porta in mutande. Marylou stava balzando giú dal divano; Dean aveva spedito in cucina l'altro inquilino dell'appartamento, probabilmente a fare il caffè, mentre lui si dedicava ai suoi problemi amorosi, poiché per lui il sesso era l'unica e sola e sacrosanta e importante cosa nella vita, quantunque gli toccasse sudare e imprecare per sbarcare il lunario e tutto il resto. Lo si poteva capire da come si metteva in piedi dondolando la testa, guardando sempre in basso, approvando col capo, come un giovane pugile che ascolti le istruzioni, per farti capire che stava a sentire ogni tua parola, buttando là un migliaio di "Sí" e "Va bene". La prima impressione che mi fece Dean fu quella di un giovane Gene Autry — armonioso, snello di fianchi, con gli occhi azzurri, e uno spiccato accento dell'Oklahoma — un eroe con le basette nel nevoso West. Effettivamente, tempo avanti aveva lavorato in un ranch, quello di Ed Wall nel Colorado, prima di sposare Marylou e di venire nell'Est. Marylou era una graziosa biondina con un'infinità di ricci come un mare di chiome dorate; sedeva là sull'orlo del divano con le mani abbandonate in grembo e i fumosi occhi blu da provinciale sbarrati in uno sguardo fisso, per il fatto che si trovava in una squallida catapecchia grigia di New York della quale aveva sentito parlare giú nel West, e aspettava, come un'emaciata longilinea donna surrealista di Modigliani in una camera rispettabile. Però, oltre ad essere una piccola dolce ragazza, era paurosamente stupida e capace di fare orribili cose. Quella notte bevemmo tutti della birra e ci sfidammo al braccio di ferro e chiacchierammo fino all'alba, e al mattino, mentre sedevamo in cerchio fumando in silenzio le cicche raccolte dai portacenere nella luce grigia di una malinconica giornata, Dean si alzò nervosamente, camminò avanti e indietro, cogitabondo, e decise che l'unica cosa da fare era che Marylou preparasse la colazione e scopasse il pavimento. « In altre parole dobbiamo buttarci nella mischia, tesoro, come dicevo, altrimenti ci saranno fluttuazioni e mancanza di vera conoscenza o cristallizzazione dei nostri progetti. » Allora me ne andai.

Durante la settimana seguente egli confidò a Chad King che era assolutamente necessario che lui gl'insegnasse a scrivere; Chad disse che io ero scrittore e che avrebbe dovuto venire da me per dei consigli. Nel frattempo Dean aveva trovato lavoro in un parcheggio, aveva litigato con Marylou nel loro appartamento a Hoboken – Dio sa perché c'erano andati – e lei era talmente arrabbiata e cosí profondamente invasa dal desiderio di vendetta che aveva riferito alla polizia certe accuse false inventate isteriche e pazze, e Dean aveva dovuto battersela da Hoboken. Cosí non sapeva dove abitare. Se ne venne dritto a Paterson, nel New Jersey, dove abitavo con mia zia, e una sera, mentre stavo studiando, sentii bussare alla porta, ed era Dean, che s'inchinava, strisciando ossequiosamente i piedi nel buio dell'ingresso, e diceva: « Salve, ti ricordi di me... Dean Moriarty? Sono venuto a chiederti di farmi vedere come si scrive ».

« E dov'è Marylou? » chiesi, e Dean disse che a quanto pareva aveva messo insieme qualche dollaro prostituendosi ed era tornata a Denver – la sgualdrina! Cosí uscimmo per bere qualche birra perché non potevamo parlare come volevamo di fronte a mia zia, che sedeva nel soggiorno leggendo il giornale. Essa diede a Dean una sola occhiata e decise che era un pazzo.

Nel bar dissi a Dean: «Diavolo, amico, so benissimo che non sei venuto da me solo per il desiderio di diventare scrittore, e dopo tutto, che ne so io in proposito? So solo che devi darci dentro con l'energia di uno dedito alla benzedrina». E lui disse: «Sí, certo, capisco benissimo quel che vuoi dire e infatti mi si sono affacciati tutti questi problemi, ma ciò che voglio è la realizzazione di quei fattori che, se si dovesse dipendere dalla dicotomia di Schopenhauer per qualsiasi intimamente realizzato...» e cosí via in questa maniera, cosa che io non capivo neanche un poco e che non capiva nemmeno lui. In quei giorni non sapeva proprio di che stesse parlando; voglio dire, era un giovane avanzo di galera tutto preso dalle meravigliose possibilità di diventare un vero intellettuale, e gli piaceva parlare con quel tono e far uso di quelle parole ma in modo confuso, come le aveva sentite da "veri intellettuali" – quantunque, badate bene, in tutte le altre cose non fosse altrettanto ingenuo, e gli ci vollero solo pochi mesi con Carlo Marx per essere completamente *addentro* con tutti i termini e il gergo dell'ambiente. Ciò nonostante noi due ci capivamo su altri piani di pazzia, e io acconsentii a farlo stare a casa mia finché non avesse trovato un lavoro e inoltre ci mettemmo d'accordo per andare nel West, una volta o l'altra. Era l'inverno del 1947.

Una sera che Dean cenò a casa mia – aveva già ottenuto il lavoro nel parcheggio a New York – si chinò sulla mia spalla mentre stavo battendo rapidamente a macchina e disse: «Andiamo, amico, quelle ragazze si stuferanno di aspettare, sbrígati».

Risposi: «Fermati un minuto solo, sarò con te appena ho finito questo capitolo», ed era uno dei migliori capitoli del libro. Poi mi vestìi e via filammo verso New York per incontrare certe ragazze. Mentre viaggiavamo nell'autobus, dentro l'arcano vuoto fosforescente del Lincoln Tunnel, ci sostenevamo l'uno con l'altro agitando le dita e gridavamo e chiacchieravamo eccitati, e io stavo cominciando a montarmi come Dean. Questi era semplicemente un ragazzo tremendamente eccitato di vita, e quantunque fosse un imbroglione, lo era solo perché cosí intensamente voleva vivere ed entrare in rapporto con persone che altrimenti non gli avrebbero assolutamente dato retta. Mi imbrogliava e io lo sapevo (per il vitto e l'alloggio e il "come imparare a scrivere", ecc.) e lui sapeva che io sapevo (questa è stata la base dei nostri rapporti), ma me ne infischiavo e andavamo ottimamente d'accordo: niente dispetti, niente smancerie; ci giravamo intorno in punta di piedi come nuovi patetici amici. Cominciai ad imparare da lui almeno quanto probabilmente lui imparava da me. Per quel che riguardava il mio lavoro diceva: "Va' avanti, tutto quel che fai è grande". Stava a guardare sopra la mia spalla mentre scrivevo i miei racconti, urlando: "Sí! Cosí va bene! Uh! Che uomo!" e "Puah!" e si asciugava la faccia col fazzoletto. "Caro mio, uh, ci sono tante di quelle cose da fare, tante di quelle cose da scrivere! Come si fa solo a *cominciare* a metterle giú tutte e senza modificate restrizioni e tutte costrette come da inibizioni letterarie e terrori grammaticali..."

"Proprio cosí, amico, adesso sí che parli bene." E vedevo lampeggiare una specie di sacra luce dalla sua eccitazione e dalle sue visioni, ch'egli descriveva in modo talmente torrenziale che la gente negli autobus si girava per vedere quel "cretino sovreccitato". Nel West aveva passato un terzo del suo tempo in una sala da biliardo, un terzo in carcere, e un terzo nella biblioteca pubblica. L'avevano visto correre di furia lungo le strade, d'inverno, a capo scoperto, portandosi i libri nella sala da biliardo, o arrampicarsi sugli alberi per raggiungere la soffitta di un compagno dove passava giornate intere a leggere o a nascondersi alla polizia.

Andammo a New York – non ricordo com'eravamo combinati, due ragazze di colore – ma lí non c'era nessuna ragazza; avevano appuntamento con lui in un ristorante, ma non si fecero vedere. Andammo al parcheggio dove lui aveva alcune cose da fare: cambiarsi d'abito nella baracca sul retro e agghindarsi un tantino davanti a uno specchio rotto e cosí via, e poi partimmo. E fu quella sera che Dean incontrò Carlo Marx. Quando Dean conobbe Carlo Marx successe qualcosa di formidabile. Due menti acute come quelle, si attaccarono l'una all'altra in un batter d'occhio. Due pupille penetranti guardarono dentro a due penetranti pupille: il serafico imbroglione dalla mente brillante, e il dolente imbroglione poetico dalla mente oscurata che è Carlo Marx. Da quel momento in poi vidi Dean assai di rado, e mi dispiacque anche un po'. Le loro energie si incontrarono a testa bassa, io al confronto era un pagliaccio, non potevo tener loro dietro. Tutto quel pazzo sconvolgimento di ogni cosa che stava per verificarsi ebbe inizio allora; avrebbe travolto tutti i miei amici e tutto quel che m'era rimasto della mia famiglia in una grossa nube di polvere sopra la Notte d'America. Carlo gli raccontò del vecchio Bull Lee, di Elmer Hassel, di Jane: Lee che coltivava tabacco nel Texas, Hassel nell'isola di Riker, Jane che vagava per Time Square in preda ad allucinazioni da benzedrina, con la sua piccola in braccio, e andava a finire al Bellevue. E Dean raccontò a Carlo di gente sconosciuta nel West come Tommy Snark, lo storpio stranamente angelico, campione di biliardo e giocatore di carte di mestiere. Gli raccontò di Roy Johnson, di Ed Dunkel il Grosso, dei suoi compagni di infanzia, dei suoi compagni di strada, delle innumerevoli ragazze e orge e film pornografici, dei suoi eroi, eroine, avventure. Correvano insieme per le strade, assorbendo tutto in quella primitiva maniera che avevano, e che piú tardi diventò tanto piú triste e ricettiva e vuota. Ma allora danzavano lungo le strade leggeri come piume, e io arrancavo loro appresso come ho fatto tutta la mia vita con la gente che m'interessa, perché per me l'unica gente possibile sono i pazzi, quelli che sono pazzi di vita, pazzi per parlare, pazzi per essere salvati, vogliosi di ogni cosa allo stesso tempo, quelli che mai sbadigliano o dicono un luogo comune, ma bruciano, bruciano, bruciano come favolosi fuochi artificiali color giallo che esplodono come ragni traverso le stelle e nel mezzo si vede la luce azzurra dello scoppio centrale e tutti fanno "Ooohhh!". Come chiamavano i giovani di questo genere nella Germania di Goethe? Intensamente desideroso d'imparare a scrivere come Carlo, fin dal primo momento Dean l'aveva investito con una grande anima amorosa quale solo un truffatore di professione può avere. "Su, Carlo, lascia*mi* parlare... ecco cosa *intendo* dire..." Non li vedi per circa due settimane, durante le quali essi rinsaldarono i loro rapporti che raggiunsero diaboliche proporzioni di chiacchierate che duravano tutto il giorno e tutta la notte.

Poi venne la primavera, l'epoca dei viaggi per eccellenza, e tutti nella compagnia dispersa si prepararono a fare questo o quel viaggio. Io mi affannavo a lavorare al mio romanzo e quando arrivai a metà, dopo un viaggio nel Sud con mia zia per far visita a mio fratello Rocco, mi preparai ad andare nel West per la primissima volta.

Dean era già partito. Carlo e io l'avevamo accompagnato alla partenza alla stazione della Greyhound nella 34ma Strada. Di sopra c'era un posto dove si potevano fare le fotografie per un quarto di dollaro. Carlo si levò gli occhiali e prese un aspetto sinistro. Dean si lasciò ritrarre di profilo, guardandosi timidamente in giro. Io mi feci una foto di faccia che mi faceva sembrare un italiano trentenne pronto a uccidere chiunque avesse detto qualcosa contro sua madre. Quella foto, Carlo e Dean la tagliarono esattamente nel mezzo con un rasoio e ne conservarono una metà ciascuno nel portafogli. Dean indossava un autentico completo da pomeriggio alla moda occidentale per il suo grande viaggio di ritorno a Denver; il suo primo tentativo a New York era finito. Dico tentativo, però lui non aveva fatto altro che lavorare nei parcheggi come un cane. Il piú fantastico custode di posteggi al mondo, capace di far fare marcia indietro a una macchina a settanta chilometri l'ora in una strettoia inverosimile fermandosi al muro, balzare fuori, correre in mezzo ai parafanghi, saltare su un'altra macchina, farla girare in tondo a ottanta chilometri l'ora in uno spazio ristretto, indietreggiare di volata in un posticino invisibile, *vamm*, bloccare la macchina col freno a mano cosí che si poteva vederla rimbalzare mentre lui schizzava fuori; poi sparire nel gabbiotto dei biglietti, scattando come un asso del podismo, porgere un biglietto, saltare dentro a una macchina sopraggiunta prima che il proprietario ne fosse completamente uscito, scivolargli letteralmente di sotto mentre quello sta uscendo, avviare la macchina con lo sportello aperto che sbatte e partire rombando verso il punto libero piú vicino, una giravolta, infilarcisi rapido, frenare, fuori, via; e cosí senza soste otto ore ogni notte, nelle ore di punta serali e in quelle dopo il teatro, in pantaloni bisunti color vino e con una sdrucita giacchetta orlata di pelo e logore scarpe ciabattanti. Adesso per tornare a casa s'era comprato un abito nuovo: blu a strisce color piombo, giacca e tutto: undici dollari nella Terza Avenue, con orologio e la catena per l'orologio, e una macchina per scrivere portatile con la quale si proponeva di incominciare a scrivere in una casa d'affitto a Denver appena avesse trovato un lavoro laggiú. Facemmo una cena d'addio a base di salsicce e fagioli da Riker nella Settima Avenue, e poi Dean salí sull'autobus sul quale stava scritto Chicago e sparí rombando nella notte. Cosí se ne andò il nostro eroe. Io mi ripromisi di avviarmi nella stessa direzione quando la primavera fosse sbocciata sul serio e avesse schiuso la terra.

E fu cosí, veramente, che ebbe inizio tutta la mia esperienza della strada, e le cose che stavano per capitare sono troppo fantastiche per non raccontarle.

Sí, e non era solo perché fossi uno scrittore e avessi bisogno di esperienze nuove che volevo conoscere Dean piú a fondo, né perché la mia vita di bighellonaggio nei giardini dell'Università avesse raggiunto il completamento del suo ciclo e fosse divenuta inutile ma perché, in certo modo, nonstante la diversità dei nostri temperamenti, egli mi appariva come un fratello da lungo tempo perduto; la vista della sua sofferente faccia ossuta con le lunghe basette e quel suo collo dai muscoli tesi, sempre sudato, mi facevano ricordare la mia infanzia fra gli scarichi di tintura e le pozze d'acqua e le rive lungo il fiume a Paterson e a Passaic. I suoi sudici abiti da lavoro gli si adattavano addosso con tanta grazia, come se non si potesse comprare un abbigliamento migliore ordinandolo su misura a un

40

sarto, ma solo guadagnarselo dal Naturale Sarto della Naturale Gioia, come aveva fatto Dean, date le sue precarie condizioni. E nel suo modo eccitato di esprimersi io sentivo di nuovo le voci dei vecchi compagni e fratelli sotto il ponte, in mezzo alle motociclette, lungo i panni stesi dei vicini davanti alle soglie sonnolente nel pomeriggio dove i ragazzi suonavano la chitarra, mentre i fratelli maggiori lavoravano nelle fabbriche. Tutti gli altri miei amici abituali erano degli "intellettuali" – Chald l'antropologo nietzschiano, Carlo Marx col suo serio fissato sproloquiare surrealista a bassa voce, il vecchio Bull Lee e le sue tirate critiche contro tutto – oppure erano criminali precoci come Elmer Hassel, con quel suo ghigno vissuto; lo stesso era Jane Lee, stesa sulla fodera orientaleggiante del suo divano, col naso dentro al *New Yorker*. L'intelligenza di Dean invece era in ogni sua parte altrettanto formale e luminosa e completa, ma priva di noioso intellettualismo. E la sua "criminalità" non era qualcosa di risentito e beffardo; era uno scoppio sfrenato pieno di assensi di americana gioia; era occidentale, il vento d'Occidente, un'ode dalle praterie, qualcosa di nuovo, da lungo tempo profetizzato, da lungo atteso (rubava automobili solo per corse di piacere). Inoltre, tutti i miei amici di New York erano nella posizione negativa e da incubo di mettersi la società sotto i piedi e di fornire i loro stanchi libreschi o politici o psicanalitici motivi, ma Dean semplicemente correva attraverso la società, avido di pane e di amore; non gli importava niente in particolare, "fintantoché posso prendermi quella piccola cara figliola con quella certa cosetta giú fra le gambe, ragazzo mio" e "fintantoché possiamo *mangiare*, figlio, mi senti? Ho *fame, muoio* di fame, andiamo a *mangiare immediatamente!*" – allora dovevamo precipitarci a *mangiare*, un po' di quel cibo di cui, come dice l'Ecclesiaste, "c'è la tua porzione sotto il sole".

Un figlio occidentale del sole, Dean. Quantunque mia zia mi avesse avvertito che mi avrebbe messo nei guai, mi riuscí di sentire una nuova vocazione e scorgere un nuovo orizzonte e di crederci, nei miei giovani anni; e quel tantino di guai o persino un'eventuale ripulsa di me da parte di Dean come suo compagno, l'abbandonarmi, come avrebbe fatto in seguito, pieno di fame sui marciapiedi e in letto, ammalato... che importanza aveva? Ero un giovane scrittore e volevo sganciarmi.

In qualche punto lungo il tragitto sapevo che ci sarebbero state ragazze, visioni, tutto; in qualche punto lungo il tragitto mi sarebbe stata donata la perla.

2

Nel mese di luglio del 1947, avendo messo da parte circa cinquanta dollari della mia pensione di reduce, fui pronto ad andare sulla costa occidentale. Il mio amico Remi Boncoeur mi aveva scritto una lettera da San Francisco, nella quale diceva che dovevo andare a imbarcarmi con lui su un transatlantico che faceva il giro del mondo. Giurava di potermi ficcare nella sala macchine. Io risposi dicendo che mi sarei accontentato di qualsiasi vecchio mercantile, purché potessi fare alcuni lunghi viaggi sul Pacifico e ritornare con abbastanza denaro da mantenermi in casa di mia zia mentre finivo il libro. Lui disse che aveva una baracca a Mill City e che avrei avuto tutto il tempo che volevo per scrivere laggiú, mentre compivamo i passi necessari per trovare la nave. Viveva con una ragazza di nome Lee Ann; disse che era una cuoca meravigliosa e che tutto sarebbe andato a gonfie vele. Remi era un vecchio compagno della scuola preparatoria, un francese allevato a Parigi, un ragazzo matto davvero: non sapevo ancora quanto fosse matto, in quel periodo. Cosí lui si aspettava che io arrivassi entro dieci giorni. Mia zia era perfettamente d'accordo riguardo al mio viaggio nel West; disse che mi avrebbe fatto bene, avevo lavorato cosí intensamente tutto l'inverno ed ero rimasto troppo chiuso in casa; non protestò nemmeno quando le spiegai che avrei dovuto fare un po' d'autostop. La sola cosa che esigeva da me era che tornassi tutto in un pezzo. Cosí, dopo aver lasciato il mio grosso mezzo manoscritto sistemato in cima allo scrittoio, e dopo aver ripiegato per l'ultima volta le mie comode lenzuola casalinghe, me ne andai una mattina con la mia valigia di tela nella quale erano riposte poche cose essenziali e partii per l'Oceano Pacifico con i cinquanta dollari in tasca.

A Paterson avevo studiato per mesi le carte geografiche degli Stati Uniti e m'ero letto persino i libri che parlavano dei pionieri, andando in visibilio per nomi come Platte e Cimarron e cosí via, e sulla carta stradale c'era una lunga linea rossa chiamata Strada Statale numero 6, che portava dalla cima di Capo Cod dritto fino a Ely, nel Nevada, e da lí scendeva fino a Los Angeles. Mi sarei messo sulla numero 6 per tutto il percorso fino a Ely, dissi a me stesso, e intrapresi il viaggio con fiducia. Per raggiungere la numero 6 dovevo salire fino al Bear Mountain. Pieno di sogni su quel che avrei fatto a Chicago, a Denver, e poi finalmente a San Francisco, presi la sotterranea della Settima Avenue fino al capolinea alla 242ma Strada, e là salii su un filobus che andava a Yonkers; nel centro di Yonkers mi trasferii su un autobus che andava fuori e arrivai alla periferia della città sulla riva orientale del fiume Hudson. Se lasciate cadere una rosa nel Hudson alla sua misteriosa sorgente negli Adirondack, pensate a tutti i posti che essa percorre nel suo cammino mentre va verso il mare per sempre... pensate a quella meravigliosa valle del Hudson. Cominciai a fare l'autostop. Cinque passaggi a intervalli mi portarono all'invocato ponte del Bear Mountain, dove la Statale 6 piegava verso l'interno dal New England. Cominciò a piovere a catinelle quando mi lasciarono lí. Era una zona montagnosa. La Statale 6 passava sopra il fiume, girava intorno a uno spartitraffico e scompariva nell'aperta campagna. Non solo di là non passavano macchine, ma la pioggia cadeva a secchi e io non avevo riparo. Dovetti correre sotto alcuni pini per mettermi al coperto; ciò non servì a niente; mi misi a piangere e a imprecare e a darmi pugni in testa per essere stato cosí maledettamente idiota. Mi trovavo a settanta chilometri a nord di New York; per tutta la strada fin lí mi ero preoccupato del fatto che, in questa mia prima grande giornata, mi stavo semplicemente dirigendo a nord invece che verso

43

l'ovest cosí a lungo desiderato. Adesso ero bloccato al termine della tappa piú a settentrione di tutte. Corsi per un mezzo chilometro verso una graziosa stazione di rifornimento in stile inglese, abbandonata, e mi fermai sotto il tetto gocciolante. Su, alto sopra la mia testa, il grande irsuto Bear Mountain mandava giú scoppi di tuono che mi mettevano addosso il timor di Dio. Tutto quel che riuscivo a vedere erano gli alberi fumosi e l'orrore del luogo selvaggio che si levava verso il cielo. "Che diavolo sto facendo qua?" imprecai, e implorai Chicago, "Proprio in questo momento tutti loro si divertono un mondo, ecco quel che fanno, io non ci sono, chissà quando ci arriverò!" – e cosí via. Finalmente una macchina si fermò davanti alla deserta stazione di rifornimento; l'uomo e le due donne dentro la vettura volevano consultare una carta. Io balzai subito fuori e feci dei gesti nella pioggia; quelli confabularono; parevo un pazzo, naturalmente, coi capelli tutti bagnati, le scarpe inzuppate. Le mie scarpe, maledetto cretino che sono, erano delle *huaraches* messicane, due setacci che assorbivano l'acqua come piante, inadatte alle notti piovose d'America e alle aspre strade notturne. Ma quella gente mi fece salire e mi portò *indietro* fino a Newburgh, cosa che accettai come un'alternativa preferibile a quella di rimanere intrappolato tutta la notte nella desolazione del Bear Mountain. « Inoltre » disse l'uomo « lungo la numero 6 non c'è traffico. Se lei vuole andare a Chicago sarà meglio che attraversi l'Holland Tunnel a New York e punti verso Pittsburgh »: e sapevo che aveva ragione. Era il mio sogno che andava a monte, la stupida idea da tavolino che sarebbe stato meraviglioso seguire un'unica grande linea rossa attraverso l'America invece che tentare varie strade e percorsi.

A Newburgh aveva smesso di piovere. Camminai fino al fiume, e dovetti farmi portare indietro a New York da un autobus con sopra una delegazione di maestri di scuola che tornavano da una gita di fine settimana sulle montagne: chiacchiere-chiacchiere-blà-blà, mentre io bestemmiavo per tutto il tempo e il denaro sprecato, e dicevo a me stesso: "Volevo andare a ovest ed ecco che invece sono andato su e giú, a nord e a sud, per tutto il giorno e parte della notte come qualcosa che non riesce a mettersi in moto". E giurai che l'indomani mi sarei trovato a Chicago e, per esserne sicuro, presi un autobus per Chicago, spendendo la maggior parte del mio denaro, e non me ne importava un corno, pur di essere a Chicago il giorno dopo.

3

Fu un normale viaggio in autobus con neonati che frignavano e un sole ardente, e gente di campagna che saliva a ogni paese della Pennsylvania, l'uno dopo l'altro, finché arrivammo nella pianura dell'Ohio e viaggiammo sul serio, su da Ashtabula e dritto attraverso l'Indiana, di notte. Arrivai a Chicago la mattina abbastanza presto, presi una camera alla YMCA [1], e andai a letto con pochissimi dollari in tasca. Scorrazzai per Chicago dopo una buona giornata di sonno.

Il vento che veniva dal lago Michigan, be-bop al Loop, lunghe passeggiate intorno alla South Halsted e alla North Clark e un'unica lunga camminata dopo mezzanotte nei quartieri malfamati, dove un'auto della polizia mi seguí come tipo sospetto. In quest'epoca, nel 1947, il be-bop stava impazzando per tutta l'America. I ragazzi del Loop suonavano, ma con un'aria stanca, perché il bop era a metà strada fra il periodo "Ornitologia" di Charlie Parker e un altro periodo che avrebbe avuto inizio con Miles Davis. E mentre me ne stavo lí seduto ad ascoltare quel suono notturno che il be-bop era venuto a rappresentare per tutti noi, pensavo a tutti i miei amici da un capo all'altro del paese e come in realtà si trovassero tutti nello stesso vasto cortile e far qualcosa di cosí frenetico e convulso. E per la prima volta nella mia vita, il pomeriggio seguente, entrai nel West. Era una giornata calda e bella per l'autostop. Per uscire dalle impossibili complicazioni della circolazione di Chicago

[1] Organizzazione Giovanile Cristiana. (N. d. T.)

presi un autobus fino a Joliet, nell'Illinois, passai davanti al penitenziario di Joliet, mi piantai proprio fuori del paese dopo una passeggiata attraverso le strade laterali ombrose e sconnesse, e chiesi passaggi. Avevo fatto in autobus tutta la strada da New York e Joliet, e avevo speso piú della metà dei miei soldi.

Il primo passaggio mi venne dato da un autocarro di dinamite che portava una bandiera rossa, per circa cinquanta chilometri nel grande Illinois verde, mentre il camionista mi indicava il punto nel quale la Statale 6, sulla quale viaggiavamo, incrociava la Statale 66 prima che entrambe saettassero a ovest verso incredibili distanze. Verso le tre del pomeriggio, dopo aver mangiato una torta di mele e un gelato in un chiosco sulla strada, una donna in una vetturetta chiusa si fermò per prendermi sù. Sentii dentro una fitta di acre gioia mentre rincorrevo la macchina. Ma quella era una donna di mezza età, in realtà madre di figli della mia età, e voleva che qualcuno l'aiutasse a guidare fino allo Iowa. Mi ci buttai a pesce. Iowa! Non molto lontano da Denver, e una volta arrivato là avrei potuto riposarmi. Prima guidò lei per poche ore, a un certo punto insistette per visitare una vecchia chiesa in un certo luogo, come se fossimo stati turisti e poi presi io il volante e, quantunque non valga gran che come autista, guidai dritto attraverso il resto dell'Illinois fino a Davenport, nello Iowa, passando per Rock Island. E qui per la prima volta nella mia vita vidi il mio adorato fiume, il Mississippi, asciutto nella caligine estiva, l'acqua bassa, con quel suo forte ricco odore che è lo stesso del crudo corpo dell'America perché la lava tutta. Rock Island: binari ferroviari, baracche, piccole frazioni di paese; e sopra il ponte andammo a Davenport, stesso tipo di città, tutta odorosa di segatura nel caldo sole del Middlewest. Qui la signora doveva proseguire verso il suo paese natale nello Iowa per un'altra strada, e io scesi.

Il sole stava tramontando. Camminai, dopo qualche birra fredda, fino alla periferia della cittadina, e fu una lunga passeggiata. Tutti gli uomini tornavano a casa in macchina dal lavoro, portando berretti da ferrovieri, berretti da baseball, ogni genere di copricapi, proprio come in ogni città del mondo, dopo il lavoro. Uno di essi mi diede un passaggio su per la collina e mi lasciò a un incrocio solitario sull'orlo della prateria. Era bello lí. Le uniche macchine che passavano erano quelle degli agricoltori; questi mi davano occhiate sospettose, passavano sferragliando, le vacche rientravano alla stalla. Nemmeno un autocarro. Poche automobili sfecciarono via. Un ragazzo su una macchina dal motore truccato mi passò accanto con la sciarpa sventolante. Il sole continuava a calare e io rimasi ritto nell'oscurità violetta. Adesso avevo paura. Non c'era nemmeno una luce nella campagna dello Iowa; entro un minuto nessuno sarebbe stato in grado di vedermi. Per fortuna un uomo che tornava a Davenport mi diede un passaggio fino in città. Ma io mi ritrovavo esattamente al punto di partenza.

Andai a sedermi nella stazione degli autobus e meditai sulla faccenda. Mangiai un'altra torta di mele e un altro gelato; è praticamente l'unica cosa che mangiai per tutta la strada attraverso il continente, sapevo che era nutriente e naturalmente era squisito. Decisi di tentare la sorte. Presi un autobus nel centro di Davenport, dopo avere impiegato mezz'ora ad osservare una cameriera nel caffè della stazione degli autobus, e andai fino alla periferia della città, questa volta però vicino ai distributori di benzina. Qua i grossi autotreni passavano rombando, *vramm!*, e nel giro di due minuti uno di essi deviò e si fermò per me. Io gli corsi appresso con l'anima che esultava. E che autista... un camionista grande e grosso e duro con gli occhi sporgenti e una voce ruvida e aspra, che semplicemente sbatté e prese a calci ogni cosa e mise in moto il suo arnese e quasi non mi vide nemmeno. Cosí potei riposare un po' la mia anima stanca, poiché una delle piú grandi seccature dell'autostop è il dover parlare con innumerevoli persone, dar loro la sensazione che non hanno fatto un errore a prenderti su, persino divertirli, quasi, e tutto questo è un notevole sforzo quando si fa un lungo viaggio e non si ha in programma di andare a dormire negli alberghi. Quel tipo urlava per superare il frastuono, e tutto quel che dovevo fare io era urlare di rimando, e cosí ci distendevamo i nervi. Egli spedí quell'affare dritto fino a Iowa City e gridando mi raccontò le piú buffe storie di come era sfuggito alla polizia in ogni paese dove vigeva un ingiusto limite di velocità, ripetendo a tutto spiano: « Quei maledetti poliziotti non riusciranno mai a mettermi il sale sulla coda! ». Proprio mentre entravamo in città egli vide un altro autotreno che ci veniva dietro e siccome lui doveva girare da Iowa City fece al collega segnali con i fanalini posteriori e rallentò perché potessi saltar giú, cosa che feci portandomi appresso la valigia, e l'altro autotreno, accettando lo scambio, si fermò per me, e ancora una volta, in un batter d'occhio, mi trovai in una nuova cabina alta e grossa, prontissimo a fare centinaia di chilometri nella notte, e com'ero felice! E il nuovo camionista era un tipo fantastico come l'altro e urlava altrettanto, e io dovevo solo stare appoggiato allo schienale e lasciarmi trasportare. Ora potevo scorgere Denver scintillare di fronte a me come la Terra Promessa, laggiú lontano sotto le stelle, attraverso la prateria dello Iowa e le pianure del Nebraska, e piú oltre riuscivo a vedere la piú imponente vista di San Francisco, come gioielli nella notte. Quello spinse la macchina a forte andatura e raccontò storielle per un paio d'ore, poi, in un paese dello Iowa dove anni dopo Dean e io saremmo stati fermati come sospetti in una Cadillac che sembrava rubata, dormí qualche ora sul sedile. Dormii anch'io, e poi feci una passeggiatina lungo i solitari muri di mattoni illuminati da un'unica lampadina, con la prateria che si affacciava alla fine di ogni stradina e l'odore del granoturco come rugiada nella notte.

Il camionista si svegliò all'alba con un sussulto. Ci rimettemmo fragorosamente in moto, e un'ora dopo il fumo di Des Moines apparve di fronte, di là dai verdi campi di granoturco. Lui adesso doveva fare colazione e voleva prendersela comoda, cosí proseguii per Des Moines, a circa sette chilometri, avendo ottenuto un passaggio da due studenti dell'Università dello Iowa; ed era strano sedere nella loro comoda automobile nuova fiammante e sentirli parlare di esami mentre scivolavamo dolcemen-

te verso la città. Adesso volevo dormire una giornata intera. Cosí andai all'YMCA per prendere una stanza; non ne avevano, e istintivamente vagai giú verso i binari ferroviari – e a Des Moines ce n'è un'infinità – e andai a finire in un malinconico vecchio albergo di terz'ordine accanto al deposito delle locomotive e passai una lunga giornata a dormire sopra un ampio letto bianco duro e pulito con frasi sconce graffite sul muro accanto al mio guanciale e la malandata serranda gialla abbassata sopra il panorama fumoso dello scalo ferroviario. Mi svegliai che il sole si faceva rosso; e quello fu l'unico, chiaro momento della mia vita, il momento piú strano di tutti, in cui non seppi chi ero... Mi trovavo lontano da casa, ossessionato e stanco del viaggio, in una misera camera d'albergo che non avevo mai vista, a sentire i sibili di vapore là fuori, e lo scricchiolare di vecchio legno della locanda, e dei passi al piano di sopra, e tutti quei suoni tristi; e guardavo l'alto soffitto pieno di crepe e davvero non seppi chi ero per circa quindici strani secondi. Non avevo paura; ero solo qualcun altro, un estraneo, e tutta la mia vita era una vita stregata, la vita di un fantasma. Mi trovavo a metà strada attraverso l'America, alla linea divisoria fra l'Est della mia giovinezza e l'Ovest del mio futuro, ed è forse per questo che ciò accadde proprio lí e in quel momento, in quello strano pomeriggio rosso.
Ma dovevo rimettermi in cammino e smettere di lamentarmi, cosí presi su la valigia, dissi arrivederci al vecchio albergatore che sedeva accanto alla sua sputacchiera, e andai a mangiare. Presi torta di mele e gelato: diventavano sempre meglio man mano che m'inoltravo nello Iowa, la torta piú grossa, il gelato piú sostanzioso. A Des Moines, nel pomeriggio, c'erano i piú bei branchi di ragazze, dovunque guardassi – tornavano a casa dal liceo – ma adesso non avevo tempo per pensieri del genere e mi ripromisi di darmi alla pazza gioia a Denver. Carlo Marx era già a Denver; c'era Dean; c'erano Chad King e Tim Gray, era lí ch'erano nati; c'era Marylou; e avevo sentito parlare di una formidabile compagnia che comprendeva Ray Rawlins e la sua bella sorella bionda Babe Rawlins; due cameriere che conosceva Dean, le sorelle

Bettencourt; e c'era persino Roland Major, il mio vecchio compagno d'Università letterato. Pregustavo con gioia e aspettativa il piacere di vederli tutti. Cosí mi allontanai di corsa dalle belle ragazze, e le piú belle del mondo sono quelle che vivono a Des Moines.

Un tipo con una specie di officina su ruote, un autocarro pieno di attrezzi, che quello guidava stando ritto come un moderno lattaio, mi diede un passaggio su per la collina, dove ne ottenni immediatamente un altro da un agricoltore e da suo figlio, che erano diretti ad Adel, nello Iowa. In questo paese, sotto un grosso olmo vicino a un distributore di benzina, feci la conoscenza di un altro autostoppista, tipico newyorchese, un irlandese che aveva guidato un autocarro postale per la maggior parte dei suoi anni lavorativi e adesso andava incontro a una ragazza di Denver e a una nuova vita. Credo che stesse scappando da qualcosa a New York, dalla polizia, molto probabilmente. Era un vero giovane ubriacone dal naso rosso, trentenne, e normalmente mi avrebbe annoiato, solo che ora i miei sensi erano svegli ad ogni genere di amicizia umana. Indossava un golf logoro e pantaloni rigonfi e non aveva niente con sé che assomigliasse a un bagaglio: solo uno spazzolino da denti e pochi fazzoletti. Affermò che avremmo dovuto fare l'autostop insieme. Avrei dovuto dire di no, perché si presentava piuttosto male sulla strada. Però rimanemmo insieme e ottenemmo un passaggio da un tipo taciturno fino a Stuart, sempre nello Iowa, un paese nel quale letteralmente ci arenammo. Rimanemmo a Stuart di fronte al chiosco della biglietteria ferroviaria, ad aspettare le macchine dirette a ovest, fino al tramonto del sole, per cinque ore buone, cercando d'ingannare il tempo; dapprima parlammo di noi stessi, poi lui raccontò barzellette sporche, quindi ci mettemmo a dar calci ai sassi e a fare sciocchi versi di tutti i generi. Ci annoiavamo. Decisi di buttare un dollaro per della birra; andammo in una vecchia bettola di Stuart e ne bevemmo alcune. Poi quello si ubriacò come non aveva mai fatto nelle sue notti nella Nona Avenue, al suo paese, e mi strillò gioiosamente nelle orecchie tutti i sordidi sogni della sua vita. In certo modo mi piaceva;

non perché fosse un buon diavolo, come diede prova di essere in seguito, ma perché aveva entusiasmo per ogni cosa. Tornammo sulla strada nell'oscurità, e naturalmente nessuno si fermò e poca gente passava. Andammo avanti cosí fino alle tre del mattino. Impiegammo un po' di tempo tentando di dormire sulla panca della biglietteria delle ferrovie ma il telegrafo ticchettò tutta la notte impedendoci di prender sonno, e grossi treni merci sferragliavano fuori qua e là. Non sapevamo saltare sul convoglio giusto; non l'avevamo mai fatto prima; non sapevamo se andavano a est o a ovest, o come scoprirlo, né quale carro chiuso, o pianale, o carro frigorifero scongelato scegliere, e cosí via. Perciò quando arrivò l'autobus per Omaha, poco prima dell'alba, vi salimmo e ci unimmo ai passeggeri addormentati; io pagai il suo biglietto, oltre al mio. Si chiamava Eddie. Mi ricordava un mio cugino d'acquisto del Bronx. Fu per questo che mi attaccai a lui. Era come avere accanto un vecchio amico, un buontempone sorridente col quale divertirmi un po'.

Arrivammo a Council Bluffs all'alba; guardai fuori. Tutto l'inverno avevo letto delle grandi carovane di carri che tenevano adunanza in quel luogo prima di avventurarsi sulle piste per l'Oregon e Santa Fe; e naturalmente ora c'erano solo graziosi villini da periferia di tutti i maledetti generi, tutti sparpagliati nella spettrale alba grigia. Poi Omaha e, per Dio, il primo cow-boy che avessi mai visto, il quale camminava lungo i muri desolati dei magazzini di carne all'ingrosso con un cappello a tese larghissime e stivali del Texas, e aveva l'aspetto di un qualsiasi individuo male in arnese all'alba, lungo i muri di mattoni dell'Est, fuorché per l'abbigliamento. Scendemmo dall'autobus e camminammo dritto fino alla collina, la lunga collina formata attraverso i millenni dal potente Missouri, lungo la quale è costruita Omaha, e uscimmo in aperta campagna e facemmo cenni col pollice proteso. Ottenemmo un breve passaggio da un ricco allevatore di bestiame con un gran cappellone, il quale disse che la valle del Platte era grande come quella del Nilo in Egitto, e mentre egli parlava io vidi i grandi alberi serpeggiare in distanza seguendo il letto del fiume e i vasti campi verdeggianti all'intorno, e quasi fui d'accordo con lui. Poi, mentre stavamo fermi a un altro crocevia e il cielo cominciava ad annuvolarsi, un altro cowboy, costui alto piú di un metro e ottanta e con un cappellone di modeste dimensioni, ci chiamò e s'informò se uno di noi sapesse guidare. Naturalmente Eddie ne era capace, e aveva la patente, mentre io no. Il cow-boy aveva con sé due macchine che stava riportando nel Montana. Sua moglie stava a Grand Island, ed egli voleva che noi guidassimo una delle macchine fin là, dove sarebbe subentrata lei. Da quel punto lui doveva andare a nord, e questo sarebbe stato il termine del nostro viaggio con lui. Però si trattava di centosessanta chilometri buoni dentro il Nebraska, e naturalmente ci buttammo a pesce. Eddie guidava da solo, il cow-boy e io gli tenevamo dietro, e non appena fummo fuori dell'abitato Eddie cominciò a lanciare quell'arnese a centocinquanta l'ora per pura esuberanza. « Che io sia dannato, che sta combinando quel ragazzo? » urlò il cow-boy; e gli volammo appresso. Finí per diventare una specie di gara. Per un minuto credetti che Eddie tentasse di battersela con la macchina: e per quanto ne so era questo che voleva fare. Ma il cow-boy gli stette alle costole e lo raggiunse e suonò il clacson. Eddie rallentò. Il cow-boy suonò ancora perché si fermasse. « Diavolo, ragazzo, va a finire che resti con una ruota a terra andando a quella velocità. Non puoi guidare un po' piú piano? »

« Be', che il diavolo mi porti, davvero stavo andando a centocinquanta all'ora? » disse Eddie. « Non me ne sono reso conto su questa strada liscia. »

« Vacci piano e arriveremo tutti a Grand Island sani e salvi. »

« Senz'altro. » E riprendemmo il viaggio. Eddie si era calmato e probabilmente gli era venuto persino sonno. Cosí procedemmo per centosessanta chilometri attraverso il Nebraska, seguendo il Platte tortuoso con i suoi campi verdeggianti.

« Durante la crisi » mi disse il cow-boy « ero solito saltare sui treni merci almeno una volta al mese. In quei giorni si potevano vedere centinaia di uomini che viaggiavano su un pianale o su un carro chiuso, e non erano mica pezzenti, erano ogni sorta di gente senza lavoro che andava da un posto all'altro e alcuni di loro si limitavano a vagare qua e là. Era cosí in tutto il West. In quei giorni i frenatori non ti seccavano mai. Oggi, non lo so. Io del Nebraska non so che farmene. Come, fra il '30 e il '40 questa regione non era altro che una grossa nuvola di polvere fin dove giungeva la vista. Non si poteva respirare. Il suolo era nero. Io ero qua allora. Per quanto mi riguarda possono restituire il Nebraska agli indiani. Odio questo posto schifoso piú di qualsiasi altro al mondo. Adesso la mia patria è nel Montana, a Missoula. Venite su qualche volta e vedrete la regione prediletta da Dio. » Piú tardi nel pomerigggio dormii quando lui si stufò di parlare; era un conversatore interessante.

Ci fermammo lungo la strada per mangiare un boccone. Il cow-boy se ne andò a far rattoppare la ruota di scorta, ed Eddie e io ci andammo a sedere in una specie di trattoria casalinga. Sentii una grossa risata, la piú grossa risata del mondo, ed ecco entrare nella trattoria una pellaccia di agricoltore vecchio stampo del Nebraska con un gruppo di altri ràgazzi; quel giorno si potevano sentire le sue grida rauche attraverso tutta la pianura, attraverso l'intero loro grigio mondo. Tutti gli altri ridevano con lui. Non aveva un pensiero al mondo e manifestava il piú grande rispetto per ognuno. Io mi dissi: "Càspita, senti come ride quello". Ecco il West, eccomi qua nel West. Quello entrò tuonando nella trattoria, chiamando Ma' per nome, ed ella faceva la piú dolce torta di ciliegie del Nebraska, e io ne ebbi un pezzo con una montagna di gelato sopra. « Ma', portami di corsa qualcosa da mettere sotto i denti prima che mi tocchi cominciare a mangiarmi crudo o che mi venga qualche altra stupida idea del genere. » E si buttò su uno sgabello e continuò a fare ahaaa! ahaaa! ahaaa! ahaaa! « E mettici dentro anche dei fagioli. » Era lo spirito del West che sedeva proprio accanto a me. Avrei voluto conoscere tutta la sua cruda vita e che diavolo aveva fatto in tutti quegli anni oltre a ridere e a urlare in quel modo. "Ju-hu!" dissi all'anima mia, e il cow-boy tornò e ripartimmo per Grand Island.

Ci arrivammo in un battibaleno. Lui se ne andò a prendere la moglie e poi, via, verso qualunque fosse il destino che l'attendeva, mentre Eddie e io eravamo di nuovo sulla strada. Ottenemmo un passaggio da una coppia di giovanotti – arrabbiati, sotto i venti, ragazzi di campagna dentro a un vecchio catenaccio rappezzato – e fummo lasciati a un certo punto del percorso in un fine piovigginare. Poi un vecchio taciturno – e Dio sa perché ci prese su – ci portò fino a Shelton. Qua Eddie rimase smarrito in mezzo alla strada di fronte a un gruppo di imbambolati indiani di Omaka, bassi e tarchiati, che non avevano dove andare e niente da fare. Di là dalla strada c'erano i binari della ferrovia e il serbatoio dell'acqua sul quale c'era scritto SHELTON. « Che il diavolo mi porti » disse Eddie sbalordito « son già stato in questa città. È stato anni fa, durante la guerra, di notte, a notte fonda quando tutti dormivano. Andai fuori a fumare sulla piattaforma, ed ecco che eravamo nel centro del nulla e nero come l'inferno, e guardai in su e vidi quel nome Shelton scritto sul serbatoio. Destinati al Pacifico, tutti che russavano, ognuno di quei maledetti gonzi idioti, si fece una sosta brevissima, per far rifornimento o altro, e subito ripartimmo. Che io sia dannato, questa è Shelton! Ho odiato questo posto fin da allora! » Ed eravamo bloccati a Shelton. Come a Davenport, nello Iowa, non si sa perché tutte le macchine appartenevano ad agricoltori, e una volta tanto passava un'automobile di turisti, il che è ancora peggio, con uomini anziani al volante e le mogli che indicavano il panorama o consultavano le carte, e sedevano dietro guardando ogni cosa con facce sospettose.

La pioggerella rinforzò ed Eddie aveva freddo; era vestito assai leggermente. Io pescai dalla mia valigia di canapa una camicia di lana scozzese e lui se la mise. Si sentì un po' meglio. Ero raffreddato. Comprai delle pasticche per la tosse in una specie di sgangherato negozio indiano. Andai al piccolo ufficio postale grande quanto un fazzoletto e scrissi a mia zia una cartolina da un penny. Tornammo sulla strada grigia. Eccola là di fronte a noi, Shelton, scritta sul serbatoio dell'acqua. Il treno da Rock Island ci sfrecciò davanti. Vedemmo le facce dei passeggeri nelle carrozze salone passare in un barbaglio confuso. Il treno ululò via attraverso le praterie nella direzione dei nostri desideri. Cominciò a piovere piú forte.

Un tipo alto e dinoccolato con un cappello a larghe tese fermò la sua macchina in contromano e attraversò verso di noi; aveva l'aria di uno sceriffo. Noi preparammo segretamente le nostre storie. Lui si avvicinò senza affrettarsi. « Andate da qualche parte di preciso, voi ragazzi, o viaggiate senza meta? » Non capimmo la domanda, eppure era una domanda maledettamente chiara.

« Perché? » chiedemmo.

« Be', io sono proprietario di un piccolo luna-park che è sistemato a pochi chilometri da qui sulla strada e sto cercando dei bravi ragazzi che abbiano voglia di lavorare e di guadagnarsi qualche dollaro. Ho la licenza pei una roulette e per un tiro agli anelli, sapete, di quelli che si buttano attorno alle bambole e chi vince vince. Se volete lavorare per me, ragazzi, potete avere il trenta per cento sugl'incassi. »

« Vitto e alloggio? »

« Avrete un letto ma niente vitto. Vi toccherà mangiare in paese. Noi viaggiamo parecchio. » Ci pensammo su. « È una buona occasione » disse lui, e attese pazientemente che ci decidessimo. Ci sentivamo sciocchi e non sapevamo che cosa dire, e io prima di tutto non volevo restare impegolato con un luna-park. Avevo una tale maledetta fretta di raggiungere la comitiva a Denver. Risposi: « Non so, vado piú presto che posso e non credo di aver tempo. » Eddie disse la stessa cosa, e il vecchio salutò con la mano e con indifferenza tornò lentamente all'automobile e partí. E questo fu tutto. Noi ci ridemmo su per un po' e facemmo congetture su come avrebbe potuto essere. Vedevo una notte oscura e polverosa sulle pianure, e le facce delle famiglie del Nebraska che ci bighellonavano accanto, con i loro bimbi rosei che guardavano tutto con reverenza, e so che avrei avuto l'impressione d'essere il diavolo in persona a prenderli in giro con quei trucchi da baraccone da quattro soldi. E la Gran Ruota che girava nell'oscurità del bassopiano e, Dio santissimo, la musica triste della giostra e io voglioso di raggiungere la mia meta... e coricato in qualche carrozzone con le dorature, su un letto di traliccio.

Eddie si dimostrò un compagno di viaggio piuttosto distratto. Venne avanti un buffo vecchio trabiccolo, guidato da un uomo anziano; era fatto di una specie di alluminio, quadrato come una scatola: un rimorchio, senza dubbio, ma uno strano pazzesco rimorchio del Nebraska, fatto a mano. Andava pianissimo e si fermò. Noi corremmo avanti; quello disse che avrebbe potuto portare una persona sola; senza una parola Eddie saltò dentro e lentamente scomparve alla mia vista su quello sferragliante arnese, con indosso la mia camicia di lana scozzese. Be', ahimè, lanciai un bacio d'addio alla camicia; in ogni caso aveva solo un valore sentimentale. Attesi in quella Shelton odiata da Dio e da noi personalmente per lungo, lunghissimo tempo, per parecchie ore, mentre continuavo a pensare che si stava facendo notte; veramente si era appena al primo pomeriggio, ma era buio. Denver, Denver, come sarei mai arrivato a Denver? Stavo proprio per rinunciare e decidere di sedermi a prendere un caffè quando si fermò una macchina quasi nuova, guidata da un giovanotto. Corsi come un pazzo.

« Dove va? »

« A Denver. »

« Be', posso portarla su per un centinaio di chilometri in quella direzione. »

« Magnifico, magnifico, m'ha salvato la vita. »

« Facevo l'autostop anch'io, è per questo che prendo sempre su qualcuno. »

« Lo farei anch'io se avessi un'automobile. » E così ci mettemmo a chiacchierare, ed egli mi raccontò della sua vita, che non era gran che interessante, e io cominciai a sonnecchiare, e mi svegliai proprio fuori della città di Gothenburg, dove lui mi lasciò.

4

Stava per arrivare il piú lungo passaggio della mia vita, un autotreno con una piattaforma sul dietro e circa sei o sette ragazzi sdraiati sopra, perché gli autisti, due giovani agricoltori biondi del Minnesota, prendevano su ogni singola anima che trovavano per quella strada: la piú sorridente, allegra coppia di prestanti buontemponi che si potesse mai desiderare di vedere, tutti e due con indosso camicie di cotone e tute, nient'altro; entrambi persone per bene dai polsi massicci, con larghi sorrisi di benvenuto per chiunque e per qualsiasi cosa incontrassero sul loro cammino. Io corsi, chiesi: « C'è posto? ». Loro dissero: « Certo, salti su, c'è posto per tutti ».

Non ero ancora sulla piattaforma che l'autotreno partí rombando; barcollai, uno dei viaggiatori mi afferrò, e mi sedetti. Qualcuno fece passare una bottiglia di whisky d'infima qualità, che era alla fine. Ne buttai giú un lungo sorso nella esaltante, poetica, piovigginosa aria del Nebraska. « Urrà; ecco che andiamo! » urlò un ragazzo con un berretto da baseball, e quelli lanciarono la macchina a piú di cento l'ora e superarono tutti lungo la strada. « Stiamo viaggiando su questo schifoso arnese fin da Des Moines. Questi tipi non si fermano mai. Di quando in quando bisogna urlare per fare una pisciata, altrimenti ti tocca farla a mezz'aria, e aggràppati, fratello, aggràppati. »

Guardai la compagnia. C'erano due giovani agricoltori del Nord Dakota con berretti rossi da baseball, ch'è il copricapo tipico dei giovani contadini del Nord Dakota, i quali erano diretti verso i raccolti; avevano avuto dai loro vecchi il permesso di andar via da casa per un'estate. C'erano due ragazzi di città che venivano da Columbus, nell'Ohio, giocatori nella squadra di calcio del loro liceo, che masticavano gomma, ammiccavano, cantavano nella brezza, e dissero che facevano l'autostop per tutti gli Stati Uniti durante l'estate. « Andiamo a Los Angeles! » urlarono.

« Che ci andate a fare? »

« Diavolo, non lo sappiamo. Che importa? »

Poi c'era un tipo alto e magro con uno sguardo subdolo.
« Di dove sei? » chiesi. Stavo sdraiato accanto a lui sulla
piattaforma; non si poteva star seduti senza venir sbal-
zati fuori, non c'era una sponda. E quello si voltò
lentamente verso di me, aprí la bocca, e disse: « Mon-
ta-na ».

Infine c'erano Gene del Mississippi e il suo protetto.
Gene del Mississippi era un tipo piccolo e bruno che
viaggiava per il paese sui treni merci, un vagabondo di
trent'anni ma con un'espressione da ragazzo, cosí che non
si poteva dire esattamente che età avesse. E sedeva sulle
tavole a gambe incrociate, guardando verso i campi senza
dire una parola per centinaia di chilometri, e finalmente
a un certo punto si volse verso di me e chiese: « Dov'è
diretto, *lei?* ».

Io dissi a Denver.

« Ho una sorella laggiú ma non la vedo da parecchi e
parecchi anni. » Il suo linguaggio era melodioso e lento.
Era un uomo paziente. Il suo protetto era un ragazzo di
sedici anni alto e biondo anche lui con stracci da vagabondo; cioè, indossavano vecchi vestiti ch'erano diventati neri per la fuliggine delle ferrovie e il sudiciume dei
carri ferroviari e a furia di dormire per terra. Il ragazzo
biondo era silenzioso anche lui e pareva che fuggisse da
qualcosa, ebbi l'impressione che si trattasse della polizia,
dal modo come guardava dritto davanti a sé e si bagna-
va le labbra immerso in gravi pensieri. Lo Smilzo del
Montana parlava con loro di tanto in tanto con un sorriso sardonico e insinuante. Quelli non gli davano retta
per niente. Lo smilzo era tutto un'allusione. Avevo paura del sottile ghigno idiota che quello ti apriva dritto in
faccia e manteneva fisso come un mezzo deficiente.

« Hai soldi? » mi chiese.

« Diavolo, no, forse abbastanza per un mezzo litro di
whisky finché arrivo a Denver. E tu ce n'hai? »

« So dove posso prenderli. »

« Dove? »

« Dovunque. Si può sempre seguire un uomo in un
viale, no? »

« Già, credo di sí. »

« Non mi faccio certo scrupolo di questo quando ho davvero bisogno di qualche scudo. Vado su nel Montana a vedere mio padre. Devo scendere da questo catenaccio a Cheyenne e andar su con qualche altro mezzo. Questi pazzi vanno a Los Angeles. »

« Direttamente? »

« Tutta una tirata. Se vuoi andare a Los Angeles hai il passaggio pronto. »

Ci rimuginai sopra; il pensiero di filare per tutta la notte attraverso il Nebraska, il Wyoming, e il deserto dell'Utah al mattino, e poi molto probabilmente il deserto del Nevada nel pomeriggio, e praticamente arrivare a Los Angeles entro un ragionevole spazio di tempo mi fece quasi cambiare i miei piani. Ma dovevo andare a Denver. Avrei dovuto scendere anch'io a Cheyenne, e ottenere un passaggio verso sud per i centocinquanta chilometri fino a Denver.

Fui contento quando i due giovani agricoltori del Minnesota padroni dell'autotreno decisero di fermarsi a North Platte per mangiare; volevo osservarli bene. Essi uscirono dalla cabina e sorrisero a tutti noi. « Sosta per la pisciata! » disse uno. « Ora di mangiare! » disse l'altro. Ma erano gli unici della comitiva che avessero denaro per comprar da mangiare. Noi arrancammo tutti dietro a loro in un ristorante gestito da un mucchio di donne, e ci sedemmo davanti a delle polpette e del caffè mentre loro facevano sparire dei piatti enormi proprio come se si trovassero nella cucina della madre loro. Erano fratelli; stavano trasportando macchinari agricoli da Los Angeles al Minnesota, guadagnandoci parecchio denaro. Cosí nel viaggio di ritorno a vuoto verso la Costa prendevano su tutti quelli che incontravano per strada. L'avevano fatto ormai cinque volte; si stavano divertendo un mondo. Erano entusiasti di tutto. Non smisero mai di sorridere. Cercai di parlare con loro – una specie di maldestra manovra, da parte mia, per farmi amici i padroni del vapore – e le uniche risposte che ne ebbi furono due smaglianti sorrisi e grandi denti bianchi usi a mangiar granoturco.

Tutti si erano uniti a loro nel ristorante eccetto i due vagabondi, Gene e il suo ragazzo. Quando tornammo, essi stavano sempre seduti nell'autotreno, tristi e sconsolati. Adesso il buio stava calando. I camionisti si fecero una fumata; io afferrai l'occasione di andare a comprare una bottiglia di whisky per tenermi caldo nella fredda aria smossa della notte. Loro sorrisero quando glielo dissi. « Vada pure, faccia presto. »

« Potrete prenderne qualche sorso anche voi » li rassicurai.

« Oh, no, noi non beviamo mai vada pure. »

Lo Smilzo del Montana e i due studenti vagarono con me per le strade di North Platte finché non trovammo una rivendita di whisky. Loro ci aggiunsero qualche cosa, e qualcosa pure lo Smilzo, cosí ne comprai un litro. Uomini alti, arcigni, ci guardavano passare da edifici con le facciate posticce; sul corso si allineavano case quadrate come scatole. Dietro ogni strada malinconica c'erano immense visuali delle pianure. Sentii che nell'aria di North Platte c'era qualcosa di diverso, ma non sapevo che cosa fosse. In cinque minuti lo capii. Tornammo alla macchina e partimmo in un rombo. Presto si fece buio. Bevemmo tutti un sorso e d'un tratto guardai, e i poderi verdeggianti del Platte cominciarono a sparire e al loro posto, cosí lontano da non poterne vedere la fine, apparvero lunghe piatte distese di sabbia e di salvia. Ne fui sbalordito.

« Che diavolo è questo? » gridai allo Smilzo.

« Questo è il principio degli spazi aperti, ragazzo. Dammi un altro sorso. »

« Urrà! » urlarono i due studenti. « Columbus, addio! Che direbbero Sparkie e i ragazzi se fossero qui. Iu-hu! »

I camionisti davanti si erano cambiati di posto; il fratello subentrato alla guida lanciava l'autotreno a tutta birra. Anche la strada cambiò: rialzata nel centro, con i margini spioventi e a entrambi i lati un fossato profondo piú di un metro, cosí che l'autocarro rimbalzava e traballava da un lato all'altro della strada — per fortuna solo quando non sopraggiungevano altre macchine dalla parte opposta — e io pensai che avremmo fatto tutti un salto mortale. Ma quelli erano guidatori formidabili. Come si lasciò indietro, quell'autotreno, il saliente del Nebraska: la punta che sporge in fuori sopra il Colorado! E ben presto mi resi conto che in effetti ero alfine sopra il Colorado, quantunque non ancora dentro ufficialmente, ma praticamente in vista di Denver che era a poche centinaia di chilometri verso sud-ovest. Urlai dalla gioia. Ci passammo la bottiglia. Spuntarono le grandi stelle scintillanti, le colline di sabbia indietreggianti nella lontananza si fecero indistinte. Mi sentii come una freccia capace di saettare fino in fondo alla meta.

E ad un tratto Gene del Mississippi si volse verso di me uscendo dalla sua paziente fantasticheria a gambe incrociate, e aprí la bocca, e mi si accostò, e disse: « Queste pianure mi fanno venire in mente il Texas ».

« È del Texas, lei? »

« Nossignore, sono di Green-vell, del Mozz-sippi. » E fu proprio cosí che disse.

« Quel ragazzo di dov'è? »

« S'è messo in certi pasticci laggiú nel Mississippi, cosí mi sono offerto di aiutarlo a tirarsene fuori. Quel ragazzo non è mai andato in giro da solo. Io mi occupo di lui meglio che posso, è solo un bambino. » Quantunque Gene fosse un bianco c'era in lui un po' della saggezza e della stanchezza dei vecchi negri, e qualcosa che assomigliava assai a Elmer Hassel, il tossicomane di New York, ma un Hassel viaggiatore, un epico Hassel girovago, che passava e ripassava ogni anno attraverso il continente, a sud nell'inverno e a nord nell'estate, e solo perché non c'era un posto dov'egli potesse restare senza stancarsene, e perché non aveva un luogo dove andare ma doveva andare in tutti i luoghi, continuando a vagare sotto le stelle, generalmente quelle del West.

« Sono stato a Og-den un paio di volte. Se lei vuole andare a Og-den ho certi amici laggiú coi quali potremmo metterci d'accordo. »

« Vado a Denver, da Cheyenne. »

« Diamine, vada dritto fino in fondo, non si ottiene mica tutti i giorni un passaggio di questo genere. »

1

Anche questa era un'offerta allettante. Che c'era a Ogden? « Com'è Ogden? » chiesi.

« È il posto dal quale transita la maggior parte dei ragazzi, e il punto di incontro per tutti; è facile ritrovarci chiunque. »

Nei miei piú giovani anni ero stato in mare con un amico alto e angoloso della Louisiana, detto Hazard lo Spilungone, William Holmes Hazard, che era vagabondo per vocazione. Da piccolo aveva visto un vagabondo andare da sua madre e chiederle un pezzo di torta, e lei glielo aveva dato, e quando il vagabondo s'era allontanato giú per la strada il bambino aveva detto: "Ma', che fa quell'uomo?". "Come, è un vagabondo." "Ma', anch'io voglio diventare vagabondo un giorno." "Chiudi il becco, non è cosa che si confà agli Hazard." Ma lui non dimenticò mai quel giorno, e quando crebbe, dopo un breve periodo trascorso giocando a calcio all'Università Statale della Louisiana, diventò davvero un vagabondo. Lo Spilungone e io avevamo passato parecchie notti a raccontarci storielle e a sputar sugo di tabacco in recipienti di carta. Nel modo di fare di Gene del Mississippi c'era qualcosa che mi richiamava con tanta evidenza Hazard lo Spilungone, che dissi: « Le è mai capitato di conoscere da qualche parte un tale chiamato Hazard lo Spilungone? ».

E lui rispose: « Vuol dire quel tipo alto con quella gran risata? ».

« Be', può darsi che si tratti di lui. Veniva da Ruston, nella Louisiana. »

« Proprio cosí. Qualche volta lo chiamano lo Smilzo della Louisiana. Sissignore, potrei giurare di aver conosciuto lo Spilungone. »

« E lavorava un tempo nei pozzi di petrolio del Texas orientale? »

« Esatto, nel Texas orientale. E adesso porta le vacche al pascolo. »

E questo corrispondeva perfettamente; eppure non potevo ancora credere che Gene avesse veramente conosciuto lo Spilungone, che io avevo cercato, piú o meno, per anni. « Una volta lavorava nei rimorchiatori a New York? »

« Be', questo non lo so. »

« Immagino che lei l'abbia incontrato solo nel West. »

« Direi. Non sono mai stato a New York. »

« Be', che il diavolo mi porti, mi sbalordisce che lei lo conosca. Questo è un grosso paese. Eppure sapevo che lei doveva averlo incontrato. »

« Sissignore, conosco benissimo lo Spilungone. Sempre generoso coi suoi soldi quando ne ha. Un tipo cattivo, duro, anche; a Cheyenne l'ho visto stendere un poliziotto nel cortile della prigione, con un pugno solo. » Questo era tipico dello Spilungone; si allenava sempre con quel pugno per aria; pareva Jack Dempsey, ma un Jack Dempsey giovane che beveva.

« Caspita! » urlai nel vento, e presi un altro sorso, e adesso cominciavo a sentirmi abbastanza bene. Ogni sorsata veniva spazzata via dal vento in corsa dell'autotreno aperto, liberata dai suoi cattivi effetti, mentre quelli buoni mi sprofondavano nello stomaco. « Cheyenne, sto arrivando! » cantai. « Denver, preparati ad accogliere il tuo ragazzo. »

Lo Smilzo del Montana si voltò verso di me, indicò le mie scarpe, e commentò: « Vuoi scommettere che se pianti in terra quegli affari lí, ne cresce qualcosa? » — naturalmente senza accennare a un sorriso e gli altri ragazzi lo sentirono e risero. Ed erano infatti le piú ridicole scarpe d'America; me l'ero portate dietro proprio perché non volevo che i piedi mi sudassero sulla strada rovente e, tranne che per la pioggia sul Bear Mountain, diedero prova di essere le migliori scarpe possibili per il mio viaggio. Cosí risi con loro. E adesso le scarpe erano parecchio malandate con brandelli di cuoio che spuntavano fuori come pezzi di ananas fresco e gli alluci che facevano capolino. Be', mandammo giú un altro goccio e ridemmo. Filavamo come in sogno attraverso piccoli paesi posti sui crocevia balzanti dall'oscurità, e sorpassavamo lunghe file di braccianti e di cow-boy che oziavano nella notte. Quelli ci guardavano passare per seguirci con lo sguardo, e li vedevamo picchiarsi le cosce nel buio che tornava a invadere l'altra parte del paese: eravamo una compagnia buffa a vedersi.

C'era una quantità di uomini in quella regione in quel periodo dell'anno; era il tempo del raccolto. I ragazzi del Dakota erano irrequieti. « Mi sa che appena ci fermiamo per pisciare scendiamo; pare che qua attorno ci sia un sacco di lavoro. »

« Non dovete fare altro che spostarvi piú a Nord quando qui è finito » consigliò lo Smilzo del Montana « e seguire i raccolti finché non arrivate in Canadà. » I ragazzi annuirono distrattamente; non prendevano gran che sul serio i suoi consigli.

Nel frattempo il giovane fuggitivo biondo sedeva sempre allo stesso modo; di quando in quando Gene usciva dalla sua buddistica contemplazione per chinarsi a guardare le scorrenti piane buie e diceva con tenerezza qualcosa all'orecchio del ragazzo. Questi annuiva. Gene si interessava di lui, del suo umore e delle sue paure. Io mi chiedevo dove diavolo sarebbero andati e che cosa avrebbero fatto. Non avevano sigarette. Finii per distribuire loro tutto il mio pacchetto, tanto mi piacevano. Erano grati e simpatici. Non chiedevano mai, e io continuavo a offrire. Lo Smilzo del Montana aveva il suo pacchetto ma non lo passava mai. Filammo attraverso un altro paese su un crocevia, superammo un'altra fila di uomini alti e dinoccolati in pantaloni di tela blu, raccolti nella debole luce come falene nel deserto, e di nuovo rientrammo nel buio terribile, e le stelle sopra di noi erano pure e luminose a causa dell'aria che si faceva sempre piú sottile man mano che salivamo su per il fianco in rilievo dell'altopiano occidentale, in ragione di circa venti centimetri il chilometro, cosí dicono, e non un albero che nascondesse le stelle basse in alcun punto dell'orizzonte. E una volta, mentre passavamo di volata, vidi una malinconica mucca dal muso bianco nella salvia accanto alla strada. Era come viaggiare su un treno, altrettanto sicuro e altrettanto diretto.

Dopo un po' arrivammo in un paese, rallentammo, e lo Smilzo del Montana disse: « Ah, ora di pisciare », ma quelli del Minnesota non si fermarono e attraversarono l'abitato direttamente. « Diavolo, devo scendere » disse lo Smilzo.

« Falla fuori da un lato » suggerí qualcuno.

« Be', *farò* cosí » disse lui, e lentamente, mentre stavamo tutti a guardare, si trascinò sul sedere, centimetro per centimetro, fino al di dietro della piattaforma, tenendosi meglio che poteva, finché le gambe non gli penzolarono in fuori. Qualcuno bussò al finestrino della cabina per richiamare l'attenzione dei due fratelli, i quali si voltarono, sfoggiando i loro larghi sorrisi. E proprio mentre lo Smilzo si accingeva ad eseguire, già instabile com'era, quelli cominciarono a zigzagare con l'autotreno a centodieci l'ora. Lui cadde all'indietro per un momento; vedemmo nell'aria uno zampillo come quello di una balena; lui si sforzò di rimettersi seduto. Quelli fecero sbandare l'autotreno. Bam! lui cadde giú su un fianco, orinandosi addosso. Potevamo sentirlo imprecare debolmente in mezzo al fracasso, come il lamento di un uomo lontano oltre le colline. « Maledizione.. maledizione... » Non si accorse affatto che questo glielo facevamo apposta; stava semplicemente lottando, tenace come Giobbe. Quando ebbe finito, come Dio vollé, era zuppo da strizzare, e ora gli toccò tornare piano piano al suo posto, tenendosi in equilibrio, con uno sguardo tutto vergognoso, mentre tutti, fuorché il triste ragazzo biondo, ridevano, e i due del Minnesota si sganasciavano nella cabina. Io gli porsi la bottiglia perché si consolasse.

« Che diavolo » disse « l'hanno fatto apposta? »

« Certo. »

« Be', che il diavolo mi porti, non lo sapevo. So che giú nel Nebraska ci ho provato e non ho penato nemmeno la metà. »

Arrivammo all'improvviso nella città di Ogallala, e qua i due della cabina gridarono: « *Sosta per la pisciata!* » e con enorme soddisfazione. Lo Smilzo rimase imbronciato accanto all'autotreno, rimpiangendo l'occasione perduta. I due ragazzi del Dakota salutarono tutti poiché contavano di cominciare a fare i braccianti in quel posto. Li guardammo scomparire nella notte verso le baracche alla periferia della città dove le luci erano accese, e dove un guardiano notturno in blue-jans disse che avrebbero trovato gli uomini addetti alle assunzioni. Dovevo comprare altre sigarette. Gene e il ragazzo biondo mi seguirono per sgranchire le gambe. Entrai nel luogo piú inverosimile del mondo, una specie di solitario bar analcoolico delle praterie per i minorenni e le minorenni locali. Alcuni di loro stavano ballando alla musica di un giradischi a gettoni. Ci fu un'interruzione quando entrammo. Gene e il biondino se ne stettero lí, senza guardare nessuno; tutto quel che volevano era le sigarette. C'erano anche alcune graziose ragazze. E una di esse lanciò certe occhiate al biondino, ma lui non la vide nemmeno, e anche se l'avesse vista non gliene sarebbe importato niente, tanto era triste e sperduto.

Comprai un pacchetto per ciascuno di loro; mi ringraziarono. L'autotreno era pronto a partire. Si stava avvicinando ormai la mezzanotte, e faceva freddo. Gene, che aveva girato per il continente piú volte di quel che potesse contare sulle dita delle mani e su quelle dei piedi, disse che ora la miglior cosa da fare per tutti noi era di rannicchiarci vicini sotto il grosso telone catramato se non volevamo rimanere assiderati. In questo modo, e con il resto della bottiglia, ci tenemmo caldi mentre l'aria si faceva gelata e ci pizzicava le orecchie. Pareva che le stelle diventassero piú luminose man mano che salivamo su per gli altipiani. Eravamo nel Wyoming, adesso. Steso sulla schiena, rimiravo là sopra il magnifico firmamento, compiacendomi della velocità con cui viaggiavo, di quanto lontano ero giunto, alla fine, dal triste Bear Mountain, e tutto elettrizzato al pensiero di quel che mi aspettava a Denver: qualsiasi, qualsiasi cosa fosse. E Gene del Mississippi cominciò a cantare una canzone. La cantò con voce melodiosa, tranquilla, con un accento del Mississippi, ed era semplice, solo cosí: "La mia ragazza ha solo sedici anni - è dolce e piccolina - per quanto tu t'affanni - non puoi trovarne una piú carina", ripetendolo insieme ad altre strofe messe a caso, tutte che dicevano quanto egli fosse andato lontano e come desiderasse tornare da colei che purtroppo aveva perduta.

Io dissi: « Gene, non ho mai sentito una canzone piú bella ».

« È la piú dolce che conosca » rispose lui con un sorriso.

« Spero che lei arrivi dove sta andando, e che sia felice quando arriverà. »

« Io me la cavo sempre e tiro avanti in un modo o nell'altro. »

Lo Smilzo del Montana dormiva. Si svegliò e mi disse: « Ehi, Blackie, che ne diresti se tu e io esplorassimo insieme Cheyenne stanotte prima che tu vada a Denver? ».

« Senz'altro. » Ero sufficientemente ubriaco per accettare qualsiasi cosa.

Come l'autotreno raggiunse i dintorni di Cheyenne, vedemmo le alte luci rosse della stazione radio locale, e d'improvviso ci stavamo facendo strada attraverso una gran folla di gente che si addensava su entrambi i marciapiedi. « Porca miseria, è la Settimana del Selvaggio West » disse lo Smilzo. Fitti gruppi di uomini d'affari, di grassi commercianti in stivaloni e cappelloni a larghe tese, con le mogli robuste in costume da cow-boy, si agitavano e vociferavano lungo i marciapiedi di legno della vecchia Cheyenne; piú in giú, lontano, c'erano le luci a lunghi festoni dei viali del centro di Cheyenne nuova, ma i festeggiamenti erano concentrati nella città vecchia. Si sentivano sparare fucili a salve. I locali pubblici rigurgitavano fino al marciapiede. Ne ero sbalordito, e nello stesso tempo avevo l'impressione che fosse ridicolo: alla mia prima puntata nel West potevo vedere a quali assurdi espedienti si era ridotto, pur di mantenere le sue fiere tradizioni. Dovemmo saltar giú dall'autotreno e salutare; i due del Minnesota non avevano nessun interesse a fermarsi lí. Era triste vederli partire, e capii che non avrei mai piú rivisto nessuno di loro, ma non c'era niente da fare. « Vi gelerete il sedere stanotte » li ammonii. « Poi, domani pomeriggio, ve lo brucerete nel deserto. »

« Per me va benissimo purché usciamo da questa fredda nottata » rispose Gene. E l'autocarro partí, facendosi strada fra la folla, mentre nessuno degnava di uno sguardo la stranezza di quei ragazzi sotto il telone catramato, che fissavano il panorama come neonati da sotto una copertina. Lo guardai sparire nella notte.

5

Ero con lo Smilzo del Montana e cominciammo a perlustrare i bar. Avevo circa sette dollari, e stupidamente ne buttai via cinque quella notte. Dapprima ci unimmo a tutti i turisti e petrolieri e grandi allevatori abbigliati da cow-boy, nei bar, nei portoni, sul marciapiede; poi mi levai di torno per un po' lo Smilzo, che gironzolava per la strada un po' alticcio per tutto il whisky e la birra bevuti; era un bevitore di questo genere: gli occhi gli diventavano fissi, e un minuto dopo si metteva a raccontare a un perfetto sconosciuto i fatti suoi. Me ne andai dove servivano certi peperoni ardenti e la cameriera era bella e messicana. Mangiai, e poi le scrissi un bigliettino amoroso sul dietro del conto. Il locale dove vendevano i peperoni era deserto; erano tutti da qualche altra parte, a bere. Le dissi di girare il conto. Lei lo lesse e rise. Era una poesiola che diceva quanto desideravo che lei venisse con me a vedere la notte.
« Mi piacerebbe assai, Chiquito, ma ho un appuntamento col mio ragazzo. »
« Non puoi lasciarlo perdere? »
« No, no, non posso » rispose lei triste, e mi piacque assai come lo disse.
« Tornerò da queste parti un'altra volta » promisi, e lei rispose: « Quando vuoi, ragazzo ». Tuttavia rimasi lí, solo per guardarla, e presi un'altra tazza di caffè. Il suo fidanzato entrò con aria cupa e volle sapere quando sarebbe uscita. Lei si diede da fare lí dentro per chiudere in fretta il locale. Dovetti uscire. Le lanciai un sorriso quando me ne andai. Fuori le cose andavano piú pazzamente che mai, solo che i grassi gaudenti stavano diventando piú ubriachi che mai e strillavano sempre piú forte. Era buffo. C'erano capi indiani che gironzolavano qua e là con grandi acconciature di penne ed erano veramente solenni in mezzo alle facce paonazze degli ubria-

68

chi. Vidi lo Smilzo passare barcollando e mi unii a lui.
Disse: «Ho scritto una cartolina a mio papà nel Montana. Credi che ti riuscirà di trovare una cassetta per le lettere e mettercela dentro?». Era una strana richiesta; mi diede la cartolina e spinse traballando le porte a molla di un ritrovo. Presi la cartolina, andai alla cassetta, e ci diedi una rapida occhiata. "Caro Papà, sarò a casa mercoledí. Va tutto bene, per quanto mi riguarda, e lo stesso spero di te. Richard." Questo mi diede di lui un'idea differente; com'era teneramente educato con suo padre. Andai a raggiungerlo al bar. Ci accompagnammo a due ragazze, una bionda giovane e graziosa e una brunetta grassoccia. Erano sciocche e immusonite, ma noi volevamo conquistarle. Le portammo in uno scalcinato locale notturno che stava già per chiudere, e là spesi tutto meno due dollari in whisky per loro e birre per noi. Mi stavo ubriacando e me ne infischiavo; ogni cosa andava magnificamente. Tutto il mio essere e i miei proponimenti erano puntati in direzione della biondina. Avevo voglia di penetrarla con tutta la mia forza. L'abbracciai e volevo dirglielo. Il locale notturno si chiuse e noi vagabondammo fuori nelle strade sconnesse e polverose. Guardai su verso il cielo; le stelle pure, meravigliose erano sempre là, che ardevano. Le ragazze volevano andare alla stazione degli autobus, cosí ci andammo tutti, ma pareva che loro volessero incontrare un marinaio che stava lí ad aspettarle, un cugino della ragazza grassa, e il marinaio aveva con sé certi amici. Dissi alla bionda: «Che hai in mente?». Lei disse che voleva andare a casa, nel Colorado, subito di là dal confine a sud di Cheyenne. «Ti ci porterò con l'autobus» proposi.
«No, l'autobus si ferma sull'autostrada e io sono costretta ad attraversare da sola quella maledetta prateria. Passo tutto il pomeriggio a guardare quell'accidente di prateria e non intendo passarci stanotte. »
«Be', senti faremo una bella passeggiata tra i fiori della prateria. »
«Non ci sono fiori laggiú» disse lei. «Voglio andare a New York. Sono stufa e arcistufa di tutto questo. Non

c'è nessun luogo dove andare tranne Cheyenne e a Cheyenne non c'è niente. »

« Anche a New York non c'è niente. »

« Accidenti se non c'è » rispose lei incurvando le labbra.

La stazione dell'autobus era affollata fino alle porte d'ingresso. Persone di ogni specie stavano ad aspettare gli autobus o semplicemente sostavano là in giro; c'era un sacco d'indiani, che osservavano tutto con i loro occhi di pietra. La ragazza si liberò dalle mie chiacchiere e raggiunse il marinaio e gli altri. Lo Smilzo stava mezzo addormentato su una panchina. Mi sedetti. I pavimenti delle stazioni d'autobus sono gli stessi in tutto il continente, sempre ricoperti di cicche e di sputi e danno un senso di tristezza che hanno solo le stazioni d'autobus. Per un momento fu esattamente come se mi trovassi a Newark, eccetto per gli sterminati spazi là fuori, che amavo tanto. Avevo rimorso per aver rotto la purezza di tutto il mio viaggio, senza risparmiare ogni singolo centesimo, e perdendo tempo e senza in realtà procedere di buon passo, facendo lo scemo con quella ragazza scontrosa e buttando tutto il mio denaro. Mi veniva da vomitare a pensarci. Non avevo dormito da tanto tempo che mi sentii troppo stanco per imprecare e fare scene e mi misi a dormire; mi rannicchiai sul sedile con la mia valigia di canapa per cuscino, e dormii fino alle otto del mattino in mezzo a sussurri di sogno e ai rumori della stazione e a centinaia di persone che passavano.

Mi svegliai con un gran mal di testa. Lo Smilzo se n'era andato... nel Montana, immagino. Uscii. E là, nell'aria azzurra lontano lontano vidi per la prima volta i grandi picchi nevosi delle Montagne Rocciose. Diedi un grosso sospiro. Dovevo andare a Denver immediatamente. Prima feci colazione, una modesta colazione a base di crostini e caffè e un uovo, e poi tagliai dalla città verso l'autostrada. Il festival del Selvaggio West continuava ancora; c'era un rodeo, e gli urli e la baldoria stavano per ricominciare tutti da capo. Me li lasciai indietro. Volevo vedere la mia comitiva di Denver. Attraversai un cavalcavia e raggiunsi un mucchio di baracche dove si biforcavano due autostrade, entrambe per Denver. Presi quella più vicina alle montagne in modo da poterle guardare, e m'incamminai da quella parte. Ottenni subito dopo un passaggio da un giovanotto del Connecticut che viaggiava per il paese nel suo macinino, dipingendo; era il figlio del direttore di un giornale dell'Est. Chiacchierava e chiacchierava; mi sentivo male per l'altitudine e per le libagioni. A un certo punto fui quasi costretto a metter la testa fuori dal finestrino. Ma al momento in cui mi lasciò a Longmont, nel Colorado, mi sentivo di nuovo normale e avevo persino cominciato a raccontargli le peripezie del mio viaggio. Lui mi augurò buona fortuna.

Era bello e Longmont. Sotto un poderoso vecchio albero c'era un'aiuola d'erba verde a prato che apparteneva a una stazione di rifornimento. Chiesi al benzinaro se potevo dormirci, e lui me lo permise senz'altro; cosí stesi per terra una camicia di lana, ci misi contro la faccia, con un gomito in fuori, e solo per un momento guardai di striscio con un occhio le Montagne Rocciose coperte di neve nel sole ardente. Dormii per due deliziose ore, con l'unico fastidio datomi da qualche occasionale formica del Colorado. "Ed eccomi qua nel Colorado!" continuavo a pensare pieno di gioia. Diavolo! Diavolo! Diavolo! Sto per farcela! E dopo un sonno rinfrescante popolato di sogni intricati sulla mia vita passata nell'Est, mi alzai, mi lavai nel gabinetto per uomini della stazione, e mi avviai a grandi passi, ripulito e fresco come una rosa, e mi concessi un ricco e denso frullato alla casa cantoniera per mettere qualcosa di ghiacciato sul mio stomaco bruciante, tormentato.

Fra parentesi, quel frullato me lo preparò una bellissima ragazza del Colorado; la quale era pure tutta sorrisi; gliene fui grato, mi ricompensava della notte prima. Mi dissi: "Evviva! Figuriamoci quel che sarà *Denver*!". Mi misi sulla strada infocata, e via me ne andai in una macchina nuova di zecca guidata da un uomo d'affari di Denver sui trentacinque. Andava a piú di cento l'ora. Mi sentivo elettrizzato da capo a piedi; contavo i minuti e calcolavo i chilometri. Poco piú avanti, oltre i campi di frumento che si svolgevano tutti dorati sotto le lontane nevi di Estes, avrei finalmente visto la vecchia Denver. Mi vedevo la sera stessa in un bar di Denver, con tutta la comitiva, e ai loro occhi sarei apparso strano e male in arnese e simile al Profeta che aveva camminato attraverso le terre per portare il Verbo oscuro, e l'unico Verbo che io avessi era: "Evviva!". Quel tale e io facemmo una lunga, amichevole chiacchierata a proposito dei nostri rispettivi modi di concepir la vita, e prima che me ne accorgessi stavamo attraversando i mercati generali della frutta fuori Denver; c'erano ciminiere, fumo, scali ferroviari, edifici di mattoni rossi e, in distanza, i palazzi di pietra grigia del centro, ed eccomi a Denver. Quello mi lasciò in Larimer Street. Io andai avanti incespicando col più fiero ghigno di gioia del mondo, in mezzo ai vecchi ubriaconi e agli stracciati cow-boy di Larimer Street.

6

In quei giorni non conoscevo Dean bene come adesso, e la prima cosa che volevo fare era andare a trovare Chad King, e così feci. Telefonai a casa sua, parlai con sua madre... lei disse: « Ma, Sal, come mai a Denver? ». Chad è un ragazzo magro e biondo con una strana faccia da stregone che si confà al suo interesse per l'antropologia e gli indiani della preistoria. Il suo naso s'incurva leggermente a becco ed è quasi cremoso sotto un ciuffo di capelli dorati; ha la bellezza e la grazia di un pistolero del West uso a ballare nei ritrovi lungo le strade e a giocare un pochino al calcio. Quando parla, esce da lui una tremula vibrazione. "Quel che mi è sempre piaciuto degli indiani delle Praterie, Sal, è il modo con cui restavano maledettamente imbarazzati dopo essersi vantati del numero di scalpi conquistati. Ne *la vita nel Far West* di Ruxton, c'è un indiano che diventa tutto rosso per l'imbarazzo dopo essersi fatto un'infinità di capigliature e corre come un dannato nelle praterie per gloriarsi di nascosto delle sue imprese. Diavolo, questo sí che *mi* ha divertito!"
La madre di Chad lo rintracciò al museo locale, nel sonnolento pomeriggio di Denver, mentre studiava la fabbricazione di canestri indiani. Gli telefonai là; lui venne

a prendermi nella sua vecchia berlina Ford che adoperava per fare escursioni sulle montagne, in cerca di oggetti indiani. Arrivò alla stazione degli autobus con pantaloni di tela blu e un largo sorriso. Io sedevo sulla mia valigia per terra chiacchierando proprio con lo stesso marinaio ch'era stato con me alla stazione degli autobus di Cheyenne, e gli chiedevo cos'era successo della bionda. Lui era cosí scocciato che non rispose nemmeno. Chad e io entrammo nella sua vetturetta, e la prima cosa che lui doveva fare era prendere alcune carte geografiche al Palazzo del Governo. Poi aveva da vedere una vecchia maestra, e cosí via, mentre tutto quel che volevo fare io era di bere un po' di birra. E nel profondo del mio cervello c'era un pensiero incontrollato: "Dov'è Dean e che starà facendo adesso?". Chad aveva deciso, per qualche strana ragione, di non essere piú amico di Dean, e non sapeva nemmeno dove abitasse.

« È in città Carlo Marx? »

« Sí. » Ma nemmeno con lui parlava piú. Questo fu l'inizio della ritirata di Chad King dalla nostra grande comitiva. Dovevo fare un sonnellino a casa sua nel pomeriggio. Circolava la voce che Tim Gray avesse un appartamento pronto per me su per la Colfax Avenue, che Roland Major ci abitasse di già e aspettasse che io ve lo raggiungessi. Sentivo nell'aria una specie di cospirazione, e questa divideva la comitiva in due gruppi: Chad King e Tim Gray e Roland Major, insieme coi Rawlins, erano tutti d'accordo in generale a ignorare Dean Moriarty e Carlo Marx. Io mi trovavo di colpo nel mezzo di questo interessante conflitto.

Era un conflitto con sottintesi sociali. Dean era il figlio di un ubriacone, uno dei piú scalcinati vagabondi di Larimer Street, e infatti era cresciuto piú che altro in Larimer Street e dintorni. Era solito, all'età di sei anni, intercedere in tribunale per ottenere il rilascio di suo padre. Chiedeva l'elemosina di fronte ai vicoli di Larimer Street e poi passava di nascosto i soldi al padre, che aspettava in mezzo alle bottiglie rotte in compagnia di un vecchio camerata. Poi, quando fu cresciuto, Dean cominciò a bighellonare per le sale di biliardo di Glenarm;

stabilí un primato a Denver in fatto di furti d'automobili e finí al riformatorio. Dagli undici ai diciassette anni fu quasi sempre in riformatorio. La sua specialità era rubare macchine, dar la caccia alle ragazze che uscivano dal liceo nel pomeriggio, portarsele sulle montagne, farci all'amore, e tornarsene indietro a dormire nella prima vasca da bagno libera di qualche albergo in città. Suo padre, una volta un rispettabile e laborioso lattoniere, era diventato un alcoolizzato da vino, che è peggio dell'alcoolizzato da whisky, e si era ridotto a viaggiare sui treni merci per andare nel Texas l'inverno e tornare a Denver l'estate. Dean aveva alcuni fratelli da parte della madre morta – era mancata quando lui era piccolo – ma non l'avevano in simpatia. Gli unici amici di Dean erano i ragazzi della sala di biliardo. Dean, che possedeva la formidabile energia di un nuovo genere di santo d'America, e Carlo, erano i prodigi clandestini di quella stagione a Denver, insieme con la comitiva del biliardo e, come splendido simbolo di ciò, Carlo aveva un appartamento in un seminterrato di Grant Street e là c'incontrammo tutti per parecchie serate che poi si protraevano fino all'alba: Carlo, Dean, io, Tom Snark, Ed Dunkel e Roy Johnson. Di questi altri parlerò piú avanti.

Il mio primo pomeriggio a Denver dormii nella camera di Chad King, mentre la madre continuava i suoi lavori domestici al piano di sotto e Chad lavorava in biblioteca. Era un torrido pomeriggio di luglio sull'altopiano. Se non fosse stato per l'invenzione del padre di Chad King non avrei potuto dormire. Il padre di Chad King, un signore fine e gentile, era sui settanta, vecchio e debole, magro e rinsecchito, e raccontava storie con una compiacenza lenta, lentissima; erano anche belle storie, sulla sua infanzia nelle praterie del Nord Dakota verso l'ottanta, quando, per ricrearsi, cavalcava i puledri senza sella e cacciava i coyote con una mazza. In seguito divenne un maestro di campagna nel "manico"[1] dell'Okla-

<hr>

[1] Cosí viene chiamata, per la sua forma diritta ed allungata, quella parte del territorio dell'Oklahoma che s'incunea fra i confini del Kansas, del Colorado, del New Mexico e del Texas. (N. d. T.)

homa, e infine un uomo d'affari dalle molteplici risorse a Denver. Aveva tuttora il suo vecchio ufficio sopra un'autorimessa lungo la strada – c'era sempre la scrivania a ribalta, insieme con gli innumerevoli documenti polverosi di un passato trascorso in febbrile attività e a far quattrini. Aveva inventato uno speciale condizionatore d'aria. Metteva un normale ventilatore nell'intelaiatura di una finestra e in qualche modo faceva arrivare acqua fredda attraverso serpentine poste di fronte alle pale rotanti. Il risultato era perfetto – a un metro e mezzo dal ventilatore – e poi evidentemente l'acqua si trasformava in vapore nella giornata calda, mentre la parte bassa della casa era calda esattamente come prima. Ma io dormivo proprio sotto il ventilatore sul letto di Chad, con un gran busto di Goethe che mi fissava, e mi addormentai placidamente, per svegliarmi dopo soli venti minuti intirizzito da morire. Mi misi addosso una coperta ma avevo sempre freddo. Alla fine faceva talmente freddo che non mi riuscí di riaddormentarmi, e cosí scesi al piano di sotto. Il vecchio mi chiese come funzionava la sua invenzione. Io gli dissi che funzionava maledettamente bene, e cosí intendevo con certe riserve. Quell'uomo mi piaceva. Si adagiava sui ricordi. « Una volta feci uno smacchiatore che da allora è stato copiato da grosse ditte dell'Est. Da qualche anno a questa parte, ho cercato di realizzare quel che mi è dovuto. Se solo avessi abbastanza denaro da pagarmi un discreto avvocato... » Ma era troppo tardi per pagarsi un discreto avvocato; e cosí sedeva avvilito nella sua casa. La sera mangiammo una meravigliosa cena preparata dalla madre di Chad, bistecche di cervo che lo zio di Chad aveva ucciso sulle montagne. Ma Dean, dov'era?

7

I dieci giorni che seguirono furono, come diceva W. C. Fields[1] "gravidi di notevoli pericoli" e pazzeschi. Mi

---

[1] Noto comico americano. (N. d. T.)

trasferii insieme con Roland Major nell'appartamento veramente elegante che apparteneva alla famiglia di Tim Gray. Avevamo ciascuno una camera da letto, e c'era una piccola cucina con roba da mangiare nel frigorifero, e un'enorme sala di soggiorno dove Major stava seduto nella sua vestaglia di seta a stendere la sua ultima novella alla Hemingway; era un tipo collerico, rosso in viso, massiccio esecratore di tutto, che poteva tirar fuori il piú caldo e smagliante sorriso al mondo quando di notte si trovava dolcemente a faccia a faccia con la vita vera. Sedeva alla sua scrivania in questo modo, mentre io saltavo qua e là sopra il folto morbido tappeto, vestito soltanto di un paio di calzoncini di seta cruda. Egli aveva appena finito di scrivere un racconto su un tale che veniva a Denver per la prima volta. Si chiamava Phil. Il suo compagno di viaggio era un misterioso e tranquillo individuo di nome Sam. Phil se ne va fuori alla conquista di Denver e si trova impegolato con certi pseudartisti. Ritorna alla sua camera d'albergo. Dice lugubremente: "Sam, ce n'è anche qui". E Sam sta semplicemente guardando fuori dalla finestra con aria triste. "Sí" dice Sam "lo so." E la questione era che Sam non doveva andare a vedere per saperlo. C'erano pseudartisti per tutta l'America, e le succhiavano sangue. Major e io eravamo ottimi amici; lui pensava che io fossi quanto c'è di piú lontano da uno pseudartista. A Major piacevano i buoni vini, proprio come a Hemingway. Indulgeva in ricordi sul suo recente viaggio in Francia. « Ah, Sal, se tu potessi startene seduto con me su nell'alta campagna basca davanti a una bottiglia ghiacciata di Poignon Dix-neuf, allora sí che ti accorgeresti che esistono anche altre cose oltre ai carri merci. »

« Lo so. È solo che io adoro i carri merci e adoro leggere i nomi che ci stanno sopra come Missouri Pacific, Great Northern, Rock Island Line. Per Dio, Major, se potessi raccontarti tutto quel che m'è successo a viaggiare fin qui con l'autostop. »

I Rawlins abitavano qualche isolato piú in là. Erano una famiglia deliziosa: una madre giovanile, comproprietaria di un decrepito albergo sede di antichi fantasmi, con cinque figli e due figlie. Ray Rawlins era il figlio scapestrato, compagno d'infanzia di Tim Gray. Ray entrò con un gran fracasso per portarmi fuori e ce la intendemmo immediatamente. Uscimmo per andare a bere nei bar della Colfax. Una delle sorelle di Ray era una bella bionda che si chiamava Babe: una bambola del West, giocatrice di tennis e sciatrice sull'acqua. Era la ragazza di Tim Gray. E Major, che si trovava a Denver solo di passaggio e ci viveva in grande stile abitando in quell'appartamento, usciva con Betty, sorella di Tim Gray. Io ero l'unico senza una ragazza. Chiesi a tutti: "Dov'è Dean?". Loro davano sorridendo risposte negative.

Poi finalmente successe. Suonò il telefono, ed era Carlo Marx. Mi diede l'indirizzo del suo appartamento nell'interrato. Io chiesi: « Che stai facendo a Denver? Voglio dire, che fai *di bello*? Quali sono le novità? ».

« Oh, aspetta che te lo dica. »

Mi precipitai ad incontrarlo. Lavorava di notte nei grandi magazzini May; quel pazzo di Ray Rawlins gli aveva telefonato là da un bar, facendo correre alcuni portieri in cerca di Carlo con la storiella che qualcuno era morto. Carlo aveva pensato immediatamente che il morto fossi io. E Rawlins gli aveva detto al telefono: "C'è Sal a Denver", e gli aveva dato il mio indirizzo e il numero di telefono.

« E dov'è Dean? »

« Dean sta a Denver. Lascia che ti racconti. » E mi spiegò che Dean faceva all'amore con due ragazze contemporaneamente, e queste erano Marylou, la sua prima moglie, che stava ad aspettarlo in una camera d'albergo, e Camille, una nuova ragazza, che l'aspettava in un'altra camera d'albergo. « Negli intervalli fra l'una e l'altra corre da me per i nostri affari personali in sospeso. »

« E di che affari si tratta? »

« Dean e io ci siamo imbarcati insieme in un formidabile esperimento. Stiamo cercando di comunicarci con onestà assoluta e assoluta completezza tutto quel che abbiamo in mente. Abbiamo dovuto prendere la benzedrina. Sediamo sul letto, a gambe incrociate, l'uno di fronte all'altro. Ho finalmente fatto capire a Dean che può fare qualsiasi cosa desideri, essere eletto sindaco di Denver, sposare una milionaria, oppure diventare il piú grande poeta dopo Rimbaud. Ma lui continuava a correre a vedere le corse delle microvetture. Io lo seguo. Lui salta e urla, eccitatissimo. Capisci, Sal, Dean è davvero tutto preso da cose del genere. » Marx fece: « Ehmm » fra sé e sé e ci pensò sopra.

« Che programmi avete? » chiesi. C'era sempre un programma nella vita di Dean.

« Il programma è questo: ho finito di lavorare una mezz'ora fa. In questo frattempo Dean si sbatte Marylou all'albergo e mi dà tempo di cambiarmi e vestirmi. All'una in punto pianta Marylou e corre da Camille — naturalmente nessuna di loro sa quel che succede — e se la fa con lei una volta sola, e cosí mi dà il tempo di arrivare all'una e mezzo. Poi esce con me — prima deve implorare Camille, che già comincia ad odiarmi — e veniamo qui a parlare fino alle sei del mattino. Di solito dedichiamo a queste sedute un tempo maggiore, ma tutto sta diventando terribilmente complicato e il tempo gli viene a mancare. Quindi alle sei torna da Marylou... e domani passerà tutta la giornata a correre qua e là per procurarsi le carte necessarie al loro divorzio. Marylou ci sta senz'altro, però insiste nel farsi sbattere in questo frattempo. Dice che lo ama... e altrettanto dice Camille. »

Poi mi raccontò come Dean aveva conosciuto Camille. Roy Johnson, il ragazzo del biliardo, l'aveva trovata in un bar e se l'era portata in un albergo; inorgoglito al massimo, invitò tutta la comitiva a salire perché la vedessero. Tutti sedettero in cerchio a chiacchierare con Camille. Dean non fece altro che guardar fuori della finestra. Poi, quando tutti se ne andarono, Dean guardò appena Camille, si additò il polso, fece segno "quattro" (voleva dire che sarebbe tornato alle quattro), e se ne andò. Alle tre la porta era chiusa a chiave per Roy Johnson. Alle quattro era aperta per Dean. Volevo andar subito fuori a vedere quel pazzo. Anche perché mi aveva promesso di sistemarmi bene; conosceva tutte le ragazze di Denver.

Carlo e io andammo per strade sconnesse nella notte di Denver. L'aria era dolce, le stelle cosí belle, la promessa di ogni vicolo acciottolato cosí grande, che mi pareva di camminare in un sogno. Arrivammo alla casa d'affitto dove Dean discuteva con Camille. Era un vecchio edificio di mattoni rossi circondato da autorimesse di legno e vecchi alberi che spuntavano da dietro gli steccati. Salimmo per le scale coperte da un tappeto. Carlo bussò; poi arretrò svelto per nascondersi; non voleva che Camille lo vedesse. Io rimasi ritto sulla soglia. Dean venne ad aprire completamente nudo. Vidi sul letto una brunetta, con una bellissima coscia lattea coperta di pizzo nero, guardar su con dolce stupore.

« Come, Sa-a-al! » esclamò Dean. « Be', ora... ah... ehm... sí, certo, sei arrivato... vecchio figlio di puttana, ti sei finalmente messo su questa benedetta strada. Be', ora, senti un po'... noi dobbiamo... sí, sí, subito... dobbiamo, dobbiamo proprio! Dunque Camille... » E si voltò di botto verso di lei. « C'è qui Sal, è un mio vecchio amicone di New Yor-r-k, questa è la sua prima notte a Denver ed è assolutamente necessario che io lo porti in giro e gli trovi una ragazza. »

« Ma a che ora tornerai? "

« Adesso sono » (e guardò l'orologio) « esattamente l'una e quattordici. Sarò di ritorno alle *tre* e quattordici in punto, per la nostra ora di fantasticherie in comune, di vere dolci fantasticherie, tesoro, e poi, come ben sai, come ti ho già detto e come siamo d'accordo, devo andare a vedere quell'avvocato con una gamba sola per quei documenti... nel cuore della notte, anche se pare strano e come ti ho e-sau-rien-te-men-te spiegato. » Questa era una scusa per potersi trovare con Carlo, che stava tuttora nascosto. « Cosí ora, in questo preciso momento devo vestirmi, mettermi i pantaloni, tornare alla vita, cioè alla vita di fuori, strade e via dicendo, come siamo d'accordo, adesso è l'una e *quindici* e il tempo vola, vola... »

« Be', intesi, Dean, ma per favore non mancare di tornare alle tre. "

« Proprio come ho detto, tesoro, e ricorda, non le tre ma le tre e quattordici. Ci siamo chiariti bene nelle piú profonde e meravigliose profondità dell'anima nostra, carissimo tesoro? » E andò da lei e la baciò ripetutamente.

Sulla parete c'era uno schizzo di Dean nudo, col membro enorme e tutto, fatto da Camille. Ero sbalordito. Tutto era cosí pazzesco.

Corremmo via nella notte; Carlo ci raggiunse in un vicolo. E andammo avanti lungo la piú stretta, la piú strana e piú tortuosa stradina di città che avessi mai vista, sprofondata nel cuore del quartiere messicano di Denver. Parlavamo a voce alta nella quiete addormentata. « Sal » disse Dean « ho proprio una ragazza che ti aspetta in questo preciso minuto... se è libera dal lavoro » (e guardò l'orologio). « Una cameriera, Rita Bettencourt, una pollastrella coi fiocchi, un po' invischiata in certe difficoltà sessuali che io ho cercato di chiarire e che credo tu possa sistemare, tu che la sai lunga, tu. Cosí andremo subito là... dobbiamo portare un po' di birra, no, ne hanno anche loro e, maledizione! » disse, succhiandosi il palmo. « Devo proprio infilarglielo a sua sorella Mary stanotte. »

« Che? » disse Carlo. « Credevo che avremmo fatto la solita seduta. »

« Sí, sí, dopo. »

« Oh, questo tedio di Denver! » urlò Carlo verso il cielo.

« Non è forse il piú caro e dolce ragazzo del mondo? » disse Dean, dandomi un colpo nelle costole. « Guardalo. *Guardalo!* » E Carlo cominciò la sua danza scimmiesca nelle strade della vita come l'avevo visto fare un'infinità di volte in tutti gli angoli di New York.

E tutto quel che potei dire fu: « Be', che diavolo stiamo a fare a Denver? ».

« Domani, Sal, so dove posso trovarti un lavoro » disse Dean, tornando al tono professionale. « Quindi ti verrò a trovare, appena avrò un'ora libera da Marylou, e farò un salto dritto in quel vostro appartamento, per salutare Major, e portarti in filobus (accidenti, non ho la macchina) ai mercati Camargo, dove puoi metterti subito a lavorare e riscuotere la paga il venerdí che viene. Siamo tutti in bolletta sparata. Da settimane non ho piú tempo per lavorare. Venerdí sera senza fallo noi tre – il vecchio trio di Carlo, Dean e Sal – dobbiamo andare alle corse delle microvetture, e quanto a questo posso procu-

rare un passaggio da un tale in centro che conosco...»
E cosí avanti nella notte.

Arrivammo alla casa dove abitavano le sorelle cameriere.
Quella destinata a me stava ancora lavorando; la sorella
che Dean voleva era in casa. Ci sedemmo sul suo divano.
Il programma era che a questo punto io telefonassi a
Ray Rawlins. Lo feci. Lui venne da noi immediatamente.
Appena varcata la soglia, si levò la camicia e la canottiera e cominciò ad abbracciare colei che per lui era una
perfetta sconosciuta, Mary Bettencourt. Alcune bottiglie
rotolarono sul pavimento. Si fecero le tre. Dean si precipitò fuori per la sua ora di fantasticherie con Camille.
Tornò in tempo. Comparve anche l'altra sorella. Adesso
avevamo tutti bisogno di una macchina, e stavamo facendo troppo baccano. Ray Rawlins telefonò a un amico proprietario di un'automobile. Questi venne. Ci ammucchiammo tutti dentro; Carlo stava cercando di portare
avanti la sua progettata conversazione con Dean sul sedile posteriore, ma c'era troppa confusione. «Andiamo
tutti al mio appartamento!» gridai. Ci andammo; il momento stesso che la macchina si fermò io saltai fuori e
mi misi ritto a testa in giú nell'erba. Tutte le chiavi mi
caddero dalle tasche; non le trovai mai piú. Corremmo
urlando dentro il palazzo. Roland Major stava lí ritto
nella sua vestaglia di seta, per sbarrarci l'entrata.
«Non permetterò faccende del genere nell'appartamento
di Tim Gray!»
«Che?» urlammo tutti. Ci fu un po' di trambusto.
Rawlins si stava rotolando nell'erba con una delle cameriere. Major non voleva lasciarci entrare. Noi giuram-
mo che avremmo telefonato a Tim Gray per avere il
permesso di intrattenere la comitiva e per invitare anche
lui. Invece tornammo tutti di corsa verso le bettole nel
centro di Denver. All'improvviso mi trovai solo nella
strada senza neanche un soldo. Il mio ultimo dollaro se
n'era andato.
Camminai per otto chilometri su per la Colfax verso il
mio comodo letto nell'appartamento. Major dovette farmi entrare. Mi chiesi se Dean e Carlo stavano attuando

il loro tête-à-tête. L'avrei saputo in seguito. A Denver le notti sono fresche, e io dormii come un masso.

8

Poi si misero tutti a progettare una formidabile spedizione sulle montagne. Questa faccenda cominciò al mattino, insieme con una telefonata che complicò le cose: il mio vecchio compagno di viaggio Eddie, che telefonò tirando a indovinare; ricordava alcuni dei nomi che avevo menzionati. Adesso mi si presentava l'occasione di riavere la mia camicia. Eddie stava con la sua ragazza in una casa verso la Colfax. Voleva sapere se sapevo dove trovar lavoro, e io gli dissi di venire da me, immaginando che Dean l'avrebbe saputo. Dean arrivò, di corsa, mentre Major e io stavamo facendo un'affrettata colazione. Dean non volle nemmeno sedersi. « Ho un'infinità di cose da fare, in realtà quasi non avevo tempo di portarti giú a Camargo, ma andiamo pure, amico. »
« Aspetta che arrivi il mio compagno di viaggio Eddie. » Major trovò divertenti le nostre preoccupazioni in fatto di orari. Era venuto a Denver per scrivere con calma. Trattava Dean con estrema deferenza. Dean non gli dava retta per niente. Major parlò con Dean in questo modo: « Moriarty, che è questa faccenda che ho sentito di te, che vai a letto con tre ragazze in una volta? ». E Dean rispose, strusciando i piedi sul tappeto: « Oh sí, oh sí, sono cose che succedono », e guardò l'orologio, e Major sbuffò col naso. Mi sentivo imbarazzato ad andarmene via con Dean: Major insisteva nel dire che era un deficiente e un pazzo. Naturalmente non lo era, e io volevo provarlo a tutti in qualche modo.
Eddie ci raggiunse. Dean non gli badò neppure, e via ce ne andammo su un filobus attraverso il caldo mezzogiorno di Denver a cercar lavoro. Io ne odiavo persino l'idea. Eddie chiacchierava e chiacchierava come faceva sempre. Ai mercati trovammo un tale che acconsentí ad assumerci tutti e due; il lavoro cominciava alle quattro del mattino e continuava fino alle sei del pomeriggio.

Quello disse: « Mi piacciono i ragazzi che amano il lavoro ».

« Ha trovato chi fa per lei » disse Eddie, ma io non ero tanto sicuro di me stesso. « Non dormirò per niente, e basta » decisi. C'erano tante altre cose interessanti da fare.

Eddie la mattina dopo si presentò; io no. Io un letto ce l'avevo, e Major comperava i viveri da mettere nel frigorifero, e in cambio cucinavo e lavavo i piatti. Nel frattempo mi cacciai in un sacco di cose. Dai Rawlins una sera ci fu una gran festa. La madre dei Rawlins era andata a fare un viaggio. Ray Rawlins chiamò tutti quelli che conosceva e disse loro di portare whisky; poi consultò il suo libro di indirizzi in cerca di ragazze. Fece parlare quasi sempre me. Si presentò un bel mucchio di ragazze. Telefonai a Carlo per sapere che cosa stava facendo Dean in quel momento. Dean sarebbe andato da Carlo alle tre di mattina. Io ci andai dopo la festa.

L'alloggio di Carlo nel seminterrato era in Grant Street in una vecchia casa d'affitto di mattoni rossi vicino a una chiesa. Ci si inoltrava in un vicolo, giú per alcuni gradini di pietra, si apriva una vecchia porta grezza, e si passava attraverso una specie di cantina finché si arrivava alla sua porta fatta di tavole. Pareva la camera di qualche santo russo: un letto, una candela accesa, muri di pietra trasudanti umidità, e una pazza specie di icona dall'aria provvisoria che aveva fatta lui stesso. Mi lesse una sua poesia. Era intitolata *Tedio di Denver*. Carlo si era svegliato il mattino e aveva sentito i "volgari piccioni" tubare nella strada accanto alla sua cella; aveva visto gli "usignoli tristi" annuire sui rami e questi gli avevano fatto venire in mente sua madre. Una coltre grigia era caduta sulla città. Le montagne, quelle magnifiche Montagne Rocciose che si potevano vedere a occidente da ogni punto della città, erano "di cartapesta". L'universo intero era pazzo e obliquo ed estremamente bizzarro. Dean era descritto come un "figlio dell'arcobaleno", che portava il suo tormento nel suo Fallo agonizzante. Si riferiva a lui come a "Eddie Edipo" cui toccava "grattar via bolle di gomma da masticare dai vetri delle finestre". Nel suo seminterrato ponzava su un enorme diario sul quale segnava tutto ciò che succedeva ogni giorno: tutto quel che Dean faceva e diceva.

Dean arrivò in orario. « Tutto è a posto » annunciò. « Divorzio da Marylou e sposo Camille e me ne vado a vivere con lei a San Francisco. Ma questo sarà solo dopo che tu e io, Carlo carissimo, ce ne saremo andati nel Texas a far conoscenza col vecchio Bull Lee, quel tipo in gamba che non ho mai visto e del quale tutti e due voi mi avete tanto parlato, e poi andrò a San Francisco. » Quindi si misero al lavoro. Sedettero sul letto a gambe incrociate e si guardarono dritti in faccia. Io mi allungai su una sedia accanto e vidi tutto. Cominciarono con un pensiero astratto, e lo discussero; si ricordarono l'un l'altro un secondo punto astratto dimenticato nel precipitare degli eventi; Dean si scusò ma affermò che era in grado di tornarci su e di elaborarlo benissimo, illustrandolo con esempi.

Carlo disse: « E proprio mentre stavamo attraversando il Wazee volevo dirti quel che provavo riguardo la tua mania per le microvetture e fu proprio allora che tu indicasti quel vecchio straccione con i calzoni rigonfi e dicesti che era tale e quale tuo padre, ti ricordi? ».

« Sí, sí, certo che ricordo: e non solo questo, ma ciò diede avvio a una sequenza tutta mia, qualcosa di veramente pazzesco che dovevo dirti, l'avevo dimenticato, adesso me l'hai proprio fatto venire in mente... » e due nuovi punti vennero alla luce. Li sviscerarono. Poi Carlo chiese a Dean se era onesto e specificatamente se era onesto con *lui* nel profondo dell'anima sua.

« Perché tiri fuori di nuovo questa faccenda? »

« C'è un'ultima cosa che voglio sapere... »

« Come, Sal caro, tu stai a sentire, te ne stai lí seduto, lo chiederemo a Sal. Che direbbe lui? »

E io dissi: « Quell'ultima cosa è quella che non puoi ottenere, Carlo. Nessuno può raggiungere quell'ultima cosa. Noi continuiamo a vivere nella speranza di afferrarla una volta per tutte ».

« No, no, no, tu stai dicendo delle vere e proprie fesserie e delle rimasticature romantiche alla Wolfe! » disse Carlo.

E Dean ribatté: « Non volevo affatto dir questo, ma lasceremo che Sal abbia un'opinione sua, e infatti, Carlo, non ti sembra che ci sia una specie di dignità nel modo come siede là a scrutarci, quel mattacchione venuto fin qua attraverso tutta l'America... il vecchio Sal non lo dirà, il vecchio Sal non lo dirà ».

« Non è che non lo dirò » protestai. « Semplicemente non capisco a che stiate mirando tutti e due o dove tentiate di arrivare. So che sarebbe troppo per chiunque. »

« Tutto quel che dici è negativo. »

« Allora cos'è che state cercando di fare? »

« Diglielo. »

« No, diglielo tu. »

« Non c'è niente da dire » affermai, e risi. Avevo in testa il cappello di Carlo. Me lo tirai giú sugli occhi. « Voglio dormire » dichiarai.

« Il povero Sal vuol sempre dormire. » Io stetti zitto. Quelli ricominciarono. « Quando ti sei fatto prestare quel nichelino per arrivare a pagare il conto di quel pollo fritto... »

« No, caro mio, erano peperoni! Ricordi, la Stella del Texas? »

« Mi confondevo con martedí. Quando ti sei fatto prestare quel nichelino, hai detto, sta' a sentire adesso, hai detto: "Carlo, questa è l'ultima volta che pretenderò qualcosa da te", come se, e veramente, intendessi che io ero d'accordo con te a proposito di non pretendere piú. »

« No, no, no, non volevo dir questo... tu adesso fa' un passo indietro, ti prego, mio caro, alla notte in cui Marylou stava piangendo nella camera, e quando io, volgendomi verso di te e indicando per mezzo della mia sincerità di tono maggiore del solito, che entrambi sapevamo essere inventata ma che aveva le sue buone ragioni, cioè, per mezzo della mia commedia io dimostrai che... Ma aspetta, non è cosí. »

« Certo che non è cosí! Perché tu dimentichi che... Ma non ti accuserò piú oltre. Quello che dissi è "Sí"... » E cosí via, cosí via, chiacchierarono a questa maniera tutta la notte. All'alba guardai su. Stavano ribadendo l'ultimo dei concetti del mattino. «Quando ti ho detto che dovevo dormire *a causa* di Marylou, cioè, avendo appuntamento con lei alle dieci di stamattina, non ho adottato il mio tono perentorio riguardo quel che avevi appena detto circa la non necessità del dormire ma solo, *solo*, bada bene, per via del fatto che io assolutamente, semplicemente, puramente e senza dubbio alcuno devo dormire adesso, voglio dire, amico, che i miei occhi si stanno chiudendo, sono infiammati, dolenti, stanchi, sfiniti... »

« Ah, figlio » disse Carlo.

« Adesso non dobbiamo far altro che dormire. Fermiamo la macchina. »

« Non si può fermare la macchina! » urlò Carlo con tutta la forza dei suoi polmoni. I primi uccelli cantarono.

« Ora, quando alzo la mano » disse Dean « smetteremo di parlare, tutti e due capiremo semplicemente e senza tante storie che stiamo solo smettendo di parlare, e dormiremo e basta. »

« Non puoi fermare la macchina in quel modo. »

« Ferma la macchina » intervenni. Loro mi guardarono.

« È rimasto sveglio tutto il tempo, a sentire. A che stavi pensando, Sal? » Dissi loro che pensavo che erano dei sorprendenti maniaci e che avevo passato tutta la notte a starli a sentire come uno che osservasse il meccanismo di un orologio grande da lí fino al Passo Berthoud e che tuttavia fosse composto con i piú piccoli congegni del piú delicato orologio del mondo. Essi sorrisero. Io puntai un dito contro di loro e dissi: « Se continuate cosí diventerete pazzi tutti e due, però fatemi sapere quel che succede mentre procedete ».

Me ne andai via e presi un filobus fino al mio appartamento, e le montagne di cartapesta di Carlo Marx si fecero sempre piú rosse mentre il sole enorme si levava a oriente dalle praterie.

9

La sera partecipai a quell'escursione sulle montagne e
non vidi né Dean né Carlo per cinque giorni. A Babe
Rawlins era concesso adoperare la macchina del suo principale per la vacanza di fine settimana. Ci portammo dei
vestiti e li appendemmo ai finestrini della macchina e
partimmo per Central City, con Ray Rawlins al volante,
Tim Gray buttato dietro, e Babe davanti. Era la prima
volta che vedevo la parte interna delle Montagne Rocciose. Central City è una vecchia città mineraria chiamata un tempo "il piú ricco miglio quadrato del mondo",
dove i vecchi cercatori vaganti per le colline avevano trovato un'intera falda d'argento. Erano diventati ricchi dalla sera alla mattina e s'erano costruiti un piccolo e bel
teatro dell'Opera in mezzo alle loro baracche sul ripido
fianco della montagna. C'era andata Lillian Russel, e
celebri cantanti d'opera europei. Poi Central City era
diventata una città fantasma, finché i tipi energici della
Camera di Commercio del Nuovo West non decisero di
far risuscitare il luogo. Ripulirono il teatro d'Opera, e
ogni estate i divi del Metropolitan andavano là e davano
spettacolo. Era una gran vacanza per tutti. Venivano turisti da ogni parte, persino stelle di Hollywood. Salimmo su per la montagna e trovammo le vie strette piene
zeppe di turisti molto chic. Pensai a quel Sam di Major,
e Major aveva ragione. C'era anche Major, che offriva
a tutti il suo gran sorriso di società e si faceva mera-
viglie di ogni cosa in perfetta buona fede. « Sal » urlò,
stringendomi il braccio « guarda questo vecchio paese.
Pensa com'era cento... che diavolo, solo ottanta sessant'anni fa; avevano l'opera! »
« Già» risposi, imitando uno dei suoi personaggi « ma
ce n'è anche qua. »
« Quei bastardi » imprecò lui. Però se ne andò lo stesso
a divertirsi, con Betty Gray sottobraccio.
Babe Rawlins era una bionda intraprendente. Sapeva che
al margine della cittadina c'era una vecchia casa di minatori dove noi ragazzi avremmo potuto dormire per il
week-end; non dovevamo far altro che ripulirla un po'.

Potevamo anche darci grossi ricevimenti. Era un vecchio accidente di baracca coperta all'interno da un dito di polvere; aveva un portico, e un pozzo sul didietro. Tim Gray e Ray Rawlins si tirarono su le maniche e cominciarono le pulizie, un grosso lavoro che prese loro tutto il pomerigggio e parte della serata. Ma avevano un secchio pieno di bottiglie di birra e tutto andava splendidamente.

Quanto a me, ero destinato ad essere invitato all'opera quel pomeriggio, e a offrire il braccio a Babe, facendole da cavaliere. Indossavo un abito di Tim. Solo pochi giorni prima ero arrivato a Denver come uno straccione; adesso ero tutto in ghingheri, con una bella bionda elegante al mio braccio, e mi inchinavo ai notabili e chiacchieravo nel ridotto sotto i lampadari. Mi chiesi che cosa avrebbe detto Gene del Mississippi se avesse potuto vedermi.

L'opera era il *Fidelio*. « Quale angoscia! » gridò il baritono, spuntando dalla segreta di sotto a un pietrone cigolante. Mi piaceva da matti. Anch'io vedo cosí la vita. Ero talmente preso dall'opera che per un po' dimenticai le circostanze della mia pazza vita e mi perdetti nelle larghe dolenti melodie di Beethoven e nei ricchi toni alla Rembrandt della vicenda.

« Ebbene, Sal, che ne dici del cartellone di quest'anno? » chiese Denver D. Doll pieno d'orgoglio mentre eravamo fuori nella strada. Aveva a che fare con l'organizzazione del teatro.

« Quale angoscia, quale angoscia » risposi. « È proprio grandioso. »

« La prossima cosa che dovrai fare è conoscere i membri della compagnia » proseguí lui con tono ufficiale, ma per fortuna se lo scordò nella furia delle altre cose, e scomparve.

Babe e io tornammo alla baracca da minatori. Io mi tolsi il doppio petto e mi unii ai ragazzi per far pulizia. Era un lavoro enorme. Roland Major stava seduto nel centro della stanza anteriore ch'era già stata ripulita, e si rifiutava di dare una mano. Su un tavolino di fronte a lui aveva la sua bottiglia di birra e il bicchiere. Mentre noi correvamo qua e là con secchi d'acqua e scope lui si lasciava andare ai ricordi. « Ah, se tu potessi solo venire con me qualche volta a bere del Cinzano e ad ascoltare i suonatori di Bandol, allora sí che potresti dire di vivere. Poi nelle estati c'è la Normandia, gli zoccoli, il buon vecchio Calvados. Andiamo, Sam » diceva al suo invisibile compagno. « Tira il vino fuori dell'acqua e vediamo un po' se è diventato abbastanza fresco mentre pescavamo. » Era tolto di peso da Hemingway, era. Chiamammo le ragazze che passavano per strada. « Venite ad aiutarci a pulire questa baracca. Tutti sono invitati alla nostra festa, stasera. » Quelle si unirono a noi. Avevamo una squadra enorme che lavorava per noi. Infine arrivarono i cantanti del coro dell'opera, per lo piú giovanetti, e ci diedero dentro. Il sole tramontò.

Finito il lavoro della giornata, Tim, Rawlins e io decidemmo di farci belli per la gran festa. Attraversammo il paese fino alla pensione dove abitavano le stelle dell'opera. Sentimmo nella notte l'inizio della rappresentazione serale. « Proprio bene » disse Rawlins. « Attàccati a qualcuno di questi rasoi e asciugamani e ci ripuliremo un po'. » Prendemmo anche spazzole per capelli, acqua di colonia, lozioni per barba, e ce ne andammo carichi nella stanza da bagno. Facemmo tutti il bagno e cantammo. « Non è magnifico? » continuava a dire Tim Gray. « Stiamo usando bagno e asciugamani e lozioni per barba e rasoi elettrici dei divi dell'opera. »

Era una notte meravigliosa. Central City è a tremila metri d'altezza; dapprima si diventa ebbri a causa dell'altitudine, poi ci si stanca, e si ha una specie di febbre nell'anima. Ci avvicinammo alle luci attorno al teatro giú per la strada buia e stretta; quindi deviammo bruscamente a destra ed entrammo in certi vecchi locali con le porte a molla. La maggior parte dei turisti erano all'opera. Noi cominciammo con qualche birra di misura extra. C'era una pianola. Di là dalla porta posteriore si stendeva il panorama delle montagne nella luce della luna. Io diedi in un grido di gioia. La notte era cominciata.

Tornammo di corsa alla nostra baracca da minatori.

Tutto si stava preparando per la gran festa. Le ragazze, Babe e Betty, cucinarono uno spuntino di salsicce con fagioli, e poi ballammo e ci attaccammo alle birre tanto per cominciare. Finita l'opera, grandi squadre di fanciulle vennero ad ammucchiarsi da noi. Rawlins e Tim e io ci leccammo i baffi. Le afferrammo per ballare. Non c'era musica, si ballava soltanto. Il locale si riempí. La gente cominciò a portare bottiglie. Noi corremmo fuori a fare una capatina nei bar e tornammo di corsa. La notte stava diventando sempre piú frenetica. Io desiderai che Dean e Carlo fossero là... poi mi resi conto che si sarebbero sentiti infelici e fuori posto. Erano come l'uomo della segreta di pietra e dell'angoscia, che spuntava di sottoterra, sordidi esistenzialisti d'America, una nuova generazione bruciata cui mi stavo lentamente aggregando.

Si presentarono i ragazzi del coro. Cominciarono a cantare *Dolce Adelina*. Cantavano pure frasi del genere: "Passami la birra" e: "Che stai a fare con quella faccia da babbeo?", e lunghi e bellissimi gridi baritonali di "Fide-lio!". « Ohimè, quale angoscia! » cantai. Le ragazze erano formidabili. Uscirono con noi nel cortile a pomiciare. Nelle altre stanze, in quelle non ripulite e piene di polvere, c'erano alcuni letti, e io ci feci sedere una ragazza e stavo parlando con lei quando ci fu a un tratto una grande irruzione dei giovani valletti del teatro, i quali semplicemente afferrarono le ragazze e le baciarono senza i dovuti convenevoli. Sotto i venti, ubriachi, scarmigliati, eccitati... ci rovinarono la festa. Nel giro di cinque minuti ogni singola ragazza se n'era andata ed era subentrata una gran festa di tipo scolastico, con sbattere di bottiglie e gran baccano.

Ray e Tim e io decidemmo di partire all'assalto dei bar. Major se n'era andato, Babe e Betty lo stesso. Ci avviammo traballanti nella notte. La folla uscita dal teatro gremiva i bar dal banco fino al muro. Major stava urlando sopra le teste. Lo zelante, occhialuto Denver D. Doll stringeva le mani a tutti e diceva: « Buon giorno, come sta? », e quando fu mezzanotte stava ancora dicendo: « Buon giorno come sta, *lei*? ». A un certo punto lo vidi eclissarsi con uno dei notabili. Poi tornò con una donna di mezza età; subito dopo stava parlando con un paio di giovani valletti nella strada. Il momento successivo mi stringeva la mano senza riconoscermi e diceva: « Buon Anno, ragazzo mio ». Non era ubriaco di liquore, ma solo di ciò che amava: folle di gente turbinante. Tutti lo conoscevano. « Buon Anno » gridava, e qualche volta: « Buon Natale ». Lo diceva continuamente. A Natale diceva: « Buona Pasqua ».

Nel bar c'era un tenore che era profondamente rispettato da tutti; Denver Doll aveva insistito per presentarmelo e io stavo cercando di evitarlo; il suo nome era D'Annunzio o qualcosa del genere. C'era sua moglie con lui. Sedevano imbronciati a un tavolino. Nel bar c'era anche un tipo di turista argentino. Rawlins gli diede uno spintone per farsi posto; quello si voltò e lo redarguí aspro. Rawlins mi consegnò il bicchiere e abbatté il turista sulla sbarra d'ottone con un diretto. L'amico fu fuori combattimento per il momento. Ci furono strilli; Tim e io scortammo Rawlins di fuori. C'era tanta di quella confusione che lo sceriffo non poté nemmeno farsi strada in mezzo alla folla per localizzare la vittima. Nessuno riuscí a identificare Rawlins. Andammo in altri bar. Major si avviava barcollando per una via oscura. « Che diavolo succede? Qualche rissa? Non avete che da chiamarmi. » Grandi risate sorsero da tutti i lati. Io mi chiesi cosa stesse pensando lo Spirito della Montagna, e guardai in su e vidi dei pinastri nella luna, e fantasmi di vecchi minatori, e ci fantasticai sopra. In tutto il buio muro orientale dello spartiacque, quella notte c'era silenzio e il sussurro del vento, fuorché nella gola dove noi stavamo rumoreggiando; e dall'altra parte dello spartiacque c'era la grande falda occidentale, e il vasto altopiano che si estendeva fino a Steamboat Springs, e poi ricadeva, portandosi nel deserto del Colorado orientale e in quello dell'Utah; adesso era tutto immerso nel buio mentre noi facevamo baccano e strillavamo nel nostro cantuccio in mezzo alle montagne, americani ubriachi fradici nella terra possente. Stavamo sul tetto dell'America e tutto quel che sapevamo fare era urlare, immagino, attraverso la notte, verso est, oltre le praterie, dove in qualche parte un vecchio coi capelli bianchi s'era probabilmente messo in cammino verso di noi col Verbo, e da un momento all'altro sarebbe arrivato per farci tacere.

Rawlins insistette per tornare nel bar dove aveva fatto a pugni. Tim e io non ne avevamo voglia però rimanemmo con lui. Andò da D'Annunzio, il tenore, e gli buttò in faccia un whisky con ghiaccio. Lo trascinammo fuori. Un baritono che cantava nel coro si uní a noi e andammo a un bar tipico di Central City. Qui Ray disse alla cameriera che era una puttana. Un gruppo di uomini cupi stava allineato lungo il banco; odiavano i turisti. Uno di loro disse: « Sarà meglio che voi, ragazzi, ve ne andiate fuori di qui prima che contiamo fino a dieci ». Cosí facemmo. Tornammo barcollando alla baracca e andammo a dormire.

Al mattino mi svegliai e mi rigirai dall'altra parte; una grossa nube di polvere si levò dal materasso. Diedi uno strattone alla finestra; era inchiodata. Tim Gray stava a letto anche lui. Tossimmo e starnutimmo. La nostra colazione consistette in una birra del giorno prima. Babe tornò dal suo albergo e noi raccogliemmo le nostre cose per partire.

Pareva che tutto crollasse. Mentre ci avviavamo fuori verso la macchina, Babe scivolò e cadde lunga distesa per terra. La povera ragazza era sfinita. Suo fratello e Tim e io la aiutammo a rialzarsi. Entrammo nella macchina; Major e Betty ci raggiunsero. Cominciò il triste ritorno a Denver.

Ci trovammo all'improvviso ai piedi della montagna, sopra la pianura di Denver vasta come un mare; l'afa si levava come da una stufa. Cominciammo a cantare. Non stavo piú nella pelle per la voglia di andare a San Francisco.

10

Quella sera trovai Carlo e con mia grande sorpresa mi disse che era stato a Central City con Dean.

« Che avete fatto? »

« Oh, abbiamo girato per i bar e poi Dean ha rubato una macchina e siamo tornati giú per la montagna prendendo le curve a centocinquanta all'ora. »

« Non vi ho visti. »

« Non sapevamo che tu fossi là. »

« Be', amico mio, me ne vado a San Francisco. »

« Dean ti ha preparato Rita per stanotte. »

« Be', allora rimando il viaggio. » Non avevo soldi. Spedii una lettera per via aerea a mia zia chiedendole cinquanta dollari e dicendo che sarebbe stato l'ultimo denaro che le avrei chiesto; dopo di ciò le avrei restituito i soldi, non appena mi fossi imbarcato su quella famosa nave.

Poi andai all'appuntamento con Rita Bettencourt e la condussi all'appartamento. Me la portai in camera dopo un lungo discorso al buio nella stanza davanti. Era una graziosa ragazzina, semplice e sincera, e terribilmente spaventata dal sesso. Le dissi che era bello. Volevo dimostrarglielo. Lei mi lasciò fare, però io ero troppo impaziente e cosí non dimostrai proprio nulla. Lei sospirò nel buio. « Che cosa pretendi dalla vita? » chiesi, e questa era una cosa ch'ero solito chiedere tutte le volte alle ragazze.

« Non so » rispose lei. « Servo ai tavoli e cerco di tirare avanti. » Sbadigliò. Le misi la mano sulla bocca e le dissi di non sbadigliare. Tentai di spiegarle quanto ero ansioso di vivere e le cose che avremmo potuto fare insieme; dicevo questo, e progettavo di partire da Denver entro due giorni. Lei si girò dall'altra parte stancamente. Stavamo sdraiati sulla schiena guardando il soffitto e chiedendoci che cosa avesse combinato Dio quando aveva fatto la vita cosí triste. Facemmo vaghi progetti d'incontrarci a Frisco.

Il mio periodo a Denver stava giungendo alla fine, potevo sentirlo mentre accompagnavo lei a casa; nel ritorno mi sdraiai sul prato di una vecchia chiesa insieme con un mucchio di vagabondi, e le cose che dissero mi fecero venir la voglia di riprendere il cammino. Di tanto in tanto uno di loro si alzava e chiedeva a un passante l'elemosina. Parlavano di raccolti che maturavano sempre piú a nord. L'aria era calda e dolce. Volevo andare a riprendermi Rita e dirle ancora un sacco di cose, e fare sul serio all'amore con lei questa volta, e calmare le sue paure sugli uomini. I ragazzi e le ragazze in America passano insieme momenti talmente tristi; una specie di snobismo richiede ch'essi si sottomettano immediatamente al sesso senza adeguati discorsi preliminari. Non discorsi di corteggiamento, ma una buona chiacchierata come si deve a proposito dell'anima, poiché la vita è sacra e ogni momento è prezioso. Sentii la locomotiva della Denver-Rio Grande allontanarsi ululando verso le montagne. Volevo inseguire piú oltre la mia stella.

Major e io sedemmo tristemente a parlare nelle ore sulla mezzanotte. « Hai mai letto *Verdi colline d'Africa*? È una delle cose migliori di Hemingway. » Ci augurammo reciprocamente buona fortuna. Ci saremmo incontrati a Frisco. Vidi Rawlins sotto un albero scuro nella strada. « Addio, Ray. Quando ci rivedremo? » Andai a cercare Carlo e Dean: risultarono introvabili. Tim Gray alzò la mano nell'aria e disse: « Cosí stai partendo, Yo ». Ci chiamavamo Yo l'uno con l'altro. « Già » risposi. I pochi giorni che seguirono vagabondai per Denver. Avevo l'impressione che ogni straccione di Larimer Street potesse essere il padre di Dean Moriarty; lo chiamavano Dean Moriarty il Vecchio, il lattoniere. Andai al Windsor Hotel, dove avevano vissuto padre e figlio e dove una notte Dean era stato svegliato di soprassalto dall'uomo senza gambe sulla tavoletta a rotelle, che viveva in camera con loro; era venuto a toccare il bambino facendo un rumore di tuono attraverso il pavimento sulle sue terribili ruote. Vidi la piccola nana dalle gambette corte che vendeva giornali, all'angolo fra Curtis Street e la 15ma Strada. Passeggiai per i tristi bassifondi di Curtis Street; c'erano ragazzini in blue-jeans e bluse rosse; gusci di noccioline, insegne di cinema, baracconi di tiro a segno. Di là dalle vie luccicanti c'era il buio e, oltre il buio, il West. Dovevo andare.

All'alba trovai Carlo. Lessi un po' del suo mastodontico diario, dormii da lui, e al mattino, grigio e piovigginoso, entrò Ed Dunkel, alto un metro e ottanta, insieme con Roy Johnson, un bel ragazzo, e Tom Snark, lo storpio campione di biliardo. Sedettero in cerchio ad ascoltare con certi sorrisi melensi mentre Carlo leggeva loro le sue apocalittiche, pazze liriche. Mi afflosciai sulla sedia, sfinito. « Oh, voi, uccelli di Denver! » declamava Carlo. Ce la svignammo tutti e andammo su verso un tipico viale ciottoloso di Denver in mezzo ai bruciatori di rifiuti che fumavano lentamente. "Un tempo correvo col cerchio su per questo viale" mi aveva detto Chad King. Avrei voluto vederglielo fare; mi sarebbe piaciuto vedere Denver dieci anni prima quando essi erano tutti bambini, e giocavano col cerchio nell'assolato mattino di primavera fiorito di ciliegi fra le Montagne Rocciose, su per giocondi viali pieni di promesse... tutta la compagnia. Mentre Dean, stracciato e sporco, si aggirava solitario nella sua tormentata frenesia.

Roy Johnson e io camminammo nella pioggerella; io andai a casa della ragazza di Eddie per riprendermi la camicia di lana scozzese, la camicia di Shelton, nel Nebraska. Era là, tutta appallottolata, l'intera immensa tristezza di una camicia. Roy Johnson disse che ci saremmo incontrati a Frisco. Tutti stavano per andare a Frisco. Andai a vedere e trovai che i miei soldi erano arrivati. Uscí il sole, e Tim Gray viaggiò con me su un filobus fino alla stazione degli autobus. Comprai il mio biglietto per San Francisco, spendendo la metà dei cinquanta dollari, e partii alle due del pomeriggio. Tim Gray mi fece i saluti d'addio. L'autobus si avviò fuori delle storiche, operose strade di Denver. "Per Dio, bisogna che ci ritorni per vedere che altro succederà!" mi ripromisi. In una telefonata all'ultimo momento Dean aveva detto che poteva darsi che lui e Carlo mi raggiungessero sulla Costa; ci riflettei su, e mi resi conto che in tutto quel tempo non avevo parlato con Dean per piú di cinque minuti.

11

Arrivai con due settimane di ritardo all'appuntamento
con Remi Boncoeur. Il viaggio in autobus da Denver a
Frisco si svolse senza particolari avvenimenti sennonché
tutta l'anima mia esultava sempre piú man mano che ci
avvicinavamo a Frisco. Di nuovo Cheyenne, questa volta nel pomeriggio, e poi ad ovest, oltre la catena di
montagne; superammo lo spartiacque a mezzanotte a
Creston, arrivammo a Salt Lake City all'alba: una città
di bacchettoni, il posto piú inverosimile nel quale
Dean potesse nascere; quindi piú oltre, verso il Nevada
nel sole ardente, Reno prima di notte, con l'ammiccare
delle luci nelle sue strade cinesi; poi su verso la Sierra
Nevada, pini, stelle, baite di montagna simboleggianti
storie d'amore di Frisco... una ragazzina nel sedile di
dietro, che piagnucolava con sua madre: « Mamma,
quand'è che arriviamo a casa a Truckee? ». E Poi Truckee, Truckee dal sapore di casa, e quindi giú per le colline verso la piana di Sacramento. Mi resi con   all'im
provviso che mi trovavo in California. Caldo, aria balsa-
mica – un'aria che si poteva baciare – e palme. Lungo
lo storico fiume Sacramento su una superautostrada; ancora nelle colline; su, giú; e improvvisamente il largo
espandersi di una baia (era proprio prima dell'alba) con
le luci assonnate di Frisco che la attraversavano a ghir-
lande. Sul ponte di Oakland Bay mi addormentai della
grossa per la prima volta dopo Denver; cosí che nella
stazione degli autobus all'incrocio fra Market Street e
la Quarta ripiombai rudemente nella consapevolezza del
fatto che mi trovavo a cinquemilacento chilometri dalla
casa di mia zia a Paterson, nel New Jersey. Mi avviai
incerto come un fantasma macilento, ed eccola là, Frisco: lunghe, desolate strade con i fili dei filobus tutti
avvolti nella nebbia e nel biancore. Andai incespicando
per alcuni isolati. All'alba, misteriosi straccioni (all'angolo fra la Mission e la Terza) mi chiesero una moneta.
Sentii della musica da qualche parte. "Perbacco, tutto
questo l'osserverò poi! Ma adesso bisogna che trovi
Remi Boncoeur."

Mill City, dove abitava Remi, era un agglomerato di baracche in una vallata, baracche costruite dal Governo durante la guerra per alloggiare gli operai dei Cantieri Navali; si trovava in un canyon, particolarmente profondo anche, fittamente alberato da tutti i lati. C'erano appositi spacci e botteghe di barbiere e sartorie per la gente che vi abitava. Era, cosí dicono, l'unica comunità d'America dove bianchi e negri vivessero insieme di loro spontanea volontà; ed era vero, ed era un luogo cosí scatenato e pieno di gioia come non ne avevo mai visti fino allora. Sulla porta della baracca di Remi c'era il biglietto che lui ci aveva affisso tre settimane prima.

"Sal Paradiso!" (a lettere maiuscole, in stampatello). "Se in casa non c'è nessuno, entra dalla finestra.

"Firmato,
"Remi Boncoeur."

Il biglietto era stinto per le intemperie e ormai grigiastro.

Io entrai dalla finestra ed eccolo là, che dormiva con la sua ragazza, Lee Ann, su un letto che aveva rubato da una nave mercantile, come mi disse in seguito; v'immaginate il macchinista di una nave mercantile sgattaiolare nel cuor della notte oltre la murata con un letto sulle spalle, e ansimare e affaticarsi sui remi fino alla riva? Questo dà appena l'idea di quel che è Remi Boncoeur.

La ragione per cui mi accingo a descrivere tutto quel che successe a San Francisco è che ciò si collega a tutto il resto accaduto durante il mio viaggio. Remi Boncoeur e io ci eravamo conosciuti a una scuola preparatoria molti anni prima; ma ciò che veramente ci affratellò fu la mia ex moglie. Era stato Remi a trovarla per primo. Una notte venne nel mio dormitorio e disse: "Paradiso, alzati, il vecchio maestro è venuto a trovarti". Io mi alzai e feci cadere sul pavimento alcune monete nell'infilarmi i pantaloni. Erano le quattro del pomeriggio; all'Università non facevo altro che dormire. "Su, su, non seminare il tuo oro per tutta la sala. Ho scoperto la ragazza piú in gamba del mondo e stanotte me ne vado con lei dritto al Lion's Den." E mi trascinò con lui a conoscerla. Una settimana dopo lei veniva con me. Remi era un francese alto, bruno, attraente (sembrava una specie di corsaro nero marsigliese di vent'anni); siccome era francese parlava americano col gergo dei suonatori di jazz; il suo inglese era perfetto, il suo francese lo stesso. Gli piaceva vestirsi con eleganza, piuttosto come un universitario, e uscire con bionde esplosive e buttar via un sacco di quattrini. Non è che lui se la sia mai presa con me per avergli soffiato la ragazza; questo fu semplicemente un punto che ci legò sempre; quel ragazzo era leale con me e aveva per me del vero affetto, e Dio sa perché.

Quando lo trovai a Mill City quella mattina era piombato in uno di quei periodi depressi e infernali che arrivano ai giovanotti sui venticinque. Stava senza far niente ad aspettare una nave, e per guadagnarsi il pane aveva un lavoro come guardiano speciale nella caserma dall'altra parte del canyon. Lee Ann, la sua ragazza, aveva la lingua lunga e gli dava una strigliata ogni giorno. Passavano tutta la settimana risparmiando ogni centesimo e il sabato uscivano per spendere cinquanta dollari in tre ore. Remi andava in giro per la baracca in calzoncini, con in testa un buffo berretto militare. Lee Ann andava in giro con i capelli pieni di bigodini. Cosí acconciati, urlavano l'uno contro l'altra tutta la settimana. Non avevo mai sentito tanto sbraitare da che ero nato. Però il sabato sera, sorridendosi amabilmente l'un l'altra, partivano come una coppia di popolari personaggi hollywoodiani e andavano in città.

Remi si svegliò e mi vide arrivare dalla finestra. La sua gran risata, una delle piú sonore al mondo, mi rintronò nelle orecchie. « Aaaaah, Paradiso, entra dalla finestra, segue le mie istruzioni alla lettera. Dove sei stato, sei in ritardo di due settimane! » Mi diede una botta sulla schiena, batté nelle costole a Lee Ann, si appoggiò alla parete e rise e gridò, pestò sul tavolo cosí forte che si poteva sentirlo da ogni punto di Mill City, e quel grande "Aaaaah" prolungato risonò per tutto il canyon. « Para-

diso! » urlò. « L'unico e solo indispensabile Paradiso. »
Ero appena passato dal piccolo villaggio di pescatori di
Sausalito, e la prima cosa che dissi fu: « Devono esserci un sacco di italiani a Sausalito ».
« Devono esserci un sacco di italiani a Sausalito! » ripeté lui urlando con tutta la forza dei suoi polmoni.
« Aaaaah! » Si batté il petto, cadde sul letto, quasi rotolò sul pavimento. « Hai sentito cosa ha detto Paradiso? Che devono esserci un sacco di italiani a Sausalito? Aaaaa-aaah! Ooo! uuh! iih! » Diventò rosso come
una barbabietola, a furia di ridere. « Oh, tu mi fai morire, Paradiso, sei l'uomo piú buffo del mondo, ed ec-
coti qua, sei arrivato finalmente, è entrato per la finestra, l'hai visto, Lee Ann, ha seguito le mie istruzioni
ed è passato dalla finestra. Aaah! Oooh! »
La cosa strana era che alla porta accanto a quella di
Remi abitava un negro chiamato signor Neve, la cui
risata, lo giuro sulla Bibbia, era certamente e decisamente la piú gran risata di tutto questo mondo. Questo
signor Neve cominciava a ridere a tavola mentre cena-
va, quando sua moglie diceva una cosa qualunque; si
alzava e, evidentemente sul punto di soffocare, si appoggiava alla parete, guardava su verso il cielo, e partiva; usciva barcollando dalla porta, appoggiandosi al
muro del vicino; se ne ubriacava, vagava per tutta Mill
City nell'ombra, alzando il suo esultante trionfale grido verso quel dio demoniaco che doveva averlo incita-
to a ridere cosí. Non so se abbia mai finito una cena.
È probabile che Remi, senza saperlo, abbia appreso da
quest'uomo sorprendente, il signor Neve. E quantunque Remi avesse problemi di lavoro e una spiacevole
vita amorosa con una donna dalla lingua tagliente, almeno aveva imparato a ridere quasi meglio di chiunque
altro al mondo, e io intravidi tutto il divertimento che
avremmo avuto a Frisco.
Ci sistemammo a questo modo: Remi dormiva con Lee
Ann nel letto dall'altra parte della stanza, e io sulla
branda accanto alla finestra. Non dovevo toccare Lee
Ann. Remi fece subito un discorso a questo riguardo.
« Non voglio trovarvi a spassarvela, voi due, quando

pensate che io non stia guardando. Non si può insegnare un nuovo motivo al vecchio maestro. Questo è un
detto mio originale. » Guardai Lee Ann. Era un boc-
concino appetitoso, una creatura color del miele, ma nei
suoi occhi c'era odio per tutti e due noi. La sua ambi-
zione era di sposare un uomo ricco. Veniva da un paesino dell'Oregon. Malediva il giorno in cui s'era messa
con Remi. In uno dei suoi week-end da gran signore lui
aveva speso per lei un centinaio di dollari e lei s'era
messa in mente di aver pescato un figlio di papà. Invece
s'era trovata bloccata in quella baracca, e in mancanza
di qualcosa di meglio le toccava rimanerci. Aveva un
lavoro a Frisco; doveva prendere l'autobus della Greyhound all'incrocio e andarci ogni giorno. Non lo per-
donò mai a Remi.
Io dovevo starmene nella baracca a scrivere un brillante
soggetto originale per uno studio di Hollywood. Remi
sarebbe sceso dal cielo su un aereo stratosferico con questa arpa sotto il braccio e ci avrebbe fatti tutti ricchi;
Lee Ann sarebbe andata con lui; egli l'avrebbe presen-
tata al padre del suo amico, ch'era un famoso regista
e intimo amico di W. C. Fields. Cosí la prima settimana
me ne stetti nella baracca di Mill City, a scrivere furiosamente una specie di cupa storia ambientata a New
York che secondo me avrebbe soddisfatto un regista
di Hollywood, ma il guaio è che era troppo triste. Remi
riuscí a stento a leggerla, e cosí se la portò senz'altro a
Hollywood alcune settimane dopo. Lee Ann era troppo
stufa e ci odiava tanto che non si preoccupò nemmeno
di leggerla; io trascorsi innumerevoli ore piovose a bere
caffè e a scribacchiare. Infine dissi a Remi che cosí non
andava; volevo lavorare; ero costretto a dipendere da
loro per le sigarette. Un'ombra di delusione passò sulla
fronte di Remi: si sentiva sempre deluso dalle cose piú
strane. Aveva un cuore d'oro.
Combinò di farmi ottenere lo stesso genere di lavoro
che aveva lui, come guardiano nella caserma. Passai attraverso le necessarie formalità, e con mia grande sorpresa quei bastardi mi assunsero. Il capo della polizia
locale mi fece prestare giuramento, mi diede un distin-

tivo, un manganello, ed eccomi diventato poliziotto aggiunto. Mi chiesi che cosa ne avrebbero detto Dean e Carlo e il vecchio Bull Lee. Dovevo portare pantaloni blu marina da accompagnare alla giacca nera e al berretto da poliziotto; per le due prime settimane mi toccò indossare i calzoni di Remi; siccome lui era tanto alto, e aveva un po' di pancia a furia di divorare pasti sostanziosi per la gran noia, me ne andai sventolante come Charlie Chaplin verso la mia prima notte di lavoro. Remi mi diede una torcia elettrica e la sua automatica calibro 32.

« Dove hai preso questa pistola? » chiesi.

« Andando verso la Costa la scorsa estate saltai giú dal treno a North Platte, nel Nebraska, per sgranchirmi le gambe, e che ti vedo in una vetrina se non questo gioiello di pistola, cosí la comprai subito e ce la feci appena a risalire sul treno. »

E io cercai di spiegargli quel che North Platte significava per me, quando avevo comprato il wisky per i ragazzi, e lui mi diede una botta sulla schiena e disse che ero il piú buffo tipo del mondo.

Con la torcia elettrica che m'illuminava la strada, mi arrampicavo su per le scoscese pareti meridionali del canyon, arrivavo sull'autostrada pullulante di macchine dirette a Frisco nella notte, mi trascinavo a quattro zampe giú per l'altro fianco, quasi cadendo, e arrivato nel fondo di una gola dove si ergeva una piccola casa di contadini accanto a un torrente e dove ogni benedetta notte lo stesso cane mi abbaiava contro. Poi era una veloce camminata lungo una strada argentea, polverosa sotto gli alberi californiani neri come l'inchiostro: una strada come quella ne *Il segno di Zorro* e simile a tutte quelle che si vedono nei film western di seconda categoria. Ero solito tirar fuori la mia pistola e giocare ai cow-boy nel buio. Poi risalivo su un'altra collina e là c'erano le caserme. Queste baracche servivano di alloggio temporaneo per gli operai edili destinati oltremare. Ci andavano ad abitare gli uomini di passaggio, in attesa della loro nave. La maggior parte di essi erano destinati ad Okinawa. La maggior parte sfuggivano qualcosa, di solito la polizia. C'erano gruppi di duri dell'Alabama, uomini di New York che vivevano d'espedienti, tipi di ogni specie, di ogni paese. E, sapendo perfettamente bene quanto sarebbe stato orribile lavorare per un anno intero ad Okinawa, bevevano. Il compito dei guardiani speciali era di vedere che non demolissero completamente le caserme. Il nostro corpo di guardia era nell'edificio principale, nient'altro che una trappola di legno con uffici dalle pareti di compensato. Qui stavamo tutti seduti attorno a una scrivania a ribalta, spostandoci la pistola dal fianco e sbadigliando, mentre i poliziotti anziani raccontavano storie.

Era un'orribile accolta di uomini, uomini dalle anime di sbirri, tutti eccetto Remi e me. Remi stava solo tentando di guadagnarsi da vivere, e cosí io, ma quelli volevano arrestare qualcuno e ricevere encomi dal capo della polizia della città. Dicevano persino che se non si faceva almeno un arresto al mese ci avrebbero licenziati. Io mi sentivo un groppo alla gola al pensiero di arrestare qualcuno. Quel che effettivamente accadde fu che, la notte che si scatenò il diavolo a quattro, io mi ubriacai come tutti gli altri nelle caserme.

Quella fu una notte in cui il servizio era stato combinato in modo tale che io sarei rimasto completamente solo per sei ore: l'unico poliziotto nella zona; e quella notte pareva che tutti nelle caserme si fossero ubriacati. Questo perché la loro nave salpava l'indomani mattina. Bevvero come marinai la notte prima di levar le ancore. Io sedevo nell'ufficio coi piedi sulla scrivania, a leggere uno dei *Libri Blu* di avventure nell'Oregon e nei territori Settentrionali, quando mi resi conto all'improvviso che c'era un gran ronzare d'attività nella notte solitamente quieta. Uscii. C'erano le luci accese praticamente in ogni maledetta baracca della zona. Gli uomini gridavano, si sentivano delle bottiglie infrangersi. Per me era questione di vincere o morire. Presi la mia torcia elettrica e andai a bussare alla porta dalla quale usciva piú rumore. Qualcuno l'aprí di circa quindici centimetri.

« Che vuoi, *tu*? »

Dissi: « Sono incaricato di sorvegliare questa caserma

stanotte e voialtri ragazzi dovreste stare piú tranquilli che potete... », o qualche sciocca frase del genere. Quelli mi sbatterono la porta in faccia. Rimasi a guardare il legno contro il mio naso. Era come in un film western; era venuto per me il momento di impormi. Bussai di nuovo. Questa volta aprirono del tutto. « Sentite » dissi « non ho intenzione di venirvi a seccare, ragazzi, ma se fate troppo chiasso, io perdo il posto. »

« Chi sei? »

« Sono un guardiano di qua. »

« Mai visto prima. »

« Be', ecco il mio distintivo. »

« Che fai con quella scacciacani sul sedere? »

« Non è mia » mi scusai. « Me la son fatta prestare. »

« Vieni a bere un bicchiere, per amor di Dio. » Non ero contrario all'idea. Ne presi due. Dissi: « Okay, ragazzi. Starete calmi, ragazzi? Me la vedrei brutta, sapete ».

« Va bene, figliolo » risposero. « Va' a fare la tua ronda. Torna a bere un altro bicchiere se ne hai voglia. »

E cosí andai di porta in porta a questo modo, e ben presto fui ubriaco come tutti gli altri. Venuta l'alba, era mio compito alzare la bandiera americana su un pennone alto venti metri, e quella mattina la issai alla rovescia e me ne andai a casa a dormire. Quando tornai la sera i poliziotti regolari sedevano in cerchio nell'ufficio con faccia scura.

« Di' un po', tu, che cos'era tutto quel baccano qua intorno stanotte? La gente che abita nelle case dall'altra parte del canyon ha reclamato. »

« Non lo so » risposi. « In questo momento mi sembra abbastanza tranquillo. »

« L'intero contingente se n'è andato. Tu avevi il dovere di mantenere l'ordine qua attorno stanotte... il capo ce l'ha con te. E un'altra cosa: lo sai che possono sbatterti in galera per aver messo la bandiera americana alla rovescia su un pennone del governo? »

« Alla rovescia? » Inorridii; naturalmente non me n'ero accorto. Lo facevo ogni mattina meccanicamente.

« Sissignore » disse un poliziotto grasso che aveva passato ventidue anni nel penitenziario di Alcatraz come guardiano. « Si può andare in carcere per una cosa del genere. » Gli altri annuirono arcigni. Stavano sempre seduti là intorno sui loro sederi; erano orgogliosi del loro lavoro. Maneggiavano le pistole e discutevano in proposito. Morivano dalla voglia di sparare a qualcuno. A Remi e a me.

Il poliziotto che aveva fatto il secondino ad Alcatraz aveva la pancia tonda ed era sulla sessantina, in pensione, ma incapace di tenersi lontano dall'atmosfera che aveva nutrito la sua arida anima per tutta la vita. Ogni sera andava al lavoro nella sua Ford modello 1935, marcava l'ora puntualissimo, e si sedeva alla scrivania a ribalta. Si affaticava penosamente sul semplice modulo che tutti noi dovevamo compilare ogni sera: ronde, orario, avvenimenti, e cosí via. Poi si appoggiava all'indietro e raccontava le sue storie. « Avresti dovuto essere qui, circa due mesi fa, quando io e Sledge » (questi era un altro poliziotto, un giovanotto che voleva fare la guardia a Cavallo del Texas e gli toccava invece accontentarsi della sua sorte presente) « arrestammo un ubriaco alla caserma G. Ragazzo mio, avresti dovuto veder volare il sangue. Ti ci porterò stanotte per mostrarti gli schizzi sul muro. L'abbiamo fatto rimbalzare da una parte all'altra. Prima lo colpí Sledge, e poi io, e poi quello si arrese e tutto andò liscio. Quel tipo ha giurato che ci avrebbe ammazzati quando fosse uscito dal carcere: ha avuto trenta giorni. Oggi ne sono passati *sessanta*, e ancora non s'è fatto vivo. » E questa era la morale del racconto. Gli avevano messo addosso una paura tale che quello aveva troppa fifa per tornare e tentare di ucciderli.

Il vecchio poliziotto continuò su questo tono, lasciandosi andare a dolci reminiscenze sugli orrori di Alcatraz. « Eravamo soliti farli marciare per andare a colazione come un reparto dell'esercito. Non ce n'era uno che andasse fuori passo. Tutto filava come un orologio. Avreste dovuto vedere. Io ci ho fatto il guardiano per ventidue anni. Mai avuto un fastidio. Quei ragazzi là sapevano che non scherzavamo. Un sacco d'individui diventano molli a far la guardia ai detenuti, e son proprio quelli che di solito si mettono nei pasticci. Prendiamo te adesso: da quel che ho potuto osservare di te, mi sa che tu sei un po' troppo *acconscendente* con gli uomini. » Alzò la pipa e mi guardò severamente. « Se ne approfittano, capisci. »

Lo sapevo. Gli dissi che non ero tagliato per fare il poliziotto.

« Già, ma è per questo lavoro che *hai fatto domanda*. Adesso devi deciderti in un senso o nell'altro, altrimenti non verrai a capo di niente. È il tuo dovere. Ci hai fatto giuramento. Non si può scendere a compromessi in cose del genere. Bisogna far osservare la legge e mantenere l'ordine. »

Non sapevo che cosa dire; aveva ragione; però io non chiedevo altro che sgattaiolare via nella notte e nascondermi da qualche parte, e andare a vedere quel che tutti stavano facendo nell'intero continente.

L'altro poliziotto, Sledge, era alto, muscoloso, con i capelli neri tagliati a spazzola e una contrazione nervosa nel collo, come un pugile che continua a battere un pugno contro l'altro. Si acconciava come una Guardia a Cavallo del Texas di altri tempi. Portava una rivoltella appesa in basso, con la cartucciera, e si trascinava dietro una specie di frustino, e da tutte le parti gli pendevano pezzi di cuoio, come una camera di tortura ambulante: scarpe luccicanti, un giaccone basso sui fianchi, un berretto vistoso, tutto fuorché gli stivali. Mi faceva sempre vedere qualche presa di lotta: mi prendeva giú all'inguine e mi tirava su con leggerezza. In fatto di forza avrei potuto sbatterlo dritto contro il soffitto con la stessa presa e lo sapevo benissimo; ma non glielo feci capire mai per paura che volesse sfidarmi a un incontro di lotta. Un incontro con un tipo del genere sarebbe finito con una sparatoria. Sono sicuro che era un tiratore piú bravo di me; io non avevo mai avuto una pistola in vita mia. Mi faceva spavento persino caricarne una. Lui voleva disperatamente arrestare qualcuno. Una notte eravamo soli in servizio e lui tornò con la faccia paonazza per la rabbia.

« Ho detto ad alcuni di quei ragazzi laggiú di starsene tranquilli e quelli continuano a far baccano. Gliel'ho detto due volte. Io concedo sempre a un uomo due possibilità. Non tre. Vieni con me che torno laggiú ad arrestarli. »

« Be' lascia che la terza possibilità gliela dia *io* » proposi. « Parlerò io con loro. »

« Nossignore, non ho mai dato a un uomo piú di due possibilità. » Sospirai: "Ci siamo". Andammo al luogo del delitto, e Sledge aprí la porta e ordinò a tutti di uscire in fila. Era una cosa imbarazzante. Ognuno di noi era rosso in viso. Questa è la storia dell'America. Tutti fanno quel che pensano che dovrebbero fare. Che c'è di male se un pugno d'uomini parla a voce alta e beve la notte? Ma Sledge voleva dimostrare qualcosa. Aveva fatto in modo di portarmi appresso nel caso che quelli gli saltassero addosso. Poteva darsi che lo facessero. Erano tutti fratelli, tutti dell'Alabama. Rifacemmo la passeggiata fino al corpo di guardia, Sledge davanti e io dietro.

Uno dei ragazzi mi disse: « Dí a quel cornuto con le orecchie a sventola di andarci piano con noi. Potremmo venir licenziati per questo e non arrivare mai ad Okinawa ».

« Gli parlerò. »

Al corpo di guardia dissi a Sledge di lasciar perdere. Lui rispose, perché sentissero tutti, e arrossendo: « Io non concedo a nessuno piú di due possibilità ».

« Che diavolo » disse quello dell'Alabama « che differenza fa? Possiamo perdere il posto. » Sledge non rispose e compilò i moduli per l'arresto. Ne arrestò uno solo; fece venire la camionetta della polizia dalla città. Quelli arrivarono e se lo portarono via. Gli altri fratelli uscirono incupiti. « Che dirà Ma' » si chiedevano. Uno di loro tornò da me. « Dí a quel figlio di cane del Texas che se mio fratello non è uscito dal carcere per domani sera gli facciamo un culo cosí. » Riferii a Sledge, in tono impersonale, e lui non disse niente. Il fratello fu rilasciato senza difficoltà e non successe nulla. Il contingente salpò; arrivò un'altra squadra indiavolata. Se non fosse stato per Remi Boncoeur non avrei resistito nemmeno due ore in quell'impiego.

Ma Remi Boncoeur e io eravamo di servizio da soli per molte notti, ed era allora che tutto andava a gambe all'aria. Facevamo la nostra prima ronda della sera prendendocela comoda; Remi tastava tutte le porte per vedere se erano chiuse a chiave e sperando di trovarne una che non lo fosse. Diceva: "Da parecchi anni ho in mente di ammaestrare un cane a fare il superladro, e farlo entrare nelle camerate di questi ragazzi per portar via i dollari dalle loro tasche. Lo allenerei a prender soltanto biglietti verdi; glieli farei annusare tutto il giorno. Se ci fosse la minima umana possibilità, lo allenerei a prendere solo biglietti da venti[1]". Remi aveva la testa piena di progetti assurdi; parlò di quel cane per settimane intere. Solo una volta trovò una porta che non era chiusa a chiave. A me l'idea non andava, quindi feci finta di niente passeggiando lungo il corridoio. Remi l'aprí furtivamente. Si trovò a faccia a faccia col soprintendente delle caserme. Remi odiava il viso di quell'uomo. Mi aveva chiesto: "Come si chiama quell'autore russo del quale parli sempre: quello che si metteva un giornale nelle scarpe e andava in giro con un cappello a tubo di stufa che aveva trovato in un bidone dell'immondezza?". Questa era un'esagerazione di quanto avevo detto a Remi a proposito di Dostoevskij. "Ah, ecco... *ecco...* Dostioffski. Uno con la faccia come quella del soprintendente non può avere che un nome... è Dostioffski." L'unica porta aperta che mai trovò era quella di Dostioffski. Dostioffski dormiva quando sentí qualcuno armeggiare con la maniglia della porta. Si alzò in pigiama. Venne alla porta con un aspetto due volte piú brutto del solito. Quando Remi l'aprí vide una faccia stravolta e deformata dall'odio e da una rabbia cieca.

« Che vuol dire questo? »

« Stavo solo provando la porta. Credevo che questa

[1] La carta moneta americana ha lo stesso formato e colore per tutti i tagli. (*N. d. T.*)

fosse là... ehm... lo stanzino delle scope. Ne stavo cercando una. »

« Che *significa* che lei cercava una scopa? »

« Be'... ehm. »

Allora io feci un passo avanti e dissi: « Uno degli uomini ha vomitato nel corridoio, al piano di sopra. Dobbiamo ripulire ».

« Questo *non* è lo stanzino delle scope. Questa è la *mia* camera. Un altro incidente del genere e vi farò mettere sotto inchiesta e sbattere fuori. M'avete capito bene? »

« Un uomo ha vomitato al piano di sopra » ripetei.

« Lo stanzino delle scope è in fondo al corridoio. Laggiú. » E ci indicò dove, e attese che noi ci andassimo e prendessimo una scopa, cosa che facemmo, portandocela poi stupidamente su per le scale.

Dissi: « Che Dio ti maledica, Remi, ci stai mettendo sempre tutti e due nei pasticci. Perché non lasci perdere? Per quale ragione devi rubare di continuo? ».

« Il mondo mi deve alcune cose, ecco tutto. Non si può insegnare un nuovo motivo al vecchio maestro. Tu continua a parlare cosí e comincerò a chiamarti Dostioffski. »

Remi sembrava proprio un ragazzino. A un certo punto del suo passato, nei suoi solitari giorni di scuola in Francia, gli avevano portato via ogni cosa; il padrigno non aveva fatto altro che ficcarlo in vari collegi e lasciarcelo; l'avevano bistrattato e cacciato da una scuola dopo l'altra; camminava la notte per le strade di Francia elaborando maledizioni col suo innocente bagaglio di vocaboli. Adesso era ansioso di riprendersi tutto quel che aveva perduto; non c'era fine alle sue perdite; questa faccenda si sarebbe trascinata all'infinito.

Lo spaccio della caserma era la nostra risorsa. Ci guardavamo intorno per assicurarci che nessuno stesse a sorvegliare, e soprattutto per vedere se qualcuno dei nostri amici poliziotti stesse spiando là attorno per controllarci; poi io mi accoccolavo per terra e Remi metteva i piedi sulle mie spalle e si tirava su. Apriva la finestra, che non era mai chiusa dal momento che a questo provvedeva lui in quelle sere, scavalcava il davanzale, e scendeva giú sulla spianatoia. Io ero un po' piú agile e cosí facevo un salto e strisciavo dentro. Poi andavamo al banco delle bibite. Qui, realizzando un sogno della mia infanzia, toglievo il coperchio dal recipiente del gelato di cioccolata e ci ficcavo dentro la mano fino al polso e tiravo su una palettata di gelato e la leccavo. Poi prendevamo alcuni bicchieri di carta per gelato e li riempivamo, ci versavamo sopra sciroppo di cioccolata, e qualche volta anche di fragole, poi andavamo in giro per le cucine, aprivamo i frigoriferi, per vedere che cosa potevamo portarci a casa ficcandocelo in tasca. Spesso strappavo un pezzo di arrosto e l'avvolgevo in un tovagliolo. "Tu sai quel che dice il Presidente Truman" diceva Remi in quelle occasioni. "Dobbiamo ridurre il costo della vita."

Una notte aspettai a lungo mentre lui riempiva un'enorme scatola di generi alimentari. Poi non riuscimmo a farla passare dalla finestra. Remi dovette disfare il pacco e rimettere a posto ogni cosa. Piú tardi durante la notte, quando lui era smontato dal servizio e io mi trovavo solo alla base, accadde una cosa strana. Stavo facendo un passeggiata lungo il vecchio sentiero nel canyon, con la speranza d'incontrare un cervo (Remi ne aveva visti alcuni lí intorno, poiché quella contrada era selvaggia persino nel 1947) quando sentii nel buio un terrificante rumore. Era un ansimare e un soffiare. Credetti che un rinoceronte venisse a caricarmi nel buio. Afferrai la pistola. Un'altra figura apparve nell'oscurità del canyon; aveva una testa enorme. Mi resi conto a un tratto che si trattava di Remi con una gigantesca scatola di viveri sulle spalle. Si lamentava e grugniva per l'enorme peso. Aveva trovato da qualche parte la chiave dello spaccio e aveva fatto uscire i viveri dalla porta principale. Dissi: « Remi, credevo fossi a casa; che diavolo stai facendo? ».

E lui rispose: « Paradiso, ti ho detto varie volte cosa ha detto il Presidente Truman, *dobbiamo ridurre il costo della vita* ». E lo sentii sbuffare e ansimare nell'oscurità. Ho già descritto quell'orribile sentiero che andava fino alla nostra baracca, su per la collina e giú per la vallata. Lui nascose i viveri nell'erba e tornò da me. « Sai, non ce la faccio proprio da solo. Li dividerò in due scatole e tu mi aiuterai. »

« Ma io sono di servizio. »

« Farò io la guardia al posto mentre sei via. Le cose si stanno complicando qua intorno. Dobbiamo cavarcela nel migliore dei modi, e questa è l'unica cosa da fare. » Si asciugò il volto. « Pfui! Te l'ho detto un'infinità di volte, Sal, che siamo compagni, e in quest'affare ci siamo dentro insieme. Non ci sono assolutamente due strade in questa faccenda. I Dostioffski, i poliziotti, le Lee Ann, tutti gl'infernali crani di questo mondo vogliono la nostra pelle. Dipende da noi assicurarci che nessuno ci giochi qualche brutto tiro. Hanno parecchi assi nascosti nella manica, oltre a un braccio sporco. Ricordatelo. Non si può insegnare un nuovo motivo al vecchio maestro. »

Io chiesi infine: « Che diamine faremo col nostro imbarco? ». Per dieci settimane avevamo combinato cose del genere. Guadagnavo cinquantacinque dollari la settimana e ne mandavo a mia zia quaranta in media. In tutto quel tempo avevo passato una sola serata a San Francisco. La mia vita si limitava alla baracca, alle liti di Remi con Lee Ann e, nel cuore della notte, alla caserma.

Remi era sparito nell'oscurità per andare a prendere un'altra scatola. Io arrancai insieme con lui per quella vecchia strada da Zorro. Facemmo un mucchio di provviste alto un chilometro sul tavolo della cucina di Lee Ann. Lei si svegliò e si stropicciò gli occhi.

« Sai cosa ha detto il Presidente Truman? » Lei ne fu deliziata. Mi resi conto all'improvviso che tutti in America son dei ladri nati. Quel prurito stava venendo anche a me. Cominciai persino a tentare le porte per vedere se erano chiuse a chiave. Gli altri poliziotti cominciavano a insospettirsi sul nostro conto; ce lo leggevano negli occhi; capivano con infallibile istinto quel che avevamo in mente. Anni di esperienza li avevano messi all'erta su tipi come Remi e me.

Quando fu giorno Remi e io uscimmo con la pistola e cercammo di sparare alle quaglie sulle colline. Remi sgattaiolò fino a un metro dagli uccelli chioccolanti e lasciò partire un colpo dalla sua 32. Li mancò. La sua formidabile risata si propagò come un tuono per i boschi della California e per tutta l'America. « È giunta l'ora, per me e per te, di andare a trovare il Re delle Banane. »

Era un sabato; ci facemmo tutti belli e andammo alla stazione degli autobus all'incrocio. Partimmo per San Francisco e passeggiammo per le strade. La grossa risata di Remi risonava dovunque andassimo. « Devi scrivere un racconto sul Re delle Banane » mi consigliò. « Non fare trucchi al vecchio maestro scrivendo su qualcos'altro. Il Re delle Banane è quel che ti ci vuole. Lí sta il Re delle Banane. » Costui era un vecchio che vendeva banane all'angolo di una strada. Io ne fui profondamente seccato. Ma Remi continuò a darmi dei pugni nelle costole e persino a trascinarmi per il colletto. « Quando scrivi sul Re delle Banane, tu scrivi sulle cose di interesse umano nella vita. » Gli dissi che non m'importava un fico secco del Re delle Banane. « Finché non impari a renderti conto della sua importanza non saprai assolutamente niente delle cose del mondo che hanno un interesse umano » affermò Remi con enfasi.

Nella baia c'era un vecchio mercantile rugginoso che veniva usato come boa. Remi era tutto entusiasta al pensiero di andare fin là a remi, cosí un pomeriggio Lee Ann impacchettò il pranzo e affittammo una barca e ci andammo. Remi s'era portato dietro alcuni utensili. Lee Ann si spogliò completamente e si stese a prendere il sole in coperta. Io stavo a guardarla da poppa. Remi se ne andò dritto giú nella sala delle caldaie, dove i topi scorrazzavano in giro, e cominciò a martellare e a pestare in cerca del rivestimento di rame, che invece non c'era. Io sedetti nella cadente mensa ufficiali. Era un vecchio, vecchissimo battello, un tempo magnificamente arredato, con legni intarsiati e cassapanche infisse. Era lo spettro della San Francisco di Jack London. Fantasticai sulle assi della mensa piene di sole. I topi correvano nella cambusa. C'era stato una volta un capitano di mare dagli occhi azzurri che aveva mangiato lí.

Raggiunsi Remi nelle viscere dello scafo, di sotto. Stava scardinando tutto quel che c'era di scardinabile. « Niente di niente. Pensavo che ci fosse del rame, credevo che ci sarebbero state almeno una o due vecchie madreviti. Questa nave è stata ripulita da una manica di ladri. » Era rimasta nella baia per anni. Il rame era stato rubato da una mano che ormai non era piú.

Dissi a Remi: « Mi piacerebbe tanto dormire in questo vecchio barcone una notte, quando scende la nebbia ed esso cigola e si sentono i grossi muggiti delle boe ».

Remi ne fu sbalordito; la sua ammirazione per me raddoppiò. « Sal, ti pago cinque dollari se hai il coraggio di fare una cosa simile. Non ti rendi conto che questo catenaccio può essere abitato dai fantasmi dei vecchi lupi di mare? Non solo ti darò cinque dollari, ma ti porterò fin qua con la barca e ti preparerò il pranzo e ti presterò le coperte e una candela. »

« D'accordo! » risposi. Remi corse a dirlo a Lee Ann. Io avevo voglia di saltar giú da un albero e approdare dritto su di lei, ma mantenni la promessa fatta a Remi. Distolsi gli occhi da lei.

Nel frattempo cominciai ad andare a Frisco piú spesso; tentai tutti i sistemi possibili per possedere una ragazza. Trascorsi persino una notte intera con una ragazza sulla panchina di un parco, sino all'alba, senza successo. Era una bionda del Minnesota. C'era un sacco di pederasti. Parecchie volte andavo a San Francisco portandomi dietro la pistola e quando un invertito mi si avvicinava nel gabinetto di un bar tiravo fuori la pistola e dicevo: "Eh? Eh? Cos'è che hai detto?". Quello si eclissava. Non ho mai capito perché agissi cosí; conoscevo pederasti in tutta la nazione. Era solo la solitudine di San Francisco e il fatto che possedevo una pistola. Dovevo farla vedere a qualcuno. Camminavo accanto a una gioielleria e mi veniva l'impulso improvviso di sparare nella vetrina, prenderne gli anelli e i braccialetti piú belli, e correre a portarli a Lee Ann. Poi avremmo potuto scappare insieme nel Nevada. Era venuto per me il momento di andarmene da San Francisco, altrimenti sarei impazzito.

Scrissi lunghe lettere a Dean e a Carlo, che adesso stavano nella capanna del vecchio Bull vicino a un torrente, nel Texas. Loro dissero che erano pronti a venire a raggiungermi a San Francisco appena questo e quell'altro fosse stato sistemato. Nel frattempo tutto cominciò a crollare fra Remi e Lee Ann e me. Vennero le piogge di settembre, e con esse le invettive. Remi era andato con lei a Hollywood, in aereo, portandosi dietro il mio sciocco triste soggetto cinematografico, e non era successo nulla. Il famoso regista era ubriaco e non s'era manco accorto di loro; si erano piantati nel suo cottage di Malibu Beach; avevano cominciato a litigare di fronte agli altri ospiti; e cosí erano tornati indietro.

Il colpo finale venne con le corse. Remi mise da parte tutti i suoi denari, circa un centinaio di dollari, mi fece bello con un suo vestito, prese Lee Ann sottobraccio, e via ce ne andammo al campo di corse Golden Gate vicino a Richmond dall'altre parte della baia. Per dirvi che cuore aveva quel ragazzo, mise metà dei nostri viveri rubati in un gigantesco sacchetto di carta gialla e li portò a una povera vedova che conosceva, a Richmond, in un agglomerato di case popolari molto simile al nostro, con il bucato che sventolava nel sole della California. Andammo con lui. C'erano ragazzini tristi e cenciosi. La donna ringraziò Remi. Era la sorella di un certo marinaio che lui conosceva vagamente. « Non ci pensi nemmeno, signora Carter » disse Remi col suo accento piú elegante e cortese. « Di questa roba ce n'è ancora tanta nel luogo da cui proviene. »

Proseguimmo per l'ippodromo. Lui fece incredibili scommesse di venti dollari con la speranza di vincere, e prima della settima corsa era in bolletta. Con i nostri due ultimi dollari per mangiare fece un'altra puntata ancora e perdette. Dovemmo tornare a San Francisco con l'autostop. Ero di nuovo sulla strada. Un signore ci diede un passaggio nella sua macchina rutilante. Io sedetti davanti con lui. Remi stava tentando di imbastire una storia secondo la quale aveva perso il portafogli dietro la tribuna dei primi posti alle corse. «La verità è» dissi io «che alle corse abbiamo perso tutti i nostri quattrini, e per evitare la necessità dell'autostop dopo le corse, d'ora in poi andremo da un allibratore, eh, Remi?» Remi diventò tutto rosso. Il signore dichiarò infine di essere un funzionario del campo di corse Golden Gate. Ci lasciò davanti all'elegante Palace Hotel; noi lo guardammo scomparire in mezzo ai lampadari, con le tasche piene di soldi, la testa alta.

«Uuuh! Oooh!» ululò Remi per la strada nella sera di San Francisco. «Paradiso va in macchina con uno che dirige l'ippodromo e *giura* che d'ora in poi si rivolgerà agli allibratori. Lee Ann, Lee Ann!» Le diede delle pacche e la scosse tutta. «Senza dubbio è il piú buffo uomo del mondo! Devono esserci un sacco d'italiani a Sausalito. Aaah-oooh!» Si avviluppò intorno a un palo per ridere meglio.

Quella notte si mise a piovere mentre Lee Ann lanciava a tutti e due noi occhiate furiose. Non c'era un centesimo in casa. La pioggia picchiava sul tetto. «Durerà una settimana» disse Remi. Si era tolto il suo bel vestito; era tornato ai suoi miserabili calzoncini e al berretto militare e alla maglietta. I suoi grandi occhi scuri e tristi fissavano le tavole del pavimento. La pistola stava sul tavolo. Potevamo sentire il signor Neve ridere a crepapelle da qualche parte nella notte piovosa.

«Son cosí stanca e stufa di quel figlio di cane» sbottò Lee Ann. Era sul punto di attaccar lite. Cominciò a punzecchiare Remi. Lui era occupato a scorrere il suo piccolo libro nero, nel quale c'erano i nomi delle persone, per lo piú marinai, che gli dovevano soldi. Accanto ai nomi scriveva parolacce in inchiostro rosso. Temevo il momento in cui avrei trovato posto in quel libro. Ultimamente avevo spedito tanti di quei soldi a mia zia che compravo solo quattro o cinque dollari di viveri la settimana. In conformità a quanto aveva detto il presidente Truman, ce ne aggiungevo per il valore di qualche altro dollaro. Ma Remi aveva l'impressione che io non contribuissi in modo adeguato; cosí aveva cominciato ad appendere alla parete del bagno le note del negozio, lunghe liste a nastro con su i prezzi per ogni genere, in modo che io le vedessi e capissi. Lee Ann era convinta che Remi le nascondesse del denaro, e che la stessa cosa facessi io, quanto a questo. Minacciò di abbandonarlo.

Remi increspò le labbra. « Dove credi di andare? »

« Da Jimmy. »

« *Jimmy*? Un cassiere al campo di corse? L'hai sentita, Sal, Lee Ann vuole andare ad accalappiare un cassiere dell'ippodromo. Non mancare di portarti dietro la scopa, cara, i cavalli mangeranno un sacco di biada questa settimana con il mio biglietto da cento dollari. »

Le cose raggiunsero proporzioni peggiori; la pioggia rumoreggiava. Lee Ann era stata la prima ad occupare in origine la baracca, cosí disse a Remi di far le valige e andarsene. Lui cominciò a fare i bagagli. Io mi vedevo tutto solo in quella baracca piovosa con quell'indomita bisbetica. Cercai d'intervenire. Remi diede uno spintone a Lee Ann. Lei fece un balzo per afferrare la pistola. Remi mi diede la pistola e mi disse di nasconderla; c'era dentro un caricatore con otto colpi. Lee Ann cominciò a strillare, e infine si mise l'impermeabile e uscí nel fango alla ricerca di un poliziotto, e quale poliziotto... chi, se non il nostro vecchio amico di Alcatraz? Fortunatamente questi non era in casa. Tornò tutta bagnata. Io mi nascosi nel mio angolo con la testa fra le ginocchia. Gesú, che stavo a fare lí a piú di cinquemila chilometri da casa? Perché c'ero venuto? Dov'era andato il mio "dolce battello per la Cina?".

« E ancora una cosa, sporcaccione » urlò Lee Ann. « Stasera è stata l'ultima volta che ti ho cucinato la tua schifosa cervella con le uova, e il tuo schifoso vitello al curry, cosí puoi riempirti quella tua schifosa pancia e diventare sfacciatamente grasso proprio sotto i miei occhi. »

« Va benissimo » disse semplicemente Remi, calmo. « Va proprio benissimo. Quando mi sono messo con te non mi aspettavo rose e fiori e quindi oggi non mi stupisco. Ho cercato di fare qualche cosa per te... ho fatto del mio meglio per tutti e due voi; mi avete deluso entrambi. Sono terribilmente, terribilmente amareggiato per causa vostra » continuò con assoluta sincerità. « Ho pensato che da noi uniti sarebbe uscito qualcosa, qualcosa di buono e di duraturo, ho tentato, sono andato a Hollywood, ho trovato un lavoro a Sal, a te ho comprato bei vestiti, ho cercato di presentarti alla piú bella gente di San Francisco. Voi vi siete rifiutati, vi siete rifiutati entrambi di assecondare il mio piú insignificante desiderio. Non ho chiesto nulla in cambio. Adesso vi chiedo solo un ultimo favore e poi non ne chiederò mai piú. Il mio padrigno verrà a San Francisco la sera di sabato prossimo. Tutto quel che chiedo è che veniate con me e tentiate di fingere che tutto vada come gli ho scritto. In altre parole, tu, Lee Ann, sei la mia ragazza, e tu, Sal, sei il mio amico. Ho fatto in modo da ottenere cento dollari in prestito per sabato sera. Voglio far sí che mio padre se la passi bene e possa partire senza alcuna ragione al mondo di stare in pensiero per me. »

Questo mi sorprese. Il padrigno di Remi era un medico insigne, che aveva esercitato a Vienna, Parigi e Londra. Io dissi: « Vuoi dirmi che hai intenzione di spendere cento dollari per il tuo padrigno? Ha piú soldi lui di quanto non potrai mai averne tu! Ti metterai nei debiti, caro mio! ».

« Non importa » rispose tranquillamente Remi, con la disfatta nella voce. « Io ti chiedo solo un'ultima cosa: che tu faccia almeno il *tentativo* di far sembrare le cose per il meglio e che *ti sforzi* di fare una buona impressione. Voglio bene al mio padrigno e lo rispetto. Arriva con la sua giovane moglie. Dobbiamo trattarlo con la piú grande cortesia. » C'erano delle volte in cui Remi era veramente il piú gran signore del mondo. Lee Ann ne fu impressionata, e si preparò a conoscere il suo padrigno; pensò che avebbe potuto essere un buon colpo, anche se il figlio non era tale.

Arrivò il sabato sera. Io avevo già lasciato il mio lavoro con la polizia, proprio in tempo prima di venir licenziato per non aver fatto sufficienti arresti, e questo sarebbe stato il mio ultimo sabato sera. Remi e Lee Ann andarono prima a trovare il padrigno nella sua stanza d'albergo; io avevo i soldi per il viaggio e mi sbronzai al bar di sotto. Poi salii a raggiungerli, con un terribile ritardo. Suo padre aprí la porta, un distinto signore alto con un paio d'occhiali a stringinaso. « Ah » dissi vedendolo. « Monsieur Boncoeur, come sta? *Je suis haut!* » gridai, che avrebbe dovuto significare in francese: "Sono su, ho bevuto", ma che invece in francese non significa assolutamente niente. Il dottore ne fu perplesso. L'avevo già combinata bella a Remi. Lui arrossí per causa mia.

Andammo tutti a mangiare in un ristorante alla moda: da Alfred's, nella North Beach, dove il povero Remi spese buoni cinquanta dollari per noi cinque, liquori e tutto. E adesso viene il peggio. Chi doveva star seduto al bar da Alfred's se non il mio vecchio amico Roland Major! Era appena arrivato da Denver e aveva ottenuto un impiego in un giornale di San Francisco. Era sbronzo. Non si era nemmeno fatto la barba. Mi corse incontro e mi diede una botta sulla schiena mentre portavo alle labbra un whisky con ghiaccio. Si buttò sul divano del separé accanto al dottor Boncoeur e si chinò sulla minestra del poveretto per parlare con me. Remi era rosso come una barbabietola.

« Perché non presenti il tuo amico, Sal? » disse con un debole sorriso.

« Roland Major dell'*Argus* di San Francisco » cercai di dire con gran faccia tosta. Lee Ann era furibonda contro di me.

Major cominciò a chiacchierare nelle orecchie di Monsieur. « Le piace insegnare il francese al liceo? » urlò.

« Scusi, ma io non insegno il francese al liceo. »

« Oh, credevo che lei insegnasse il francese al liceo. » Faceva apposta il maleducato. Mi venne in mente la sera che non ci permise di tenere la nostra festa a Denver; però lo perdonai.

Perdonai a tutti, mi arresi, mi ubriacai. Cominciai a parlar di luna e di rose alla giovane moglie del dottore. Bevetti tanto che mi toccava andare alla toilette ogni due minuti, e per far questo dovevo scavalcare le gambe del dottor Boncoeur. Tutto stava precipitando attorno a me.

La mia permanenza a San Francisco stava giungendo alla sua conclusione. Remi non avrebbe mai piú voluto saperne di me. Era orribile perché volevo veramente bene a Remi ed ero una delle pochissime persone al mondo che sapessero che creatura sincera e magnifica egli fosse. Gli ci sarebbero voluti anni per superare questo. Com'era disastroso tutto ciò in confronto a quanto gli avevo scritto da Paterson, mentre progettavo di percorrere la mia linea rossa della Statale n. 6 attraverso l'America. Eccomi qua all'estremità dell'America — piú oltre non c'era altra terra — e ora non avevo nessun luogo dove andare fuorché all'indietro. Decisi di fare del mio viaggio almeno un viaggio circolare: progettai lí per lí di andare a Hollywood e tornare passando dal Texas per veder la mia comitiva vicino al torrente; poi il resto poteva andare al diavolo.

Major venne buttato fuori del ristorante. La cena era finita, comunque, cosí lo raggiunsi; cioé, cosí suggerí Remi, e perciò me ne andai via a bere con Major. Ci sedemmo a un tavolo all'Iron Pot e Major disse: « Sam, non mi piace quel finocchio al bar » e questo a voce alta.

« Davvero, Jake? » dissi.

« Sam » continuò lui « credo che mi alzerò e gli sfascerò il muso. »

« No, Jake » risposi, proseguendo con l'imitazione di Hemingway. « Mira solo da qui e vediamo quel che succede. » Finimmo barcollanti a un angolo di strada.

Al mattino, mentre Remi e Lee Ann dormivano, e io guardavo con una certa tristezza il grosso mucchio di biancheria che Remi e io avevamo in programma di lavare nella macchina Bendix sul dietro della baracca (il che era stato sempre un'operazione piena di gioia nel sole in mezzo alle donne di colore e col signor Neve che rideva a crepapelle), decisi di partire. Uscii sul portico. "No, diavolo" mi dissi "ho giurato che non sarei partito finché non mi fossi arrampicato su per quella montagna." Questo era il gran fianco del canyon che conduceva misteriosamente all'Oceano Pacifico.

Cosí rimasi per un giorno ancora. Era domenica. Scese

una grande ondata di caldo; era una giornata bellissima, il sole diventò rosso alle tre. Io mi avviai su per la montagna e arrivai in cima alle quattro. Tutti quegli incantevoli pioppi ed eucaliptus della California stavano accovacciati da tutti i lati. Vicino alla vetta non c'erano piú alberi, solo rocce ed erba. Alcune mandrie brucavano all'estremità della costa. A poche collinette di distanza c'era l'Oceano Pacifico, vasto e azzurro e con una grande muraglia bianca che avanzava dal leggendario campo di patate dove nascono le nebbie di Frisco. Un'altra ora e sarebbe venuta scorrendo attraverso il Golden Gate per avvolgere di bianco la romantica città, e un giovane avrebbe preso per mano la sua ragazza e avrebbe risalito lentamente un lungo marciapiede bianco con una bottiglia di Tokay in tasca. Quella era Frisco; e belle donne sarebbero rimaste ritte sulle soglie bianche, in attesa dei loro uomini; e la Coit Tower, e l'Embarcadero, e Market Street, e gli undici fertili colli.

Girai su me stesso fino ad averne le vertigini; pensavo che sarei precipitato come in un sogno, dritto giú nell'abisso. "Oh, dov'è la ragazza che amo?" pensai, e cercai dappertutto, come dappertutto avevo cercato nel piccolo mondo giú in basso. E davanti a me stavano la massa e il volume immensi e nudi della mia terra d'America; in qualche punto lontano dall'altro lato, la tetra, pazza New York gettava verso l'alto la sua nube di polvere e di vapore bruno. C'è qualcosa di bruno e di sacro nell'Est; e la California è candida come bucato e ha la testa vuota: almeno questo è quel che pensai allora.

12

Il mattino Remi e Lee Ann dormivano mentre io preparavo le mie cose in silenzio e scivolavo fuori della finestra cosí com'ero venuto, e lasciavo Mill City con la mia valigia di tela. E non trascorsi mai quella notte sul vecchio battello fantasma – l'*Admiral Freebee*, si chiamava – e Remi e io fummo perduti l'uno per l'altro.

A Oakland presi una birra, mescolato ai vagabondi di una bettola con una ruota di carro per insegna, e fui di nuovo in viaggio. Camminai attraverso tutta Oakland per raggiungere la strada di Fresno. Due passaggi mi portarono a Bakersfield, seicento chilometri a sud. Il primo fu pazzesco, con un ragazzo biondo corpulento in un bolide fuori serie. « Vede questo dito del piede? » mi disse mentre spingeva l'arnese a centotrenta l'ora e superava tutti lungo la strada. « Lo guardi. » Era tutto avvolto nelle bende. « Me l'hanno appena amputato stamattina. Quei bastardi volevano che rimanessi all'ospedale. Io ho fatto la valigia e me ne sono andato. Che è un dito, infine? » Sí, infatti, mi dissi, sta' attento, adesso, e mi tenevo ben aggrappato. Non si era mai visto al volante un pazzo come quello. Arrivò a Tracy in un baleno. Tracy è un paese di ferrovieri; i frenatori consumano tristemente i loro pasti in mense accanto alle rotaie. I treni ululano via attraverso la vallata. Il sole si corica lento e rosso. Ci passavano accanto tutti i magici nomi della vallata: Manteca, Madera, e gli altri. Presto venne il crepuscolo, un crepuscolo vinoso, un crepuscolo color porpora sopra i giardini di mandarini e i lunghi campi di meloni; il sole era del colore dell'uva spremuta, con squarci di rosso borgogna, i campi color dell'amore e dei misteri di Spagna. Sporsi la testa dal finestrino e aspirai boccate profonde dell'aria fragrante. Fu il momento piú bello di tutti. Il pazzo faceva il frenatore per la Southern Pacific e abitava a Fresno; anche suo padre era frenatore. Aveva perso il dito del piede negli scali di Oakland, azionando uno scambio, non riuscii a capir bene come. Mi portò nella rumorosa Fresno e mi lasciò nella parte sud della città. Andai a bermi una Coca in gran fretta in una piccola rivendita accanto alla ferrovia, e là, lungo i rossi carri merci, arrivò un giovane armeno malinconico, e proprio in quel momento una locomotiva ululò, e io mi dissi: "Sí, sí, il paese di Saroyan".

Dovevo andare a sud; mi rimisi sulla strada. Un uomo in un camioncino scoperto nuovo fiammante mi prese su. Era di Lubbock, nel Texas, e commerciava in roulottes.

« Vuol comprare una roulotte? » mi chiese. « Venga a trovarmi quando vuole. » Raccontò certe storie su suo padre a Lubbock. « Una sera il mio vecchio lasciò gli incassi della giornata posati in cima alla cassaforte, dimenticandosene completamente. Che successe? La notte venne un ladro, con la fiamma ad acetilene e tutto, forzò la cassaforte, sparpagliò le carte qua e là, prese a calci alcune sedie, e se ne andò. E quel migliaio di dollari stava là posato sul piano della cassaforte, che gliene pare di questo? »

Mi lasciò a sud di Bakersfield, e allora ebbe inizio la mia avventura. Cominciò a far freddo. Mi misi il sottile impermeabile militare che avevo comprato ad Oakland per tre dollari e rabbrividii sulla strada. Stavo fermo davanti a un autostello decorato in stile spagnolo che brillava come un diamante. Passavano le macchine, dirette a Los Angeles. Io facevo gesti frenetici. C'era troppo freddo. Rimasi là fino a mezzanotte, due ore di fila, e imprecavo e imprecavo. Era di nuovo proprio come a Stuart, nello Iowa. Non c'era nient'altro da fare che spendere poco piú di due dollari per fare in autobus i restanti chilometri fino a Los Angeles. Tornai indietro sull'autostrada fino a Bakersfield e alla stazione, e sedetti su una panchina.

Avevo comprato il biglietto e stavo aspettando l'autobus per Los Angeles quando vidi a un tratto una graziosissima piccola messicana in pantaloni che stava venendo proprio nella mia direzione. Era scesa da uno degli autobus che si erano appena fermati con un gran sospirare di freni ad aria; questo scaricava i passeggeri per una sosta. Il petto le sporgeva in fuori dritto e sincero; i suoi piccoli fianchi avevano una linea deliziosa; i capelli erano lunghi e di un nero brillante; e i suoi occhi erano due enormi cose azzurre piene di timidezza. Desiderai poter viaggiare sul suo autobus. Un dolore mi trafisse il cuore, come succedeva tutte le volte che vedevo una ragazza che mi piaceva andarsene in direzione opposta alla mia in questo mondo troppo grande. L'altoparlante annunciò l'autobus per Los Angeles. Io presi su la mia valigia e salii, e chi se ne stava là seduta tutta sola? La ragazza messicana. Mi lasciai cadere proprio di fronte a lei e cominciai subito a far progetti. Ero cosí solo, cosí triste, cosí stanco, cosí tremante, cosí in bolletta, cosí sfinito, che raccolsi tutto il mio coraggio, il coraggio necessario ad avvicinare una ragazza sconosciuta, e agii. Anche allora passai cinque minuti a battermi le cosce nel buio mentre l'autobus rullava lungo la strada.

"Devi, devi farlo o morirai! Dannato stupido, parlale! Che ti sta succedendo? Non sei abbastanza stanco di te stesso ormai?" E prima che mi rendessi conto di quel che facevo mi sporsi attraverso il corridoio verso di lei (stava cercando di addormentarsi sul sedile) e dissi: « Signorina, le farebbe piacere usare il mio impermeabile come cuscino? ».

Lei guardò in su con un sorriso e rispose: « No, grazie tante ».

Mi appoggiai all'indietro, tremando; accesi una cicca. Aspettai che guardasse verso di me, con una triste occhiata di striscio piena d'amore, e mi alzai subito e mi chinai verso di lei. « Posso sedermi accanto a lei, signorina? »

« Se le fa piacere. »

E cosí feci. « Dove va? »

« A Los Angeles. » Amai il modo come disse "Los Angeles"; vado matto per come tutti dicono "Los Angeles" sulla costa; è il loro unico e solo paese dorato quando tutto è ormai detto e fatto.

Ci sto andando anch'io! » esclamai. « Sono felicissimo che lei mi abbia permesso di sederle accanto, mi sentivo cosí solo e ho viaggiato tanto, accidenti. » E ci mettemmo a raccontarci le nostre rispettive storie. La sua era questa: aveva un marito e un bambino. Il marito la picchiava, cosí lei l'aveva lasciato a Sabinal, a sud di Fresno, e stava andando a Los Angeles per stare un po' di tempo con sua sorella. Aveva lasciato il figlioletto con i suoi, che erano raccoglitori d'uva e vivevano in una capanna in mezzo alle vigne. Non aveva altro da fare che ripensarci e arrabbiarcisi. Mi venne voglia di buttarle subito le braccia al collo. Parlammo e parlammo. Lei disse che le piaceva tanto parlare con me. Ben presto disse che desiderava anche poter andare a New York. « Forse ce la faremo! » risi. L'autobus salí lamentandosi su per il Passo della Vite e poi cominciammo a scendere verso le grandi distese di luci. Senza aver preso particolari accordi cominciammo a tenerci la mano, e allo stesso modo si decise tacitamente e meravigliosamente e puramente che quando avessi preso la mia stanza d'albergo a Los Angeles lei sarebbe venuta con me. Sentivo in tutto il corpo la voglia di lei; accostai la testa ai suoi bei capelli. Le sue fragili spalle mi rendevano pazzo; l'abbracciai e l'abbracciai ancora. E ciò le piacque infinitamente.

« Amo l'amore » dichiarò, chiudendo gli occhi. Io le promisi un amore meraviglioso. Me la mangiavo con gli occhi. Le nostre vicende erano già state raccontate; ricademmo nel silenzio e in dolci pensieri pieni d'aspettativa. Era talmente semplice. Voi potete avere tutte le vostre Peach e Betty e Marylou e Rite e Camille e Inez di questo mondo; quella era la mia ragazza e il mio genere di anima gemella, e glielo dissi. Lei mi confessò di essersi accorta che l'osservavo alla stazione degli autobus. « Ho pensato che eri un bravo ragazzo, uno studente universitario. »

« Oh, sono davvero uno studente! » la rassicurai. L'autobus giunse a Hollywood. Nell'alba grigia, sporca, come quella in cui Joel McCrea incontra Veronica Lake in una trattoria, nel film *I viaggi di Sullivan*, lei mi dormí in grembo. Guardai avidamente dal finestrino: case di stucco e palme e cinema all'aperto, tutte quelle cose pazzesche, la rozza terra promessa, il fantastico estremo limite dell'America. Scendemmo dall'autobus in Main Street, che non era diversa dai posti nei quali si scende dall'autobus a Kansas City o a Chicago o a Boston: mattoni rossi, sudiciume, macchiette che ti scivolano accanto, filobus che stridono nell'alba senza speranza, l'equivoco odore di una grande città.

E qui la mia mente prese a vaneggiare, non so perché. Cominciò a venirmi la sciocca paranoica idea che Teresa, o Terry – come si chiamava – fosse una volgare piccola adescatrice che lavorava sugli autobus allo scopo di portar via i soldi ai giovanotti fissando appuntamenti come il nostro a Los Angeles, dove lei prima si portava il gonzo a far colazione in qualche posto, e lí l'aspettava il suo compare, e poi in un certo albergo nel quale lui poteva entrare con una pistola o qualsiasi cosa avesse. Questo non glielo confessai mai. Facemmo colazione e un tipo di mezzano non smise di osservarci; m'immaginai che Terry gli facesse cenni segreti con gli occhi. Ero stanco e mi sentivo stranito e sperduto in un posto remoto, disgustoso. L'ondata di terrore ebbe il sopravvento sui miei pensieri e mi fece agire in modo meschino e volgare. «Conosci quel tipo?» chiesi.

«Che tipo dici, te-soro?» Lasciai perdere. Era lenta e indecisa in qualsiasi cosa facesse; per mangiare le ci volle un tempo interminabile; masticava con lentezza e guardava nel vuoto, e fumava una sigaretta, e continuava a parlare, e io ero come un fantasma tormentato, messo in sospetto da ogni sua mossa, immaginando che lei cercasse di guadagnar tempo. Questo non era altro che un momentaneo malessere. Sudavo mentre scendevamo lungo la strada tenendoci per mano. Al primo albergo nel quale c'imbattemmo avevano una stanza, e prima che me ne rendessi conto stavo chiudendo a chiave la porta dietro di me e lei si sedeva sul letto togliendosi le scarpe. La baciai tiepidamente. Era meglio che non lo sapesse mai. Capivo che per distendere i nervi ci occorreva del whisky, specialmente a me. Corsi fuori e girai per dodici isolati, correndo, finché non ebbi trovato mezzo litro di whisky in vendita a un chiosco di giornali. Tornai indietro di corsa, tutto energia. Terry era nel bagno, che si truccava il viso. Riempii di whisky un bicchiere e ne prendemmo alcuni sorsi. Oh, era dolce e delizioso e mi ripagava di tutto il mio lugubre viaggio. Mi misi ritto dietro di lei che stava allo specchio, e ballammo nel bagno a quel modo. Cominciai a parlare dei miei amici laggiú nell'Est.

Dissi: «Dovresti conoscere una formidabile ragazza amica mia che si chiama Dorie. È una rossa alta un metro e ottanta. Se venissi a New York lei ti saprebbe indicare dove trovare lavoro».

«Chi è questa rossa alta un metro e ottanta?» chiese

lei sospettosamente. «Perché me ne parli?» Nella sua semplice anima non poteva penetrare quel mio modo di parlare felice, nervoso. Lasciai cadere il discorso. Lei cominciò ad ubriacarsi nel bagno.

«Vieni a letto!» continuavo a dirle.

«Una rossa alta un metro e ottanta, eh? E io che ti credevo un universitario così carino, t'ho visto col tuo bel maglione e mi sono detta, uhmm, non è simpatico? No! E no! E no! Mi sa che sei un maledetto ruffiano come tutti gli altri!»

«Di che diavolo stai parlando?»

«Non startene lí a dirmi che quella rossa alta un metro e ottanta non è una donnaccia, perché io so riconoscere una donnaccia quando ne sento parlare, e tu, tu non sei altro che un ruffiano come tutti gli altri che ho conosciuti, sono tutti ruffiani.»

«Sta' a sentire, Terry, non sono un ruffiano, te lo giuro sulla Bibbia che non lo sono. Perché dovrei essere un ruffiano? M'interessi solo tu.»

«Tutto questo tempo credevo di aver trovato un ragazzo simpatico. Ne ero così felice, mi abbracciavo da sola e mi dicevo, uhmm, un bravo ragazzo invece che un ruffiano.»

«Terry» la supplicai con tutta l'anima. «Ti prego, ascoltami e cerca di capire, non sono un ruffiano.» Un'ora prima ero io che credevo che *lei* fosse un'adescatrice. Com'era triste tutto questo. Le nostre menti, col loro bagaglio di pazzia, avevano preso vie diverse. O vita ripugnante, come mi lamentai e supplicai, e poi mi arrabbiai e mi resi conto che stavo implorando una piccola ottusa contadina messicana e glielo dissi; e prima che me ne rendessi conto raccolsi le sue ciabattine rosse e le scaraventai contro la porta del bagno e le ordinai di andarsene. «Vattene, fila!» Avrei dormito e dimenticato; avevo la mia vita, la mia triste e sconclusionata vita per sempre. Nel bagno ci fu un silenzio di tomba. Mi tolsi i vestiti e mi coricai.

Terry uscí con gli occhi pieni di lacrime di dispiacere. Nel suo semplice e buffo cervello restava stabilito il fatto che uno sfruttatore non sbatte le scarpe di una donna contro la porta e non le dice di andarsene. In riverente e dolce e tenero silenzio si levò tutti gl'indumenti e scivolò accanto a me sotto le lenzuola col suo corpo minuto. Era bruno come l'uva. Vidi il suo povero ventre che portava la cicatrice di un taglio cesareo; i suoi fianchi erano cosí stretti che non aveva potuto partorire un bimbo senza farsi squarciare tutta. Le gambe parevano stecchi sottili. Era alta appena un metro e cinquanta. Feci all'amore con lei nella dolcezza del greve mattino. Poi, simili a due angeli stanchi, perdutamente abbandonati in un angolo di Los Angeles, i quali avessero trovato insieme la piú intima e deliziosa cosa della vita, ci addormentammo e dormimmo fino a tardi nel pomeriggio.

13

I quindici giorni seguenti restammo insieme nella buona e nella cattiva sorte. Quando ci svegliammo decidemmo di andare insieme con l'autostop fino a New York; lei sarebbe stata la mia ragazza in città. Previdi inaudite complicazioni con Dean e Marylou e tutti: una stagione, una stagione nuova. Prima dovevamo guadagnarci i soldi necessari per il viaggio. Terry s'era messa in testa di cominciare subito con i venti dollari che mi erano rimasti. A me non andava. E, da perfetto idiota, considerai il problema per due giorni, mentre leggevamo le offerte di lavoro di certi assurdi giornali di Los Angeles che non avevo mai visti prima in vita mia, nelle tavole calde e nei bar, finché i miei venti dollari si ridussero a dieci o poco piú. Eravamo molto felici nella nostra cameretta d'albergo. Io mi alzavo nel cuor della notte perché non riuscivo a prender sonno, tiravo le coperte fin sulle nude spalle brune della mia piccola, e scrutavo la notte di Los Angeles. Che notti brutali, ardenti, lamentose di sirene! Proprio dall'altra parte della strada c'erano guai. Una vecchia casa d'affitto cadente e malridotta era la scena di una specie di tragedia. L'auto della polizia era ferma, là sotto, e i poliziotti stavano interrogando un vecchio coi capelli grigi. Dall'interno giungevano singhiozzi. Potevo sentire tutto, insieme col ronzio dell'insegna al neon del mio albergo. Non mi ero mai sentito cosí triste in vita mia. Los Angeles è la piú deprimente e brutale città d'America; New York è fredda da morire nell'inverno, ma in alcune strade c'è in fondo un senso di rude cameratismo. Los Angeles è una giungla.

South Main Street, dove Terry e io andavamo a passeggio con panini imbottiti di salsiccia, era una fantastica fiera di luci e di frenesia. Poliziotti in stivaloni perquisivano qualcuno praticamente in ogni angolo. Sui marciapiedi formicolavano gli individui piú malridotti del paese: tutti sotto quelle dolci stelle della California meridionale che si perdono nell'alone bruno di quell'enorme accampamento nel deserto che è in realtà Los Angeles. Si poteva sentire odore di tè, di erba, voglio dire di marijuana, aleggiare nell'aria, insieme con quello dei peperoni con fagioli e della birra. Quel grande indiavolato fluttuare di be-bop echeggiava dalle birrerie; mescolava insieme fantasie di canzoni di cow-boy e boogie-woogie d'ogni genere nella notte d'America. Tutti assomigliavano a Hassel. Negri sfrenati con berretti da suonatori di be-bop e pizzetto passavano ridendo; poi avventurieri stracciati coi capelli lunghi venuti dritti da New York per la Statale 66; poi vecchi topi del deserto, che portavano cartocci ed erano diretti verso una panchina del parco al Plaza; poi pastori metodisti con i polsini sfilacciati, e ogni tanto qualche santone tipo "Nature Boy" con barba e sandali. Avrei voluto conoscerli tutti, parlare con tutti, ma Terry e io eravamo troppo occupati a cercar di guadagnare qualche soldo insieme.

Andammo a Hollywood per cercar lavoro nella drogheria all'angolo fra il Sunset e la Vine. Quello sí che era un posto! Famiglie numerose che uscivano da automobili scassate provenienti dall'interno stavano qua e là sui marciapiedi a bocca aperta con la speranza di vedere qualche stella del cinema, ma la stella del cinema non spuntava mai. Quando passava una macchina di lus-

127

so correvano come pazzi sull'orlo del marciapiede e si chinavano a guardare; un tipo in occhiali scuri sedeva dentro con una bionda ingioiellata. « Don Ameche! Don Ameche! » « No, George Murphy! George Murphy! » Si affollavano intorno, guardandosi fra loro. Giovani pederasti di bell'aspetto che erano venuti a Hollywood per fare i cow-boy camminavano qua e là, umettandosi le sopracciglia con le dita affusolate. Le piú belle ed eccezionali fanciulle del mondo passavano in pantaloni; erano venute per far le stelline; finivano col lavorare in qualche cinema all'aperto. Terry e io cercammo di ottenere un lavoro nei cinema all'aperto. Non riuscimmo a cavare un ragno dal buco. Hollywood Boulevard era un'immensa, stridente frenesia di automobili; succedevano piccoli incidenti in ragione di almeno uno il minuto; tutti correvano via verso la palma piú lontana: e oltre a quella c'erano il deserto e il vuoto. Gli imbecilli di Hollywood stavano fermi davanti ai ristoranti alla moda, discutendo esattamente allo stesso modo degli imbecilli di Broadway al Jacob's Beach, a New York, solo che qui indossavano abiti leggeri e il loro linguaggio era piú spregiudicato. Predicatori alti, cadaverici passavano scandalizzati. Donne grasse e urlanti correvano attraverso il marciapiede a mettersi in fila per gli spettacoli di domanda e risposta. Vidi Jerry Colonna che comprava una macchina alla Buick Motors; stava dietro la larga vetrina di cristallo molato, torcendosi i baffi. Terry e io mangiammo in una tavola calda del centro decorata in modo da sembrare una grotta, con mammelle di metallo che schizzavano acqua dappertutto e grandi impersonali deretani di pietra appartenenti a qualche deità e a un Nettuno scivoloso. La gente consumava lugubri pasti attorno alle cascate d'acqua, i volti verdi di dolore marino. Tutti i poliziotti di Los Angeles parevano prestanti gigolò; evidentemente erano venuti a Los Angeles per fare del cinema. Tutti erano venuti per fare del cinema, persino io. Terry e io ci riducemmo alla fine a cercar lavoro in South Main Street, fra i commessi falliti e le lavapiatti che non facevano mistero del loro fallimento, e anche lí non ci fu verso. Avevamo ancora dieci dollari.

« Mio caro, mi farò dare i miei vestiti da mia sorella e andremo con l'autostop fino a New York » disse Terry. « Andiamo, amico. Facciamo cosí. "Se non sai ballare il boogie, ho idea che sarò io che te l'insegnerò." » Quell'ultima parte era una sua canzone che lei cantava sempre. Andammo in fretta e furia alla casa di sua sorella in mezzo alle cadenti baracche messicane da qualche parte dietro Alameda Avenue. Aspettai in un vicolo buio dietro le cucine messicane perché sua sorella non doveva vedermi. Cani passavano di corsa. C'erano piccole lampade che illuminavano i vicoli angusti come topaie. Potevo sentire Terry e sua sorella discutere nella notte dolce, calda. Ero pronto a tutto.

Terry uscí di là e mi portò per mano fino a Central Avenue, ch'è l'arteria principale della gente di colore di Los Angeles. E che luogo fantastico è, con certe specie di pollai cosí piccoli da contenere appena un giradischi a gettoni, e il giradischi che non fa altro che lanciare blues, be-bop e swing. Salimmo su per le scale sudicie di un casone e arrivammo alla camera dell'amica di Terry, Margarina, che doveva restituirle una gonna e un paio di scarpe. Margarina era una mulatta adorabile; suo marito era nero come il carbone e gentilissimo. Andò subito fuori a comprare un mezzo litro di whisky per ricevermi come si doveva. Feci il tentativo di pagar la mia parte, ma lui disse di no. Avevano due bambinetti. I ragazzini saltavano sul letto; era il loro angolo dei giochi. Mi misero le braccia al collo e mi guardarono con stupore. La pazza notte ronzante di Central Avenue – la notte di *Central Avenue Breakdown* di Lionel Hampton – ululava e rintronava là fuori. Cantavano nei corridoi, cantavano dalle finestre, infischiandosi di tutto e prendendo la vita come veniva. Terry si prese i suoi abiti e salutammo. Andammo giú in uno di quei pollai e suonammo qualche disco sul grammofono a gettone. Una coppia di figuri negri mi sussurrarono qualcosa all'orecchio a proposito di droga. Un dollaro. Io dissi okay, che la portassero. Lo spacciatore venne e mi fece cenno di andare nella toilette giú nell'interrato, dove io rimasi a guardarmi stupidamente in giro mentre quello diceva: «Prendi su, amico, prendi su».

«Prendo su cosa?» chiesi.

Quello aveva già il mio dollaro. Aveva paura di indicare il pavimento. Non era nemmeno un pavimento, erano solo le fondamenta. Là c'era buttato qualcosa che pareva un piccolo rotolo bruno. L'uomo si comportava con una prudenza assurda. «Devo stare in guardia, le cose non vanno mica tanto lisce questa settimana.» Raccolsi il rotolino, che era una sigaretta fatta con carta da pacchi, e tornai da Terry, e via ce ne andammo alla camera d'albergo per inebriarci. Non successe niente. Era tabacco Bull Durham. Magari fossi stato piú accorto con i miei soldi.

Terry e io dovevamo assolutamente decidere una volta per tutte che cosa fare. Decidemmo di andare con l'autostop fino a New York con quei pochi soldi che ci rimanevano. Quella sera lei si fece dare cinque dollari da sua sorella. Ne avevamo circa tredici o forse meno. Cosí, prima di dover pagare il conto della stanza per il nuovo giorno, facemmo le valigie e partimmo su una macchina rossa per Arcadia, in California, dove, sotto le montagne incappucciate di neve, c'è l'ippodromo di Santa Anita. Era sera. Eravamo diretti verso il continente americano. Tenendoci per mano, camminammo per parecchi chilometri lungo la strada per uscire dalla zona abitata. Era un sabato sera. Ci fermammo sotto un lampione, facendo segni col pollice, quando all'improvviso passarono rombando alcune macchine piene di ragazzi con stelle filanti svolazzanti. «Evviva! Evviva! Abbiamo vinto! Abbiamo vinto!» gridavano tutti. Poi lanciarono urli al nostro indirizzo e trovarono ch'era buffissimo vedere un giovanotto e una ragazza sulla strada. Ne passarono a dozzine, di automobili del genere, cariche di volti imberbi e di "giovani voci in falsetto", proprie di quell'età. Io li odiavo tutti, uno per uno. Chi credevano di essere, che facevano versi alla gente sulla strada solo perché erano degli studenti mocciosi e i loro genitori potevano permettersi di affettare l'arrosto nel pranzo domenicale? Chi credevano di essere, che prendevano in giro una ragazza ridotta in misere condizioni insieme con un uomo che voleva amarla? Noi pensavamo ai fatti nostri. E non ottenemmo neanche un benedetto passaggio. Ci toccò tornare in città, e quel ch'è peggio avevamo bisogno d'un caffè e fummo cosí scalognati da andare nell'unico posto aperto, ch'era un chiosco di bibite di una scuola media, e là c'erano tutti i ragazzini, i quali si ricordarono di noi. Adesso si accorsero che Terry era messicana, un gatto selvatico di Pachuco; e che il suo ragazzo era ancor peggio.

Lei abbandonò il locale tenendo sollevato il suo grazioso nasino e vagammo insieme nel buio lungo i fossati delle autostrade. Io portavo le valigie. Il nostro fiato fumava nell'aria fredda della notte. Decisi infine di nascondermi dal mondo insieme con lei ancora per una notte, e che il mattino andasse pure all'inferno. Entrammo nel cortile di un autostello e affittammo un piccolo comodo ambiente per circa quattro dollari: doccia, asciugamani da bagno, radio incassata nel muro, e tutto. Ci tenemmo stretti stretti. Facemmo lunghi, seri discorsi e prendemmo il bagno e discutemmo di tante cose con la luce accesa e poi la luce spenta. Si stava provando qualcosa, io la stavo convincendo di qualcosa, che lei accettò, e concludemmo il patto nel buio, affannati, poi soddisfatti, come agnellini.

Al mattino attuammo baldanzosamente il nostro nuovo piano. Avremmo preso un autobus fino a Bakersfield e avremmo lavorato a raccogliere uva. Dopo alcune settimane di questo ci saremmo diretti a New York come si doveva, con l'autobus. Fu un meraviglioso pomeriggio, viaggiare con Terry fino a Bakersfield: sedevamo di dietro, ci riposavamo, chiacchieravamo, vedevamo passare la campagna, e non ci preoccupavamo di niente. Arrivammo a Bakersfield nel tardo pomeriggio. Il piano era di abbordare ogni grossista di frutta in città. Terry disse che avremmo potuto vivere in una tenda sul posto di lavoro. Il pensiero di vivere in una tenda e raccogliere uva nelle fresche mattine californiane mi andava a genio. Ma non c'era alcun lavoro da ottenere, e invece parecchia confusione, con tutti che ci davano innumerevoli consigli, e nessun lavoro saltava fuori. Con tutto questo consumammo una cena alla cinese e ci rimettemmo all'impresa con il corpo ristorato. Attraversammo i binari della Southern Pacific fino al quartiere messicano. Terry parlottò con i suoi connazionali, chiedendo lavoro. Era notte ormai, e la piccola strada del quartiere messicano era un solo scintillante agglomerato di luci: insegne di cinematografi, bancarelle di frutta, macchine a gettone, empori a prezzo unico, e centinaia di traballanti autocarri e vecchie macchine chiazzate di fango, parcheggiate. Intere famiglie messicane di raccoglitori di frutta vagabondavano qua e là mangiando popcorn. Terry parlava con tutti. Io cominciavo a disperare. Quello di cui avevo bisogno – e di cui aveva bisogno anche Terry – era bere, cosí comprammo un litro di Porto californiano per trentacinque centesimi e ce lo andammo a bere allo scalo ferroviario. Trovammo un posto dove i vagabondi avevano radunato cassette per sedere accanto ai fuochi. Ci sedemmo là a bere il vino. Alla nostra sinistra c'erano i carri merci, tristi e di un rosso fuligginoso sotto la luna; proprio di faccia le luci e i riflettori dell'aeroporto di Bakerfield; alla nostra destra un formidabile magazzino di alluminio della Quonset. Oh, era una bella notte, una notte calda, adatta a bere il vino, una notte di plenilunio, una notte fatta per stringere la propria ragazza e parlare e baciare e andare ai sette cieli. Fu quel che facemmo. Lei era una piccola ubriacona e mi tenne testa e mi superò e continuò a chiacchierare fino alla mezzanotte. Non ci spostammo piú da quelle cassette. Di tanto in tanto passava qualche straccione, passavano madri messicane con i loro bambini, e la macchina della ronda si avvicinò e il poliziotto uscí per orinare, ma per lo piú eravamo soli e mescolavamo le nostre anime sempre piú intimamente finché sarebbe stato estremamente difficile dirci addio. A mezzanotte ci alzammo e c'incamminammo storditi verso l'autostrada.

Terry ebbe una nuova idea. Saremmo andati con l'autostop fino a Sabinal, il suo paese natale, e avremmo abitato nella rimessa di suo fratello. Per me tutto andava bene. Sulla strada feci sedere Terry sopra la mia valigia per
farla sembrare una donna sofferente, e subito un autocarro si fermò e noi gli corremmo appresso, ridendo sotto i baffi. L'uomo era un buon diavolo; il suo autocarro
era misero. Proseguí strepitando e si arrampicò su per
la vallata. Arrivammo a Sabinal nelle ore piccole prima
dell'alba. Mentre Terry dormiva m'ero finito il vino,
ed ero completamente intontito. Scendemmo e vagabondammo per la quieta piazza ombrosa del piccolo paese
californiano: una fermata a richiesta sulla linea ferroviaria della Southern Pacific. Andammo a trovare l'a-
mico di suo fratello, che avrebbe dovuto dirci dove lui
si trovava. In casa non c'era nessuno. Come l'alba cominciò a schiarire mi sdraiai supino sul prato della piazza del paese e non facevo che ripetere: « Non vuoi dire
quel che lui ha fatto a Weed, no? Che ha fatto su a
Weed? Non vuoi dirlo, vero? Che ha fatto a Weed? ».
Questa era dal film *Uomini e topi*, con Burgess Meredith
che parlava al capoccia della fattoria. Terry ridacchiava.
Tutto quel che facevo andava bene per lei. Avrei potuto starmene lí steso e continuare a far cosí finché le signore non fossero uscite per andare in chiesa e non
gliene sarebbe importato niente. Ma alla fine decisi che ci
saremmo sistemati presto tutti e due grazie a suo fratello, e la portai in un vecchio albergo accanto alla ferrovia
e andammo a letto comodamente.
Nella luminosa mattina assolata Terry si alzò per tempo e andò alla ricerca di suo fratello. Io dormii fino a
mezzogiorno; quando guardai fuori dalla finestra vidi
passare a un tratto un merci della Southern Pacific carico di centinaia di vagabondi sdraiati sui pianali, che
vaggiavano allegramente con pacchi per cuscini e giornaletti umoristici davanti al naso, e alcuni succhiavano
la buona uva della California strappata lungo la linea.
« Diavolo! » urlai. « Ui-hi. È proprio la terra promessa. » Venivano tutti da Frisco; entro una settimana sarebbero tornati indietro in pompa magna, come adesso.

Arrivò Terry con suo fratello, l'amico di lui, e il bambino di Terry. Il fratello era un messicano dal sangue caldo, tutto fuoco e con la passione dei liquori, un gran buon diavolo. L'amico suo era un grosso messicano flaccido che parlava inglese quasi senza accento ed era chiassoso e ansioso di rendersi simpatico. Mi accorsi che lanciava occhiate a Terry. Il piccino di lei si chiamava Johnny, aveva sette anni, era un dolce bimbo dagli occhi scuri. Be', ecco qua, cominciava un altro pazzo giorno.

Rickey era il nome di suo fratello. Possedeva una Chevrolet modello 1938. Ci ammucchiammo lí dentro e partimmo per ignota destinazione. «Dove andiamo?» chiesi. L'amico diede qualche spiegazione: si chiamava Ponzo, cosí lo chiamavano tutti. Puzzava. Scoprii perché. Il suo mestiere era di vendere letame agli agricoltori; aveva un autocarro. Rickey teneva sempre tre o quattro dollari in tasca e prendeva tutto allegramente. Diceva sempre: "Giusto, amico, dacci dentro... dacci dentro, dacci dentro!". E ci dava dentro. Guidava a centoventi l'ora nella vecchia macchina, e andammo a Madera, oltre Fresno, per vedere alcuni agricoltori a proposito del letame.

Rickey aveva una bottiglia. «Oggi beviamo, domani lavoriamo. Dacci dentro, amico... prendine un sorso!» Terry sedeva dietro col suo bambino; io mi voltai a guardarla e vidi che un'ondata di gioia le era salita al viso per essere tornata a casa. La bella campagna verde dell'ottobre californiano sfilava a corsa pazza ai lati della strada. Io ero di nuovo in gran forma e pronto all'avventura.

«Dove andiamo adesso, amico?»

«Andiamo a cercare un agricoltore che ha del letame ammucchiato da qualche parte. Domani torniamo indietro con l'autocarro e lo carichiamo. Caro mio, faremo un sacco di soldi. Non preoccuparti di niente.»

«Ci siamo dentro tutti in questo affare!» urlò Ponzo. Vidi che era sempre cosí... dovunque andassi, c'erano dentro tutti. Corremmo come razzi attraverso le indiavolate vie di Fresno e su per la vallata da certi agricoltori in una contrada fuori mano. Ponzo scese dalla macchina e fece discorsi confusi con certi vecchi contadini messicani; naturalmente non ne venne fuori niente.

« Quel che ci occorre è una bevuta! » gridò Rickey, e via ce ne andammo a una bettola all'incrocio. La domenica pomeriggio gli americani vanno sempre a bere nelle taverne sui crocevia; ci portano i loro bambini; spettegolano e bisticciano davanti ai bicchieri; tutto procede magnificamente. Venuta la notte i ragazzini cominciano a frignare e i genitori sono ubriachi. Tornano a casa barcollando. In ogni parte d'America sono andato a bere con famiglie intere nelle taverne sui crocevia. I bambini mangiano popcorn e patatine fritte e giocano nel retro. Cosí facemmo anche noi. Rickey e io e Ponzo e Terry ci sedemmo a bere e a gridare a tempo di musica; il piccolo Johnny faceva il buffone insieme con altri bambini attorno al juke box. Il sole cominciò a farsi rosso. Non avevamo combinato nulla. Cosa c'era da combinare? « *Mañana* » disse Rickey. « *Mañana*, amico, lo facciamo; prenditi un'altra birra, amico dacci dentro, *dacci dentro*! »

Uscimmo traballando e salimmo in macchina; ce ne andammo via verso un bar sull'autostrada. Ponzo era un tipo grasso, rumoroso, vociferante, che conosceva tutti nella valle di San Joaquin. Dal bar sull'autostrada ci avviammo in macchina lui e io, soli, a cercare un agricoltore; invece andammo a finire nel quartiere messicano di Madera, a guardare le ragazze e a cercare di imbarcarne qualcuna per lui e Rickey. E poi, mentre un crepuscolo di porpora scendeva sulla terra dell'uva, mi ritrovai seduto stupidamente nella macchina mentre lui discuteva con un vecchio messicano sulla porta di una cucina il prezzo di un'anguria che quello aveva coltivato nell'orto. Prendemmo l'anguria; la mangiammo sul posto e ne gettammo le bucce sul marciapiede polveroso del vecchio. Ogni sorta di graziose figliole passavano lungo la strada che s'andava oscurando. Dissi: « Dove diavolo siamo? ».

« Non preoccuparti, amico » disse il grosso Ponzo. « Domani ci facciamo un sacco di soldi; stasera non ci pensiamo. » Tornammo indietro a prendere Terry e suo fratello e il bambino e andammo a Fresno nelle luci notturne dell'autostrada. Avevamo tutti una fame da lupi. A Fresno sobbalzammo sulle rotaie della ferrovia e percorremmo le pazze strade del quartiere messicano. Cinesi strani stavano affacciati alle finestre, scrutando le strade della domenica sera; gruppi di pollastrelle messicane ancheggiavano in pantaloni; il mambo imperversava dai giradischi a gettoni; le luci erano appese tutto in giro a festoni come alla vigilia di Ognissanti. Andammo in un ristorante messicano e mangiammo *tacos* e passato di fagioli rossi fatti su in *tortillas*; erano deliziosi. Io tirai fuori il mio ultimo fiammante biglietto da cinque dollari che si frapponeva fra me e la costa del New Jersey e pagai per Terry e per me. Adesso avevo quattro dollari. Terry e io ci guardammo.

« Dove dormiremo stanotte, piccola? »

« Non so. »

Rickey era ubriaco; adesso tutto quel che diceva era: « Dacci dentro, amico... dacci dentro, amico » con voce morbida e stanca. Era stata una lunga giornata. Nessuno di noi sapeva quel che stava accadendo, o quel che il buon Dio ci aveva destinato. Il povero piccolo Johnny mi si addormentò in braccio. Tornammo in macchina a Sabinal. Per strada ci fermammo bruscamente a una casa cantoniera sulla camionale n. 99. Rickey voleva un'ultima birra. Dietro la casa cantoniera c'erano rimorchi e tende e alcune stanze cadenti tipo autostello. M'informai sul prezzo ed erano due dollari. Mi consultai in proposito con Terry, e lei disse che andava bene, perché adesso avevamo il bambino sulle braccia e dovevamo farlo star comodo. Cosí dopo qualche birra nello spaccio, dove gente malinconica dell'Oklahoma ondeggiava al suono di un'orchestrina di cow-boy, Terry e io e Johnny andammo in una stanza del campeggio e ci preparammo e far la nanna. Ponzo continuò a girarci attorno; non aveva un posto per dormire. Rickey dormiva in casa di suo padre, nella baracca della vigna.

« Dove abiti, Ponzo? » chiesi.

« In nessun luogo, amico. Dovrei abitare con Big Rosey

ma stanotte lei m'ha buttato fuori. Andrò a prendermi l'autocarro e ci dormirò dentro. »

Le chitarre vibravano. Terry e io contemplammo insieme le stelle e ci baciammo. « *Mañana* » disse lei. « Domani tutto andrà bene, non lo credi, Sal, tesoro mio caro? »

« Certo, piccola, *mañana*. » Era sempre *mañana*. In tutta la settimana seguente tutto quel che sentii fu: *mañana*, una parola incantevole che probabilmente vuol dire il cielo.

Il piccolo Johnny si buttò sul letto, vestito e tutto, e si addormentò; dalle scarpe zampillò la sabbia, sabbia di Madera. Terry e io ci alzammo nel cuor della notte per scuotere la sabbia dalle lenzuola. Al mattino mi alzai, mi lavai, e feci una passeggiatina in giro. Ci trovavamo a otto chilometri da Sabinal, in mezzo ai campi di cotone e alle vigne. Chiesi alla donna grande e grossa che teneva il campeggio se nessuna delle tende fosse libera. Era disponibile quella piú a buon mercato, per un dollaro il giorno. Pescai un dollaro e ci trasferimmo lí. C'era un letto, un fornello, e uno specchio rotto appeso a un palo; era deliziosa. Per entrare dovevo piegarmi in due, ma quando entravo ecco là la mia piccola e il mio bambino. Aspettammo che Rickey e Ponzo arrivassero con l'autocarro. Vennero con alcune bottiglie di birra e cominciarono a ubriacarsi nella tenda.

« E che avete fatto col letame? »

« Troppo tardi per oggi. Domani faremo un sacco di soldi, amico; oggi ci beviamo qualche birra. Che te ne pare, della birra? » Non c'era bisogno che mi incoraggiassero. « Dacci dentro... *dacci dentro*! » gridava Rickey. Cominciai a capire che i nostri progetti per far denaro con l'autocarro del letame non si sarebbero mai concretati. L'autocarro stava parcheggiato fuori della tenda. Aveva la stessa puzza di Ponzo.

Quella sera Terry e io ci coricammo nell'aria dolce della notte sotto la nostra tenda coperta di rugiada. Ero proprio sul punto di addormentarmi quando lei disse: « Vuoi fare all'amore adesso? ».

Io risposi: « E Johnny? ».

« Non gliene importa. Dorme. » Ma Johnny non dormiva e non disse nulla.

I ragazzi vennero il giorno dopo con l'autocarro del letame e ripartirono alla ricerca di whisky; tornarono e si divertirono un mondo nella tenda. Quella notte Ponzo disse che faceva troppo freddo e cosí dormí per terra nella nostra tenda, avvolto in un grosso telone catramato odoroso di sterco di vacca. Terry non lo poteva soffrire; disse che stava sempre attaccato a suo fratello per potersi fare amico di lei.

A Terry e a me non poteva succedere nient'altro che morir di fame, cosí quella mattina andai in giro per la campagna a chiedere lavoro come raccoglitori di cotone. Tutti mi dissero di andare alla fattoria di fronte al campeggio di là della strada. Ci andai, e il fattore stava in cucina insieme con le sue donne. Uscí, ascoltò la mia storia, e mi avvertí che lui pagava solo tre dollari per ogni quarantacinque chili di cotone raccolto. Mi vidi intento a raccogliere almeno tre volte tanto il giorno e accettai il lavoro.

Lui tirò fuori dal fienile certi lunghi sacchi di canapa e mi disse che la raccolta cominciava all'alba. Corsi da Terry, tutto contento. Lungo la strada un autocarro carico d'uva fece un sobbalzo su una groppa della strada e lasciò cadere alcuni grossi grappoli sull'asfalto infocato. Li raccolsi e li portai a casa. Terry ne fu felice. « Johnny e io verremo con te e ti aiuteremo. »

« Pfui! » dissi. « Neanche per sogno! »

« Vedrai, vedrai, è difficilissimo raccogliere cotone. T'insegnerò io. »

Mangiammo l'uva, e Rickey si presentò in serata con un filone di pane e mezzo chilo di carne tritata e facemmo un pic-nic. In una tenda piú grande accanto a noi viveva un'intera famiglia di raccoglitori di cotone originari dell'Oklahoma; il nonno sedeva tutto il giorno su una sedia, era troppo vecchio per lavorare; il figlio e la figlia, e i loro bambini, ogni giorno, all'alba, si recavano in fila indiana al campo del mio fattore di là dalla strada, e si mettevano a lavorare. All'alba del giorno dopo andai con loro. Dissero che all'alba il cotone era piú pesante a causa della rugiada e si riusciva a far piú soldi che nel pomeriggio. Tuttavia essi lavoravano tutto il giorno dall'alba al tramonto. Il nonno era venuto dal Nebraska durante la grande carestia dopo il '30 – proprio quella stessa nuvola di polvere della quale mi aveva parlato il mio cow-boy del Montana – con l'intera famiglia in un autocarro sconquassato. Da allora avevano sempre vissuto in California. Gli piaceva lavorare. In quei dieci anni il figlio del vecchio aveva accresciuto la famiglia di quattro bambini, alcuni dei quali erano ormai abbastanza grandi per raccogliere cotone. E in quel periodo avevano progredito dalla povertà piú miserabile nei campi alla Simon Legree[1] fino a una specie di sorridente rispettabilità in tende migliori, e questo era tutto. Erano estremamente orgogliosi della loro tenda.

« Tornerete piú nel Nebraska? »

« Pfui, laggiú non c'è niente. Quel che vogliamo è comprare una *roulotte*. »

Ci chinammo e cominciammo a raccogliere cotone. Era bello. Di là dal campo c'erano le tende, e ancora oltre gli aridi campi bruni di cotone che si stendevano a perdita d'occhio fino alle brune colline percorse da ruscelli e poi alle Sierre incappucciate di neve nell'aria azzurra del mattino. Questo era tanto piú bello che lavar piatti in South Main Street. Però io non m'intendevo affatto di raccogliere cotone. Perdevo troppo tempo a separare il batuffolo bianco dal suo alveolo crocchiante; gli altri lo facevano in un baleno. In piú, le punte delle dita mi cominciarono a sanguinare; avevo bisogno di guanti, o di maggiore esperienza. Nel campo con noi c'era una vecchia coppia di negri. Raccoglievano cotone con la stessa benedetta pazienza che i loro antenati avevano usata nell'Alabama prima della guerra; si spostavano dritti lungo i filari, chini e melanconici, e i loro sacchi si gonfiavano. Cominciò a dolermi la schiena. Però era bellissimo inginocchiarsi e nascondersi in quella terra. Se mi veniva voglia di riposare lo facevo, con la faccia sul cuscino di

[1] Brutale mercante di schiavi, ne *La capanna dello zio Tom*, di H. E. B. Stowe. (*N. d. T.*)

139

umida terra bruna. Gli uccelli cantavano un accompagnamento musicale. Credetti di aver trovato il lavoro della mia vita. Johnny e Terry arrivarono facendo segni di saluto di là dal campo nel mezzogiorno torrido e immoto e si misero a raccogliere con me. Che io sia dannato se il piccolo Johnny non era più svelto di me!... E naturalmente Terry era veloce il doppio. Lavoravano davanti a me e mi lasciavano mucchi di cotone pulito da aggiungere al mio sacco: Terry, mucchi come avrebbe potuto raccoglierli un uomo, Johnny, piccoli mucchietti da bambino. Io li ficcavo dentro con dolore. Che razza d'uomo ero, incapace di mantenere me stesso, senza parlare di loro? Passarono con me tutto il pomeriggio. Quando il sole si fece rosso tornammo insieme a casa sfiniti. Al limite del campo scaricai il mio carico su una bilancia; pesava ventidue chili, e ne ebbi un dollaro e mezzo. Poi mi feci prestare una bicicletta da uno dei ragazzi dell'Oklahoma e pedalai giù sulla 99 fino a un negozio di alimentari all'incrocio, dove comprai scatole di spaghetti con polpette già pronti, pane, burro, caffè, e dolce, e tornai col sacchetto appoggiato al manubrio. Le macchine dirette a Los Angeles mi sfrecciavano accanto; il traffico verso Frisco mi premeva in coda. Imprecai e imprecai. Guardai su verso il cielo oscuro e pregai Dio che mi concedesse maggior fortuna nella vita e una miglior possibilità di fare qualcosa per la piccola gente che amavo. Lassù nessuno badava a me. Avrei dovuto saperlo. Fu Terry a ricondurmi l'anima mia; riscaldò il cibo sul fornello della tenda, e quello fu uno dei più bei pasti della mia vita, tanto ero stanco e affamato. Sospirando come un vecchio raccoglitore negro di cotone, mi stesi sul letto e fumai una sigaretta. I cani abbaiavano nella notte fresca. Rickey e Ponzo avevano rinunciato a farci visita la sera. Io ne ero contento. Terry si accoccolò accanto a me, Johnny mi sedette sul petto, e si misero a disegnare figure di animali sul mio taccuino. La luce della nostra tenda ardeva sulla paurosa pianura. La musica di cow-boy risonava nella casa cantoniera e correva attraverso i campi, tutta tristezza. Per me andava tutto benissimo. Baciai la mia piccola e spensi la luce.

Al mattino la rugiada aveva fatto afflosciare la tenda; mi alzai, presi l'asciugamano e lo spazzolino da denti e andai a lavarmi al lavatoio comune del campeggio; poi tornai, m'infilai i pantaloni, che erano tutti strappati a forza d'inginocchiarmi nella terra e che Terry aveva ricuciti la sera, mi misi il frusto cappello di paglia, che in origine era servito a Johnny per giocarci, e attraversai l'autostrada col mio sacco di canapa.

Ogni giorno facevo approssimativamente un dollaro e mezzo. Era appena sufficiente a comprare la roba da mangiare che andavo a prendere, la sera, in bicicletta. I giorni passavano. Dimenticai tutto quel che riguardava l'Est e Dean e Carlo e la maledetta strada. Johnny e io giocavamo di continuo; gli piaceva farsi buttare in aria da me e poi giú sul letto. Terry sedeva a rammendare i nostri vestiti. Ero un uomo di questa terra, esattamente come avevo sognato di essere, a Paterson. Si diceva che il marito di Terry fosse tornato a Sabinal e mi stesse cercando; io ero pronto a riceverlo. Una sera quelli dell'Oklahoma impazzirono nella casa cantoniera e legarono un uomo a un albero e lo picchiarono a sangue con i bastoni. In quel momento io dormivo e ne sentii solo parlare. Da allora in poi mi tenni nella tenda un grosso bastone nel caso che a quelli venisse in mente che noi messicani contaminavamo il loro campeggio di rimorchi. Credevano che fossi messicano, naturalmente; e in certo senso lo sono.

Ma era ormai ottobre e le notti stavano diventando molto piú fredde. Quelli dell'Oklahoma avevano una stufa a legna e progettavano di rimanere per l'inverno. Noi non avevamo nulla, e inoltre eravamo indietro con l'affitto della tenda. Terry e io decidemmo con amarezza che avremmo dovuto andarcene. « Torna dalla tua famiglia » dissi. « Per amor di Dio, non si può andare in giro per le tende con un bambino come Johnny; quel povero cuccioletto ha freddo. » Terry si ribellò perché stavo criticando i suoi istinti materni; io non intendevo far niente del genere. Quando Ponzo arrivò con l'autocarro un pomeriggio grigio decidemmo di consultare la famiglia di lei sulla situazione. Ma io non dovevo farmi vedere e avrei dovuto nascondermi nella vigna. Ci mettemmo in viaggio per Sabinal; l'autocarro si guastò, e contemporaneamente cominciò a piovere a rovesci. Noi due restammo seduti nel vecchio autocarro, imprecando. Ponzo uscí e s'affaticò nella pioggia. Dopo tutto era un buon diavolo. Ci ripromettemmo a vicenda un'altra grossa bevuta. Ce ne andammo in uno squallido bar del quartiere messicano di Sabinal e passammo un'ora a sorseggiare birra. L'avevo finita col mio lavoro nei campi di cotone. Potevo sentire il fascino della mia vera vita richiamarmi indietro. Spedii a mia zia attraverso il continente una cartolina da un penny e le chiesi altri cinquanta dollari.

Andammo con l'autocarro fino alla baracca della famiglia di Terry. Era situata sulla vecchia strada che correva in mezzo alle vigne. Quando ci arrivammo era buio. Mi lasciarono a mezzo chilometro di distanza e andarono fin sulla soglia. Luce si spandeva dalla porta; gli altri sei fratelli di Terry suonavano la chitarra e cantavano. Il vecchio beveva vino. Sentii grida e discussioni sopra il canto. Le dissero che era una puttana perché aveva lasciato quel suo marito buono a niente e se n'era andata a Los Angeles abbandonando Johnny con loro. Il vecchio sbraitava. Ma la triste, grassa madre bruna ebbe la meglio, come succede sempre fra i grandi antichi popoli contadini del mondo, e a Terry fu concesso di tornare a casa. I fratelli cominciarono a cantare gaie svelte canzoni. Io me ne stavo rannicchiato nel vento freddo e piovoso e guardavo tutto quel che succedeva nelle tristi vigne ottobrine della vallata. La mia mente era piena di quella magnifica canzone *Lover Man* come la canta Billie Holiday; tenni un concerto tutto per me in mezzo ai cespugli. "Un giorno ci vedremo, e tu asciugherai tutte le mie lacrime, e mi sussurrerai nelle orecchie dolci, piccole cose, abbracciandomi e baciandomi, oh, quante cose ci siamo lasciati sfuggire, amore mio, oh, dove sarai mai tu..." Non sono tanto le parole quanto la bellissima melodia armonica e il modo come la canta Billie, come una donna che accarezzi i capelli del suo uomo sotto la luce morbida di una lampada. I venti ululavano. Mi venne freddo. Terry e Ponzo tornarono e ce ne andammo via nel vecchio autocarro sferragliante, incontro a Rickey. Rickey viveva adesso con la donna di Ponzo, Big Rosey; suonammo il clacson nei vicoli squallidi per chiamarlo. Big Rosey lo buttò fuori. Tutto stava crollando. Quella notte dormimmo nell'autocarro. Terry mi tenne stretto, naturalmente, e mi disse di non partire. Disse che si sarebbe messa a lavorare raccogliendo uva e avrebbe guadagnato denaro sufficiente per tutti e due; nel frattempo avrei potuto abitare nel granaio della fattoria Heffelfinger piú in là sulla stessa strada di casa sua. Non avrei avuto altro da fare che starmene seduto nell'erba tutto il giorno a mangiare uva. « Ti va l'idea? »

La mattina i suoi cugini vennero a prenderci con un altro autocarro. Mi resi conto all'improvviso che migliaia di messicani in tutta la contrada sapevano di Terry e di me e che per loro doveva essere un argomento succoso, romantico. I cugini erano gentilissimi e davvero simpatici. Rimasi in piedi nell'autocarro, sorridendo graziosamente, parlando di dove eravamo stati in guerra e di come andavano gli affari. C'erano cinque cugini in tutto, e ognuno di loro era simpatico. Parevano appartenere a quel gruppo della famiglia di Terry che non faceva tante storie come suo fratello. Ma io andavo matto per quello scalmanato di Rickey. Giurava che sarebbe venuto a New York per stare con me. Io me lo figuravo a New York, rimandare ogni cosa a *mañana*. Quel giorno era ubriaco in qualche campo.

Scesi dall'autocarro al bivio, e i cugini portarono Terry a casa. Mi diedero l'atteso segnale dalla soglia; il padre e la madre non c'erano, erano via a raccogliere uva. Cosí avevo a disposizione la casa per quel pomeriggio. Era una baracca di quattro stanze; non riuscivo a immaginare come l'intera famiglia potesse viverci. Le mosche volavano sull'acquaio. Non c'erano persiane, proprio come nella canzone: "La finestra è tutta rotta e la pioggia viene dentro". Terry era a casa adesso e si affaccendava attorno alle pentole. Le sue due sorelle mi facevano risolini. I bimbi strillavano sulla strada.

Quando il sole uscí tutto rosso di tra le nuvole del mio ultimo pomeriggio nella vallata, Terry mi portò al granaio della fattoria Heffelfinger. Il fattore Heffelfinger aveva una prospera fattoria su per la strada. Radunammo un certo numero di stuoie, lei portò qualche coperta da casa, e io fui a posto, eccetto per una grossa tarantola pelosa che stava in agguato sulla cima aguzza del tetto del granaio. Terry disse che se non la infastidivo non mi avrebbe fatto nulla. Mi stesi supino e la fissai. Andai fuori fino al cimitero e mi arrampicai su un albero. Sull'albero mi misi a cantare *Blue skies*. Terry e Johnny stavano seduti nell'erba; mangiammo l'uva. In California si succhia il succo dell'uva e se ne sputa la buccia, un vero lusso. Scese la notte. Terry andò a casa per la cena e tornò al granaio alle nove con deliziose tortillas e passato di fagioli. Accesi un fuoco di legna sul pavimento di cemento del granaio per far luce. Facemmo all'amore sulle stuoie. Terry si alzò e se ne tornò dritta alla baracca. Suo padre cominciò a sgridarla; potevo sentirlo fin dal granaio. Lei mi aveva lasciato un mantello per tenermi caldo; me lo buttai sulle spalle e sgusciai attraverso la vigna immersa nel chiaro di luna per vedere che cosa succedeva. Strisciai fino al limite di un filare e mi inginocchiai sul terriccio caldo. I cinque fratelli di lei cantavano melodiose canzoni in spagnolo. Le stelle si affacciavano dal piccolo tetto; il fumo si alzava dalla canna del camino. Sentii odore di passato di fagioli e peperoni. Il vecchio brontolava. I fratelli continuavano a gorgheggiare. La madre stava zitta. Johnny e i ragazzini si divertivano nella stanza da letto. Una casa di California; io stavo nascosto nella vigna, godendomi tutto questo. Mi sentivo milionario; mi stavo avventurando nella caotica notte d'America.

Terry uscí, sbattendosi la porta alle spalle. L'avvicinai sulla strada buia. « Che succede? »

« Oh, litighiamo di continuo. Lui pretende che vada a lavorare domani. Dice che non vuole che stia in giro a far niente. Sallie, voglio venire a New York con te. »

« Ma come? »

« Non lo so, tesoro. Sentirò la tua mancanza. Ti amo. »

« Ma io devo partire. »

« Sí, sí. Corichiamoci ancora una volta, poi parti. » Tornammo nel granaio; feci all'amore con lei sotto la tarantola. Che stava facendo la tarantola? Dormimmo per un po' sulle stuoie mentre il fuoco smoriva. Lei tornò indietro a mezzanotte; suo padre era ubriaco; potevo sentirlo urlare; poi, quando si addormentò, ci fu silenzio. Le stelle si curvarono sulla campagna addormentata.

Al mattino il fattore Heffelfinger si affacciò con la testa dalla porta per i cavalli e disse: « Come va, giovanotto? ».

« Benissimo. Spero che non la disturbo se sto qui. »

« Certo che no. Se la fa con quella piccola smorfiosa messicana? »

« È una bravissima ragazza. »

« Molto carina anche. Mi sa che il toro ha saltato lo steccato. Ha gli occhi blu, quella ragazza. » Parlammo della sua fattoria.

Terry mi portò la colazione. Avevo già preparato la mia valigia di canapa ed ero pronto ad andare a New York, non appena avessi riscosso i miei soldi a Sabinal. Sapevo che a quell'ora mi stavano aspettando laggiú. Dissi a Terry che stavo per partire. Lei ci aveva pensato tutta la notte e ci si era rassegnata. Mi baciò senza emozione nella vigna e si allontanò lungo il filare. Ci voltammo dopo dodici passi, perché l'amore è un duello, e ci guardammo per l'ultima volta.

« Arrivederci a New York, Terry » dissi. Lei avrebbe dovuto venire a New York entro un mese con suo fratello. Ma sapevamo entrambi che non ce l'avrebbe fatta. A trenta metri mi voltai per guardarla. Stava tornando indietro verso la baracca, portando in mano il mio piatto della colazione. Piegai la testa e l'osservai. Be', alla buon'ora, ero di nuovo in cammino.

Seguii l'autostrada fino a Sabinal, mangiando noci prese dall'albero. Andai lungo i binari della Southern Pacific e feci l'asse d'equilibrio su una rotaia. Oltrepassai un serbatoio d'acqua e una fabbrica. Questa era la fine di qualcosa. Passai dall'ufficio telegrafico della stazione per il mio vaglia da New York. Era chiuso. Imprecai e mi sedetti sui gradini ad aspettare. Il bigliettaio tornò e m'invitò a entrare. I soldi c'erano; mia zia aveva ancora una volta salvato la mia pellaccia di fannullone. « Chi è che vincerà il campionato l'anno prossimo? » disse il vecchio bigliettaio macilento. Mi resi improvvisamente conto che si era in autunno e che stavo tornando a New York.

Camminai lungo le rotaie nella lunga triste luce d'ottobre nella vallata, sperando che arrivasse qualche treno merci della Southern Pacific in modo da poter raggiungere i vagabondi mangiatori d'uva e leggere i fumetti con loro. Non venne. Uscii sull'autostrada e ottenni subito un passaggio. Fu il piú veloce, gioioso passaggio della mia vita. Il guidatore era violinista in un'orchestrina di cow-boy della California. Aveva una macchina nuova fiammante e faceva i centotrenta l'ora. « Io quando guido non bevo » disse e mi porse una bottiglia da mezzo litro. Ne presi un sorso e poi gliel'offrii. « Che diamine » disse, e bevve. Facemmo Sabinal-Los Angeles, circa quattrocento chilometri, nello sbalorditivo tempo di quattro ore esatte. Mi lasciò proprio di fronte alla Columbia Pictures di Hollywood; ebbi giusto il tempo di entrare di corsa e riprendermi il mio soggetto respinto. Poi mi comprai il biglietto dell'autobus fino a Pittsburgh. Non avevo abbastanza denaro per andar dritto fino a New York. Pensai che mi sarei preoccupato di questo quando fossi arrivato a Pittsburgh.

Con l'autobus che partiva alle dieci, avevo quattro ore per esplorare Hollywood da solo. Prima comprai un filone di pane e del salame e mi feci dieci panini per attraversarci il continente. Mi restava un dollaro. Sedetti sul muricciolo basso di cemento dietro un parcheggio di Hollywood e mi preparai i panini. Mentre mi affaticavo in questa assurda bisogna, le grandi lampade ad arco di una prima di Hollywood dardeggiavano il cielo, quel cielo ronzante della Costa Occidentale. Tutto intorno a me c'erano i rumori della pazza città sulla costa d'oro. E questa fu la mia carriera a Hollywood: questa fu la mia ultima sera a Hollywood, passata a spalmarmi la mostarda in grembo dietro i gabinetti di un parcheggio.

14

All'alba il mio autobus stava filando attraverso il deserto dell'Arizona: Indio, Blythe, Salomè (dove lei danzò); le grandi aride distese che portano alle montagne del Messico verso sud. Poi girammo a nord fino alle montagne dell'Arizona, Flagstaff, paesi sui precipizi. Avevo con me un libro che avevo rubato da un'edicola di Hollywood, *Le Grand Meaulnes* di Alain-Fournier, ma preferii leggere il panorama americano mentre procedevamo. Ogni suo monticello, collina e distesa incantava la mia nostalgia. Nella notte d'inchiostro attraversammo il New Mexico; nell'alba grigia fummo a Dalhart, nel Texas; nel desolato pomeriggio domenicale percorremmo le cittadine della pianura dell'Oklahoma l'una dopo l'altra; verso il cader della notte arrivammo nel Kansas. L'autobus proseguí rombando. Stavo tornando a casa in ottobre. Tutti tornano a casa in ottobre.

Arrivammo a St. Louis a mezzogiorno. Feci una passeggiata lungo il Mississippi e guardai i tronchi che arrivavano galleggiando dal Montana, nel nord: grandi tronchi da Odissea del nostro sogno continentale. Vecchi battelli a vapore con gli ornamenti ancor piú torniti e sbiaditi dalle intemperie giacevano nella mota, abitati dai topi. Grandi nubi pomeridiane coprivano la valle del Mississippi. Quella notte l'autobus rombò attraverso i campi di granoturco dell'Indiana; la luna illuminava le pannocchie fitte come fantasmi; si era quasi alla festa di Ognissanti. Feci conoscenza con una ragazza e flirtammo per tutta la strada fino a Indianapolis. Era miope. Quando scendevamo per mangiare dovevo condurla per mano fino al banco della tavola calda. Pagò lei i miei pasti; i miei panini erano tutti finiti. In ricambio io le feci dei lunghi racconti. Veniva dallo stato di Washington, dove aveva trascorso l'estate a raccoglier mele. La sua casa era in una fattoria dell'interno nello stato di New York. M'invitò ad andarci. Ci demmo appuntamento in un albergo di New York, in tutti i casi. Scese a Columbus, nell'Ohio, e io dormii per tutto il tempo fino a Pittsburgh. Mi sentivo stanco come non m'era mai sucesso da anni e anni. Avevo ancora cinquecentottantaquattro chilometri da percorrere con l'autostop fino a New York, e in tasca solo una moneta da dieci centesimi. Camminai otto chilometri per uscire da Pittsburgh, e due passaggi, uno su un autocarro carico di mele e l'altro su un grosso autotreno, mi portarono a Harrisburg nella dolce notte piovosa da estate di San Martino. Proseguii direttamente. Volevo tornare a casa.

Fu la notte del Fantasma del Susquehanna. Il Fantasma era un piccolo uomo grinzoso con una cartella scolastica di carta il quale sosteneva di essere diretto nel Canadà. Camminava molto in fretta, ingiungendomi di seguirlo, e disse che proprio davanti a noi c'era un ponte che avremmo potuto attraversare. Aveva circa sessant'anni; parlava incessantemente di quel che aveva mangiato, del burro che gli avevano dato per le frittelle, delle fette supplementari di pane, dei vecchi che l'avevano chiamato dal portico di una casa di riposo nel Maryland e l'avevano invitato a trattenersi per la fine settimana, del bel bagno caldo che aveva fatto prima di ripartire; del cappello nuovo fiammante che aveva trovato al margine della strada in Virginia, ed era quello che portava in testa; della visita che in ogni paese faceva alla Croce Rossa dove mostrava le sue credenziali della prima guerra mondiale; del fatto che la Croce Rossa di Harrisburg non meritava tale nome; del come s'arrangiava in questo duro mondo. Ma da quanto potevo capire egli era solo una specie di rispettabile vagabondo marciante che percorreva a piedi le vaste solitudini dell'Est, visitando gli uffici della Croce Rossa e qualche volta chiedendo l'elemosina di pochi centesimi agli angoli delle strade principali dei paesi. Facemmo i mendicanti insieme. Camminammo per undici chilometri lungo il lugubre Susquehanna. È un fiume terrificante. Su entrambe le rive ha rocce cespugliose che si piegano sulle acque ignote come pelosi fantasmi. Una notte d'inchiostro copre tutto. Talvolta dalla ferrovia di là dal fiume si alza il barbaglio rosso di una grande locomotiva che illumina gli orridi dirupi. L'ometto disse che aveva nel suo sacco una bella cintura e ci fermammo perché potesse pescarla fuori. « Ho una bella cintura qui in qualche angolo: l'ho presa a Frederick, nel Maryland. Diavolo, che l'abbia lasciata sul banco a Fredericksburg? »

« Vuol dire Frederick. »

« No, no, Fredericksburg, nella *Virginia*! » Parlava sempre di Frederick, nel Maryland, e di Fredericksburg, nella Virginia. Camminava dritto in mezzo alla strada fra gli artigli del traffico incalzante e parecchie volte ne fu quasi travolto. Io gli arrancavo appresso lungo il fossato. Mi aspettavo ogni momento che il povero piccolo pazzo facesse un volo nella notte, morto. Non trovammo mai quel ponte. Lo lasciai a un cavalcavia e, poiché ero tutto sudato per la camminata, mi cambiai la camicia e mi misi due golf; una casa cantoniera illuminò la mia triste operazione. Un'intera famiglia venne avanti camminando lungo la strada buia e si chiese che cosa stessi facendo. Cosa piú strana di tutte, un saxtenore suonava dei bellissimi blues in quella casa cantoniera della Pennsylvania; io ascoltai e piansi. Cominciò a piovere a dirotto. Un uomo mi diede un passaggio indietro fino a Harrisburg e mi disse che ero sulla strada sbagliata. Vidi a un tratto il piccolo mendicante fermo sotto un triste lampione col pollice teso in fuori: povero uomo abbandonato, povera cosa sperduta un tempo bambino, ora affranto fantasma della solitudine senza risorse. Raccontai al guidatore tutta la storia e lui si fermò per avvertire il vecchio.

« Senta un po', amico, lei sta andando a ovest, non a est. »

« Eh? » disse il piccolo fantasma. « Non venga a dire a me che non so orizzontarmi da queste parti. Sono anni che cammino in questa contrada. Sono diretto al Canadà. »

« Ma questa non è la strada per il Canadà, questa è la strada per Pittsburgh e Chicago. » L'ometto si disgustò di noi e andò via. L'ultima cosa che vidi di lui fu la sua piccola borsa bianca sobbalzante che si dissolveva nel buio dei tristi Allegani.

Credevo che tutti i luoghi selvaggi d'America fossero nel West finché il Fantasma del Susquehanna non mi ebbe dimostrato il contrario. No, c'è del selvaggio anche nell'Est; è lo stesso lungo il quale arrancava Ben Franklin nei giorni dei carri trainati dai buoi, quando faceva l'impiegato postale, lo stesso di quando George Washington era un intrepido combattente contro gli indiani, di quando Daniel Boone raccontava le sue storie accanto alle lampade nella Pennsylvania e prometteva di trovare il Passaggio, di quando Bradford costruí la sua strada e gli uomini si diedero alla pazza gioia nelle capanne di tronchi. Per il piccolo uomo non esistevano i grandi spazi dell'Arizona, solo quelli selvaggi e cespugliosi della Pennsylvania orientale, del Maryland e della Virginia, le strade secondarie, le strade nere d'asfalto che serpeggiano fra i fiumi lugubri come il Susquehanna, il Monongahela, il vecchio Potomac e il Monocacy.

Quella notte a Harrisburg mi toccò dormire nella stazione ferroviaria su una panchina; all'alba gli impiegati ferroviari mi buttarono fuori. Non è forse vero che si comincia la vita come un dolce fanciullo che crede in tutto ciò che sta sotto il tetto paterno? Poi viene il giorno dei Laodicei, quando si sa che si è distrutti e miserabili e poveri e ciechi e nudi, e con l'aspetto di uno spettro repellente e oppresso ci si incammina tremando attraverso una vita piena d'incubi. Uscii incespicando e sfinito dalla stazione; non avevo piú alcun controllo. Tutto quel che potevo vedere del mattino era un biancore simile a quello di una tomba. Stavo morendo di fame. Tutto quel che mi era rimasto in fatto di calorie erano le ultime pasticche per la tosse che avevo comprate a Shelton, nel Nebraska, mesi prima; me le succhiai per via dello zucchero. Non ero capace di chiedere l'elemosina. Uscii traballando dalla cittadina con appena la forza sufficiente a raggiungere la periferia della città. Sapevo che mi avrebbero arrestato se avessi passato un'altra notte a Harrisburg. Maledetta città! Il passaggio che riuscii a ottenere fu con un ossuto ed emaciato individuo che credeva nel digiuno controllato per amor della salute. Quando gli dissi, mentre viaggiavamo verso est, che stavo morendo di fame, lui rispose: « Bene, bene, non c'è niente di meglio per lei. Io stesso non mangio da tre giorni. Mi avvio a vivere fino ai centocinquant'anni ». Era un mucchio d'ossa, una bambola cascante, un bastone spezzato, un maniaco. Avrei potuto ottenere un passaggio da un uomo opulento e grasso che dicesse: "Fermiamoci a questo ristorante e mangiamoci qualche bistecca di maiale coi fagioli". No, doveva toccarmi di viaggiare quella mattina con un maniaco che credeva nel digiuno controllato per amore della salute. Dopo centosessanta chilometri diventò piú indulgente e tirò fuori di dietro la macchina certi panini imburrati. Stavano nascosti in mezzo ai suoi campioni di commesso viaggiatore. Vendeva attrezzature da idraulico per la Pennsylvania. Mi divorai il pane e burro. Improvvisamente mi misi a ridere. Ero tutto solo sulla macchina, ad aspettare, mentre lui faceva visite d'affari in Allentown, e risi e risi. Gesú, ero stufo e arcistufo della vita. Ma il pazzo mi riportò a casa a New York.

D'un tratto mi ritrovai in Times Square. Avevo fatto tredicimila chilometri in giro per il continente americano ed ero di ritorno in Times Square; e proprio nel mezzo di un'ora di punta, per di piú, a guardare con i miei occhi resi innocenti dalla strada l'assoluta pazzia e il fantastico andirivieni di New York con i suoi milioni e milioni di uomini che si prendono a gomitate all'infinito fra di loro per un dollaro, il pazzo sogno: afferrare, prendere, dare, sospirare, morire, solo per poter essere sepolti in quell'orribile necropoli dietro a Long Island City. Le alte torri del paese: l'altro limite del paese, il luogo dov'è nata l'America del Dollaro. Stetti fermo a un ingresso della metropolitana, cercando di farmi venire coraggio sufficiente a raccogliere una bella cicca lunga, e tutte le volte che mi chinavo, una gran folla mi scorreva attorno e me la toglieva alla vista, e finalmente fu calpestata. Non avevo soldi per andare a casa in autobus. Paterson è a parecchi chilometri da Times Square. Potete immaginarmi occupato a superare a piedi quegli ultimi chilometri attraverso il Lincoln Tunnel o per il Washington Bridge e di là nel New Jersey? Era il tramonto. Dov'era Hassel? Esplorai la piazza alla ricerca di Hassel; non c'era, era a Riker's

Island, dietro le sbarre. Dov'era Dean? Dov'erano tutti? Dov'era la vita? Io avevo la mia casa dove andare, il mio posto dove poggiare il capo e fare il conto delle perdite e quello dei profitti che sapevo dovevano pure esserci da qualche parte. Dovetti chiedere in elemosina venticinque centesimi per il biglietto dell'autobus. Mi imbattei infine in un sacerdote greco che stava fermo a un angolo. Mi diede il quarto di dollaro guardando nervosamente da un'altra parte. Corsi immediatamente all'autobus.

Quando arrivai a casa mangiai tutto quel che c'era nella ghiacciaia. Mia zia si alzò e mi guardò. « Povero piccolo Salvatore » disse in italiano. « Sei magro, sei magro. Dove sei stato tutto questo tempo? » Avevo addosso due camicie e due golf; la mia valigia di canapa conteneva dei pantaloni sdruciti a furia di lavorare nei campi di cotone e i resti stracciati delle mie scarpe. Mia zia e io decidemmo di comprare un nuovo frigorifero elettrico con i soldi che le avevo mandato dalla California; sarebbe stato il primo in famiglia. Lei andò a letto, e tardi nella nottata non mi riuscì di dormire e mi limitai a fumare a letto. Sulla scrivania c'era il mio manoscritto finito a metà. Era ottobre, casa, e di nuovo il lavoro. I primi venti freddi bussavano ai vetri della finestra, e io ce l'avevo fatta appena in tempo. Dean era venuto a casa mia, ci aveva dormito parecchie notti, aspettandomi; aveva passato pomeriggi interi a parlare con mia zia mentre lei lavorava a un gran tappeto intessuto con tutti i ritagli dei vestiti della famiglia per anni, che adesso era finito e steso sul pavimento della mia camera da letto, complesso e ricco come il passaggio del tempo stesso; e poi era partito, due giorni prima che arrivassi, incrociando il mio cammino probabilmente in un punto qualsiasi della Pennsylvania o dell'Ohio, per andare a San Francisco. Lui aveva lí la sua vita; Camille aveva appena preso un appartamento. Non mi era mai venuto in mente di andarla a trovare mentre stavo a Mill City. Adesso era troppo tardi e avevo perduto anche Dean.

Parte seconda

1

Passò piú di un anno prima che rivedessi Dean. Tutto
questo tempo ero stato a casa, avevo finito il mio libro
e cominciato ad andare all'Università approfittando della legge sulle provvidenze per i reduci. Nel Natale del
1948 mia zia e io andammo giú in Virginia a trovare
mio fratello, carichi di doni. Avevo scritto a Dean e
lui aveva risposto che stava per venire di nuovo nell'Est;
e io l'avevo informato che in questo caso mi avrebbe
trovato a Testament, in Virginia, fra Natale e Capodanno. Un giorno, mentre tutti i nostri parenti meridionali
se ne stavano seduti in cerchio nel salotto a Testament,
uomini e donne severi con l'antico suolo del meridione
negli occhi, parlando a voce bassa, lamentosa, del tempo, dei raccolti, e facendo la generale annoiata ricapi-
tolazione di chi aveva avuto un bambino, di chi aveva
comprato una nuova casa, e cosí via, una Hudson ultimo modello tutta inzaccherata si fermò davanti alla
casa sulla strada polverosa. Non avevo idea di chi potesse essere. Un giovanotto stanco, muscoloso e stracciato in maglietta, con la barba lunga, gli occhi arrossati,
venne sul portico e suonò il campanello. Aprii la porta
e mi resi conto all'improvviso che si trattava di Dean.
Aveva fatto in una sola tirata la strada da San Francisco fino alla porta di mio fratello Rocco in Virginia, e
in un tempo sorprendentemente breve, perché avevo appena scritto la mia ultima lettera, nella quale gli dicevo
dov'ero. Potei vedere due figure addormentate nella
macchina. « Che il diavolo mi porti! Dean! Chi c'è nella
macchina? »
« Sal-ve, sal-ve, amico, è Marylou. E Ed Dunkel. Dob-

biamo trovar subito un posto per lavarci, siamo stanchi morti. »

« Ma come hai fatto ad arrivare qui cosí presto? »

« Ah, caro mio, quella Hudson fila! »

« Dove l'hai presa? »

« L'ho comprata coi miei risparmi. Ho lavorato nelle ferrovie, guadagnando quattrocento dollari al mese. »

Nell'ora che seguí ci fu una confusione completa. I miei parenti meridionali non avevano alcuna idea di quel che stesse accadendo, né chi o che cosa fossero Dean, Marylou e Ed Dunkel; stavano muti a guardare. Mia zia e mio fratello Rocky se ne andarono in cucina a confabulare. C'erano in tutto undici persone nella piccola casa del meridione. Non solo questo, ma mio fratello aveva appena deciso di traslocare da quella casa, e metà della sua mobilia era già partita; lui e sua moglie e il bambino si trasferivano piú vicino alla città di Testament. Avevano comprato un salotto nuovo e quello vecchio stava per essere spedito nella casa di mia zia a Paterson, quantunque non avessimo ancora deciso come. Quando Dean sentí questo offrí subito i suoi servigi con la Hudson. Lui e io avremmo trasportato i mobili a Paterson in due rapidi viaggi e avremmo riportato indietro mia zia alla fine del secondo. Questo ci avrebbe fatto risparmiare un mucchio di soldi e di fastidi. Cosí fu deciso. Mia cognata preparò la tavola, e i tre sfiniti viaggiatori si sedettero a mangiare. Marylou non aveva dormito da Denver. Pensai che adesso sembrava piú matura e piú bella.

Appresi che Dean aveva vissuto felicemente con Camille a San Francisco sin da quell'autunno del 1947; aveva ottenuto un lavoro nelle ferrovie e s'era fatto un sacco di soldi. Era diventato padre di una graziosa bambina, Amy Moriarty. Poi un giorno aveva perso la testa all'improvviso mentre andava a passeggio per la strada. Aveva visto in vendita una Hudson ultimo modello ed era corso alla banca a ritirare tutto il suo gruzzolo. Aveva comprato la macchina lí per lí. Con lui c'era Ed Dunkel. Adesso erano in bolletta. Dean aveva calmato i timori di Camille e le aveva detto che sarebbe tornato

entro un mese. "Vado a New York e riporterò Sal."
Lei non era troppo entusiasta dell'idea.
"Ma qual è lo scopo di tutto ciò? Perché mi fai questo?"
"Non è niente, non è niente, tesoro... ah... ehm... Sal
mi ha pregato e supplicato di andare a prenderlo, è assolutamente necessario che io... ma è inutile che entriamo in tutti questi particolari... e ti dico perchè... No,
ascolta, ti dirò perchè." E il perchè glielo disse, ma naturalmente era una cosa senza senso.
Il grosso e alto Ed Dunkel aveva lavorato anche lui
nelle ferrovie. Lui e Dean erano appena stati licenziati
nel corso di una eliminazione dei meno anziani, in vista
di una drastica riduzione di personale. Ed aveva conosciuto una ragazza di nome Galatea che abitava a San
Francisco e viveva dei suoi risparmi. Questi due cafoni
senza sentimento avevano deciso di portarsi appresso la
ragazza nell'Est e di farle sostenere le spese. Ed l'aveva
lusingata e supplicata; lei non voleva partire se lui non
l'avesse sposata. In pochi giorni vorticosi Ed Dunkel
sposò Galatea, mentre Dean correva qua e là per procurare le carte necessarie, e pochi giorni prima di Natale
partirono da San Francisco a piú di cento l'ora, diretti
a Los Angeles e alla strada meridionale sgombra di neve.
A Los Angeles pescarono un marinaio in una agenzia
di viaggi e se lo portarono dietro facendosi dare quindici dollari per la benzina. Quello era diretto nell'Indiana. Presero su anche una donna con una figlia idiota,
per la tariffa di quattro dollari di benzina fino in Arizona. Dean fece sedere davanti la ragazza idiota accanto a sé e se la studiò, come affermò: "Per *tutta la strada*, amico! Una animuccia cosí straordinaria e dolce. Oh,
abbiamo chiacchierato e chiacchierato di fuochi e del
deserto che si trasformava in paradiso e del suo pappagallo che bestemmiava in spagnolo". Dopo aver lasciato
le passeggere di cui sopra, avevano proseguito per Tucson. Per tutta la strada Galatea Dunkel, la nuova moglie di Ed, s'era lamentata che era stanca e voleva dormire in un autostello. Se fossero andati avanti a quel
modo avrebbero speso tutto il denaro di lei molto prima

di arrivare in Virginia. Li costrinse a fermarsi, due notti, e sperperò i biglietti da dieci negli autostelli. Quando arrivarono a Tucson era senza un soldo. Dean e Ed la piantarono nel vestibolo di un albergo e ripresero il viaggio da soli, col marinaio, e senza il minimo scrupolo.

Ed Dunkel era un ragazzo alto, calmo, spensierato, assolutamente pronto a fare qualsiasi cosa Dean gli avesse chiesto; e in quel periodo Dean era troppo occupato per avere scrupoli. Procedeva rombando attraverso Las Cruces, nel New Mexico, quando gli venne all'improvviso un'esplosiva voglia di rivedere la dolce Marylou, sua prima moglie. Lei stava a Denver. Girò la macchina a nord, nonostante le deboli proteste del marinaio, e la sera entrava a Denver. Corse e trovò Marylou in un albergo. Fecero selvaggiamente all'amore per dieci ore filate. Tutto fu deciso di nuovo: sarebbero rimasti insieme. Marylou era l'unica ragazza che Dean avesse veramente amata. Si sentí male per il rimpianto quando rivide il suo viso e, come per il passato, la pregò e supplicò in ginocchio di concedergli la gioia di se stessa. Lei capiva Dean; gli accarezzò i capelli, sapeva ch'era matto. Per rabbonire il marinaio, Dean lo sistemò con una donna in una camera d'albergo sopra il bar dove l'antica compagnia del biliardo usava riunirsi a bere. Ma il marinaio rifiutò la ragazza e infatti se ne partí durante la notte e non lo videro mai piú; evidentemente aveva preso un autobus per l'Indiana.

Dean Marylou e Ed Dunkel si diressero a est lungo la Colfax e fuori verso le pianure del Kansas. Furono sorpresi da grandi tempeste di neve. Nel Missouri, la notte, Dean dovette guidare con la testa fuori del finestrino avvolta in una sciarpa, e certi occhialoni da neve che lo facevano sembrare un monaco frugante nei manoscritti della neve, perché il parabrezza era ricoperto da due centimetri di ghiaccio. Guidò attraverso la contea che aveva dato i natali ai suoi antenati senza un pensiero al mondo. La mattina la macchina slittò su una collinetta ghiacciata e sprofondò in un fosso. Un contadino si offrí di aiutarli. Rimasero arenati quando presero su un autostoppista che promise loro un dollaro se l'avesse-

ro lasciato viaggiare fino a Memphis. A Memphis quello
andò a casa sua, gironzolò in cerca del dollaro, si ubriacò, e disse che non gli riusciva di trovarlo. Ripresero il
viaggio attraverso il Tennessee; i supporti erano rovina-
ti in seguito all'incidente. Dean aveva guidato a centocinquanta l'ora; adesso gli toccava mantenersi sui centodieci altrimenti l'intero motore sarebbe rotolato giú per
il fianco della montagna. Attraversarono in pieno inverno
le Great Smoky Mountains. Quando arrivarono alla porta di mio fratello non mangiavano da trenta ore, eccet-
tuati pochi dolci e pochi salatini al formaggio.
Mangiarono voracemente mentre Dean, con un panino
imbottito in mano, stava curvo e saltellante davanti al
grammofono, ad ascoltare un indiavolato disco di be-
bop che avevo appena comprato, intitolato *The Hunt* [1],
con Dexter Gordon e Wardell Gray che suonavano a
pieni polmoni davanti a un pubblico urlante che dava al
disco un volume fantastico e frenetico. I parenti del
meridione si guardavano fra loro e scuotevano la testa
con stupore. « Che razza di amici ha Sal, insomma? »
dicevano a mio fratello. Lui non sapeva cosa rispondere.
Ai meridionali la pazzia non piace neanche un po', non
quella del genere di Dean. Lui non si curava affatto di
loro. La pazzia di Dean era sbocciata come un fiore
misterioso. Non mi resi conto di questo finché lui e io
e Marylou e Dunkel non lasciammo la casa per un breve
giro con la Hudson, quando per la prima volta fummo
soli e potemmo parlare di tutto quel che ci pareva. Dean
afferrò il volante, passò in seconda, meditò per un momento, guidando, sembrò aver deciso qualcosa all'improvviso e lanciò la macchina come un razzo giú per la
strada in una furia di decisione.
« Benissimo, ora, figlioli » disse, sfregandosi il naso e
piegandosi giú per tastare il freno a mano e tirando
le sigarette fuori del ripostiglio sotto il cruscotto, e on-
deggiando avanti e indietro mentre faceva questo e guidava. « È venuta per noi l'ora di decidere cosa faremo
la settimana prossima. Cruciale, cruciale, Eehm! » Schi-

[1] "La Caccia." (*N. d. T.*)

vò di stretta misura un carro tirato da un mulo; avanzava arrancando, e vi sedeva un vecchio negro. « Sí » urlò Dean. « Sí! Guardatelo! Considerate la sua anima adesso... fermatevi un momento a considerare. » E rallentò la macchina perchè tutti noi ci voltassimo e guardassimo il vecchio Zio Tom che borbottava fra sé. « Oh, sí, guardatelo teneramente; ci sono tali pensieri in quel cervello adesso, che darei tutte e due le braccia per conoscerli; per arrampicarmici dentro e scoprire proprio quel che è, poveraccio, angustiato per via del pane e companatico di quest'anno. Sal, tu non lo sai, ma una volta io ho vissuto per un anno intero con un contadino dell'Arkansas, quando avevo undici anni. Avevo lavori orribili da sbrigare, una volta mi toccò scuoiare un cavallo morto. Non sono piú stato nell'Arkansas dal Natale del millenovecentoquarantatré, cinque anni fa, quando Ben Gavin e io fummo inseguiti da un tale armato di pistola, al quale apparteneva la macchina che cercavamo di rubare; dico tutto questo per farti vedere che posso parlare del Sud. Ho conosciuto... voglio dire, mio caro, che il Sud mi piace, lo conosco in lungo e in largo... ho studiato le tue lettere che me ne parlavano. Oh sí, oh sí » disse, perdendo il filo e smettendo del tutto, e rilanciando d'un tratto la macchina a piú di cento l'ora e curvandosi sul volante. Guardava ostinato davanti a sé. Marylou sorrideva serenamente. Questo era Dean, nuovo e completo, giunto a maturità. Mi dissi: "Mio Dio, è cambiato". La furia gli sprizzava dagli occhi quando parlava di cose che odiava; grandi luci di gioia la sostituivano quando diventava improvvisamente felice; ogni muscolo guizzava per vivere e andare. « Oh, caro mio, le cose che potrei raccontarti » mi disse, dandomi di gomito. « Oh, amico, dobbiamo assolutamente trovare il tempo... Cos'è successo di Carlo? Domani, per prima cosa, andiamo tutti a trovare Carlo, carissimi. Ora, Marylou, ci andiamo a prendere un po' di pane e carne per riempirci lo stomaco fino a New York. Quanti soldi hai, Sal? Metteremo tutto sul sedile di dietro, i mobili della signora Paradiso, e sederemo tutti davanti, stretti e vicini e ci racconteremo delle storie mentre filiamo verso New York. Marylou, cosce di miele, tu ti siedi vicino a me, poi Sal, poi Ed al finestrino, il grosso Ed per chiudere gli spifferi, cosí questa volta avrà occasione di usare il plaid. E quindi partiamo tutti per una vita felice, perché adesso è il tempo e *noialtri abbiamo la nozione del tempo!* » Si strofinò furiosamente la mascella, sterzò bruscamente e superò tre autocarri, entrò rombando nel centro di Testament, guardando in tutte le direzioni e vedendo ogni cosa in un arco di 180 gradi intorno alle pupille senza muovere la testa. Bang, trovò in un baleno un posto per parcheggiare, e vi si fermò. Saltò giú dall'automobile. Si diresse di furia verso la stazione ferroviaria; noi lo seguimmo come pecore. Comprò delle sigarette. I suoi movimenti erano diventati completamente pazzi; pareva che facesse tutto nello stesso momento. Era un continuo scuotere della testa, su e giú, di lato; mani agitate, vigorose, passo rapido, si sedeva, accavallava le gambe, le stendeva, si alzava, si stropicciava le mani, si strofinava l'uccello, tirava su i pantaloni, guardava in su e diceva: "Ehm..." e improvvisamente strizzava gli occhi per guardare dappertutto; e continuamente mi afferrava alle costole e parlava, parlava.

Faceva molto freddo a Testament; c'era stata una nevicata fuori stagione. Lui stava fermo nel lungo corso desolato che corre a fianco della ferrovia, vestito solo di una maglietta e di pantaloni penzolanti con la cintura slacciata, come se fosse sul punto di toglierseli. Tornò per ficcar dentro la testa e parlare con Marylou; si tirò indietro, agitandole le mani davanti. « Oh sí, ti conosco! *Ti* conosco, *ti* conosco, tesoro! » La sua risata era maniaca; cominciava su un tono basso e finiva alta, esattamente come quella di un ossesso alla radio, solo piú veloce e piú simile a un sogghigno. Poi continuò tornando a un tono pratico. Non avevamo nessun motivo di andare in centro, ma lui lo trovò. Ci fece correre tutti, Marylou a comprare la roba da mangiare, me per un giornale su cui leggere il bollettino meteorologico, Ed per dei sigari. Dean adorava fumare sigari. Ne fumò uno leggendo il giornale e intanto parlava. « Ah, quelle nostre benedette teste di cavolo d'America a Washington stanno preparando ulteriori complicazioni... ah... ehm!... ah... uh... uh...! » E saltò giú per correre a vedere una ragazza di colore che passava in quel momento davanti alla stazione. « Guardala » disse, stando ritto con un dito malfermo puntato, grattandosi con un sorriso melenso « quella piccola fantastica adorabile negretta. Ah! Ehm! » Salimmo in macchina e tornammo di volata alla casa di mio fratello.

Avevo passato un Natale tranquillo in campagna, come stabilii quando fummo tornati a casa ed ebbi visto l'albero di Natale, i regali, ed ebbi sentito il profumo del tacchino arrosto e ascoltato le chiacchiere dei parenti, ma ora avevo una nuova mattana per la testa, e il nome di questa mattana era Dean Moriarty, ed eccomi lanciato in un'altra scorribanda sulla strada.

2

Ammucchiammo i mobili di mio fratello nella parte posteriore della macchina e ci mettemmo in viaggio col buio, promettendo di essere di ritorno entro trenta ore: trenta ore per milleseicento chilometri a nord e a sud. Ma era cosí che voleva Dean. Fu un viaggio duro, ma nessuno di noi se ne accorse; l'impianto del riscaldamento non funzionava e di conseguenza il parabrezza si copriva di vapore e di ghiaccio; Dean continuava a sporgersi mentre guidava a piú di cento l'ora per ripulirlo con uno straccio e aprirsi un buco dal quale vedere la strada. "Ah, benedetto buco!" Nell'ampia Hudson c'era parecchio posto perché potessimo sedere tutti e quattro davanti. Una coperta ci copriva le ginocchia. La radio non funzionava. Era una macchina nuova fiammante comprata cinque giorni prima, ed era già un rottame. Inoltre ne era stata pagata una sola rata. Via ce ne andammo, a nord verso Washington, sulla 301, un'autostrada diritta a due vie, senza molto traffico. E Dean parlava, nessun altro parlava. Gesticolava furiosamente, qualche volta si protendeva fino a me per chiarire un argomento, qualche altra non metteva affatto le mani sul volante, e pur tuttavia la macchina filava dritta come una freccia, senza deviare mai dalla riga bianca nel centro della strada, che scorreva baciando la ruota anteriore sinistra.

Era stata una serie di circostanze del tutto prive di senso quella che aveva fatto venire Dean, e nello stesso modo io ero partito con lui senza ragione alcuna. A New York avevo frequentato le lezioni e avevo fatto il sentimentale con una ragazza di nome Lucille, un tesoro d'italiana, bella e coi capelli color del miele che veramente avevo intenzione di sposare. Tutti quegli anni ero andato in cerca della ragazza che volevo sposare. Non potevo incontrarne una senza chiedermi che razza di moglie sarebbe stata. Raccontai a Dean e a Marylou di Lucille. Marylou voleva sapere tutto su Lucille, voleva conoscerla. Filammo attraverso Richmond, Washington, Baltimora, e su verso Filadelfia in una strada di campagna tutta curve e chiacchierammo. « Voglio sposare una ragazza » dissi loro « in modo da poter riposare la mia anima insieme con lei finché entrambi non diventeremo vecchi. Non si può andare avanti cosí continuamente... tutta questa frenesia e questo saltare qua e là. Dobbiamo arrivare in qualche punto, trovare qualcosa. »

« Oh, su, amico » disse Dean. « Sono anni che ti sento parlare di *casa* e matrimonio e tutte queste belle meravigliose cose sulla tua anima. » Fu una triste notte; fu anche una notte allegra. A Filadelfia entrammo in una rosticceria e mangiammo polpette col nostro ultimo dollaro destinato al cibo. Il gestore – erano le tre del mattino – ci sentí parlare di denaro e si offrí di darci le polpette gratis, e in piú dell'altro caffè, se ci fossimo tutti messi all'opera lavando piatti nel retrocucina, perché il solito uomo non si era fatto vivo. Afferrammo a volo l'occasione. Ed Dunkel disse che era un vecchio pescatore di perle venuto da lontano e immerse le sue lunghe braccia nei piatti. Dean stette a gironzolare là attorno con uno strofinaccio, e lo stesso fece Marylou. Infine si misero a pomiciare in mezzo alle pentole e alle padelle; si ritirarono in un angolo buio della dispensa. Il gestore non ci trovava niente da ridire purché Ed e io facessimo i piatti. Li finimmo in quindici minuti. Quando venne l'alba stavamo filando attraverso il New Jersey con la gran nuvola della metropoli di New York che si ergeva di fronte a noi nella lontananza nevosa. Dean s'era avvolto un golf attorno alle orecchie per tenersi caldo. Disse che eravamo una banda di arabi venuti a far saltare in aria New York. C'infilammo nel Lincoln Tunnel e tagliammo per Times Square; Marylou voleva vederla.

« Oh, diavolo, vorrei poter trovare Hassel. Guardate tutti attentamente, vedete se riuscite a trovarlo. » Ci mettemmo tutti a scrutare i marciapiedi. « Buon vecchio matto di Hassel. Oh, avreste dovuto *vederlo* nel Texas. »

Cosí Dean era venuto per circa seimilacinquecento chilometri da Frisco, via Arizona, e poi su da Denver, in quattro giorni, imbottito di innumerevoli avventure, e questo era solo il principio.

3

Andammo a casa mia a Paterson e dormimmo. Io fui il primo a svegliarmi, nel tardo pomeriggio. Dean e Marylou dormivano nel mio letto, Ed e io in quello di mia zia. Il baule logoro e scardinato di Dean stava buttato sul pavimento con le calze che ne spuntavano fuori. Arrivò una telefonata per me nel negozio di alimentari sotto casa. Corsi giú; veniva da New Orleans. Era il vecchio Bull Lee, trasferitosi a New Orleans. Il vecchio Bull Lee si stava lagnando con voce acuta, lamentosa. Pareva che una ragazza di nome Galatea Dunkel fosse appena arrivata a casa sua in cerca di un certo Ed Dunkel; Bull non aveva la minima idea di chi fosse questa gente. Galatea Dunkel era una che non si rassegnava alla sconfitta. Dissi a Bull di rassicurarla che Dunkel era con Dean e con me e che molto probabilmente saremmo andati a prenderla a New Orleans nel viaggio di ritorno verso la Costa. Poi venne al telefono la ragazza stessa. Voleva sapere come stava Ed. Era tutta preoccupata del suo benessere.

« Come ha fatto ad arrivare da Tucson fino a New Orleans? » le chiesi. Mi disse che aveva telegrafato a casa per dei soldi e aveva preso un autobus. Era decisa a riunirsi a Ed perché l'amava. Andai di sopra e lo raccontai al grosso Ed. Lui sedeva su una sedia con aria preoccupata, un angelo d'uomo, veramente.

« Bene » disse Dean, svegliandosi all'improvviso e saltando giú dal letto, « quel che dobbiamo fare ora è mangiare, immediatamente. Marylou, datti da fare in cucina e vedi quel che c'è. Sal, tu e io andiamo di sotto a telefonare a Carlo. Ed, vedi un po' quel che puoi fare per rimettere in ordine la casa. » Seguii Dean di sotto, pieno di energia.

Il tipo che gestiva il negozio di alimentari disse: « È appena arrivata un'altra telefonata – da San Francisco, questa – per un tale che si chiama Dean Moriarty. Ho detto che non c'era nessuno con quel nome ».

Era la dolcissima Camille, che chiamava Dean. Sam, il droghiere, un amico mio, alto e calmo, mi guardò e si grattò la testa. « Gesú, che stai dirigendo, un bordello internazionale? »

Dean ridacchiò come un pazzo. « Mi piaci, amico! » Balzò nella cabina telefonica e chiamò San Francisco, a carico del ricevente. Poi telefonammo a Carlo a casa sua a Long Island e gli dicemmo di venirci a raggiungere. Carlo arrivò due ore dopo. Nel frattempo Dean e io ci preparammo per il nostro viaggio di ritorno in Virginia da soli, per prendere il resto dei mobili e riportare indietro mia zia. Arrivò Carlo Marx, con le sue poesie sotto il braccio, e sedete in una poltrona, osservandoci con gli occhi come spilli. Per la prima mezz'ora si rifiutò di parlare; ad ogni modo, rifiutò di confidarsi. Si era calmato dai giorni del Tedio di Denver; erano stati i Tedi di Dakar a ridurlo cosí. A Dakar, lasciatosi crescere la barba, aveva vagato per strade traverse insieme con bambinetti che l'avevano portato da uno stregone: costui gli aveva predetto l'avvenire. Aveva istantanee

di pazzesche viuzze con capanne di paglia, il quartiere malfamato di Dakar. Disse che quasi stava per buttarsi giú dalla nave come Hart Crane sulla via del ritorno. Dean stava seduto sul pavimento davanti a un carillon e ascoltava con incredibile stupore la canzoncina che esso suonava: « Una bella storia d'amore » – « Piccole argentine trillanti campanelle. Ah! Ascoltate! Dobbiamo inginocchiarci tutti insieme e guardare nel cuore del carillon finché non ne avremo imparato i segreti: din-don-dan fanno le campane, ui-hi! » Anche Ed Dunkel stava seduto sul pavimento; s'era preso le mie bacchette da batteria; tutto a un tratto cominciò a battere un ritmo leggero per accompagnare il carillon, una cosa che riuscivamo a stento a sentire. Tutti trattenemmo il fiato per ascoltare. "Tic... tac... tic-tic... tac-tac." Dean portò la mano all'orecchio; teneva la bocca spalancata; disse: « Ah! Ui-hi! ».
Carlo osservava questa sciocca pazzia con occhiate sbieche. Infine si batté il ginocchio e disse: « Devo fare un annuncio ».
« Sí? Sí? »
« Che vuol dire questo viaggio a New York? Quale specie di sporchi affari stai combinando? Voglio dire, amico, dove volgi i tuoi passi? Dove volgi i tuoi passi, o America, nel tuo scintillante cocchio notturno? »
« Dove volgi i tuoi passi? » gli fece eco Dean con la bocca spalancata. Sedevamo e non sapevamo che dire; non c'era piú nulla di cui parlare. L'unica cosa da fare era partire. Dean saltò in piedi e disse che eravamo pronti a tornare in Virginia. Fece una doccia, io cucinai un grosso piatto di riso con tutto quel che c'era rimasto in casa, Marylou gli rammendò i calzini, e fummo pronti a partire. Dean e Carlo e io filammo verso New York. Promettemmo di rivedere Carlo entro trenta ore, in tempo per la notte di San Silvestro. Era sera. Lo lasciammo in Times Square e tornammo indietro attraverso il costoso tunnel e nel New Jersey e sulla strada. Alternandoci al volante, Dean e io arrivammo in Virginia in dieci ore.
« Dunque, questa è la prima volta che siamo soli e in

condizioni di parlare per anni » disse Dean. E cosí parlò tutta la notte. Come in sogno, stavamo filando indietro attraverso Washington addormentata e di nuovo nelle solitudini della Virginia, attraversando il fiume Appomattox alle prime luci dell'alba, fermandoci davanti alla porta di mio fratello alle otto del mattino. E tutto questo tempo Dean fu tremendamente eccitato per tutto quel che vedeva, tutto quel che diceva, per ogni particolare di ogni istante che trascorreva. Era fuori di sé in tutta buona fede. « E naturalmente adesso nessuno può venirci a dire che Dio non esiste. L'abbiamo visto in tutte le sue forme. Ricordi, Sal, quando sono venuto a New York per la prima volta e volevo che Chad King mi istruisse su Nietzsche. Vedi quanto tempo è passato? Tutto va benissimo, Dio esiste, noi abbiamo la nozione del tempo. Tutto quanto è stato predicato dai greci in poi è sbagliato. Non ci si può arrivare con la geometria né con i sistemi geometrici del pensiero. È tutto *questo*! » Si strinse un dito nella mano chiusa a pugno; la macchina abbracciava la fida linea dritta. « E non solo questo, ma noi comprendiamo entrambi che non potrei avere il tempo di spiegare per quale ragione tu e io sappiamo che Dio esiste ». A un certo punto mi lamentai dei guai della vita: quanto fosse povera la mia famiglia, quanto volessi aiutare Lucille, che era povera anche lei e aveva una figlia. « I guai, vedi, sono la definizione generica delle cose nelle quali Dio esiste. Non bisogna impuntarsi su questa faccenda. La testa mi rintrona! » esclamò, afferrandosi il capo. Si precipitò fuori della macchina come Groucho Marx per andare a prendere delle sigarette, con quel furioso modo di camminare raso terra, le code della marsina svolazzanti, sennonché lui non aveva code. « Sin da Denver, Sal, un sacco di cose... Oh, le cose... ci ho pensato e ripensato. Un tempo stavo di continuo in riformatorio, ero un giovane miserabile, che cercava di affermarsi... rubare automobili era un'espressione psicologica della mia posizione, pauroso com'ero di farmi vedere. Adesso tutti i miei problemi carcerari sono quasi risolti. Per quanto ne so non dovrei mai piú tornare in galera. Il resto non è colpa mia. » Sorpassammo un ragazzino che buttava sassi contro le macchine per strada. « Pensa un po' » disse Dean. « Un giorno butterà una pietra attraverso il parabrezza di qualcuno e quello andrà a sbattere e morirà... tutto per colpa di quel ragazzino. Capisci quel che voglio dire? Dio esiste senza dubbio. Mentre andiamo avanti su questa strada sono assolutamente certo che qualcuno provvederà per tutto quanto ci riguarda – che persino tu, mentre guidi – pauroso come sei del volante » (detestavo guidare e guidavo con grande attenzione) – « questo coso andrà avanti da sé e tu non andrai fuori strada e io potrò dormire. Inoltre conosciamo l'America, siamo a casa nostra; in America posso andare dovunque e ottenere quel che voglio perché è la stessa in ogni angolo, conosco la gente, so quel che fanno. Diamo e prendiamo e penetriamo in dolcezze incredibilmente complicate andando a zigzag da qualsiasi parte. » Non c'era niente di chiaro nelle cose che diceva, ma quel ch'egli voleva dire era in certo modo reso puro e chiaro. Usava molto spesso la parola "puro". Non mi sarei mai sognato che Dean potesse diventare un mistico. Questi erano i primi giorni del suo misticismo, che avrebbero portato alla strana, logora santità alla W. C. Fields dei suoi giorni a venire.

Persino mia zia lo stava e sentire incuriosita con un orecchio solo mentre tornavamo a nord verso New York la sera stessa con i mobili sul sedile posteriore. Adesso che in macchina c'era mia zia, Dean si adattò a parlare della sua vita di lavoro a San Francisco. Esaminammo ogni singolo particolare di quel che deve fare un frenatore, con dimostrazioni pratiche ogni volta che passavamo dagli scali ferroviari, e a un certo punto lui saltò persino giú dalla macchina per farmi vedere come fa un frenatore per dare il segnale di procedere a tutta velocità all'imbocco di un binario morto. Mia zia si ritirò nel sedile posteriore e si addormentò. Alle quattro del mattino, da Washington, Dean telefonò di nuovo a Camille, a carico di lei, a Frisco. Poco dopo, mentre uscivamo da Washington, una macchina della polizia ci raggiunse a sirene spiegate e ci appioppò una multa per eccesso di velocità, nonostante andassimo a circa cinquanta orari. Il motivo di ciò fu la targa della California. « Che vi credete, ragazzi, di poter correre come vi pare da questi parti solo perché venite dalla California? » disse il poliziotto.

Andai con Dean all'ufficio del sergente e cercammo di spiegare alla polizia che non avevamo denari. Loro dissero che Dean avrebbe dovuto passare la notte in gattabuia se non avessimo raccolto la somma. Naturalmente mia zia ce l'aveva, quindici dollari; ne aveva venti in tutto, e ogni cosa sarebbe stata sistemata. E infatti, mentre stavamo discutendo con gli agenti uno di loro andò fuori a dare un'occhiata a mia zia, che sedeva tutta avvolta nelle coperte sul sedile posteriore. Lei lo vide. « Non si preoccupi, non sono la bella di un gangster. Se vuol venire a perquisire la macchina, si accomodi pure. Sto tornando a casa con mio nipote, e questi mobili non sono rubati; appartengono a mia nipote, che ha avuto un bambino da poco e trasloca in una casa nuova. » Lo Sherlock Holmes rimase interdetto a questa dichiarazione e tornò dentro al posto di polizia. Mia zia dovette pagare la multa per Dean, altrimenti saremmo rimasti bloccati a Washington; io non avevo la patente. Lui promise di restituire il denaro, e lo fece veramente, esattamente un anno e mezzo dopo e con piacevole sorpresa di mia zia. Mia zia: una rispettabile signora impegolata in questo triste mondo, eppure lo conosceva bene. Ci raccontò del poliziotto. « Stava nascosto dietro un albero, cercando di capire che tipo fossi. Gliel'ho detto... gli ho detto di perquisire la macchina se voleva. Io non ho niente di cui vergognarmi. »

Sapeva che Dean ce l'aveva, qualcosa di cui vergognarsi, e io pure per il solo fatto di stare insieme con lui, e Dean e io accettammo il fatto con tristezza.

Mia zia disse una volta che il mondo non avrebbe mai trovato pace finché gli uomini non fossero caduti ai piedi delle loro donne chiedendo perdono. Ma Dean questo lo sapeva; vi aveva accennato parecchie volte. « Ho pregato e supplicato Marylou che ci fosse fra noi

167

una pacifica dolce intesa di puro eterno amore senza piú nessuna sfuriata... Marylou capisce; la sua mente è volta ad altre cose... lei mi dà la caccia; non capirà mai quanto l'ami, sta intessendo il mio destino. »

« La verità della faccenda è che noi non capiamo le nostre donne; ce la prendiamo con loro ed è tutta colpa nostra » affermai.

« Ma non è cosí semplice » ammoní Dean. « La pace arriverà all'improvviso, ma non capiremo quando questo avverrà... capisci, amico? » Avvilito, ostinato, spingeva la macchina attraverso il New Jersey; all'alba guidai io fin dentro Paterson mentre lui dormiva di dietro. Arrivammo a casa alle otto di mattina e trovammo Marylou e Ed Dunkel che stavano fumando cicche prese dal portacenere; non avevano mangiato da quando Dean e io eravamo partiti. Mia zia comprò della roba da mangiare e preparò una formidabile colazione.

4

Adesso era ora che il trio del West trovasse una nuova abitazione nel cuore di Manhattan. Carlo aveva un alloggio in York Avenue; vi avrebbero traslocato quella sera stessa. Dormimmo tutto il giorno, Dean e io, e ci svegliammo mentre una gran tempesta di neve annunciava a New York il Capodanno del 1949. Ed Dunkel stava seduto nella mia poltrona, a raccontare storie di Capodanni precedenti. « Ero a Chicago. Non avevo un soldo. Stavo seduto alla finestra della mia camera d'albergo in North Clark Street e il piú delizioso profumo saliva alle mie narici dal fornaio giú sotto. Non avevo un centesimo però scesi lo stesso e parlai con la ragazza al banco. Lei mi diede gratis pane e pasticcini al caffè. Tornai nella mia stanza e li mangiai. Rimasi in camera mia tutta la notte. Una volta, a Farmington, nell'Utah, dove ero andato a lavorare con Ed Wall – conoscete Ed Wall, il figlio dell'allevatore di bestiame, a Denver – ero a letto, e tutt'a un tratto vidi mia madre morta ritta in un angolo e tutta circonfusa di luce. Dissi: "Mamma!". Lei scomparve. Ho continuamente visioni » affermò Ed Dunkel, confermando col capo.

« Che hai intenzione di fare con Galatea? »

« Oh, vedremo. Quando arriviamo a New Orleans. Non sei del mio parere, eh? » Stava cominciando a rivolgersi a me per consigli; Dean solo non era abbastanza per lui. Ma tornava già a innamorarsi di Galatea, ripensandoci.

« Che farai di te stesso, Ed? » chiesi.

« Non so » rispose. « Tiro semplicemente avanti. Mi piace la vita. » Lo ripeté, seguendo il modo di fare di Dean. Non aveva nessuna particolare inclinazione. Stava seduto riandando quella notte a Chicago e i pasticcini caldi al caffè nella stanza solitaria.

Fuori turbinava la neve. Stavano preparando una gran festa a New York; ci preparavamo tutti a parteciparvi. Dean rifece il suo baule logoro, lo mise nella macchina, e partimmo tutti per la gran nottata. Mia zia era felice al pensiero che mio fratello sarebbe andato a trovarla la settimana seguente; sedeva col suo giornale e aspettava la trasmissione della mezzanotte di Capodanno da Times Square. Entrammo rombando a New York, slittando sul ghiaccio. Quando guidava Dean non avevo mai paura; era in grado di padroneggiare una macchina in qualsiasi circostanza. La radio era stata riparata e adesso aveva messo su un be-bop scatenato che ci spingeva avanti nella notte. Non sapevo dove ci stava portando tutto questo; non me ne curavo.

Proprio in quel momento cominciò a ossessionarmi una strana cosa. Era questo: avevo dimenticato qualcosa. C'era una decisione che ero stato sul punto di prendere prima che Dean si facesse vivo, e ora se n'era uscita netta dal mio cervello, eppure ce l'avevo ancora sulla punta della lingua del cervello. Continuavo a schioccare le dita, cercando di ricordarla. Ne parlavo persino. E non avrei nemmeno potuto dire se si trattasse di una decisione vera e propria oppure di un semplice pensiero che avevo dimenticato. Mi ossessionava e mi stupiva, mi rattristava. Aveva qualcosa a che fare in certo modo col Viaggiatore Ammantato. Una volta Carlo Marx e io

eravamo seduti vicini, ginocchio contro ginocchio, su due
sedie, l'uno di fronte all'altro, e io gli raccontai di un
sogno che avevo fatto, su una strana figura di arabo che
m'inseguiva per il deserto; che io cercavo di evitare;
che infine mi raggiungeva proprio prima che entrassi
nella Città della Protezione. « Chi è costui? » disse Carlo. Ci riflettemmo su. Io avanzai l'ipotesi che si trattasse di me stesso, avvolto in un sudario. Non era cosí.
Qualcosa, qualcuno, qualche spirito ci perseguitava tutti
attraverso il deserto della vita ed era scritto che ci af-
ferasse prima che raggiungessimo il cielo. Naturalmente,
adesso che ci torno su col pensiero, questo non è altro
che la morte; la morte ci raggiungerà prima del cielo.
L'unica cosa per la quale languiamo nei nostri giorni di
vita, che ci fa sospirare e lamentarci e sottostare a dolci nausee di ogni specie, è il ricordo di una certa felicità
perduta che probabilmente è stata sperimentata nell'alvo
materno e può riprodursi solamente (quantunque noi si
detesti ammetterlo) nella morte. Ma chi è che vuol morire? Nell'incalzare degli avvenimenti continuavo a pensare a questo nel fondo della mia mente. Lo dissi a Dean
ed egli lo riconobbe istantaneamente come la pura e semplice nostalgia della morte; e poiché nessuno di noi può
tornare alla vita, lui, giustamente, non voleva aver niente a che farci, e allora mi trovai d'accordo con lui.
Andammo in cerca della mia comitiva di amici di New
York. Anche lí sbocciano fiori pazzi. Prima andammo
da Tom Saybrook. Tom è un bel ragazzo triste, dolce,
generoso, e ragionevole; solo una volta ogni tanto ha
un'improvvisa crisi di depressione e se ne scappa via
senza dire una parola a nessuno. Quella notte era al-
legrissimo. « Sal, dove hai trovato questa gente assolutamente straordinaria? Non ho mai visto nessuno come loro. »
« Li ho trovati nel West. »
Dean si stava dando alla pazza gioia; mise su un disco
di Jazz, afferrò Marylou, la tenne stretta, e si agitò addosso a lei a ritmo di musica. Lei si agitò arretrando a
sua volta. Era una vera danza erotica. Arrivò Ian Mac-
Arthur con un'enorme comitiva. Il week-end del Capo-

danno ebbe inizio, e durò tre giorni e tre notti. Grandi combriccole entravano nella Hudson e giravano per le strade di New York coperte di neve da una festa all'altra. Alla festa piú grandiosa portai Lucille e sua sorella. Quando Lucille mi vide insieme con Dean e Marylou la sua faccia si oscurò: avvertiva la pazzia che infondevano in me.

« Non mi piaci quando stai con loro. »

« Oh, va benissimo, è solo per divertirmi. Si vive una volta sola. Ce la stiamo spassando. »

« No, è triste e non mi piace. »

Poi Marylou cominciò a far la civetta con me; disse che Dean sarebbe tornato con Camille e voleva che mi mettessi con lei. « Torna con noi a San Francisco. Noi due vivremo insieme. Sarò per te una brava ragazza. » Ma io sapevo che Dean amava Marylou, e capivo anche che Marylou faceva cosí per ingelosire Lucille, e non volevo saperne. Eppure, nonostante questo, mi leccavo i baffi al pensiero della bionda conturbante. Quando Lucille vide che Marylou mi spingeva negli angoli e mi diceva paroline dolci e mi baciava per forza, accettò l'invito di Dean di andare fuori nella macchina; però si limitarono a parlare e a bere un po' di quel liquore di contrabbando del sud che avevo lasciato nello scomparto del cruscotto. Tutto si stava capovolgendo, tutto stava precipitando. Sapevo che la mia relazione con Lucille non sarebbe durata a lungo. Lei voleva che io facessi *a modo suo*. Era sposata con uno scaricatore del porto che la trattava male. Io avevo intenzione di sposarla e prendermi la sua bambina e tutto se lei avesse divorziato dal marito; ma non c'erano nemmeno i soldi necessari ad ottenere il divorzio e l'intera faccenda era senza speranza, e inoltre Lucille non avrebbe mai potuto capirmi perché a me piacciono troppe cose e io mi ritrovo sempre confuso e impegolato a correre da una stella cadente all'altra finché non precipito. Questa è la notte, e quel che ti combina. Non avevo niente da offrire a nessuno eccetto la mia stessa confusione.

Le feste erano grandiose; in un appartamento nel seminterrato verso la Novantesima Strada Ovest c'erano al-

meno cento persone. La gente straripava nei locali delle cantine vicino alle caldaie. In ogni angolo succedeva
qualcosa, su ogni letto e divano: non un'orgia ma solo
una festa di Capodanno con schiamazzi frenetici e musica indiavolata alla radio. C'era persino una ragazza
cinese. Dean correva come Groucho Marx di gruppo in
gruppo, studiando tutti. Ogni tanto, regolarmente, ci
precipitavamo alla macchina per andare a prendere altra
gente. Venne Damion. Damion è l'eroe della mia comitiva di New York, come Dean è l'eroe Numero Uno del
West. Si presero subito in antipatia. La ragazza di Damion colpí a un tratto il suo amico con un diretto ben
piazzato alla mascella. Damion stette un momento a barcollare. Lei se lo portò a casa. Alcuni dei nostri matti
amici giornalisti arrivarono dall'ufficio con bottiglie. Fuori stava imperversando una terribile e magnifica bufera
di neve. Ed Dunkel conobbe la sorella di Lucille e scomparve con lei; ho dimenticato di dire che Ed Dunkel è
un tipo che decisamente ci sa fare con le donne. È alto
un metro e novanta, dolce, affabile, piacevole, modera-
to e delizioso. Aiuta le donne a mettersi il mantello.
È cosí che si fa. Alle cinque del mattino stavano tutti
attraversando di corsa il cortile di un palazzo e ci arram-
picavamo attraverso la finestra di un appartamento dove
si svolgeva una festa imponente. All'alba eravamo di ritorno da Tom Saybrook. C'era gente che dipingeva quadri e beveva birra svanita. Io dormii su un divano con
una ragazza di nome Mona fra le braccia. Grandi comitive s'infilavano dentro dal vecchio bar Columbia Cam-
pus. Tutto quel che c'era nella vita, tutte le facce della
vita si stavano ammucchiando nella stessa stanza umida.
Da Ian MacArthur la festa continuava. Ian MacArthur è
un ragazzo dolce e meraviglioso che porta gli occhiali e
scruta con delizia da dietro ad essi. Quel giorno imparò a
dir di sí a tutto, proprio come Dean a quel tempo, e da
allora non ha ancora smesso. Ai suoni indiavolati di Dexter Gordon e Wardell Gray che suonavano *The Hunt*,
Dean e io facemmo la lotta sul divano con Marylou; e
lei sapeva anche difendersi discretamente. Dean andava
in giro senza nemmeno la canottiera, con i soli pantalo-

ni, a piedi nudi, finché era ora di risalire in macchina e andar a prendere altra gente. Successe di tutto. Trovammo lo scatenato, estatico Rollo Greb e passammo una notte a casa sua a Long Island. Rollo vive con sua zia in una bella casa; quando muore lei le casa viene a lui. Nel frattempo lei si rifiuta di esaudire il minimo dei suoi desideri e odia i suoi amici. Rollo si portò appresso quella banda di straccioni composta di Dean, Marylou, Ed e me, e diede il via a una festa rumorosa. La donna scappò di sopra; minacciò di chiamare la polizia. « Oh, sta' zitta, vecchia ciabatta! » urlò Greb. Io mi chiesi come potesse mai vivere con lei a questo modo. Aveva piú libri di quanti avessi mai visti in vita mia: due biblioteche, due stanze stipate di libri dal pavimento al soffitto su tutte e quattro le pareti, e libri come gli Apocrifi Di Non So Che in dieci volumi. Suonava le opere di Verdi e le mimava indossando un pigiama che aveva un lungo strappo nella schiena. Non gliene importava un cavolo di niente. È un emerito studioso che se ne va a gran passi per le banchine del porto di New York con spartiti manoscritti originali del diciassettesimo secolo sotto il braccio, urlando. Striscia per le strade come un grosso ragno. L'eccitazione gli schizzava dagli occhi in stilettate di diabolica luce. Girava il collo in una spastica estasi. Parlava con l'esse blesa, aveva dei tic, si afflosciava, si lamentava, ululava, ricadeva giú disperato. Riusciva a stento a spiccicar parola, tanto era eccitato di vivere. Dean stava fermo davanti a lui a testa china, ripetendo all'infinito: « Sí... Sí... Sí... ». Mi portò in un angolo. « Quel Rollo Greb è insuperabile, è il piú meraviglioso di tutti. Questo è quanto stavo cercando di dirti... è cosí che voglio essere io. Voglio essere come lui. Lui non è mai impacciato, va in tutte le direzioni, non si tiene niente dentro, ha la nozione del tempo, non ha altro da fare che dondolare avanti e indietro. Caro mio, è un cannone! Vedi, se si fa sempre come lui, finalmente si raggiunge quella cosa. »

« Si ottiene cosa? »

« Quella cosa! Quella cosa! Ti dico... adesso non c'é tempo, non abbiamo tempo adesso. » Dean tornò indie-

tro a precipizio a contemplare un altro po' Rollo Greb.
George Shearing, il famoso pianista Jazz, affermò Dean,
era esattamente come Rollo Greb. Dean e io andammo
a sentire Shearing al Birdland a metà di quella lunga,
pazza fine di settimana. Il locale era deserto, alle dieci
eravamo i primi clienti. Shearing si presentò, cieco, con-
dotto per mano fino alla tastiera. Era un inglese dall'a-
spetto distinto con un rigido colletto bianco, leggermente bovino, biondo, con un'aria delicata di notte-d'estate-
inglese intorno a lui che si manifestò nel primo arruffato dolce numero ch'egli eseguí mentre il suonatore di
contrabbasso si chinava verso di lui con reverenza e batteva il ritmo con monotonia. Il batterista, Denzil Best,
sedeva rigido con solo i polsi che agitavano le bacchette
a spazzola. E Shearing cominciò a dondolarsi; sulla faccia
estatica gli si aprí un sorriso; prese a dondolarsi sullo
sgabello del pianoforte, avanti e indietro, dapprima lentamente, poi il ritmo andò su, ed egli si mise a dondolare piú svelto, col piede sinistro che si sollevava ad ogni
battuta, il collo prese a dondolarsi e a contorcersi, portava la faccia fin sulla tastiera, spingeva indietro i capelli, i capelli ben pettinati gli si scompigliarono, lui
cominciò a sudare. La musica aumentò di tono. Il suonatore di contrabbasso si piegò su se stesso, e colpí lo
strumento, sempre piú presto, pareva sempre piú presto,
ecco tutto. Shearing cominciò a suonare i suoi accordi;
si srotolavano dal piano in grandi e ricche cascate, si pensava che quell'uomo non avesse il tempo di metterle in
riga. Ondeggiavano e ondeggiavano come il mare. La
gente gli gridava: « Dai! ». Dean sudava; il sudore gli
colava giú per il colletto. « Eccolo qua! È proprio lui!
Vecchio dio! Vecchio dio Shearing! Sí! Sí Sí! » E Shearing era consapevole di avere un pazzo dietro di sé, poteva sentirne ogni singolo singulto e imprecazione, li sentiva anche se non era in grado di vedere. « Proprio cosí! » diceva Dean. « Sí » Shearing sorrideva; si dondolava. Si alzò dal piano, gocciolante di sudore; queste
erano le sue famose giornate del 1949 prima che diventasse inibito e commerciale. Quando se ne fu andato,
Dean indicò lo sgabello vuoto al piano. « La sedia vuota

del dio ». disse. Sul piano c'era una tromba; la sua luce dorata mandava uno strano riflesso sulla carovana nel deserto dipinta sulla parete dietro la batteria. Il dio se n'era andato; c'era il silenzio della sua partenza. Era una notte piovosa. Era il mito della notte di pioggia. Dean aveva gli occhi di fuori per la venerazione. Questa pazzia non l'avrebbe portato a nessuna conclusione. Non sapevo quel che mi stesse accadendo, e mi resi conto all'improvviso che era solo la marijuana che stavamo fumando; Dean ne aveva comprata un po' a New York. Mi faceva pensare che tutto stesse per arrivare: il momento in cui si sa tutto e ogni cosa è decisa irrevocabilmente.

5

Lasciai tutti e andai a casa a riposare. Mia zia disse che stavo perdendo il mio tempo ad andare in giro con Dean e la sua banda. D'altronde sapevo che questo non era vero. La vita è la vita, e la specie è la specie. Quel che volevo fare era un altro magnifico viaggio sulla Costa Occidentale, e tornare in tempo per il semestre di primavera all'università. E quale viaggio si rivelò! Io ci andai solo per muovermi, e per vedere cos'altro avrebbe fatto Dean, e infine, per di piú, sapendo che Dean sarebbe tornato da Camille a Frisco, volevo avere una relazione con Marylou. Ci preparammo ad attraversare di nuovo il doloroso continente. Riscossi il mio assegno di reduce e diedi a Dean diciotto dollari da spedire a sua moglie; lei aspettava che lui tornasse a casa ed era senza un soldo. Quel che avesse in mente Marylou, non lo so. Ed Dunkel, come sempre, ci seguiva e basta.
Ci furono lunghe, buffe giornate passate nell'appartamento di Carlo prima che partissimo. Lui si aggirava per casa in accappatoio e faceva discorsi alquanto ironici: « Ora io non sto cercando di sottrarvi le vostre voglie pruriginose, però mi pare che sia giunta l'ora di decidere cosa siete e cosa avete intenzione di fare ». Carlo faceva il dattilografo in un ufficio. « Voglio sapere che

cosa sta a significare tutto questo oziare per casa da mattina a sera. Che cosa sono tutte queste chiacchiere e cosa vi proponete di fare. Dean, perché hai lasciato Camille per prendere Marylou? » Nessuna risposta... risolini. « Marylou, perché viaggi per il continente in questo modo e quali sono le tue muliebri intenzioni per un approdo? » Stessa risposta. « Ed Dunkel, perché hai abbandonato a Tucson la tua nuova moglie e che te ne stai a fare seduto qui sul tuo grosso e grasso sedere? Dov'è la tua casa? Qual è il tuo lavoro? » Ed Dunkel abbassò la testa con genuina confusione. « Sal... com'è che sei sprofondato in giornate cosí mosce e che cos'hai combinato con Lucille? » Si aggiustò l'accappatoio e sedette di fronte a tutti noi. « I giorni dell'ira devono ancora venire. Il pallone non vi terrà su per molto. E non solo questo, ma è un pallone astratto. Ve ne andrete tutti in volo fino alla costa del West e tornerete indietro barcollando alla ricerca della vostra pietra. »

In quei giorni Carlo aveva maturato un certo tono di voce che egli sperava suonasse come quella che lui definiva La Voce della Montagna; l'idea consisteva nel colpire la gente con la realizzazione della montagna. « Vi state appuntando un drago al cappello » ci ammoní. « State in soffitta insieme coi pipistrelli. » I suoi occhi da matto scintillavano guardandoci. Sin dai Tedi di Dakar aveva attraversato un terribile periodo ch'egli chiamava il Sacro Tedio, o Tedio di Harlem, quando viveva a Harlem nel cuor dell'estate e la notte si svegliava nella sua stanza solitaria e sentiva la "grande macchina" discendere dal cielo; e quando camminava nella 125ma Strada "sott'acqua" insieme con tutti gli altri pesci. Era tutta una ridda di raggianti idee venute a illuminargli il cervello. Si fece sedere Marylou sulle ginocchia e le ordinò di rilassarsi. Disse a Dean: « Perché non ti siedi e non ti riposi? Perché salti tanto qua e là? ». Dean correva in giro, mettendosi lo zucchero nel caffè e dicendo: « Sí! Sí! Sí! ». Quella notte Ed Dunkel dormí in terra sui cuscini, Dean e Marylou buttarono Carlo giú dal letto, e Carlo sedette in cucina davanti al suo stufato di rognoni, biascicando le predizioni della Montagna. Io andavo da loro durante il giorno e osservavo tutto.

Ed Dunkel mi disse: « La notte scorsa ho camminato dritto fino a Times Square e appena arrivato mi sono reso conto all'improvviso che ero un fantasma: era il fantasma di me stesso che passeggiava sul marciapiede ». Mi disse queste cose senza alcun commento, confermando enfaticamente col capo. Dieci ore dopo, nel bel mezzo del discorso di qualcun altro, Ed ripeté: « Già, era il mio fantasma che passeggiava sul marciapiede ».

Tutto a un tratto Dean si rivolse a me con faccia seria e disse: « Sal, devo chiederti una cosa... molto importante per me... chissà come la prenderai... siamo amici, non è vero? ».

« Certo che lo siamo, Dean. » Quasi arrossí. Alla fine si decise a dirlo: voleva che facessi all'amore con Marylou. Io non gli chiesi perché, poiché sapevo che lui voleva vedere che effetto gli faceva Marylou con un altro uomo. Quando mi propose la faccenda stavamo seduti al Bar Ritzy; avevamo passato un'ora a passeggiare per Times Square, in cerca di Hassel. Il Bar Ritzy è il bar malfamato delle strade intorno a Times Square; ogni anno cambia nome. Quando si entra là dentro non si vede neanche una ragazza, nemmeno nei separé, solo una gran folla di giovanotti vestiti in tutte le varie fogge dei teppisti, dalle camicie rosse ai vestiti da gagà. È anche il bar degli sfruttatori di pederasti, tipi che si guadagnano da vivere fra i tristi vecchi omosessuali dell'Ottava Avenue notturna. Dean entrò là dentro con gli occhi ridotti a due fessure per scrutare ogni singola faccia. C'erano selvaggi pederasti negri, tetri individui armati di pistola, marinai armati di coltello, magri indifferenti rifiuti della società, e occasionalmente un detective ben vestito di mezza età, che faceva finta di essere un allibratore e girava là attorno un po' per curiosità e un po' per lavoro. Era il tipico posto perché Dean vi facesse la sua proposta. Ogni specie di infernali progetti vengono elaborati al Bar Ritzy – lo si può sentire nell'aria – e tutti i generi di pazze procedure sessuali si iniziano là per completarli. Lo scassinatore non solo propone al teppista un certo alloggio nella 14ma Strada, ma anche di andare a letto insieme. Kinsey passò un sacco di tempo al Bar Ritzy, a intervistare alcuni di quei tipi; io mi trovavo là la sera che ci arrivò il suo assistente, nel 1945. Furono intervistati pure Hassel e Carlo.

Dean e io tornammo all'appartamento e trovammo Marylou a letto. Dunkel stava facendo passeggiare il suo fantasma in giro per New York. Dean le disse quel che avevamo deciso. Lei rispose che ne era felicissima. Quanto a me non ne ero tanto sicuro. Dovevo provare che sarei stato capace di andare fino in fondo. Il letto era stato il letto di morte di un uomo corpulento e affondava nel mezzo. Marylou giaceva là sopra, con Dean e me ai suoi fianchi, in equilibrio sulle estremità del materasso che si sollevavano, senza saper cosa dire. Io sbottai: « Ah, diavolo, non ce la faccio ».

« Coraggio, amico, hai promesso! » disse Dean.

« Che ne pensa Marylou? » chiesi. « Su, Marylou, che ne dici tu? »

« Fa' pure » incoraggiò lei.

Mi abbracciò e io cercai di dimenticare che il vecchio Dean era presente. Ogni volta che mi rendevo conto che lui se ne stava lí al buio, ad ascoltare ogni rumore, non potevo far altro che ridere. Era orribile.

« Dobbiamo rilassarci tutti » affermò Dean.

« Temo di non farcela. Perché non vai in cucina un momento? »

Dean obbedí. Marylou era proprio adorabile, ma io sussurrai: « Aspetta che diventiamo amanti a San Francisco; non posso metterci il cuore ». Lei poteva dire che avevo ragione. Eravamo tre figli della terra che tentavano di decidere qualcosa nella notte e con tutto il peso dei secoli passati che si gonfiava nel buio davanti ai loro occhi. Nell'appartamento c'era una strana quiete. Io andai a dare un colpetto sulla spalla di Dean e gli dissi di andare da Marylou; e mi ritirai sul divano. Potevo sentire Dean, felice e balbettante sussultare freneticamente. Solo un tipo che ha passato cinque anni in prigione può arrivare a tali maniaci irreparabili estremi; implorare alle soglie della dolce sorgente, pazzo per la realizzazione completamente fisica delle origini della vita; cercare cie-

camente di tornare dove era venuto. Questo è il risultato degli anni passati a guardare film erotici dietro le sbarre; ad ammirare le gambe e il petto delle donne sulle riviste popolari; valutando la durezza dei cancelli di ferro e
la morbidezza della donna che non c'è. La prigione è il
luogo dove si promette a noi stessi il diritto di vivere.
Dean non aveva mai vista la faccia di sua madre. Ogni
nuova ragazza, ogni nuova moglie, ogni nuovo bambino
era un'aggiunta alla sua desolante povertà. Dov'era suo
padre?... Il vecchio vagabondo Dean Moriarty il Lattoniere, che viaggiava sui treni merci, lavorava come lavapiatti nelle cucine delle ferrovie, inciampava, cadeva
per terra pieno di vino nei vicoli, la notte, spirava infine su un mucchio di carbone, facendo cadere i suoi
denti ingialliti a uno a uno nei fossati del West. Dean
aveva tutti i diritti di morire della dolce morte di un
completo amore per la sua Marylou. Io non volevo interferire, volevo solo seguire.
Carlo rientrò all'alba e mise il suo accappatoio. Quei
giorni non dormiva piú « Ehi! » strillò. Stava uscendo
di senno per la confusione di marmellata sul pavimento, di mutande, di vestiti buttati qua e là, mozziconi di
sigarette, piatti sporchi, libri aperti: era un gran con-
gresso che tenevamo. Ogni giorno il mondo scricchiola-
va per voltarsi e noi facevamo i nostri scoraggianti studi
la notte. Marylou era tutta blu e nera a causa di una
lite avuta con Dean a proposito di qualcosa; la faccia
di lui era graffiata. Era ora di partire.
Andammo in macchina a casa mia, un'intera banda di
dieci persone, per prendere la mia valigia e telefonare
al vecchio Bull Lee a New Orleans dal telefono del bar
dove Dean e io avevamo fatto la nostra prima chiacchierata anni addietro quando lui aveva bussato alla mia porta per imparare a scrivere. Sentimmo la voce lamentosa
di Bull a duemilaottocento chilometri di distanza. « Dite un po', ragazzi, che vi aspettate che io faccia con questa Galatea Dunkel? È qui ormai da due settimane, se ne
sta chiusa in camera e rifiuta di parlare sia con Jane che
con me. È lí con voi quella sagoma di Ed Dunkel? Per
amor di Dio portatelo giú e liberatemi di lei. Dorme

nella nostra migliore camera da letto e non ha piú un centesimo. Questo non è un albergo.» Dean rassicurò Bull al telefono con una serie di urli e gridolini: c'erano Dean, Marylou, Carlo, Dunkel, io, Ian MacArthur, sua moglie, Tom Saybrook, Dio sa chi altro, tutti a urlare e a bere birra al telefono rintronando le orecchie a Bull, che piú di tutto odiava la confusione. «Bene» disse «forse quando verrete giú sarete piú in grado di ragionare se pure ci arriverete mai.» Dissi addio a mia zia e promisi di ritornare entro due settimane e partii di nuovo per la California.

6

Il principio del nostro viaggio fu piovigginoso e misterioso. Potevo capire che tutto stava per diventare una gran saga della nebbia. «Urrà» urlava Dean. «Ecco che andiamo!» E si rannicchiava sul volante e lanciava la macchina come un bolide; era tornato nel suo elemento, ognuno di noi poteva vederlo. Tutti eravamo felici, ci rendevamo conto che stavamo abbandonando dietro di noi la confusione e le sciocchezze e compiendo la nostra unica e nobile funzione nel tempo, *andare*. E come andavamo! Saettammo oltre i misteriosi segnali bianchi nella notte in qualche punto del New Jersey che dicono SUD (con una freccia) e OVEST (con una freccia) e prendemmo quella del sud. New Orleans! Ci bruciava il cervello. Dalle sporche nevi "di quella gelata città di pederasti ch'è New York", come la definiva Dean, giú verso il verde e gli odori fluviali della vecchia New Orleans fino al fondo dell'America lavato dall'acqua; poi a ovest. Ed stava nel sedile di dietro; Marylou e Dean e io sedevamo davanti e facevamo la piú calorosa chiacchierata sulla bontà e gioia della vita. Dean tutto a un tratto si fece tenero. «Adesso, diavolo, guardate un po', tutti voi, dobbiamo ammettere che ogni cosa va benissimo e non c'è necessità al mondo di preoccuparsi, e infatti dovremmo renderci conto cosa significherebbe per noi CAPIRE che VERAMENTE non siamo preoccupati di NIENTE. Ho ragione? » Fummo tutti d'accordo. « Eccoci qua, siamo tutti insieme... Cosa abbiamo fatto a New York? Perdoniamo. » Avevamo avuto tutti i nostri dissapori, laggiú. « Quello è dietro a noi, separato semplicemente da miglia e inclinazioni. Ora siamo diretti a New Orleans per vedere il vecchio Bull Lee e non sarà una festa questo e state a sentire, vi prego, questo vecchio sax-tenore che suona come un dio » – alzò il volume della radio fino a far vibrare la macchina – « e ascoltatelo mentre racconta la sua storia ed esprime il vero rilassamento e la vera conoscenza. »

Saltammo tutti di gioia per la musica e fummo d'accordo. La purezza della strada. La linea bianca nel centro dell'autostrada si svolgeva e abbracciava la nostra ruota anteriore sinistra come se fosse incollata al nostro battistrada. Dean protendeva il collo muscoloso, coperto dalla sola maglietta nella notte invernale, e lanciava la macchina come un razzo. Insistette perché guidassi io attraverso Baltimora per esercitarmi in mezzo al traffico; questo sarebbe stato niente, sennonché lui e Marylou continuavano a toccare il volante mentre si baciavano e facevano i matti. Era pazzesco; la radio andava a tutto volume. Dean suonava la batteria sul cruscotto finché non ci si formò una grossa cavità; lo facevo anch'io. La povera Hudson – "il dolce battello per la Cina" – stava buscandosi la sua parte.

« Oh, amico, che gioia! » urlava Dean. « Adesso Marylou, davvero sta a sentire, tesoro, tu sai che io sono maledettamente capace di far cento cose nello stesso momento e che ho energia da vendere: adesso a San Francisco dobbiamo continuare a vivere insieme. So il posto che ti ci vuole – al di fuori della regolare catena matrimoniale – io sarò a casa appena un poco meno che ogni due giorni e per dodici ore di fila: e *mia cara*, tu sai quel che possiamo fare in dodici ore, tesoro. Nel frattempo, continuerò a vivere con Camille come se niente fosse, capisci, lei non lo saprà. Non sarà tanto difficile, l'abbiamo già fatto altre volte. » Per Marylou andava benissimo, lei avrebbe voluto addirittura far la pelle a Camille. L'intesa era che Marylou si sarebbe messa con me a San Francisco, ma adesso cominciai a capire che quei due non si sarebbero separati e che mi avrebbero lasciato solo come un fesso dall'altra parte del continente. Ma perché pensare a questo con tutta quella terra dorata davanti a te e tutta una serie di imprevedibili avvenimenti che ti aspettano in agguato per sorprenderti e farti felice di essere vivo per potervi assistere?

Arrivammo a Washington all'alba. Era il giorno dell'insediamento di Harry Truman per la sua seconda presidenza. Grandi spiegamenti di mezzi da guerra stavano allineati lungo la Pennsylvania Avenue mentre noi passavamo nella nostra macchina malconcia. C'erano dei B-29, dei battelli da sbarco, artiglieria, tutti i generi di materiale da guerra che apparivano truculenti sull'erba coperta di neve; l'ultima cosa era una piccola normale regolare scialuppa da salvataggio che appariva misera e stupida. Dean rallentò per guardarla. Continuò a scuotere la testa in preda a stupore. « Che ha intenzione di fare questa gente? Harry sta dormendo da qualche parte in questa città... Buon vecchio Harry... Uno del Missouri, come me... Quella dev'essere la sua barchetta personale. »

Dean si mise a dormire nel sedile di dietro e Dunkel guidò. Gli demmo precise istruzioni perché andasse piano. Ci eravamo appena addormentati che quello lanciò la macchina a centotrenta l'ora, con i supporti in cattivo stato e tutto, e non solo questo ma fece un triplice sorpasso in un punto in cui un poliziotto stava discutendo con un motociclista: lui stava nella quarta corsia di un'autostrada a quattro corsie, e andava in senso vietato. Naturalmente l'agente ci inseguí con la sirena ululante. Fummo fermati. Ci disse di seguirlo alla stazione di polizia. Là dentro c'era un poliziotto malvagio che prese subito Dean in antipatia; gli sentiva addosso dappertutto puzza di carcere. Spedí fuori la sua coorte per interrogare privatamente me e Marylou. Volevano sapere quanti anni aveva Marylou, cercavano di montare un caso di tratta delle bianche. Ma lei aveva il certificato di matrimonio. Poi mi presero da parte da solo e vollero sapere con chi andava a letto Marylou. « Con suo marito » risposi con sufficiente semplicità. Erano curiosi. C'era qualcosa che non gli andava a genio. Tentarono di fare gli Sherlock Holmes dilettanti ponendo due volte la stessa domanda, aspettandosi uno scivolone da parte nostra. Io dissi: « Questi due ragazzi stanno tornando al lavoro nelle ferrovie in California, questa è la moglie del piú basso, e io sono un amico in vacanza dall'università per due settimane ».

Il poliziotto sorrise e disse: « Davvero? Questo portafogli è davvero il tuo? ».

Infine quello cattivo che stava dentro multò Dean per venticinque dollari. Noi dicemmo loro che ne avevamo solo quaranta per andare fino alla Costa; dissero che non gliene importava niente. Quando Dean protestò, il poliziotto cattivo minacciò di riportarlo in Pennsylvania e di levare contro di lui un'accusa speciale.

« Quale accusa? »

« Non preoccuparti, quale accusa. Non pensare a *questo*, furbacchione. »

Dovemmo consegnare loro i venticinque dollari. Prima però Ed Dunkel, quel reo, si offrí di andare in carcere. Dean considerò la cosa. Il poliziotto s'imbestialí; disse: « Se lasci che il tuo amico vada in carcere io ti riporto dritto in Pennsylvania in questo minuto stesso. Mi senti? ». La sola cosa che ci premeva era andarcene. « Un'altra multa per eccesso di velocità in Virginia e perdete la macchina » disse il poliziotto cattivo come sparata finale. Dean era rosso in faccia. Partimmo in silenzio. Portarci via i soldi per il nostro viaggio era un vero invito al furto. Sapevano che eravamo in bolletta e non avevamo parenti lungo la strada o qualcuno cui telegrafare per i soldi. I poliziotti americani sono in uno stato di guerra psicologica contro quei cittadini che non riescono a impressionarli con documenti importanti e con minacce. È un corpo di polizia vittoriano; fa capolino da cadenti finestre e pretende di indagare su tutto, ed è capace di fabbricare crimini se non ne esistono tali da soddisfarli. "Nove parti di delitto, una di noia" diceva Luis-Ferdinand Céline. Dean era talmente furioso che voleva torna-

re in Virginia e ammazzare il poliziotto non appena a-
vesse avuto una pistola.

« Pennsylvania! » motteggiò. « Vorrei sapere che impu-
tazione era quella! Vagabondaggio, probabilmente; mi
prendono tutti i soldi e mi accusano di vagabondaggio. Quei tipi la fanno cosí maledettamente facile. Ti
prendono e ti amazzano pure, se protesti. » Non c'era
altro da fare che tornare a essere felici fra di noi e non
pensarci piú. Quando attraversammo Richmond cominciammo a non pensarci, e ben presto tutto fu a posto.
Adesso avevamo quindici dollari per andare fino in fondo. Avremmo dovuto prender su qualche autostoppista
e fargli sborsare i soldi per la benzina. Nelle desolazio-
ni della Virginia tutto a un tratto vedemmo un uomo
camminare lungo la strada. Dean fece una frenata fol-
gorante. Io guardai indietro e dissi che era solo vagabondo e probabilmente non aveva un centesimo.

« Lo prenderemo su solo per divertirci! » rise Dean.
L'uomo era un tipo di pazzo tutto stracciato, con gli
occhiali, che camminava leggendo un libro infangato in
edizione economica; l'aveva trovato in un fosso accanto
alla strada. Salí sulla macchina e continuò a leggere;
era incredibilmente sporco e ricoperto di croste. Disse
di chiamarsi Hyman Solomon e che andava a piedi attraverso tutti gli Stati Uniti, bussando e qualche volta
prendendo a calci le porte degli ebrei e chiedendo denaro: "Datemi i soldi per mangiare, sono ebreo".
Disse che la cosa funzionava benissimo e che gli conve-
niva. Gli chiedemmo che cosa stesse leggendo. Non
lo sapeva. Non si preoccupò di guardare il titolo in copertina. Guardava solo le parole, come se avesse trovato la vera Torah[1], nella sua sede ideale, cioé nei luoghi
selvaggi.

« Vedi? Vedi? Vedi? » ridacchiava Dean, dandomi gomitate nelle costole. « Ti avevo detto che ci saremmo
divertiti. Tutti sono un divertimento, caro mio! » Portammo Solomon fino a Testament. Mio fratello era ormai nella sua nuova casa dall'altra parte della città. Ec-

[1] La Legge, in ebraico. (N. d. T.)

coci tornati sulla lunga strada ventosa con la linea ferroviaria che correva nel mezzo e i tristi, tetri meridionali che ciondolavano davanti ai negozi di ferramenta e ai magazzini a prezzo unico.

Solomon disse: «Vedo che voi, gente, avete bisogno di un po' di soldi per continuare il vostro viaggio. Aspettatemi che vado a spremere qualche dollaro in una casa ebrea e poi vengo con voi fino in Alabama».

Dean era fuori di sé per la felicità; lui e io corremmo a comprare del pane e crema di formaggio per uno spuntino nella macchina. Marylou e Ed attesero in macchina. Passammo due ore a Testament aspettando che Hyman Solomon si facesse vivo; si stava dando da fare per il suo pane in qualche punto della città, però non riuscimmo a vederlo. Il sole cominciò a farsi rosso e tardo.

Solomon non si fece piú vivo, cosí partimmo da Testament. «Adesso vedi, Sal, Dio esiste, per il fatto che noi continuiamo a rimanere impegolati in questa città, qualsiasi cosa si tenti di fare, e tu noterai il suo strano nome biblico, e quello strano personaggio biblico che ci ha fatto fermar qui ancora una volta, e tutte queste cose collegate insieme come una pioggia che unisca tutti nel mondo intero come in una simbolica catena...» Dean continuò a sproloquiare su questo tono; era entusiasta ed esuberante. Lui e io vedemmo a un tratto l'intero paese come un'ostrica che potevamo aprire; e la perla c'era, la perla c'era. Proseguimmo rombando per il sud. Prendemmo su un altro autostoppista. Costui era un ragazzino triste che disse di avere una zia proprietaria di un negozio di alimentari a Dunn, nella Carolina del Nord, proprio fuori Fayetteville. «Quando arriviamo là puoi scucire un dollaro? Bene! Benissimo! Andiamo!» Arrivammo a Dunn in un'ora, al tramonto. Andammo fin dove il ragazzo aveva detto che sua zia aveva un negozio di alimentari. Era una piccola strada triste che moriva contro il muro di una fabbrica. C'era un negozio di alimentari ma nessuna zia. Noi ci chiedemmo di cosa stesse parlando il ragazzo. Gli chiedemmo fin dove andava; non lo sapeva. Era stato un grosso trucco; una volta, in un'avventura in qualche sperduto vicoletto, aveva visto il negozio di alimentari a Dunn, e questa era stata la prima storia che gli fosse balzata avanti nel suo cervello febbrile e disordinato. Gli comprammo un panino con salsiccia, ma Dean disse che non avremmo potuto portarcelo dietro perché avevamo bisogno di posto per dormire e spazio per autostoppisti che potessero comprare un po' di benzina. Questo era triste ma vero. Lo lasciammo a Dunn al cader della notte.

Guidai io attraverso la Carolina del Sud e oltre Macon, in Georgia, mentre Dean, Marylou e Ed dormivano. Tutto solo nella notte mi lasciai andare ai miei pensieri e mantenni la macchina sulla linea bianca nella benedetta strada. Che facevo? Dove andavo? L'avrei scoperto presto. Dopo Macon mi sentii stanco come un cane e svegliai Dean perché riprendesse il volante. Uscimmo dalla macchina per prendere un po' d'aria e improvvisamente tutti e due ci bloccammo per la gioia scoprendo che tutto attorno a noi nel buio c'era fragrante erba verde e odore di letame fresco e acque calde. « Siamo nel Sud! Ci siamo lasciati dietro l'inverno! » Un primo debole bagliore illuminava i germogli verdi ai lati della strada. Tirai un profondo sospiro; una locomotiva lacerò ululando l'oscurità, diretta a Mobile. Ci andavamo anche noi. Mi levai la camicia ed esultai. Venti chilometri piú avanti lungo la strada Dean portò la macchina col motore spento a un distributore di benzina, si accorse che il benzinaro era profondamente addormentato sul banco, saltò giú, riempí in silenzio il serbatoio, fece in modo che il campanello non suonasse, e sgusciò via come un arabo con cinque dollari di benzina nel serbatoio per il nostro pellegrinaggio.

Dormii e mi risvegliai ai pazzi suoni esultanti della musica mentre Dean e Marylou parlavano e la vasta distesa verde scorreva ai lati. « Dove siamo? »

« Abbiamo appena passato la punta della Florida, amico... Si chiama Flomaton. » La Florida! Stavamo andando giú verso la pianura costiera e Mobile; davanti a noi stavano le grosse nuvole librantisi sul Golfo del Messico. Erano appena passate trentadue ore da quando avevamo detto addio a tutti nelle sporche nevi del nord. Ci fermammo a una stazione di rifornimento, e là Dean e Marylou giocarono a saltamontone intorno ai bidoni e Dunkel andò dentro e rubò tre pacchetti di sigarette al primo colpo. Riprendemmo il viaggio. Entrando a Mobile dalla lunga autostrada sul mare tutti ci levammo gli abiti invernali e ci godemmo la temperatura del meridione. Fu a questo punto che Dean cominciò a raccontare la storia della sua vita e, oltre Mobile, arrivò a uno sbarramento di macchine imbottigliate a un incrocio e invece di aggirarle ci si ficcò addirittura in mezzo attraverso l'accesso di una stazione di rifornimento e continuò dritto senza diminuire la sua velocità di crociera di centoventi l'ora. Ci lasciammo alle spalle facce boccheggianti. Lui tirò avanti con la sua storia. « Vi dico che è vero, ho cominciato a nove anni, con una ragazza di nome Milly Mayfair dietro al garage di Rod in Grant Street: la stessa strada di Denver dove abitava Carlo. È stato quando mio padre lavorava ancora un po' nella fucina. Ricordo che mia zia urlava dalla finestra: "Che stai facendo laggiú dietro al garage?". Oh, Marylou, tesoro, se solo ti avessi conosciuta allora! Uauh! Come devi esser stata dolce a nove anni. » Sghignazzò come un pazzo; le ficcò un dito in bocca e se lo leccò; le prese la mano e se la strofinò addosso. Lei stava lí seduta e basta, sorridendo serena.

Il lungo e grosso Ed Dunkel sedeva guardando fuori del finestrino, parlando da solo. « Sissignore, ho creduto d'essere un fantasma quella notte. » Si chiedeva inoltre che cosa gli avrebbe detto Galatea Dunkel a New Orleans.

Dean proseguí. « Una volta viaggiai su un carro merci dal New Mexico dritto fino a Los Angeles. Avevo undici anni, avevo perso mio padre su un binario morto, stavamo tutti in un accampamento di vagabondi, io ero con un uomo chiamato Rosso il Grosso, mio padre era ubriaco fradicio in un carro chiuso – quello cominciò a muoversi – Rosso il Grosso e io non riuscimmo a prenderlo – non vidi mio padre per vari mesi. Viaggiai su un treno merci di lungo percorso fino in California, una freccia del deserto. Per tutta la strada viaggiai sui respingenti – potete immaginarvi quanto fosse pericoloso, ero solo un bambino, non lo sapevo – stringendo un filone di pane sotto un braccio mentre con l'altro mi tenevo aggrappato alla sbarra del freno. Queste non sono frottole, è la verità. Quando arrivai a Los Angeles avevo tanta voglia di latte e panna che presi un lavoro in una latteria e la prima cosa che feci fu di bermi un litro di panna grassa e vomitare. »

« Povero Dean » disse Marylou, e lo baciò. Lui guardò davanti a sé pieno d'orgoglio. L'amava.

Improvvisamente stavamo correndo lungo le acque azzurre del Golfo, e nello stesso momento alla radio attaccò una formidabile pazzia: era il programma di dischi *Chicken Jazz'n Gumbo* da New Orleans, tutti indiavolati dischi di jazz, dischi di musica negra, con il presentatore che diceva: « Non preoccupatevi di *niente*! ». Vedemmo con gioia New Orleans nella notte davanti a noi. Dean si fregò le mani sopra il volante. « Adesso ci divertiremo un mondo! » Al tramonto stavamo entrando nelle ronzanti strade di New Orleans. « Oh, sentite l'odore della gente! » urlava Dean, annusando, il viso fuori del finestrino. « Ah! Dio! Che vita! » Girò attorno a un filobus. « Sí! » Lanciò la macchina e guardò in tutte le direzioni in cerca di ragazze. « Guardate *quella*! » L'aria di New Orleans era cosí dolce che pareva giungere in morbide fasce di seta; e si poteva sentire l'odore del fiume e veramente sentire quello della gente, e del fango, e della melassa, e ogni genere di esalazioni tropicali col naso distolto all'improvviso dai geli asciutti di un inverno settentrionale. Saltavamo sui sedili. « E osservate quella! » gridava Dean, indicando un'altra donna. « Oh, io adoro, adoro, adoro le donne! Penso che le donne sono meravigliose! Adoro le donne! » Sputò dal finestrino; mugolò; si afferrò la testa. Grosse gocce di sudore gli cadevano dalla fronte per pura eccitazione e sfinimento.

Scaraventammo la macchina sul ferry-boat di Algiers e ci ritrovammo ad attraversare col battello il Mississippi. « Adesso dobbiamo scendere tutti e guardare il fiume e la gente e respirare il mondo » disse Dean, dandosi da fare con gli occhiali da sole e le sigarette e saltando giú dalla macchina come il pupazzo di una scatola a sorpresa. Noi gli tenemmo dietro. Ci curvammo sul parapetto a guardare il grande bruno padre delle acque scorrere giú dal centro dell'America come il torrente delle anime perdute: trasportando tronchi del Montana e fanghi del Dakota e vallate dello Iowa e le cose annegate a Three Forks, dove il segreto cominciava nel ghiaccio. La fumosa New Orleans si allontanava da un lato; la vecchia, sonnolenta Algiers con i suoi contorti confini boscosi ci veniva incontro dall'altra. Alcuni negri lavoravano nell'ardente pomeriggio, attizzando le caldaie del ferry-boat che ardevano rosse e facevano puzzare le nostre gomme. Dean andò a guardarli, saltando su e giú nella calura. Corse intorno al ponte e di sopra con quei suoi pantaloni con le borse che gli scendevano sulla pancia. Tutto a un tratto lo vidi schizzare in coperta. Mi aspettavo di vederlo prendere il volo. Sentii la sua pazza risata per tutto il battello: « Ih-ih-ih-ih-ih! ». Con lui c'era Marylou. In un baleno egli s'informò su tutto, tornò con la storia al completo, saltò nella macchina proprio mentre gli altri sonavano il clacson per partire, e scivolammo fuori, sorpassando due o tre macchine in uno spazio ristretto, e ci ritrovammo che saettavamo attraverso Algiers.

« Dove? Dove? » urlava Dean.

Decidemmo prima di tutto di ripulirci a una stazione di rifornimento e chiedere informazioni su Bull. Bambinetti stavano giocando sul fiume nel tramonto sonnolento; le ragazze passavano con sciarpe e camicette di cotone e le gambe nude. Dean correva lungo la strada per vedere ogni cosa. Si guardava attorno; faceva di sí con la testa; si strofinava il ventre. Il grosso Ed stava seduto dietro nella macchina col cappello sugli occhi, sorridendo a Dean. Io sedevo sul parafango. Marylou stava nella toilette delle donne. Dalle rive cespugliose dove uomini minuscoli pescavano con le canne, e dalle acque ferme del delta che si stendevano lungo la terra rosseggiante, il grosso fiume ingobbito con la sua corrente centrale ribollente veniva ad avvolgersi intorno ad Algiers come un serpente, con un indescrivibile rombo. Algiers, sonnacchiosa, allungata fra le acque con tutte le sue api e bicocche, probabilmente sarebbe stata spazzata via un giorno o l'altro. Il sole era obliquo, gli insetti svolazzavano, le orribili acque rumoreggiavano.

Andammo alla casa del vecchio Bull Lee fuori città vicino alla diga. Era in una strada che correva attraverso un campo paludoso. La casa era un vecchio ammasso di rovine con porticati cadenti che correvano intorno e salici piangenti nel cortile; l'erba era alta un metro, i vecchi steccati pendevano, i vecchi granai stavano crollando. Non c'era nessuno in vista. Noi accostammo direttamente nel cortile e vedemmo alcune vasche da bagno nel portico dietro la casa. Io uscii e andai alla porta a rete. Jane Lee stava là ritta a guardare il sole, facendosi schermo agli occhi con le mani. « Jane » dissi. « Sono io. Siamo noi. »

Lei lo sapeva. « Sí, lo so. Bull non c'è adesso. Non è un incendio quello laggiú, o qualcosa del genere? » Guardammo entrambi verso il sole.

« Vuoi dire il sole? »

« Si sa che non voglio dire il sole... Ho sentito le sirene da quella parte. Non vedi un bagliore tutto speciale? » Era in direzione di New Orleans; le nuvole erano strane.

« Io non vedo niente » dissi.

Jane sbuffò col naso. « Sempre lo stesso vecchio Paradiso. »

Questo fu il modo con cui ci salutammo dopo quattro anni; un tempo Jane viveva con me e mia moglie a New York. « E Galatea Dunkel è qui? » chiesi. Jane stava sempre cercando il suo incendio; in quel periodo prendeva tre tubetti di cartine di benzedrina il giorno. Il suo volto, un tempo paffuto e teutonico e grazioso, era diventato duro e rosso e ostile. Aveva preso la poliomielite a New Orleans e zoppicava un po'. Dean e la comitiva uscirono come cani battuti dalla macchina e piú o meno si fecero da sé gli onori di casa. Galatea Dunkel uscí dal suo regale isolamento nel dietro della casa per incontrare il suo carnefice. Galatea era una ragazza seria. Era pallida e si vedeva benissimo che aveva pianto. Il grosso Ed si passò la mano tra i capelli e disse ciao. Lei lo guardò con occhio fermo.

« Dove sei stato? Perché mi hai fatto questo? » E lanciò a Dean un'occhiataccia; sapeva come stavano le cose. Dean non le diede retta per niente; quel che voleva adesso era mangiare; chiese a Jane se c'era niente. La confusione cominciò proprio allora.

Il povero Bull rincasò nella sua Chevrolet del Texas e trovò la casa invasa dai pazzi; però mi accolse con un simpatico calore che da molto tempo non riscontravo in lui. Aveva comprato quella casa a New Orleans con i soldi che s'era fatto coltivando fagioli "con l'occhio" nel Texas insieme con un vecchio compagno d'università il cui padre, un pazzo paralitico, era morto lasciando una fortuna. Quanto a Bull, lui riceveva dalla sua famiglia solo cinquanta dollari la settimana, il che non era male solo che lui spendeva almeno altrettanto ogni settimana per soddisfare il suo bisogno di droga... e anche sua moglie, che s'ingoiava dieci dollari di tubetti di benzedrina la settimana, gli costava parecchio. Il loro conto della spesa era il piú basso di tutta la regione; quasi non mangiavano affatto; e nemmeno i bambini: pareva che non gliene importasse. Avevano due figli meravigliosi: Dodie, di otto anni; e il piccolo Ray, di un anno. Ray andava in giro per il giardino tutto nudo, un piccolo figlio biondo dell'arcobaleno. Bull lo chiamava "la Bestiola", ispirandosi a W. C. Fields. Bull entrò guidando fin nel cortile e si svincolò dalla macchina a membro a membro, e venne da noi faticosamente, con gli occhiali, un cappello di feltro, un abito logoro, lungo, curvo, strano e laconico, dicendo: « Come, Sal, sei arrivato finalmente; andiamo in casa a bere qualcosa ».

Ci vorrebbe una notte intera a raccontare del vecchio Bull Lee; per ora, diciamo soltanto che era un maestro, e si può affermare che aveva tutti i diritti di insegnare perché aveva passato tutta la sua vita ad imparare; e le cose ch'egli imparava erano quelle che lui considerava e chiamava "i fatti della vita", ch'egli apprendeva non solo per necessità ma per volontà propria. A suo tempo aveva trascinato il suo lungo corpo magro in giro per tutti gli Stati Uniti e per la maggior parte dell'Europa e dell'Africa Settentrionale, solo per vedere quel che suc-

cedeva; aveva sposato in Jugoslavia una contessa russa
bianca per farla scappare dai nazisti dopo il 1930; esistono fotografie sue con la banda internazionale della
cocaina di quell'epoca: individui dai capelli ribelli, che
si appoggiavano l'uno all'altro; ci sono altre fotografie
sue con un cappello di Panama, mentre ispeziona le strade di Algiers; non vide mai piú la contessa russa bianca.
A Chicago faceva il sicario, a New York il barista, a
Newark l'ufficiale giudiziario. A Parigi sedeva ai tavolini
dei caffè, a guardare passare le malinconiche facce dei
francesi. Ad Atene guardava dal suo *ouzo* quello che lui
definiva il piú brutto popolo del mondo. Ad Istanbul si
faceva strada in mezzo ai capannelli degli oppiomani e
di rivenditori di tappeti, in cerca di avvenimenti. Negli
alberghi inglesi leggeva Spengler e il Marchese de Sade.
A Chicago progettò di rapinare un bagno turco, tardò
due minuti di troppo per fare una bevuta, e si ritrovò
con due dollari e gli toccò scappare di corsa. Tutte queste cose le faceva esclusivamente a scopo d'esperienza.
Adesso lo studio decisivo era sul vizio degli stupefacenti.
Ora stava a New Orleans e sgusciava furtivo lungo le
strade insieme con certi tipi loschi e frequentava i bar
che servivano da luoghi d'incontro.
C'è una strana storia sul suo periodo all'università che
mette in luce qualche altro punto su di lui: un pomeriggio aveva amici a un ricevimento nelle sue stanze ben
arredate quando improvvisamente il suo furetto domestico si liberò e morse a una caviglia un elegante pederasta che portava mutandoni lunghi e tutti se la batte-
rono dalla porta, strillando. Il vecchio Bull saltò su e
afferrò il fucile e disse: "Ha sentito di nuovo l'odore di
quel vecchio topo" e sparando fece nella parete un buco
cosí grosso che potevano passarci cinquanta topi. Sul muro stava appeso un quadro raffigurante una brutta vecchia casa di cape Cod. I suoi amici dicevano: "Perché
tieni appesa lassú quella brutta roba?" e Bull rispondeva: "Mi piace perché è brutta". Tutta la sua vita era
impostata su questa linea. Una volta bussai alla sua
porta nelle catapecchie della 60ma Strada a New York
e lui l'aprí con una bombetta in testa, un panciotto con

niente sotto, e lunghi pantaloni a righe da cerimonia, aveva una pentola in mano, semi di papavero nella pentola, e stava tentando di pestare i semi per poterne fare delle sigarette. Faceva anche esperimenti bollendo sciroppo per la tosse alla codeina fino a ridurlo in una poltiglia nerastra: questo non gli riuscí troppo bene. Trascorreva lunghe ore con un libro di Shakespeare – "il Bardo Immortale" lo chiamava – sulle ginocchia. A New Orleans aveva cominciato a passare lunghe ore con i Codici Maya sulle ginocchia e, quantunque non smettesse di parlare, il libro stava aperto di continuo. Una volta dissi: "Che ci succederà quando moriamo?" e lui rispose: "Quando muori sei solo morto, e basta". In camera sua aveva una serie di catene che affermava di usare con i suoi psicanalisti; facevano esperimenti con la narcoanalisi e avevano scoperto che il vecchio Bull aveva sette personalità distinte, e ciascuna diventava sempre peggiore man mano che si andava avanti, finché egli diventava un pazzo furioso e bisognava legarlo con le catene. La personalità piú eccelsa era un lord inglese, la piú bassa il pazzo. A metà strada era un vecchio negro che stava in fila, ad aspettare con tutti gli altri, e diceva: "Alcuni sono dei bastardi, altri no, cosí vanno le cose".
Bull aveva una vena sentimentale per l'America dei vecchi tempi, specialmente quella del 1910, quando si poteva ottenere la morfina in farmacia e senza ricetta e i cinesi fumavano l'oppio stando alla finestra la sera e la nazione era selvaggia e sbraitante e libera, con abbondanza e ogni genere di libertà per ognuno. Quello che odiava di piú era la burocrazia di Washington; al secondo posto venivano i liberali; poi i poliziotti. Passava tutto il suo tempo a parlare e ad insegnare agli altri. Jane gli sedeva ai piedi; cosí facevo io; cosí faceva Dean; e altrettanto aveva fatto Carlo Marx. Avevamo tutti imparato da lui. Era un grigio individuo dall'apparenza indefinibile che non avreste notato per strada, a meno che non aveste guardato piú da vicino e non aveste visto quel suo pazzo cranio ossuto stranamente giovane: un sacerdote del Kansas colmo di un fuoco esotico, fenomenale, e di mistero. Aveva studiato medicina a Vienna; aveva

studiato antropologia, letto di tutto; e ora si stava dedicando al lavoro della sua vita, ch'era lo studio delle cose in se stesse per le strade della vita e nella notte. Sedette sulla sua sedia; Jane portò i martini. Le tende accanto alla sua sedia erano sempre tirate, giorno e notte; era il suo angolo nella casa. Sulle ginocchia teneva i Codici Maya e un fucile ad aria compressa ch'egli alzava di tanto in tanto per schizzare tubetti di benzedrina attraverso la stanza. Io continuavo a correre in giro, caricandolo con nuovi tubetti. Tiravamo tutti e nel frattempo parlavamo. Bull era curioso di sapere la ragione di questo viaggio. Ci scrutava e soffiava col naso, ppfumf, come un suono in un serbatoio vuoto.

« Ora, Dean, voglio che tu te ne stia seduto tranquillo un minuto e mi dica che intendete fare attraversando il continente in questo modo. »

Dean riuscí solo a diventar rosso e a dire: « Eh, be', sai com'è ».

« Sal, che ci vai a fare sulla Costa? »

« Solo per qualche giorno. Poi torno all'Università. »

« Come stanno le cose con questo Ed Dunkel? Che razza di tipo è? » In quel momento Ed stava facendo la pace con Galatea in camera da letto; non gli ci volle molto. Noi non sapevamo che dire a Bull su Ed Dunkel. Vedendo che non sapevamo niente circa noi stessi, tirò fuori tre bastoncini di marijuana e ci invitò a servirci, la cena sarebbe stata pronta fra poco.

« Non c'è niente di meglio al mondo per far venire l'appetito. Una volta ci mangiai dietro un'orribile polpetta presa su una bancarella e mi parve la cosa piú deliziosa del mondo. Sono appena tornato da Houston la settimana scorsa, sono andato a trovare Dale per i nostri fagioli con l'occhio. Stavo dormendo in un autostello una mattina quando tutto a un tratto mi toccò saltar giú dal letto. Un maledetto cretino aveva appena sparato a sua moglie nella camera accanto alla mia. Stavano tutti istupiditi, là attorno, e quel tipo si mise in macchina e partí, lasciando in terra la pistola per lo sceriffo. Alla fine lo pescarono a Houma, ubriaco fradicio. Uno non è piú sicuro a girare per questo paese senza una pistola. » Scostò la giacca e ci fece vedere la sua rivoltella. Poi aprí il cassetto e ci mostrò il resto del suo arsenale. A New York una volta teneva un mitra sotto il letto. « Adesso ho qualcosa di meglio – una pistola tedesca a gas, una Scheintoth; guardate che gioiello, ho un proiettile solo. Potrei atterrare un centinaio di uomini con questa pistola e aver tutto il tempo di squagliarmela. L'unico guaio è che ho un colpo solo. »

« Spero di non trovarmi nei paraggi quando la provi » disse Jane dalla cucina. « Come lo *sai* che è un proiettile a gas? » Bull sbuffò; non dava mai retta alle uscite di lei, però le sentiva. I suoi rapporti con la moglie erano dei piú strani: parlavano fino a notte inoltrata; a Bull piaceva stare in cattedra, continuava a discorrere con la sua voce deprimente e monotona, lei cercava di interromperlo, non le riusciva mai; all'alba lui si stancava e allora attaccava Jane ed egli stava ad ascoltare, sbuffando, e facendo *ppfumf* col naso. Lei amava pazzamente quell'uomo, ma in una specie di delirio; non c'era mai tra loro nessuna smanceria e svenevolezza, solo discorsi e una profondissima amicizia che nessuno dei due sarebbe mai stato capace di misurare. Un certo che di curiosamente spiacevole e freddo tra loro era in realtà una forma di umorismo per mezzo del quale essi si comunicavano il loro sistema di sottili vibrazioni. L'amore è tutto: Jane non stava mai a piú di tre metri di distanza da Bull e non perdeva mai una parola che lui dicesse, e per di piú, egli parlava a voce bassissima.

Dean ed io stavamo blaterando a proposito di una gran baldoria notturna a New Orleans e volevamo che Bull ci facesse da cicerone. Lui ci diede una doccia fredda. « New Orleans è una città noiosissima. È proibito andare nel quartiere negro. I bar sono insopportabilmente deprimenti. »

Io dissi: « In città devono pur esserci dei bar ideali ».

« Il bar ideale in America non esiste. Un bar ideale è sopra la nostra comprensione. Nel 1910 il bar era un luogo dove gli uomini andavano a riunirsi durante o dopo il lavoro, e tutto quel che ci si trovava era un lungo bancone, corrimano d'ottone, sputacchiere, un piano automatico per far musica, pochi specchi, e barilotti di whisky a dieci centesimi il bicchierino insieme con barilotti di birra a cinque centesimi il boccale. Tutto quel che c'è adesso è cromo, donne sbronze, pederasti, baristi ostili, proprietari in ansia che si aggirano sulla porta, preoccupati dei loro sedili di cuoio e della legge; solo un sacco di urli al momento sbagliato e un silenzio di morte quando entra un forestiero. »

Discutemmo a proposito di bar. « Va bene » disse lui « stasera vi porterò a New Orleans e vi farò vedere quel che voglio dire. » E ci portò apposta nei bar piú monotoni. Lasciammo Jane coi bambini; avevamo finito di cenare; lei stava leggendo le offerte di lavoro nel *Times-Picayune* di New Orleans. Io le chiesi se fosse in cerca d'impiego; lei rispose soltanto che quella era la parte piú interessante del giornale. Bull venne in macchina con noi fino in città e continuò a parlare. « Vacci piano, Dean, ci arriveremo lo stesso, spero; hop-là, ecco il ferryboat, non c'è bisogno che ci porti dritti dentro il fiume. » Continuò su questo tono. Dean era peggiorato, mi confidò. « Mi pare che si stia avviando verso il suo destino ideale, che è una psicosi invadente anaffiata di uno schizzo di irresponsabilità psicopatica e di violenza. » Guardò Dean con la coda dell'occhio. « Se vai in California con questo pazzo, non ce la farai mai. Perché non rimani a New Orleans con me? Punteremo sui cavalli a Graetna e ci riposeremo in giardino. Ho una bella serie di coltelli e sto fabbricando un tiro al bersaglio. Giú in città, poi, ci sono graziose e interessanti bambine, se ciò rientra nel tuo programma di questi giorni. » Sbuffò. Stavamo sul ferry e Dean era saltato giú per affacciarsi al parapetto. Io lo seguii, ma Bull rimase sulla macchina, a sbuffare, *ppfumf*. C'era un mistico alone di nebbia sopra le acque scure, quella notte, insieme con i tronchi bruni trasportati dalla corrente; e di là dal fiume New Orleans splendeva di una luce arancione, con alcune navi oscure agli orli, navi fantasmagoriche alla Cereno bordate di nebbia, con balconate spagnole e poppe floreali, finché non ci si andava vicino e si vedeva che erano solo vecchi mercantili svedesi e panamensi. I fuochi del ferry-boat lucevano nella notte; gli stessi negri affondavano le pale e cantavano. Il vecchio Hazard lo Spilungone lavorava una volta sul ferry di Algiers come macchinista; questo mi fece pensare anche a Gene del Mississippi; e mentre il fiume si riversava giú dal centro dell'America alla luce delle stelle io seppi, lo seppi con impeto di furia, che tutto quel che avevo conosciuto e che avrei mai conosciuto era una cosa sola. Strano a dirsi, anche, quella notte che passammo col ferry insieme con Bull Lee, una ragazza si uccise buttandosi dal ponte; proprio prima o dopo di noi; lo leggemmo sul giornale il giorno dopo.

Esplorammo col vecchio Bull tutti i bar monotoni del quartiere francese e tornammo a casa a mezzanotte. Quella notte Marylou si riempí di tutte le cose possibili; prese la droga, marijuana, benzedrina, liquori, e chiese perfino al vecchio Bull un'iniezione di morfina, che naturalmente lui non le fece; le diede invece un martini. Era talmente satura di elementi di tutti i generi che arrivò a un punto morto e se ne stette istupidita con me sotto il portico. Quello di Bull era un portico meraviglioso. Correva tutt'attorno alla casa; sotto la luce della luna e con i salici pareva una vecchia dimora del Sud che avesse conosciuto giorni migliori. Jane sedeva in casa a leggere le offerte di impiego nella sala di soggiorno; Bull stava nel bagno a farsi l'iniezione di morfina, stringendo fra i denti la sua vecchia cravatta nera che gli faceva da laccio e infilzandosi l'ago nel braccio tormentato da mille buchi; Ed Dunkel stava steso con Galatea sul massiccio letto a due piazze che il vecchio Bull e Jane non usavano mai; Dean si arrotolava la marijuana; e Marylou e io facevamo l'imitazione dell'aristocrazia del Sud.

« Davvero, Miss Lou, stanotte avete un adorabile aspetto e quanto mai invitante. »

« Ma, grazie, Crawford, invero apprezzo le gentili cose che dite. »

Le porte continuavano ad aprirsi intorno al portico contorto, e i personaggi del nostro triste dramma nella notte americana continuavano a saltar fuori per vedere dove stavamo tutti. Alla fine feci una passeggiata solitaria fino alla diga. Volevo sedere sulla banchina fangosa e contemplare il Mississippi; invece mi toccò guardarlo col naso schiacciato contro una rete metallica. Quando cominciate a separare la gente dai loro fiumi che ottenete? "Burocrazia!" dice il vecchio Bull; lui se ne sta seduto con Kafka sulle ginocchia, mentre la lampada gli arde sul capo, e sbuffa, *ppfumf*. La sua vecchia casa scricchiola. E i ceppi del Montana passano rotolando nel gran fiume nero nella notte. "Questo non è altro che burocrazia. E sindacati! Soprattutto sindacati!" Ma un'incomprensibile gioia sarebbe tornata ancora.

7

Era già là al mattino quando mi alzai tutto arzillo di buon'ora e trovai il vecchio Bull e Dean nel cortile dietro la casa. Dean indossava la sua tuta da benzinaro e stava aiutando Bull. Bull aveva trovato un enorme pezzo di legno massiccio e corroso e stava strappando disperatamente con il dietro del martello i piccoli chiodi infissi là dentro. Noi contemplammo i chiodini; ce n'erano milioni; parevano vermi.

« Quando sarò riuscito a tirar fuori tutti questi chiodi mi costruirò uno scaffale che durerà *mille anni*! » disse Bull, sprizzando infantile eccitazione da tutti i pori. « Come, Sal, ti rendi conto che gli scaffali che fabbricano oggigiorno si spaccano sotto il peso dei soprammobili dopo sei mesi o comunque se ne vanno in pezzi? La stessa cosa con le case, la stessa cosa con i vestiti. Questi bastardi hanno inventato materiali plastici con i quali potrebbero costruire case di durata eterna. E i copertoni. Gli americani si uccidono a milioni ogni anno a causa delle gomme difettose che sulla strada si surriscaldano e scoppiano. Potrebbero produrre gomme che non scoppiano mai. Lo stesso col dentifricio. C'è una certa resina che hanno inventata e non vogliono farla vedere a nessuno, che se la mastichi da bambino non ti viene più carie per tutto il resto dei tuoi giorni in terra. Idem con i vestiti. Sono in grado di fabbricare stoffe che durano in eterno. Preferiscono fare merci a poco prezzo cosí tutti continueranno a lavorare e a mettere la firma sotto l'orologio marcatempo e a organizzarsi in sindacati malinconici e ad affaticarsi qua e là mentre la gran camorra continua a Washington e a Mosca. » Sollevò il grosso pezzo di legno putrido. « Non vi pare che ne verrà fuori uno splendido scaffale? »

Era mattina presto; la sua energia era al colmo. Il povero diavolo immetteva tante di quelle porcherie nel suo organismo che non poteva far altro che passare la maggior parte della sua giornata su quella sedia con la lampada accesa a mezzogiorno; al mattino però era magnifico. Ci mettemmo a lanciar coltelli contro il bersaglio. Lui disse che a Tunisi aveva visto un arabo capace di trafiggere l'occhio di un uomo a quindici metri di distanza. Questo lo portò a parlare di sua zia, che verso il 1935 era andata nella Casbah. « Era con una comitiva di turisti diretti da una guida. Portava al mignolo un anello con brillante. Si appoggiò un momento al muro per riposarsi e un arabo si precipitò a impossessarsi del dito con l'anello prima che lei potesse fare: "Ah!", caro mio. Tutto a un tratto si rese conto che non aveva piú il mignolo. Ih-ih-ih-ih-ih! » Quando rideva stringeva le labbra e la risata la faceva uscire dallo stomaco, da lontano, e si piegava in due appoggiandosi alle ginocchia. Rise a lungo. « Ehi, Jane! » gridò gioiosamente. « Stavo raccontando a Dean e a Sal di mia zia nella Casbah! »

« T'ho sentito » disse lei dalla porta della cucina, nella incantevole calda mattinata del Golfo. Grandi bellissime nuvole fluttuavano sopra di noi, nuvole della vallata che ti facevano sentire la vastità della vecchia sacra America in rovina da foce a foce e da cima a cima. Bull era tutto pepe e tutto fuoco. « Di', ti ho mai raccontato del padre di Dale? Era il vecchio piú buffo che si potesse incontrare nella vita. Era paralitico, e la paralisi si mangia la parte davanti del tuo cervello e ti riduci in modo tale da non essere piú responsabile di qualsiasi cosa ti salti in mente. Aveva una casa nel Texas e c'erano i carpentieri che lavoravano ventiquattr'ore su ventiquattro per costruire nuove ali. Era tipo da alzarsi nel cuor della notte e dire: "Non voglio piú quella maledetta ala; mettetela da quest'ultima parte". I carpentieri dovevano buttar giú tutto e ricominciare da capo. Venuta l'alba li vedevi martellare all'ala nuova. Poi il vecchio si stancava anche di questo e diceva: "Maledizione, voglio andare nel Maine!". E si metteva in macchina e partiva a centosessanta l'ora: grandi cascate di penne di gallina segnavano il suo percorso per centinaia di chilometri. Fermava la macchina nel centro di un paese del Texas solo per uscirne e comprare whisky. Le macchine facevano strepitare il clacson tutt'intorno a lui e quello si precipitava fuori dal negozio, urlando: "Piantatela con quel maledetto fracaffo, manica di baftardi!". Aveva l'esse blesa; quando ti viene la paralisì hai l'effe blesa, voglio dire la esse. Una sera venne a casa mia a Cincinnati e suonò il clacson e disse: "Vieni con me e andiamo nel Texas a trovare Dale". Stava tornando dal Maine. Sosteneva di aver comprato una casa... Oh, all'università mettemmo giú una barzelletta su di lui, nella quale si vedeva un terribile naufragio e persone nell'acqua che si aggrappano ai fianchi della scialuppa di salvataggio, e il vecchio se ne sta là dentro con un coltellaccio, e taglia loro le dita. "Andate via, manica di baftardi, quefta fvialuppa è mia, accidenti!" Oh, era terribile. Potrei raccontarvi storielle sul conto suo per un giorno intero. Dite, non è una bella giornata? »

E lo era davvero. Le brezze piú dolci soffiavano dalla diga; solo questo valeva tutto il viaggio. Entrammo in casa dietro a Bull a misurare il muro per lo scaffale. Ci fece vedere il tavolo nella sala da pranzo, che s'era costruito da sé. Era fatto di un legno spesso quindici centimetri. « Questo è un tavolo che durerà un migliaio d'anni! » disse Bull, protendendo fanaticamente verso di noi la sua lunga faccia magra. Vi batté sopra col pugno.

La sera lui sedeva a quel tavolo, assaggiando appena i cibi e buttando le ossa ai gatti. Ne aveva sette. « Adoro i gatti. Mi piacciono specialmente quelli che miagolano disperatamente quando li tengo sospesi sulla vasca da bagno. » Insistette per dimostrarcelo; il bagno era occupato. « Be' » disse « adesso non lo possiamo fare. Sapete, ho fatto una litigata con i vicini qui accanto. » Ci raccontò dei vicini: erano un'immensa tribú con certi ragazzini sfacciati che gettavano pietre a Dodie e a Ray attraverso lo steccato traballante e qualche volta anche al vecchio Bull. Lui aveva detto loro di piantarla; era uscito il padre e aveva urlato qualcosa in portoghese. Bull era entrato in casa e ne era uscito col suo fucile, al quale s'era appoggiato con affettazione; con quell'incredibile ghigno sulla faccia sotto la vasta tesa del cappello, tutto il corpo che si contorceva schivo e serpentino nell'attesa, come un grottesco clown, scarno e solitario sotto le nuvole. Vedendolo, il portoghese doveva aver pensato a qualcosa uscito da un vecchio sogno diabolico.

Perlustrammo il giardino in cerca di qualcosa da fare. C'era una formidabile staccionata che il vecchio Bull stava costruendo per separare se stesso dai nocivi vicini; non sarebbe stata mai portata a termine, il compito era troppo gravoso. La scrollò avanti e indietro per mostrarci quanto era solida. Improvvisamente si fece stanco e tranquillo e allora entrò in casa e scomparve nel bagno per farsi l'iniezione prima del pranzo. Ne uscí calmo e con gli occhi vitrei, e si mise a sedere sotto la lampada accesa. La luce del sole faceva debolmente capolino dalla tenda chiusa. « Dite, ragazzi, perché non provate il mio accumulatore di orgoni? Vi mette un po' di vita nelle ossa. Ogni volta schizzo via a centocinquanta l'ora verso il bordello piú vicino, eh-eh-eh! » Questa era la sua risata fittizia: quando non rideva sul serio. L'accumulatore di orgoni è una normale cassa abbastanza grande perché uno possa starci dentro su una sedia: uno strato di legno, uno di metallo e un altro strato di legno raccolgono gli orgoni dell'atmosfera e li tengono prigionieri abbastanza a lungo perché il corpo umano ne assorba una quantità superiore al normale. Secondo Reich, gli orgoni sono atomi atmosferici vibranti del principio vitale. La gente si ammala di cancro perché esaurisce gli orgoni. Il vecchio Bull pensava che questo accumulatore di orgoni sarebbe stato migliore se il legno ch'egli usava fosse stato il piú organico possibile, cosí legava al suo mistico padiglione foglie e rami di cespugli presi lungo un ruscello. Stava lí ritta nel cortile caldo, piatto, quella macchina scorticata avvolta e ricoperta di aggeggi pazzeschi. Il vecchio Bull si tolse i vestiti e ci andò dentro a sedere e a contemplarsi l'ombelico. «Di', Sal, dopopranzo tu e io ce ne andiamo a puntare ai cavalli nella sala corse di Graetna.» Era meraviglioso. Dopo il pranzo fece un pisolino sulla sua sedia col fucile ad aria compressa sulle ginocchia e il piccolo Ray. che dormiva raggomitolato attorno al suo collo. Era un grazioso quadretto, padre e figlio, un padre che certamente non avrebbe mai annoiato suo figlio quando fosse giunto il momento di scoprire le cose da fare e di discorrerne. Si svegliò con un sussulto e mi fissò. Gli ci volle un minuto per capire chi fossi. «Che ci vai a fare sulla Costa, Sal?» chiese, e in un attimo si riaddormentò.

Nel pomeriggio andammo a Graetna, solo Bull e io. Ci andammo nella sua vecchia Chevrolet. La Hudson di Dean era bassa e lucida; la Chevrolet di Bull era alta e rumorosa. Proprio come nel 1910. Il locale degli allibratori era situato vicino alla banchina del fiume in un gran bar pieno di cromo e cuoio che si apriva sul dietro in un'imponente sala dove nomi e numeri stavano affissi sul muro. Tipi della Louisiana bighellonavano qua e là con in mano i programmi delle corse. Bull e io prendemmo una birra, e come per caso Bull andò alla roulette a gettoni e ci mise dentro una moneta da mezzo dollaro. I segnapunti ticchettarono: "Piatto"... "Piatto"... "Piatto".. e l'ultimo "Piatto" oscillò solo per un momento e ricadde su "Ciliegia". Aveva perso un centinaio di dollari o piú proprio per un pelo. «Accidenti!» urlò Bull. «Ci hanno messo le mani in queste robe. Si vede subito. Io avevo il "Piatto" e il meccanismo l'ha riportato indietro. Be', che ci vuoi fare.» Esaminammo il programma delle corse. Erano anni che non puntavo ai cavalli ed ero divertito da tutti quei nomi nuovi. C'era un cavallo che si chiamava Big Pop che mi fece sprofondare in trance per un po' e ripensare a mio padre che era solito giocare ai cavalli con me. Stavo proprio per parlarne al vecchio Bull quando lui fece: «Be', credo che proverò con questo Ebony Corsair».

Allora finalmente io dissi: «Big Pop mi fa venire in mente mio padre».

Lui rifletté per un secondo solo, con i chiari occhi azzurri fissi nei miei in modo ipnotico così che non potevo dire quel che stesse pensando o dove fosse. Poi si allontanò e puntò su Ebony Corsair. Big Pop vinse e pagò cinquanta per uno.

«Accidenti!» disse Bull. «Avrei dovuto capirlo, ho già fatto dell'esperienza con questo. Oh, quando impareremo mai?»

«Che vuoi dire?»

«Voglio dire Big Pop. Tu hai avuto una visione, ragazzo mio, una *visione*. Solo i maledetti cretini non danno retta alle visioni. Come lo sai che tuo padre, ch'era un gran giocatore di cavalli, non ha comunicato con te sia pure per un momento solo per dirti che Big Pop avrebbe vinto la corsa? Quel nome te ne ha dato la sensazione, lui ha approfittato del nome per comunicare. È a questo che stavo pensando quando ne hai parlato. Mio cugino del Missouri una volta puntò su un cavallo che aveva un nome che gli ricordava sua madre, e quello vinse e pagò una grossa quota. La stessa cosa è accaduta questo pomeriggio.» Scosse la testa. «Ah, andiamo. Questa è l'ultima volta che punto su un cavallo con te in giro; tutte queste visioni mi distraggono.» In macchina, mentre tornavamo alla sua vecchia casa disse: «L'umanità un giorno si renderà conto che noi stiamo veramente in contatto con i morti e con l'altro mondo, qualunque esso sia; proprio adesso potremmo prevedere, se solo esercitassimo un sufficiente potere mentale, quel che succederà nei prossimi cento anni e saremmo in grado di prendere le misure necessarie ad evitare ogni genere di catastrofi. Quando un uomo muore egli subisce un cambiamento nel suo cervello del quale adesso non conosciamo nulla ma che un giorno sarà chiarissimo se gli scienziati ci si mettono d'impegno. Quei bastardi adesso si interessano soltanto di vedere se riescono a far saltare in aria il mondo ».

Lo raccontammo a Jane. Lei sbuffò. « Mi pare una sciocchezza. » Stava scopando qua e là, in cucina. Bull andò nel bagno per la puntura del pomeriggio.

Fuori sulla strada Dean e Ed Dunkel stavano giocando a pallacanestro con la palla di Dodie e un secchiello inchiodato a un lampione. Mi unii a loro. Poi ci dedicammo a esibizioni di bravura atletica. Dean assolutamente mi sbalordí. Fece tenere a me e a Ed una sbarra di ferro alta fino alla nostra vita, e la superò con un salto da fermo, tenendo uniti i calcagni. « Avanti, alzatela. » Noi continuammo ad alzarla finchè ci arrivò al petto. Anche allora la saltò con facilità. Poi tentò il salto in lungo con la rincorsa e fece almeno sei metri e piú. Poi io feci una corsa con lui sulla strada. Sono capace di fare i cento metri in 10 e 5. Lui mi superò come il vento. Mentre correvamo ebbi una pazzesca visione di Dean che correva attraverso la vita intera proprio allo stesso modo: la faccia ossuta protesa verso la vita, le braccia come stantuffi, la fronte sudata, le gambe sbatacchianti come quelle di Groucho Marx, e urlante: « Sí! Sí, amico, vai proprio forte! ». Ma nessuno poteva andare veloce come lui, e questa è la verità. Poi uscí Bull con un paio di coltelli e cominciò a farci vedere come disarmare un ipotetico assalitore armato di pugnale in un viale oscuro. Io, da parte mia, gli insegnai un ottimo trucco, che consiste nel cadere a terra di fronte all'avversario e nell'afferrarlo con le caviglie facendolo cadere in avanti sulle mani e nel prendergli i polsi in piena *elson*. Lui disse che era abbastanza buono. Mi fece vedere un po' di lotta giapponese. La piccola Dodie chiamò sua madre sul portico e disse: « Guarda quegli sciocchi uomini ». Era una cosetta talmente graziosa e impudente che Dean non riusciva a staccarle gli occhi di dosso.

« Uauh! Aspetta che cresca, *quella*! La vedo già scender giú da Canal Street con quei suoi begli occhi. Ah! Oh! » Fischiò attraverso i denti.

Trascorremmo una pazza giornata nel centro di New Orleans andando in giro con i Dunkel. Dean quel giorno era fuori di sé. Quando vedemmo i treni merci della T & NO allo scalo lui volle mostrarmi subito tutto. « Prima che abbia finito di spiegarti sarai un frenatore. » Lui e io e Dunkel corremmo attraverso i binari e saltammo su un merci in tre punti differenti; Marylou e Galatea stavano aspettando nella macchina. Viaggiammo sul treno per piú di mezzo chilometro verso il molo, salutando con la mano i deviatori e i segnalatori. Mi mostrarono il giusto modo per scendere da un carro in corsa; prima il piede indietro e lasciar che il treno si allontani da te e girarsi e mettere in terra l'altro piede. Mi fecero vedere i vagoni frigorifero, gli scompartimenti per il ghiaccio, buoni per viaggiarci in ogni notte invernale in una fila di carri vuoti. « Ricordi cosa t'ho detto del viaggio dal New Mexico a Los Angeles? » gridò Dean. « È cosí che stavo aggrappato... »
Tornammo dalle ragazze un'ora dopo e naturalmente erano furiose. Ed e Galatea avevano deciso di prendersi una stanza a New Orleans e di rimanerci a lavorare. Questo andava benissimo per Bull, che cominciava a esser stufo e arcistufo di tutta la banda. In origine l'invito era stato per me, perché ci venissi da solo. Nella stanza sul davanti, dove dormivano Dean e Marylou, c'erano macchie di marmellata e di caffè e tubetti vuoti di benzedrina su tutto il pavimento; e quel ch'è peggio era la stanza da lavoro di Bull e lui non poteva andare avanti col suo scaffale. La povera Jane stava diventando matta per il continuo saltare e correre qua e là da parte di Dean. Stavamo aspettando, per metterci in viaggio, che arrivasse il mio prossimo assegno di reduce; mia zia lo doveva inoltrare. Poi ci saremmo messi in viaggio, noi tre: Dean, Marylou e io. Quando arrivò l'assegno mi resi conto che odiavo abbandonare la meravigliosa casa di Bull cosí all'improvviso, ma Dean era tutto energia e pronto ad agire.
In un triste crepuscolo rosso ci trovammo finalmente seduti nella macchina e Jane, Dodie, il piccolo Ray, Bull, Ed e Galatea ci stavano attorno nell'erba alta, sor-

ridendo. Era l'addio. All'ultimo momento Dean e Bull ebbero una discussione a proposito di denaro; Dean voleva un prestito; Bull disse che non c'era da pensarci nemmeno. Quell'animosità risaliva ai tempi del Texas. Dean l'imbroglione, allontanava gradatamente la gente da sé. Ridacchiò come un pazzo e non se la prese: si strofinò il membro, ficcò un dito nel vestito di Marylou, le leccò il ginocchio, fece le bave con la bocca e disse: « Tesoro, tu sai e io pure so che finalmente tutto è chiaro fra di noi al di là della più remota definizione astratta in termini metafisici o in qualsiasi termine che si voglia specificare o dolcemente imporre o riprendere da capo... » e così avanti, e la macchina filò via e noi fummo di nuovo in viaggio verso la California.

8

Che cos'è quella sensazione quando ci si allontana dalle persone e loro restano indietro sulla pianura finché le si vede appena come macchioline che si disperdono?... È il mondo troppo vasto che ci sovrasta, ed è l'addio. Ma noi puntiamo avanti verso la prossima pazzesca avventura sotto i cieli.

Corremmo attraverso le opprimenti vecchie luci di Algiers, ancora sul ferry, ancora verso le inzaccherate, incrostate vecchie navi sul fiume, di nuovo sul Canale, e fuori; su un'autostrada a doppia corsia verso Baton Rouge nell'oscurità di porpora; lí svoltammo a ovest, attraversammo il Mississippi in un luogo chiamato Port Allen. Port Allen... dove il fiume è tutto pioggia e rose in una nebbiosa oscurità profonda e dove girammo attorno a una strada circolare nelle luci giallastre da nebbia e vedemmo all'improvviso il grande corpo nero sotto un ponte e di nuovo attraversammo l'eternità. Che cos'è il Mississippi?... una zolla portata via dall'acqua nella notte piovosa, tonfi sordi dalle rive scoscese del Missouri, un dissolversi, uno scorrere della marea giú nell'eterno letto del fiume, un donare alle brune schiume, un viaggiare attraverso vallate e alberi e dighe sen-

za fine, giú giú, sempre piú giú, per Memphis, Green-
ville, Eudora, Vicksburg, Natchez, Port Allen, e Port
Orleans e Port of the Deltas, per Potash, Venice, e il
Gran Golfo della Notte, e fuori.
Con la radio sintonizzata su un programma poliziesco,
e mentre guardavo fuori del finestrino e vedevo un cartellone con la scritta USATE LA VERNICE COOPER e dicevo: « Okay, l'useremo », viaggiammo attraverso l'in-
gannevole notte delle pianure della Louisiana: Lawtell,
Eunice, Kinder, e De Quincy, desolati paesi del West
che diventavano sempre piú fangosi mentre ci avvicinavamo al Sabine. A Opelousas Vecchia entrai in un negozio di alimentari per comprare pane e formaggio mentre Dean si occupava della benzina e dell'olio. Era solo
una baracca; potevo sentire la famiglia che consumava
la cena nel retro. Aspettai un momento; quelli continuarono a parlare. Io presi del pane e del formaggio
e me la svignai dalla porta. Avevamo appena i soldi
sufficienti per arrivare a Frisco. Nel frattempo Dean rubò un cartone di sigarette dalla stazione di rifornimento
e cosí fummo provvisti per il viaggio: benzina, olio, sigarette e cibo. Gli imbroglioni sono incoscienti. Dean
lanciò la macchina dritto lungo la strada.
In qualche punto vicino a Starks vedemmo nel cielo
un gran bagliore rosso davanti a noi; ci chiedemmo che
cosa fosse; in un attimo lo sorpassavamo. Era un fuoco
dietro gli alberi; c'erano parecchie macchine parcheggiate sull'autostrada. Doveva trattarsi di una specie di festa
campestre a base di pesce fritto, e d'altra parte poteva
essere qualsiasi cosa. Vicino a Deweyville la campagna
si fece strana e buia. Tutto a un tratto ci trovammo nelle paludi.
« Caro mio, te l'immagini che sarebbe se trovassimo un
locale da jazz in queste paludi, con tipi negri grandi
e grossi che sussurrano dei blues a suon di chitarra e
bevono acquavite e ci fanno dei segni? »
« Sí! »
Là attorno c'era aria di mistero. La macchina correva
su una strada fangosa elevata sulle paludi che strapiom-
bava da entrambi i lati e lasciava pendere dei viticci.

Oltrepassammo un'apparizione: un negro con una camicia bianca che camminava con le braccia levate verso il cielo d'inchiostro. Poteva essere che pregasse oppure invocasse una maledizione. Noi gli saettammo proprio accanto; mi voltai a guardare dal finestrino posteriore per vedere i suoi occhi bianchi. « Uuh! » disse Dean. « Sta' attento. Sarà meglio che non ci fermiamo da queste parti. » A un certo punto ci trovammo spersi a un crocevia e dovemmo fermare la macchina egualmente. Dean spense i fari anteriori. Eravamo circondati da una gran foresta di alberi avviticchiati, fra i quali potevamo quasi sentire il fruscío di un milione di vipere. L'unica cosa che riuscivamo a vedere era la lampadina rossa sul cruscotto della Hudson. Marylou strillò di paura. Cominciammo a ridere istericamente per spaventarla. Avevamo paura anche noi. Volevamo uscire da quella dimora di serpenti, da quel buio spugnoso e deprimente, e tornare a filare sul familiare terreno d'America e i paesi dei cow-boy. Nell'aria c'era puzza di petrolio e di acque morte. Quello era un manoscritto della notte che non riuscivamo a decifrare. Una civetta ululò. Ci arrischiammo a caso su una delle strade di terra battuta, e ben presto stavamo attraversando il vecchio diabolico fiume Sabine che è il responsabile di tutte quelle paludi. Vedemmo con immenso stupore enormi strutture di luce davanti a noi. « Il Texas! È il Texas! Beaumont, la città del petrolio! » Grandi serbatoi di petrolio e raffinerie incombevano come città nell'aria fragrante di petrolio.

« Sono contenta che siamo usciti di là » disse Marylou. « Adesso sentiamoci ancora qualche programma poliziesco. »

Passammo veloci da Beaumont, di là dal fiume Trinity a Liberty, e dritto per Houston. Adesso Dean s'era messo a parlare del periodo passato a Houston nel 1947. « Hassel! Quel matto di Hassel! Dovunque vado lo cerco e non lo trovo mai. Ci metteva sempre nei pasticci qua nel Texas. Venivamo qui con Bull per prender roba da mangiare e Hassel spariva. Dovevamo andare a cercarlo in tutte le baracche di tiro a segno del paese. » Stavamo entrando a Houston. « La maggior parte delle volte ci toccava cercarlo in questa parte malfamata del paese. Caro mio, si metteva a litigare con ogni matto che incontrava. Una notte lo perdemmo e fissammo una camera in albergo. Dovevamo portare del ghiaccio a Jane perché la roba da mangiare le andava a male. Ci vollero due giorni perché potessimo ritrovare Hassel. Io stesso mi trovai bloccato... avevo dato la caccia alle donne che andavano a fare acquisti nel pomeriggio, proprio qui, nel centro, nei supermarket »... – vi passammo accanto come il vento nella notte vuota – « e avevo trovato una splendida ragazza scema ch'era fuori di sé e vagava qua e là, cercando di rubare un'arancia. Era del Wyoming. La sua bellezza fisica era direttamente proporzionale all'idiozia del suo cervello. La trovai che farneticava e me la portai in camera. Bull era sbronzo e stava cercando di far ubriacare una ragazzina messicana. Carlo scriveva poesie sull'eroina. Hassel non si fece vivo fino a mezzanotte sulla jeep. Lo trovammo addormentato sul sedile di dietro. Il ghiaccio s'era tutto sciolto. Hassel disse che aveva preso circa cinque pasticche di sonnifero. Caro mio, se solo la mia memoria mi servisse esattamente come lavora la mia mente potrei raccontarti ogni particolare delle cose che combinammo. Ah, ma noi abbiamo la nozione del tempo. Tutto va avanti da sé. Potrei chiudere gli occhi e questa vecchia macchina se la caverebbe da sola. »

Alle quattro del mattino nelle strade vuote di Houston passò rombando all'improvviso un ragazzo in motocicletta, tutto scintillante e incrostato di bottoni luccicanti, visiera, giaccone nero lucido, un poeta notturno del Texas, con la ragazza aggrappata alla sua schiena come un bambino indiano, capelli al vento; andavano avanti, cantando: « Houston, Austin, Fort Worth, Dallas – e talvolta Kansas City – e talvolta la vecchia Anton, ah-haaaaa! ». Schizzarono via fuor di vista. « Uauh! Guarda quella ragazza appesa alla sua cintura! Facciamo una corsa! » Dean cercò di raggiungerli. « Non sarebbe bello adesso se potessimo riunirci tutti e fare una baldoria coi fiocchi con tutte persone dolci e belle e piacevoli, nessuna cattiveria, nessuna voce infantile di protesta o afflizione corporale ultrafraintesa o roba del genere? Ah, ma noi abbiamo la nozione del tempo.» Ci diede dentro e lanciò la macchina.

Dopo Houston le sue energie, per quanto notevoli fossero, si esaurirono e guidai io. La pioggia cominciò a cadere proprio mentre prendevo il volante. Adesso ci trovavamo nella grande prateria del Texas, del quale Dean diceva: "Tu guidi e guidi e domani sera sei ancora nel Texas". La pioggia scrosciava. Guidai attraverso un desolato villaggio di vacche con un corso fangoso e mi ritrovai in una via senza uscita. «Ehi, che faccio?» Dormivano tutti e due. Voltai e strisciai indietro attraverso il paese. Non c'era anima viva in giro e nemmeno una luce. D'un tratto un uomo a cavallo in impermeabile m'apparve nella luce dei fari. Era lo sceriffo. Aveva un cappello da cow-boy a tese larghissime, piegato sotto l'acquazzone. «Qual è la strada per Austin?» Lui me lo disse gentilmente e io ripartii. Fuori del paese vidi improvvisamente due fari che mi abbagliarono dritto in faccia nella pioggia scrosciante. Ahimé, credetti di essere sul lato sbagliato della strada; mi spostai verso destra e mi ritrovai a correre in mezzo al fango; mi riportai sulla strada. Di nuovo i fari mi investirono dritti in viso. All'ultimo momento mi resi conto che era l'altro ad essere sul lato sbagliato della strada e non lo sapeva. Sterzai a cinquanta l'ora dentro al fango; era piano, grazie a Dio, non c'era un fossato. La macchina colpevole fece marcia indietro nel diluvio. Quattro contadini immusoniti, che avevano tagliato la corda dal lavoro per far baldoria nelle bettole, tutti in camicia bianca e braccia scure e sporche, sedevano guardandomi stupidamente nella notte. Quello al volante era ubriaco quanto gli altri.

Chiese: «Da che parte per Houston?». Io indicai indietro col pollice. Mi folgorò il pensiero che l'avessero fatto apposta solo per chiedere informazioni, come un mendicante che ti viene dritto incontro sul marciapiede per tagliarti la strada. Guardarono con aria contrita il pavimento della loro macchina, dove rotolava un certo numero di bottiglie vuote, e se ne andarono sferragliando. Io misi in moto la macchina; era sprofondata nel fango per mezzo metro. Sospirai nella solitudine piovosa del Texas.

« Dean » dissi « svegliati. »

« Che? »

« Siamo bloccati nel fango. »

« Ch'è successo? » Glielo raccontai. Lui bestemmiò a non finire. Ci mettemmo delle vecchie scarpe e dei golf e ci avventurammo fuori della macchina nella pioggia dirotta. Io appoggiai la schiena sul parafango posteriore e mi sforzai di sollevarla; Dean fissò le catene sotto le ruote scivolose. In un minuto fummo ricoperti di fango. Svegliammo Marylou a quell'orrore e le facemmo mettere in moto la macchina mentre noi spingevamo. La Hudson tormentata sussultava e sussultava. D'un tratto si scrollò e balzò scivolando sulla strada. Marylou frenò giusto in tempo, e noi salimmo. Cosí andò: quel lavoro ci aveva preso trenta minuti e noi eravamo zuppi e sconsolati.

Mi addormentai, tutto incrostato di fango; e al mattino quando mi svegliai il fango si era solidificato e fuori c'era la neve. Eravamo vicini a Fredericksburg, sugli altipiani. Fu uno dei peggiori inverni del Texas e della storia del West, quando il bestiame moriva come mosche nelle grandi tempeste di neve e la neve cadde su San Francisco e Los Angeles. Eravamo tutti avviliti. Desiderammo poter trovarci ancora a New Orleans con Ed Dunkel. Marylou guidava; Dean dormiva. Lei guidava con una mano sul volante e con l'altra mi cercava sul sedile posteriore. Mi fece tubando delle promesse per San Francisco. Avvilito, le balbettai qualcosa di sconnesso in risposta. Alle dieci presi il volante – Dean dormí per varie ore – e guidai per parecchie monotone centinaia di chilometri attraverso le nevi interrotte da cespugli e le colline aspre coperte di salvia. Passavano cow-boy con berretti da baseball e paraorecchi, in cerca di vacche. Piccole case accoglienti con i comignoli fumanti apparivano a intervalli lungo la strada. Io desiderai poterci entrare a mangiare del latte scremato e fagioli di fronte al camino.

A Sonora mi servii nuovamente gratis di pane e formaggio mentre il proprietario chiacchierava con un grosso allevatore all'altro lato del negozio. Dean lanciò un urrà quando lo seppe; era affamato. Non potevamo permetterci di spendere un centesimo per mangiare. « Sí, sí » disse Dean, osservando i proprietari di bestiame passeggiare su e giú per il corso di Sonora, « ognuno di loro è un fottuto milionario, con migliaia di capi di bestiame, dipendenti, palazzi, soldi in banca. Se io abitassi da queste parti mi metterei a fare il pazzo in mezzo alla salvia, mi cambierei in lepre, leccherei i rami, andrei in cerca di belle contadinotte... eh-eh-eh-eh! Accidenti! Bum! » Si diede dei pugni. « Sí! Proprio cosí! Oh, povero me! » Non sapevamo nemmeno piú di che cosa stesse parlando. Si mise al volante e volò per il resto del percorso attraverso lo stato del Texas, circa ottocento chilometri, dritto fino a El Paso, arrivando al tramonto e senza fermarsi, eccetto una volta quando si levò tutto quel che aveva indosso, vicino a Ozona, e tutto nudo corse urlando e saltando nella salvia. Le automobili sfrecciavano senza vederlo. Lui tornò alla macchina correndo come un matto e continuò a guidare. « Su Sal, su Marylou, voglio che anche voi due facciate come me, che vi liberiate di tutti quei vestiti... davvero a che servono i vestiti? Ora è ben questo che dico... e mettete al sole con me il vostro bel pancino. Coraggio! » Stavamo andando a ovest verso il sole; esso ci inondava attraverso il parabrezza. « Scoprite la pancia mentre gli andiamo dritti incontro. » Marylou obbedí; senza tante storie, io feci lo stesso. Sedemmo tutti e tre sul sedile davanti. Marylou tirò fuori della crema di bellezza e tanto per ridere ce la spalmò addosso. Ogni tanto superavamo in volata qualche grosso autocarro; il guidatore nella cabina alta aveva la fuggevole visione di una bellezza bionda tutta nuda seduta tra due uomini pure nudi: li si poteva veder sbandare per un momento mentre svanivano nel nostro finestrino posteriore. Grandi pianure di salvia, ora senza neve, si stendevano ai lati. Poco dopo arrivammo nella zona del Pecos Canyon dalle rocce arancione. Distanze azzurre si aprivano su nel cielo. Uscimmo dalla macchina per esaminare una vecchia rovina indiana. Dean fece questo nudo come un verme. Marylou e io ci coprimmo con il soprabito. Gironzolammo in mezzo alle vecchie pietre, con urli e strilli. Alcuni turisti ebbero la visione di Dean tutto nudo nella pianura ma non potevano credere ai loro occhi e tirarono via stralunati.

Dean e Marylou parcheggiarono la macchina vicino a Van Horn e fecero all'amore mentre io dormivo. Mi svegliai proprio mentre stavamo scendendo nella meravigliosa vallata del Rio Grande attraverso Clint e Ysleta fino a El Paso. Marylou saltò sul sedile posteriore, io saltai in quello davanti, e continuammo ad andare. Alla nostra sinistra di là dai vasti spazi del Rio Grande si levavano i monti color rosso moresco del confine messicano, la regione del Tarahumare; il crepuscolo dolce giocava sui picchi. Proprio davanti a noi giacevano le luci lontane di El Paso e di Juárez, sprofondate in una immensa vallata cosí grande che si potevano vedere diversi treni sbuffanti contemporaneamente in direzioni diverse, come se fosse la Vallata del Mondo. Vi scendemmo.

« Clint, Texas! » disse Dean. Aveva messo la radio sulla stazione di Clint. Ogni quarto d'ora suonavano un disco; il resto del tempo trasmettevano pubblicità su un corso per corrispondenza di scuola media. « Questo programma è trasmesso in tutto il West » gridò Dean eccitato. « Caro mio, io non facevo altro che sentirlo giorno e notte al riformatorio e in prigione. Di solito, ci si iscriveva tutti. Se si supera l'esame, ti danno un diploma di scuola media per posta, un facsimile perlomeno. Tutti i giovani teppisti del West, non importa chi, prima o dopo si iscrivono a questo corso; è tutto quel che sentono; si sintonizza la radio su Sterling, nel Colorado, Lusk, nel Wyoming, non importa dove, e si prende Clint, nel Texas. E la musica è sempre fatta di canzoni di cow-boy e canzoni messicane, decisamente il peggior programma di tutta la storia del paese e nessuno può farci niente. Hanno una formidabile potenza d'irradiamento; imperversano per tutta la regione.» Vedemmo la lunga antenna dietro le baracche di Clint. « Oh, amico, le cose che potrei raccontarti! » gridò Dean, quasi piangendo. Con gli occhi puntati su Frisco e la Costa, entrammo a El Paso che faceva buio, senza un quattrino. Dovevamo assolutamente procurarci i soldi per la benzina altrimenti non ce l'avremmo fatta mai piú.

Tentammo di tutto. Andammo a chiedere all'agenzia di viaggi, ma nessuno partiva per il West quella notte. L'agenzia è il posto dove ci si rivolge per quei viaggi nei quali si fa a metà per la benzina, cosa legale nel West. Tipi loschi aspettavano con valigie logore. Andammo alla stazione degli autobus della Greyhound per cercar di convincere qualcuno a pagare noi invece di prendere un autobus per la Costa. Eravamo troppo timidi per avvicinare qualcuno. Vagammo qua e là tristemente. Fuori faceva freddo. Un universitario stava sudando alla vista della procace Marylou e cercava di far finta di niente. Dean e io ci consultammo ma decidemmo che non eravamo ruffiani. Tutto a un tratto un ragazzino matto e scemo, uscito fresco fresco dal riformatorio, si appiccicò a noi, e lui e Dean corsero via a bere una birra. « Andiamo, amico, andiamo a spaccar la testa a qualcuno e a prenderci i suoi soldi. »

« Mi piaci proprio, fratello! » urlò Dean. Schizzarono via. Per un momento mi preoccupai; ma Dean voleva soltanto esplorare le strade di El Paso in compagnia del ragazzino e divertirsi un po'. Marylou e io aspettammo in macchina. Lei mi avvolse con le braccia.

Dissi: « Accidenti, Lou, aspetta che arriviamo a Frisco ».

« Non m'importa. Tanto Dean mi lascerà lo stesso. »

« Quando torni a Denver? »

« Non so. Non m'importa quel che farò. Posso tornare nell'Est con te? »

« Dovremo procurarci dei soldi a Frisco. »

« Io so un posto dove potrai trovar lavoro in una rosticceria alla cassa, e io farò la cameriera. Conosco un albergo dove possiamo stare a credito. Non ci lasceremo. Gesú, che tristezza. »

« Perché sei triste, bambina? »

« Sono triste per tutto. Oh, accidenti, vorrei che Dean non fosse cosí matto adesso. » Dean tornò tutto scodinzolante, ridacchiando, e saltò in macchina.

« Che mattacchione era quello, uh! Quanto mi piaceva! Un tempo ne conoscevo a migliaia di ragazzi come quello, son tutti gli stessi, il loro cervello lavora come se fossero tutti identici meccanismi a orologeria, oh, le infinite ramificazioni, non c'è tempo, non c'è tempo... » E lanciò la macchina come un razzo, curvo sul volante, e uscí strepitando da El Paso. « Dovremo proprio prender su qualche autostoppista. Sono matematicamente sicuro che ne troveremo. Hop! Hop! Ecco che andiamo. Attento! » gridò a un motociclista, e gli girò intorno, e schivò un autocarro e superò d'un balzo i confini della città. Di là dal fiume c'erano le luci ingioiellate di Juárez e la triste arida terra e le luci come gemme di Chihuahua. Marylou stava osservando Dean come l'aveva osservato per tutto il paese avanti e indietro, con la coda dell'occhio: l'aria cupa, triste, quasi volesse tagliargli la testa e nascondersela nello spogliatoio, un invidioso e dolente amore per lui che era cosí straordinariamente se stesso, tutto furia e sdegno e incoerenza, un sorriso di tenero affetto ma anche di sinistra invidia che mi faceva temere per lei, un amore che lei sapeva che non le avrebbe dato mai frutti perché quando lei guardava la sua faccia ossuta dalla mascella inerte con quell'autosufficienza e quella noncuranza di maschio capiva ch'era troppo pazzo. Dean era convinto che Marylou fosse una sgualdrina; mi confidò che era una bugiarda patologica. Ma quando lei lo guardava a quel modo c'era anche amore; e appena Dean se ne accorgeva si voltava sempre con quel suo falso largo sorriso propiziatorio, con le ciglia palpitanti e i denti bianchi come perle, mentre un momento prima era solo stato nel sogno della sua eternità. Allora Marylou e io ridevamo entrambi... e Dean non mostrava segni di sconfitta, solo un melenso ghigno felice che ci diceva: "Non ci divertiamo un mondo, *comunque?*". E questo era quanto.

Fuori di El Paso, nel buio, vedemmo una piccola figura rannicchiata col pollice proteso in fuori. Era il nostro atteso autostoppista. Frenammo e facemmo marcia indietro fino a lui. « Quanti soldi hai, ragazzo? » Il ragazzo non aveva soldi; aveva circa diciassette anni, era pallido, strano, con una mano storpia non sviluppata ed era senza valigia. « Non è *caro*? » disse Dean, volgendosi a me con serio stupore. « Sali pure, amico, ti porteremo con noi... » Il ragazzo afferrò a volo l'occasione. Disse che aveva una zia a Tulare, in California, la quale era proprietaria di un negozio di alimentari e appena ci fossimo arrivati si sarebbe fatto dare dei soldi per noi. Dean si rotolò sul pavimento per le risate, la storia era tanto simile a quella del ragazzo nella Carolina del Nord. « Sí! Sí » urlò. « Abbiamo *tutti* delle zie; be', andiamo, andiamo a vedere le zie e gli zii e i negozi di alimentari fino IN FONDO a questa strada!! » E cosí avevamo un nuovo passeggero, ed egli si dimostrò anche un caro ragazzo. Non diceva una parola, ci stava a sentire. Un momento dopo la chiacchierata di Dean probabilmente s'era convinto di essere capitato in una macchina di pazzi. Disse che faceva l'autostop dall'Alabama all'Oregon, dove era la sua casa. Gli chiedemmo che cosa facesse nell'Alabama.

« Sono stato a trovare mio zio; lui aveva detto che mi avrebbe dato lavoro in una segheria. Il lavoro s'è perso per strada, cosí sto tornando a casa. »

« Tornando a casa » ripeté Dean « tornando a casa, sí, capisco, ti ci porteremo noi a casa, fino a Frisco almeno » Però non avevamo un soldo. Poi mi venne in mente che avrei potuto farmi prestare cinque dollari dal mio vecchio amico Hal Hingham a Tucson nell'Arizona. Immediatamente Dean disse che tutto era sistemato e che saremmo andati a Tucson. E cosí facemmo.

Oltrepassammo Las Cruces, nel New Mexico, durante la notte e arrivammo nell'Arizona all'alba. Io mi svegliai da un sonno profondo per trovare che tutti dormivano come agnellini e la macchina era parcheggiata Dio sa dove, poiché non riuscivo a vedere atraverso i finestrini appannati. Uscii dalla macchina. Eravamo sulle montagne: c'era un'aurora da paradiso, fresche arie color porpora, falde rosse di montagne, pascoli color smeraldo nelle vallate, rugiada, e nuvole d'oro cangiante; sul terreno buche di marmotte, cactus, mesquite. Era il mio turno al volante. Spinsi da parte Dean e il ragazzo e scesi giú per la montagna col piede sulla frizione e a motore spento per risparmiare benzina. A questo modo passai da Benson, nell'Arizona. Mi venne in mente che avevo un orologio da tasca che Rocco mi aveva appena dato come regalo per il mio compleanno, un orologio che valeva quattro dollari. Al distributore di benzina chiesi all'uomo se conosceva qualche agenzia di pegni a Benson. Si trovava proprio alla porta accanto a quella della stazione. Bussai, qualcuno si alzò dal letto, e in un minuto ebbi un dollaro per l'orologio. Lo spesi tutto in benzina. Adesso ne avevamo a sufficienza per arrivare a Tucson. Ma tutto a un tratto apparve un robusto poliziotto a cavallo armato di pistola, proprio mentre mi accingevo a mettermi in moto, il quale mi chiese di mostrargli la patente. « Ce l'ha quello nel sedile posteriore » risposi. Dean e Marylou dormivano insieme sotto la coperta. Il poliziotto ordinò a Dean di uscire. Improvvisamente tirò fuori la pistola e gridò: « Mani in alto! ».

« Signora guardia » sentii Dean che diceva col suo tono piú untuoso e ridicolo « signora guardia, mi stavo solo abbottonando le mutande. » Persino il poliziotto quasi sorrise. Dean venne fuori, infangato, stracciato, in maglietta, strofinandosi il ventre, imprecando, cercando dappertutto la sua patente e i documenti per la macchina. Il poliziotto frugò nel nostro portabagagli. Tutte le carte erano a posto.

« Solo un controllo » disse con un largo sorriso. « Adesso potete andare. Benson non è male come paese, in realtà; se vi fermate per la colazione, vi ci potreste divertire. »

« Sí sí sí » disse Dean, senza dargli retta per niente, e partí. Respirammo tutti di sollievo. La polizia è sospettosa quando arrivano comitive di giovanotti senza un centesimo in tasca con macchine nuove e devono impegnare gli orologi. « Oh, s'impicciano sempre di tutto » disse Dean « ma questo poliziotto qua era molto meglio di quel cane della Virginia. Cercano di far degli arresti da prima pagina; credono che in ogni automobile che passa ci sia qualche grossa banda di Chicago. Non hanno nient'altro da fare. » Proseguimmo verso Tucson.

Tucson è situata in una bella regione con mesquite che sorgono dal letto del fiume, sovrastata dalla catena nevosa della Catalina. La città era una grossa impresa di costruzioni; gente di passaggio, scatenata, ambiziosa, indaffarata, allegra; file di bucato, rimorchi; vie del centro sventolanti di bandiere; in complesso molto californiana. La strada di Fort Lowell, dove abitava Hingham, si snodava lungo incantevoli alberi sul corso del fiume in mezzo al deserto piatto. In cortile vedemmo proprio lui, Hingham, immerso in meditazione. Faceva lo scrittore; era venuto in Arizona per lavorare in pace al suo libro. Era un tipo satirico alto, dinoccolato e timido che ti borbottava qualcosa con la testa voltata da un'altra parte e diceva sempre cose buffe. Sua moglie e il bambino abitavano con lui nella casa di mattoni cotti al sole, una piccola casa costruita dal suo padrigno indiano. Sua madre viveva dall'altra parte del cortile in un'altra casa per conto suo. Era un'americana eccitata amante delle ceramiche, delle perline e dei libri. Hingham aveva sentito parlare di Dean nelle lettere ricevute da New York. Noi gli piombammo addosso come una nuvola, tutti affamati, persino Alfredo, l'autostoppista storpio. Hingham indossava un vecchio golf e fumava la pipa nell'aria pungente del deserto. Sua madre si presentò e ci invitò a mangiare nella sua cucina. Cucinammo vermicelli in una grossa pentola.

Poi andammo tutti con la macchina a una rivendita di liquori all'incrocio, dove Hingham incassò un assegno di cinque dollari e mi diede il denaro.

Ci fu un frettoloso addio. « È stato proprio un piacere » disse Hingham, guardando da un'altra parte. Dietro alcuni alberi, attraverso la sabbia, la grande insegna al neon di una casa cantoniera splendeva rossa. Hingham ci andava sempre a bere una birra quand'era stanco di scrivere. Si sentiva molto solo, voleva tornare a New York. Fu triste vedere la sua alta figura allontanarsi nel buio mentre andavamo via, proprio come le altre figure a New York e a New Orleans: stanno ritte e incerte sotto il cielo immenso, e tutto quel che è attorno a loro sprofonda. Dove andare? Che fare? A che scopo?... Dormire. Ma quella sciocca comitiva correva sempre avanti.

9

Fuori Tucson vedemmo un altro autostoppista sulla strada buia. Costui era uno dell'Oklahoma che veniva da Bakersfield, in California; ci raccontò la sua storia. « *Accidentaccio*, ho lasciato Bakersfield con la macchina dell'agenzia di viaggi e ho dimenticato la mia chi-tarra nel bagaglio di un'altra automobile e quelli non si sono piú fatti vivi... la chi-tarra e il costume da cow-boy; vedete, io sono un mu-sicista, ero diretto in Arizona per suonare con i Segebrush Boys di Johnny Mackaw. Be', diavolo, eccomi qua in Arizona, senza un soldo, e m'hanno rubato la chi-tarra. Voi riportatemi indietro fino a Bakersfield e io mi farò dare i soldi da mio fratello. Quanto volete? » Noi volevamo solo tanta benzina da raggiungere Frisco da Bekersfield, tre dollari circa. Adesso eravamo in cinque nella macchina. « 'Sera, signora » disse a Marylou, toccandosi il cappello, e via ce ne andammo.

Nel cuor della notte vedemmo dall'alto le luci di Palm Springs da una strada di montagna. All'alba, sui passi nevosi, arrancammo verso la città di Mojave, che è il punto d'ingresso al grande Passo di Tehachapi. Il ragazzo dell'Oklahoma si svegliò e ci raccontò storielle buffe; il piccolo dolce Alfredo sedeva sorridendo. L'altro ci disse che conosceva uno che aveva perdonato sua moglie per avergli sparato e l'aveva fatta uscire di prigione, solo per farsi sparare una seconda volta. Quando ce lo raccontò stavamo davanti alla prigione femminile. Sul davanti vedemmo il Passo di Tehachapi che cominciava a salire. Dean prese il volante e ci portò dritti fino alla cima del mondo. Sorpassammo una grande fumosa fabbrica di cemento nel canyon. Poi iniziò la discesa. Dean spense il motore, schiacciò la frizione, e superò ogni curva a gomito e sorpassò altre macchine e fece tutto il fattibile senza l'intervento dell'acceleratore. Io mi tenevo ben aggrappato. A volte la strada saliva di nuovo per un tratto; lui semplicemente superava le macchine senza far rumore, di puro slancio. Conosceva ogni ritmo e ogni mossa di un valico di prima categoria. Quand'era ora di girare a U a sinistra intorno a un basso muretto di pietra che stava a precipizio sul fondo del mondo, lui semplicemente poggiava tutto a sinistra, con le mani sul volante, le braccia rigide, e se la cavava cosí; e quando la svolta serpeggiava di nuovo a destra, questa volta con uno strapiombo alla nostra sinistra, lui poggiava tutto a destra, facendo inclinare Marylou e me insieme a lui. A questo modo ci librammo e sprofondammo in basso alla Valle di San Joacquin. Giaceva allungata un chilometro e mezzo piú giú, praticamente il pavimento della California, verde e incantevole dal nostro podio aereo. Facemmo cinquanta chilometri senza consumare benzina.

A un tratto ci sentimmo tutti eccitati. Dean voleva raccontarmi tutto ciò che sapeva su Bakersfield mentre raggiungevamo la periferia della città. Mi fece vedere case con appartamenti d'affitto dove aveva abitato, alberghi sulla ferrovia, sale da biliardo, trattorie, binari secondari dove saltava giú dalla locomotiva per prender uva, ristoranti cinesi nei quali aveva mangiato, panchine di giardini dove aveva incontrato le ragazze, e certi posti in cui non aveva fatto nient'altro che sedere in attesa. La California' di Dean: selvaggia, sudata, importante, la terra degli amanti solitari e in esilio ed eccentrici venuti a riunirsi come uccelli, e la regione dove tutti in certo modo sembrano attori cinematografici in ribasso, belli e decadenti. « Caro mio, ho passato ore proprio su quella sedia davanti a quella drogheria! » Ricordava tutto: ogni singola partita a pinnacolo, ogni donna, ogni triste nottata. E a un tratto passammo davanti al posto nello scalo ferroviario, dove Terry e io ci eravamo seduti sotto la luna, a bere vino, su quelle cassette come vagabondi, nell'ottobre del 1947, e cercai di raccontarglielo. Ma lui era troppo eccitato. « È qui che Dunkel e io abbiamo passato una mattinata intera a bere birra, cercando di fare all'amore con una piccola cameriera veramente coi fiocchi, una di Watsonville... no, di Tracy, sí, di Tracy... e si chiamava Esmeralda... oh, mio caro, qualcosa del genere. » Marylou stava progettando quel che doveva fare appena fosse arrivata a Frisco. Alfred disse che sua zia gli avrebbe dato denaro in abbondanza su a Tulare. Il ragazzo dell'Oklahoma ci portò da suo fratello negli spiazzi alla periferia.

A mezzogiorno ci fermammo davanti a una baracchetta coperta di rose, e il ragazzo andò dentro e parlò con certe donne. Aspettammo un quarto d'ora. « Comincio a pensare che questo figliolo non ha piú soldi di me » disse Dean. « Ci stiamo cacciando sempre piú nei guai! Probabilmente in famiglia non ci sarà nessuno che gli dia un centesimo dopo quella sciocca scappatella. » Il ragazzo dell'Oklahoma uscí mogio mogio e ci fece andare in città.

« Accidentaccio, vorrei poter trovare mio fratello. » Fece indagini. Probabilmente si sentiva nostro prigioniero. Alla fine ci recammo in un grande panificio, e il ragazzo ne uscí con suo fratello, che indossava una tuta ed era evidentemente il meccanico dell'autocarro lí dentro. Parlò qualche minuto con suo fratello. Noi aspettavamo in macchina. L'altro stava raccontando a tutti i parenti le sue avventure e della perdita della chitarra. Però ottenne il denaro, e lo diede a noi, e cosí fummo tutti sistemati per San Francisco. Lo ringraziammo e partimmo.

La fermata seguente fu a Tulare. Rombammo su per la vallata. Io stavo disteso sul sedile posteriore, esausto, del tutto fuori combattimento, e a un certo punto del pomeriggio, mentre sonnecchiavo, la Hudson infangata passò veloce accanto alle tende fuori Sabinal dove avevo vissuto e amato e lavorato nel mio fantomatico passato. Dean stava rigidamente curvo sul volante, picchiando sui raggi. Io dormivo quando finalmente arrivammo a Tulare; mi svegliai per sentire i pazzeschi particolari. « Sal, svegliati! Alfred ha trovato il negozio di alimentari di sua zia, ma sai cos'è successo? Sua zia ha sparato al marito ed è finita in galera. Il negozio è chiuso. Non abbiamo preso un centesimo. Pensa un po'! Le cose che succedono; quello dell'Oklahoma ci ha raccontato la stessa identica storia, i gu-ai da tutte le parti, le complicazioni degli avvenimenti... ih, accidenti! » Alfred si stava mangiando le unghie Dovevamo lasciare la strada dell'Oregon a Madera, e là facemmo gli addii al piccolo Alfred. Gli augurammo buona fortuna e un felice viaggio per l'Oregon. Lui disse che era stato il miglior passaggio che gli fosse mai capitato.

Pareva questione di minuti quando cominciammo ad andare sulle colline prima di Oakland e improvvisamente raggiungemmo un'altura e vedemmo stesa davanti a noi la favolosa bianca città di San Francisco sui suoi undici mistici colli col Pacifico blu e più in là il suo avanzante muro di nebbia da campo di patate, e fumo e splender d'oro nel tardo pomeriggio del tempo. « Guardate che bellezza! » urlò Dean. « Uauh! Ce l'abbiamo fatta! La benzina giusta giusta! Datemi dell'acqua! Non più terra! Non possiamo andare più lontano di cosí perché non c'è altra terra! Adesso, Marylou, tesoro, tu e Sal ve ne andate immediatamente in un albergo e aspettate che mi metta in contatto con voi domattina appena avrò preso accordi definitivi con Camille e avrò visto il francese per quel mio orologio di quand'ero nelle ferrovie e tu e Sal prima di tutto comprate in città un giornale per le offerte di impiego e i progetti di lavoro. » Ed entrò nell'Oakland Bay Bridge e da questo fece il suo ingresso in città. I palazzi degli uffici del centro risplendevano di luci; vi facevano pensare a Sam Spade. Quando uscimmo dalla macchina in O'Farrell Street e annusammo e ci stiracchiammo, fu come scendere a terra dopo un lungo viaggio sul mare; la strada in discesa ci rotolava sotto i piedi; segreti aromi di *chop sueys*[1] dal quartiere cinese di

[1] Piatto cinese fatto di germogli di fagioli, cipolle, funghi, fettine di carne fritta e insaporita con olio di sesamo. (*N. d. T.*)

Frisco fluttuavano nell'aria. Scendemmo dalla macchina tutte le nostre cose e le ammucchiammo sul marciapiede. Tutto a un tratto Dean ci stava dicendo addio. Scoppiava dalla voglia di rivedere Camille e sapere che cos'era successo. Marylou e io restammo come allocchi nella strada e lo guardammo ripartire. « Lo vedi che bastardo che è? » disse Marylou. « Dean ti pianterà sempre in asso tutte le volte che gli farà comodo. »

« Lo so » dissi, e guardai indietro verso l'Est e sospirai. Eravamo senza soldi. Dean non ne aveva fatto cenno. « Dove andremo a stare? » Vagammo qua e là, portandoci i nostri fagotti di stracci nelle strette strade romantiche. Tutti avevano l'aspetto di comparse del cinema fallite, di stelline appassite; controfigure disincantate, corridori di microvetture, personaggi patetici della California con la loro tristezza fine-continente, prestanti, decadenti uomini alla Casanova, bionde da autostello con gli occhi sporgenti, teppisti, ruffiani, sgualdrine, masseur, fattorini: un'accolta di relitti, e come può uno guadagnarsi da vivere in mezzo a una banda del genere?

10

Eppure Marylou era stata in contatto con questa gente – non lontano da Tenderloin – e un impiegato d'albergo dalla faccia grigia ci fece avere una stanza a credito. Quello fu il primo passo. Poi dovevamo mangiare, e non lo facemmo prima della mezzanotte, quando trovammo una cantante di locale notturno che nella sua camera d'albergo capovolse un ferro da stiro su una gruccia per abiti nel cestino della carta straccia e ci scaldò una lattina di carne di maiale con fagioli. Io guardai fuori dalla finestra le insegne al neon ammiccanti e mi dissi: "Dov'è Dean e perché non si preoccupa del nostro benessere?". Quell'anno persi fiducia in lui. Rimasi a San Francisco una settimana e passai il periodo più scalognato della vita. Marylou e io camminammo per chilometri qua e là, in cerca di denaro per mangiare. Andammo persino a trovare certi marinai ubriachi in una locanda di Mission Street che lei conosceva; ci offersero del whisky.

Abitammo insieme all'albergo per due giorni. Io mi rendevo conto, adesso che Dean era uscito dalla scena, che Marylou non aveva un vero interesse per me; si sforzava di raggiungere Dean attraverso me, l'amico suo. Facemmo litigate nella stanza. Trascorremmo anche nottate intere a letto e io le descrissi i miei sogni. Le raccontai del gran serpente del mondo che stava raggomitolato nella terra come un verme in una mela e un giorno o l'altro, uscendo, avrebbe sollevato una collina dopo di che questa sarebbe stata nota come la Collina del Serpente ed esso si sarebbe srotolato sulla pianura, lungo centinaia di chilometri e avrebbe divorato ogni cosa sul suo passaggio. Le dissi che questo serpente era Satana. « Che succederà? » strillò lei; e intanto si teneva stretta a me.

Un santo chiamato dottor Sax lo distruggerà con erbe segrete che in questo preciso momento egli sta preparando nella sua capanna sotterranea in qualche parte dell'America. Può anche darsi che si scopra che il serpente sia semplicemente un ricettacolo di colombe; quando il serpente morrà grandi nuvole di colombe color grigio sperma svolazzeranno fuori e apporteranno novelle di pace in tutto il mondo. » Ero fuori di me per la fame e l'amarezza.

Una sera Marylou scomparve con la proprietaria di un night-club. Io l'aspettavo perché avevo appuntamento con lei in un portone dall'altra parte della strada, all'angolo fra la Larkin e la Geary, affamato, quando lei uscí a un tratto dall'ingresso dell'elegante palazzo insieme con la sua amica, la proprietaria del night-club, e un vecchio uomo viscido col portafogli gonfio. In principio lei era entrata solo per vedere la sua amica. Capii che razza di sgualdrina fosse. Aveva paura di farmi cenno, nonostante mi avesse visto dentro quel portone. Andò avanti a piccoli passi ed entrò nella Cadillac e s'allontanarono. Adesso non avevo nessuno, niente.

Camminai qua e là, raccogliendo cicche dalla strada. Passai davanti a una friggitoria di pesce e patatine in Market Street, e a un tratto la donna che c'era dentro mi diede un'occhiata terrorizzata mentre passavo; era la proprietaria, evidentemente pensò che stavo per entrare là dentro con una pistola a rapinare il locale. Io andai avanti di qualche passo. A un tratto mi venne in mente che costei era la madre mia di circa duecento anni prima in Inghilterra, e io un suo figlio brigante della strada, tornato dalla galera per perseguitare il suo onesto lavoro nella friggitoria. Mi fermai, ghiacciato dall'estasi sul marciapiede. Guardai lungo Market Street. Non sapevo se fosse quella oppure Canal Street a New Orleans: portava verso l'acqua, l'acqua ambigua, universale, proprio come la 42ma Strada, a New York, conduce verso l'acqua, e non si sa mai dove ci si trovi. Pensai al fantasma di Ed Dunkel in Time Square. Deliravo. Volevo tornare indietro e ammiccare alla mia strana madre dickensiana nel locale della friggitoria. Rabbrividii tutto da capo a piedi. Mi pareva di avere una moltitudine di ricordi che risalivano al 1750 in Inghilterra e di trovarmi ora a San Francisco solo in un'altra vita e in un altro corpo. "No" pareva che quella donna mi dicesse con i suoi occhi terrorizzati "non tornare qui ad affliggere la tua onesta, laboriosa madre. Tu non sei piú un figlio per me... e lo stesso è di tuo padre, il mio primo marito. Questo greco, qui, si è gentilmente mosso a compassione di me." (Il proprietario era un greco dalle braccia pelose.) "Tu sei un buono a nulla, portato all'ubriachezza e alle risse e per concludere pronto a derubarmi in modo infame dei frutti delle mie umili fatiche nella friggitoria. O figlio! Ti sei mai messo in ginocchio a pregare per ottenere la remissione di tutti i tuoi peccati e delle tue mascalzonate? Figlio perduto! Allontanati! Non perseguitar l'anima mia; ho fatto bene a dimenticarti. Non riaprire le vecchie ferite, fa' come se non fossi mai tornato e non mi avessi mai guardata negli occhi... per vedere la mia travagliata umiltà, i miei pochi soldi sudati... bramoso di afferrare, pronto a rubare, apportatore di sventure, non amato, figlio della mia carne dalla mente malvagia. Figlio! Figlio!" Questo mi fece pensare alla visione di Big Pop a Graetna col vecchio Bull. E solo per un attimo avevo raggiunto quell'apice d'estasi che avevo sempre desiderato raggiungere, che era il completo passaggio attraverso il tempo cronologico nelle ombre senza tempo, e stupore nella desolazione del regno mortale, e la sensazione della morte che mi batteva ai calcagni perché andassi avanti, con un fantasma che stava alle calcagna di se stesso, e io che correvo verso un trampolino dal quale si tuffavano tutti gli angeli per volare nel vuoto sacro della vacuità non creata, le potenti e inconcepibili radiazioni che splendono nella luminosa Essenza Mentale, innumerevoli regioni del loto che sbocciavano in un magico sciamare di falene nel cielo. Potevo sentire un indescrivibile rombo ribollente che non era nelle mie orecchie ma dovunque e non aveva niente a che fare col suono. Capii che ero morto ed ero tornato alla luce innumerevoli volte ma solo non me lo ricordavo, soprattutto perché i passaggi dalla vita alla morte e di nuovo alla vita sono cosí fantomaticamente facili, una magica azione per nulla, come cadere addormentati e svegliarsi di nuovo un milione di volte, la pura casualità e la profonda ignoranza di ciò. Capii che era solo a causa della stabilità della Mente intrinseca che aveva luogo questo lieve ondeggiare del nascere e del morire, come l'azione del vento su una distesa di acqua pura, serena, simile a uno specchio. Provavo un senso di benedizione dolce, travolgente, come un grosso getto di eroina nella vena principale; come un sorso di vino nel tardo pomeriggio che ti fa rabbrividire; i piedi mi formicolavano. Mi pareva che sarei morto da un momento all'altro. Ma non morii, e camminai per sei chilometri e raccolsi dieci lunghe cicche e me le portai nella stanza all'albergo di Marylou e ne versai il tabacco nella mia vecchia pipa e l'accesi. Ero troppo giovane per capire quel che era avvenuto. Alla finestra annusai il profumo di tutti i cibi di San Francisco. C'erano rivendite di frutti di mare laggiú, dove i panini erano caldi, e persino i cestini erano abbastanza buoni da mangiare; dove gli stessi menu erano morbidi e succulenti come se fossero stati immersi in brodi caldi e arrostiti per seccarli e fossero anch'essi buoni da mangiare. Mostratemi solo il marchio a forma di sgombro su un menu di frutti di mare e io lo mangerò; lasciatemi sentire l'odore del burro fuso e delle branche d'aragosta.

C'erano locali specializzati nel roast-beef *au jus*, spesso e rosso, o nel pollo arrosto spruzzato col vino. C'erano posti dove le polpette sfrigolavano sulle graticole e il caffè costava solo un nichelino. E, oh, quell'aroma di *chow mein*[1] fritto in padella che alitava dal quartiere cinese fin dentro la mia stanza, e gareggiava con le salse di spaghetti di North Beach, i granchiolini dal guscio tenero del Molo del Pescatore... anzi, le costate di Fillmore che giravano sugli spiedi! Aggiungeteci i peperoni con fagioli di Market Street, belli caldi, e le patatine fritte a striscioline nella notte vinosa sull'Embarcadero, e telline al vapore dall'altra parte della baia di Sausalito, e questo è il mio sospiroso sogno di San Francisco. Aggiungeteci la nebbia, cruda nebbia apportatrice di fame, e il vibrare del neon nella notte dolce, il ticchettare di belle donne in tacchi alti, bianche colombe nella vetrina di una drogheria cinese...

11

Fu in queste condizioni che mi trovò Dean quando decise finalmente che valeva la pena di salvarmi. Mi portò a casa nell'appartamento di Camille. «Dov'è Marylou, amico?»
«Quella sgualdrina è scappata.» Camille fu un sollievo dopo Marylou; una donna giovane e gentile, bene educata, e inoltre era consapevole del fatto che i diciotto dollari mandatile da Dean erano miei. Ma: "Oh, dove te ne andasti, dolce Marylou?". Mi riposai alcuni giorni in casa di Camille. Dalla finestra della stanza di soggiorno dell'edificio di legno di Liberty Street si poteva vedere tutta San Francisco ardere rossa e verde nella notte piovosa. Dean fece la cosa piú buffa della sua carriera quei pochi giorni che fui lí. Ottenne un impiego per mostrare nelle cucine delle case un nuovo genere di pentola a pressione. Il rappresentante gli diede pile di fasci-

---

[1] Piatto cinese a base di carne, verdure e pasta del tipo "vermicelli". (*N. d. T.*)

coli e di campioni. Il primo giorno Dean fu un uragano di energie. Io andai con lui in macchina per tutta la città mentre prendeva appuntamenti. L'idea era di venir formalmente invitati a una cena e quindi saltar su e iniziare la dimostrazione della pentola a pressione. « Caro mio » urlava Dean tutto eccitato « questo è ancora piú pazzesco di quella volta che lavorai per Sinah. Sinah vendeva enciclopedie a Oakland. Nessuno riusciva a liberarsene. Faceva lunghi discorsi, saltava su e giú, rideva, gridava. Una volta facemmo irruzione in una casa di gente dell'Oklahoma dove tutti stavano preparandosi ad andare a un funerale. Sinah si mise in ginocchio e pregò per l'accoglimento nei cieli dell'anima del defunto. Tutti i familiari si misero a piangere. Vendette una partita intera di enciclopedie. Era il piú matto tipo di questo mondo. Chissà dov'è. Di solito ci mettevamo alle costole delle figlie giovani e carine e le palpavamo in cucina. Ogni pomeriggio c'era una massaia proprio coi fiocchi nella sua cucinetta... e io, con le braccia intorno a lei, a dimostrare. Ah! Ehmm! Uauh! »

« Continua cosí, Dean » dissi. « Forse un giorno ti faranno sindaco di San Francisco. » S'era preparato tutta la farsa della pentola; la sera si allenava con Camille e me.

Una mattina si fermò, nudo, a guardare tutta San Francisco dalla finestra mentre il sole sorgeva. Non era escluso che un giorno o l'altro diventasse il sindaco pagano di San Francisco. Ma le sue energie si esaurirono. Un pomeriggio piovoso venne da noi il rappresentante per vedere che cosa stava combinando Dean. Lui era steso sul divano. « Ha cercato di vendere queste robe? »

« No » rispose Dean. « Ho un altro lavoro in vista. »

« Be', che ha intenzione di fare con tutti questi campioni? »

« Non lo so. » In un silenzio di tomba il rappresentante raccolse le sue tristi pentole e se ne andò. Io ero stanco e stufo di tutto e altrettanto lo era Dean.

Ma una notte tornammo improvvisamente a fare i pazzi insieme; andammo a sentire Slim Gaillard in un piccolo locale notturno di Frisco. Slim Gaillard è un negro alto

e magro con grandi occhi tristi che dice di continuo:
"Bene-oruni" e "Che ne direste di un po' di whisky-
oruni". A Frisco grandi folle scalmanate di giovani in-
tellettualoidi gli si mettevano ai piedi e lo ascoltavano
suonare il piano, la chitarra e i tamburi bongo. Quando
si scalda si toglie la camicia e la canottiera e ci dà
dentro sul serio. Fa e dice tutto quel che gli salta in
mente. Si mette a cantare *Cement Mixer, Put-ti Put-ti*
e tutto a un tratto rallenta il ritmo e medita sulla batteria con le punte delle dita che battono appena la pelle
del tamburo mentre tutti si curvano in avanti senza fiato
ad ascoltare; voi pensate che questo lui lo faccia per
un minuto, o due, ma egli continua imperterrito, magari per un'ora, facendo un piccolo impercettibile rumore con la punta delle unghie, piú piano e sempre piú
piano finché non riuscite a sentirlo piú e i rumori del
traffico entrano dalla porta aperta. Allora lui si alza lentamente e prende il microfono e dice, lentissimamen-
te: « Gran-oruni... bel-oruni... salve-oruni... whisky-oru-
ni... tutti-oruni... come se la cavano i ragazzi in prima
fila con le loro belle-oruni... oruni... vauti... oruni-ru-
ni... ». Continua a questo modo per un quarto d'ora,
con la voce che si fa sempre piú sommessa fin che
non si riesce piú a sentirla. I suoi grandi occhi tristi
scrutano il pubblico.
Dean sta in piedi, di dietro, e dice: « Dio! Sí! »... e
giunge le mani in preghiera e suda. « Sal, Slim ha la
nozione del tempo, ha la nozione del tempo. » Slim si
siede al piano e batte due tasti, due do, poi altri due,
poi uno, poi due, e tutto a un tratto il grosso corpulento
contrabbassista si scuote da una fantasticheria e si rende
conto che Slim sta suonando *C-Jam Blues* e allora per-
cuote la corda col suo grosso indice e il gran ritmare
sonoro ha inizio e tutti cominciano a dondolarsi e Slim
appare triste come sempre, ed essi fanno del jazz per
mezz'ora, e poi Slim impazzisce e afferra i tamburi e
suona un formidabile rapido ritmo cubano e urla pazze
cose in spagnolo, in arabo, in dialetto peruviano, in
egiziano, in ogni lingua che conosce, ed egli parla innumerevoli linguaggi. Finalmente la seduta è finita; ogni

seduta dura due ore. Slim Gaillard va a mettersi in piedi addossato a un pilastro e guarda con tristezza sopra le teste di tutti mentre la gente gli si avvicina per parlargli. Gli mettono un bicchiere di bourbon fra le mani. « Bourbon-oruni... grazie-ovauti... » Nessuno sa dove sia Slim Gaillard. Dean sognò una volta che stava per partorire un bambino e il suo ventre era blu e tutto gonfio mentre lui giaceva sull'erba di un ospedale della California. Sotto un albero, insieme con un gruppo di negri, sedeva Slim Gaillard. Dean volgeva verso di lui disperati occhi di madre. Slim diceva: "Ecco che ci sei-oruni". Adesso Dean gli stava vicino, stava vicino al suo dio; pensava che Slim fosse Dio; strisciò e s'inchinò davanti a lui e gli chiese di venire con noi. « Bene-oruni » disse Slim; si sarebbe messo con chiunque ma non poteva garantire di stare insieme con voi con lo spirito. Dean si fece dare un tavolo, ordinò da bere, e sedette rigido davanti a Slim. Slim sognava sopra la sua testa. Tutte le volte che Slim diceva: « Oruni » Dean rispondeva: « Sí! ». Io stavo lí seduto con quei due pazzi. Non accadde nulla. Per Slim Gaillard il mondo intero era semplicemente un unico grande oruni.

Quella notte stessa andai a sentire Lampshade tra la Fillmore e la Geary. Lampshade è un grosso uomo di colore che arriva nei locali musicali di Frisco con cappotto, cappello e sciarpa e salta sul palco dell'orchestra e si mette a cantare; le vene gli si gonfiano sulla fronte; lui si getta all'indietro e lancia un gran blues rauco da ogni muscolo dell'anima sua. Mentre canta urla alla gente: « *Non morite per andare in cielo, cominciate dal dottor Pepe e finite col whisky!* ». La sua voce rintrona dappertutto. Fa smorfie, si contorce, fa di tutto. Venne al nostro tavolo e si piegò verso di noi e disse: « Sí! ». E poi uscí barcollando sulla strada per piombare in un altro locale. Poi c'è Connie Jordan, un pazzo che canta e butta in aria le braccia e finisce schizzando sudore su tutti e prendendo a calci il microfono e strillando come una donna; e lo vedete a notte fonda, esausto, ascoltare indiavolate esecuzioni di jazz al Jamson's Nook con quei suoi grossi occhi rotondi e le spalle cascanti, lo sguardo appannato fisso nel vuoto, e un bicchiere davanti. Non ho mai visto musicisti cosí pazzi. Tutti suonavano a Frisco. Era la fine del continente; s'infischiavano di tutto. Dean e io bighellonammo cosí per San Francisco finché non mi arrivò il primo assegno di reduce e io mi preparai a tornare a casa.

Che cosa abbia concluso venendo a Frisco, non so. Camille voleva che me ne andassi; a Dean non importava né una cosa né l'altra. Comprai un filone di pane e della carne e mi feci dieci panini imbottiti per attraversare di nuovo il paese; sarebbero tutti andati a male mio malgrado quando fossi arrivato nel Dakota. L'ultima notte Dean fece il matto e trovò non so dove Marylou nel centro e salimmo in macchina e andammo in giro per tutta Richmond dall'altra parte della baia, piombando nelle baracche dove si faceva jazz negro, in mezzo ai campi di petrolio. Marylou stava per sedersi quando un negro le tirò via la sedia di sotto. Le ragazze l'avvicinarono nel gabinetto con proposte. Anche a me fecero proposte. Dean girava qua e là, sudando. Era la fine; volevo andarmene.

All'alba presi il mio autobus per New York e dissi addio a Dean e a Marylou. Volevano alcuni dei miei panini. Io risposi picche. Fu un momento malinconico. Stavamo pensando tutti che non ci saremmo rivisti mai piú e che non ce ne importava niente.

Parte terza

1

Nella primavera del 1949 avevo alcuni dollari risparmia-
ti dai miei assegni di reduce per gli studi e andai a
Denver, con l'idea di sistemarmi laggiú. Mi vedevo nel
Centro dell'America, un patriarca. Mi sentivo solo. Non
ci trovai nessuno: non Babe Rawlins, Ray Rawlins, Tim
Gray, Betty Gray, Roland Major, Dean Moriarty, Carlo
Marx, Ed Dunkel, Roy Johnson, Tommy Snark, nessuno. Vagai per Curtis Street e Larimer Street, lavorai
per un po' nel mercato generale di frutta dove quasi mi
avevano assunto nel 1947: il lavoro piú ingrato della
mia vita; a un certo punto i ragazzi giapponesi e io dovemmo spostare a mano un intero carro merci per trenta
metri lungo i binari, aiutandoci con un attrezzo a leva
che lo faceva avanzare di mezzo centimetro ad ogni spin-
ta. Trasportavo le cassette di cocomeri sui pavimenti ge-
lati dei carri-frigorifero nel sole cocente, starnutendo. A
che scopo, in nome di Dio e sotto le stelle?
Al tramonto caminavo. Mi pareva di essere una macchio-
lina sulla superficie della triste terra rossa. Passavo davanti al Windsor Hotel, dove Dean Moriarty aveva vissuto
con suo padre durante la crisi dopo il 1930, e come per
il passato cercavo dovunque il triste e favoloso lattoniere
della mia fantasia. O trovi qualcuno che assomiglia a
tuo padre in posti come il Montana oppure vai in cerca
del padre di un amico là dove non abita piú.
Camminavo nella sera piena di lillà con tutti i muscoli
indolenziti in mezzo alle luci della 27ma Strada nella
Welton in mezzo al quartiere negro di Denver, deside-
rando di essere un negro, sentendo che quanto di meglio
il mondo di bianchi ci aveva offerto non conteneva abbastanza estasi per me, e neppure abbastanza vita, gioia,

entusiasmo, oscurità, musica, né notte sufficiente. Mi fermai a una piccola baracca dove un uomo vendeva peperoni rossi caldi in cartocci di carta; ne comprai un po' e li mangiai, passeggiando per le buie strade misteriose. Desiderai di essere un messicano di Denver, o persino un povero giapponese stremato dal lavoro, tutto fuorché quel che cosí tristemente ero, un "uomo bianco" disilluso. Per tutta la mia vita avevo avuto ambizioni da bianco; ecco perché avevo abbandonato una donna buona come Terry nella Valle di San Joaquin. Sorpassai i porticati oscuri delle case messicane e negre; là c'erano voci sommesse, e ogni tanto il ginocchio brunito di qualche misteriosa sensuale ragazza; e facce scuri di uomini dietro i tralci di rose. Piccoli bimbi sedevano come saggi in antiche sedie a dondolo. Passò un gruppo di donne di colore, e una delle giovani si staccò da quelle piú anziane e quasi materne e venne in fretta verso di me... «Salve Joe!»... e improvvisamente vide che non ero Joe, e corse via, arrossendo. Magari fossi stato Joe. Ero solo me stesso, Sal Paradiso, triste, vagante in quel buio violetto, in quella notte insopportabilmente dolce, desideroso di scambiare il mio mondo con quello dei felici, puri, estatici negri d'America. Quel quartiere di straccioni mi faceva venire in mente Dean e Marylou, i quali conoscevano cosí bene quelle strade fin dall'infanzia. Come avrei voluto ritrovarli.

Giú fra la 23ma Strada e la Welton si svolgeva una partita di palla a volo sotto i riflettori che illuminavano anche il gassometro. Una gran folla intenta ruggiva ad ogni giocata. Quegli strani giovani eroi di ogni specie, bianchi, negri, messicani, indiani puri, stavano sul campo, esibendosi con una serietà che spezzava il cuore. Erano solo dei ragazzi in divisa che giocavano in un campo incolto. Mai nella mia vita di atleta mi ero permesso di esibirmi a quel modo davanti alle famiglie e alle amichette e ai ragazzi del vicinato, la notte, sotto le luci; era sempre stato all'università, in grandi occasioni, con le facce tirate; niente di quella fanciullesca, umana gioia. Adesso era troppo tardi. Accanto a me sedeva un vecchio negro che evidentemente assisteva alla partita ogni sera. Accanto a lui stava un vecchio vagabondo bianco; poi una famiglia messicana, poi alcune ragazze, bambini: tutta umanità, l'intero gruppo. Oh, la tristezza delle luci quella sera! Il giovane lanciatore pareva proprio Dean. Una graziosa bionda fra i sedili sembrava esattamente Marylou. Era la Notte di Denver; tutto quel che feci fu morire.

Laggiú a Denver, laggiú a Denver
Tutto quel che feci fu morire

Di là dalla strada famiglie di negri sedevano sui gradini davanti alla casa, chiacchierando e guardando in su la notte stellata attraverso gli alberi e abbandonandosi nella dolcezza della sera e talvolta seguendo la partita. Nel frattempo molte macchine passavano nella strada, e si fermavano all'angolo quando il semaforo segnava rosso. C'era eccitazione e l'aria era piena delle vibrazioni di una vita veramente gioiosa che non conosce affatto la delusione e "il dolore bianco" e tutte queste cose. Il vecchio negro aveva nella tasca della giacca una lattina di birra, che si accingeva ad aprire; e il vecchio uomo bianco occhieggiava con invidia la lattina e si frugava in tasca per vedere se anche *lui* potesse comprarsene una. Come morii! Mi allontanai di là.

Andai a trovare una ragazza ricca che conoscevo. Al mattino lei tirò fuori dalla calza di seta un biglietto da cento dollari e disse: « Hai parlato di un viaggio a Frisco; stando cosí le cose, prendi questo e divertiti ». Cosí tutti i miei problemi furono risolti e, tramite una agenzia di viaggi, trovai una macchina, pagando undici dollari per la benzina fino a Frisco e filai attraverso il paese.

Due tipi guidavano la macchina; affermarono di essere ruffiani. Due altri individui viaggiavano insieme con me. Sedevamo stretti e le nostre menti erano fisse sulla meta. Andammo oltre il Passo Berthoud, giú per il grande altopiano, Tabernash, Troublesome, Kremmling; giú dal Passo di Rabbit Ears fino a Steamboat Springs, e fuori; ottanta chilometri in una variante polverosa; poi Craig e il Gran Deserto Americano. Mentre passavamo il confine fra il Colorado e l'Utah vidi Iddio nel cielo sotto forma di immense nuvole dorate assolate sopra il deserto che pareva puntare un dito verso di me e dire: "Passa di qua e va' avanti, sei sulla strada per il cielo". Ebbene, malauguratamente m'interessavo di piú a certi vecchi carri coperti tutti sfasciati e a certi tavoli da biliardo poggiati nel deserto del Nevada vicino a una rivendita di Coca-Cola e dove c'erano alcune capanne con le insegne stinte dalle intemperie tuttora sventolanti nel malefico avvolgente vento del deserto, e dicevano: "Rattlesnake Bill ha vissuto qui" oppure "Brokenmouth Annie s'è rifugiata qui per anni". Sí, via! A Salt Lake City i ruffiani andarono a controllare le loro ragazze e poi proseguimmo. Prima che me ne accorgessi, stavo guardando di nuovo la favolosa città di San Francisco allungata sulla baia nel cuore della notte. Corsi immediatamente da Dean. Adesso egli aveva una casetta. Ardevo dalla voglia di sapere quel che aveva in mente e che cosa sarebbe successo ora, poiché dietro di me non c'era piú nulla, tutti i miei ponti erano rotti e a me non importava un accidente di niente. Bussai alla sua porta alle due del mattino.

2

Venne alla porta nudo come un verme e per quel che gliene importava avrebbe potuto pure essere il Presidente che bussava. Riceveva il mondo allo stato naturale. « Sal! » esclamò con genuino stupore. « Non pensavo che l'avresti fatto sul serio. Finalmente sei venuto da *me*. »
« Già » dissi. « Tutto è crollato dentro di me. Come ti va la vita? »
« Non tanto bene, non tanto bene. Ma abbiamo un milione di cose di cui discorrere. Sal, è venuta *finalmente* per noi l'ora di parlare e di darci dentro. » Fummo d'accordo sul fatto che era cosí ed entrammo in casa Il mio arrivo in certo qual modo fu come la venuta del piú strano e diabolico degli angeli nella casa del

235

vello candido, quando Dean e io cominciammo a chiacchierare tutti eccitati giú in cucina, e ciò provocò singhiozzi al piano di sopra. Tutto quel che dicevo a Dean trovava risposta in un selvaggio, bisbigliato, tremante « *Sí!* ». Camille sapeva che cosa sarebbe accaduto. Evidentemente Dean era rimasto tranquillo per qualche mese; adesso l'angelo era arrivato ed egli era sul punto d'impazzire di nuovo. « Che le succede? » sussurrai.
Lui disse: « Sta diventando sempre peggio, caro mio, piange e fa il diavolo a quattro, non mi lascia andar fuori a vedere Slim Gaillard, s'arrabbia ogni volta che torno in ritardo, poi quando sto a casa non mi vuol parlare e dice che sono una gran bestiaccia ». Corse di sopra per calmarla. Sentii Camille urlare: « *Sei un bugiardo, sei un bugiardo, sei un bugiardo!* ». Colsi l'occasione per esaminare la splendida casa che avevano. Era un cottage di legno a due piani contorto e cadente in mezzo alle case d'appartamenti, proprio in cima al Russian Hill con la vista sulla baia; c'erano quattro stanze, tre di sopra e una specie d'immensa cucina a pianterreno. La porta della cucina si apriva su un cortile erboso dove c'erano le corde per la biancheria. Sul retro della cucina c'era una stanza di sgombero dove le vecchie scarpe di Dean erano tuttora impastate di fango del Texas alto un centimetro da quella notte che la Hudson rimase bloccata sul fiume Brazos. Naturalmente la Hudson era andata; Dean non era stato in grado di completarne il pagamento. Adesso non aveva macchina. Il loro secondo bambino, inaspettato, stava per arrivare. Era orribile sentir Camille singhiozzare a quel modo. Non potevamo sopportarlo e cosí uscimmo per comprar della birra e la portammo in cucina. Camille finalmente si addormentò o passò la notte a guardare nel buio con occhi vuoti. Non avevo idea di che cosa non andasse in realtà, sennonché forse Dean l'aveva fatta impazzire dopo tutto.
Dopo la mia ultima partenza da Frisco era tornato a innamorarsi pazzamente di Marylou e aveva passato mesi a dar la caccia al suo appartamento sul Divisadero, dove ogni notte lei si portava un marinaio diverso mentre lui

spiava attraverso la buca delle lettere dalla quale poteva scorgere il letto di lei. Lí vedeva Marylou sdraiata con un ragazzo, la mattina. La seguiva per tutta la città. Voleva le prove assolute che era una sgualdrina. L'amava, faceva le bave per lei. Finalmente riuscí a procacciarsi del "verde cattivo", come si chiama nel giro - della marijuana verde, non conciata – quasi per errore, e ne fumò troppa.

« Il primo giorno » disse « rimasi steso sul letto, rigido come una tavola e non potevo muovermi e spiccicar parola; guardavo solo dritto in su con gli occhi spalancati. Potevo sentire ronzii nella testa e vedevo ogni sorta di meravigliose visioni in technicolor e mi sentivo magnificamente. Il secondo giorno tutto tornò a me, TUTTO quel che avevo fatto o conosciuto o letto o sentito o supposto ritornò a me e si ridispose nella mia mente in un corso logico del tutto nuovo e poichè io nel mio sistema interiore di controllo e di rifornimento non potevo pensare a nient'altro, di fronte allo stupore e alla gratitudine che provavo, continuavo a dire: "Sí, sí, sí, sí". Non ad alta voce. Solo "Sí", davvero sottovoce, e queste visioni della droga verde durarono fino al terzo giorno. In quel momento avevo capito tutto, la mia intera vita si era decisa, seppi che amavo Marylou, che dovevo ritrovare mio padre dovunque fosse e salvarlo, che tu mi eri amico eccetera eccetera, capii quanto fosse grande Carlo. Capii un migliaio di cose su tutti e su tutto. Poi al terzo giorno cominciai ad avere da sveglio una terribile serie di incubi ed erano talmente spaventosi e truculenti e verdi che non potevo far altro che star lí piegato in due con le mani intorno alle ginocchia, dicendo: "Oh, oh, oh, ah, oh...". I vicini mi sentirono e mandarono a chiamare un dottore. Camille era via con la bambina, in visita alla sua famiglia. L'intero vicinato s'interessò della cosa. Vennero e mi trovarono sdraiato sul letto con le braccia stese in fuori per sempre. Sal, sono corso da Marylou con un po' di quella droga. E lo sai che la stessa cosa è successa a quel piccolo cranio stupido?... Le stesse visioni, la stessa logica, la stessa decisione finale su tutto, la vista di tutte le verità in un unico doloroso groppo che portava agli incubi e al dolore... ah! Allora capii che l'amavo talmente da volerla uccidere. Corsi a casa e battei la testa sul muro. Corsi da Ed Dunkel; è tornato a Frisco con Galatea; gli chiesi di un tizio che noi sappiamo ha una pistola, andai da lui, ottenni la pistola, mi precipitai da Marylou, guardai dalla fessura della cassetta per le lettere, lei era a letto con uno, dovetti ritirarmi e rimandare, tornai un'ora dopo, sgusciai dentro, lei era sola... e allora le diedi la pistola e le ordinai di uccidermi. Lei tenne in mano quella pistola per un tempo infinito. Le chiesi di stringere con me un dolce patto di morte. Lei non volle. Io dissi che uno di noi doveva morire. Lei disse di no. Battei la testa contro il muro. Caro mio, ero fuori di me. Lei te lo racconterà, mi convinse a non farlo. »

« Poi che successe? »

« Questo è stato mesi fa... dopo che sei partito tu. Alla fine s'è sposata con un commerciante di macchine usate, quel bastardo idiota ha promesso di ammazzarmi se mi trova, se necessario mi toccherà difendermi e ammazzare lui e cosí andrò a San Quentin, perché, Sal, ancora una mancanza di *qualsiasi* genere e andrò dritto a San Quentin per tutta la vita... questa è la mia fine. Con la mano rovinata e tutto. » Mi fece vedere la mano. Nella confusione non mi ero accorto che gli era capitata una cosa terribile alla mano. « Ho colpito in fronte Marylou il ventisei febbraio alle sei del pomeriggio... per l'esattezza erano le sei e dieci, perché ricordo che dovevo prendere al volo il mio merci di lí a un'ora e venti minuti... l'ultima volta che ci incontrammo e l'ultima volta che decidemmo tutto, e adesso senti questo: il mio pollice semplicemente si ripiegò all'indietro contro la sua fronte e lei non ebbe nemmeno un livido e infatti si mise a ridere, però il dito mi si ruppe al di sopra del polso e un orribile dottore sistemò le ossa che erano difficili da mettere a posto e mi fece tre ingessature ad intervalli, ventitré ore in tutto a starmene seduto su una panca dura ad aspettare, eccetera eccetera, e l'ultima ingessatura aveva un ago a trazione ficcato attraverso la punta del pollice, cosí in aprile quando levarono l'ingessatura l'ago m'aveva infettato l'osso e mi si era sviluppata l'osteomielite che è diventata cronica, e dopo un'operazione andata a male e un mese d'ingessatura il risultato è stato l'amputazione di un minuscolo pezzo di carne dall'estremità di quest'accidente di dito. »

Svolse le bende e mi fece vedere. La carne, per circa un centimetro, mancava sotto l'unghia.

« Sono stato sempre peggio. Dovevo mantenere Camille e Amy e lavorare il piú presto possibile alla Firestone come formatore, a rifare il battistrada alle gomme usate e in seguito a sollevare grossi copertoni da settanta chili da terra fino in cima agli autocarri – potevo usare soltanto la mano sana e intanto continuavo a sbattere quella malata – di nuovo mi si ruppe, di nuovo me l'aggiustarono, e si sta di nuovo infettando e gonfiando. Cosí adesso guardo la bambina mentre Camille va a lavorare. Vedi. Ahimè, ohimè, sono un lavoratore di primissima categoria, Moriarty, il fanatico del jazz, ha un'appendice malata, sua moglie gli fa iniezioni giornaliere di penicillina per il pollice, le quali gli provocano l'orticaria, perchè è allergico. Deve sorbirsi sessantamila unità della bibita di Fleming per un mese. Durante questo mese deve prendere una pillola ogni quattro ore per combattere l'allergia prodotta dalla bibita. Deve mandar giú aspirina alla codeina per calmare il dolore al dito. Deve farsi fare un'operazione alla gamba per una cisti infiammata. Lunedí prossimo deve alzarsi alle sei di mattina per farsi raschiare i denti. Deve andare a farsi vedere da un ortopedico due volte la settimana per una cura. Deve prendere lo sciroppo per la tosse ogni sera. Deve continuamente soffiarsi e tirar su col naso per liberarlo, perché gli s'è avvallato il setto nel punto dove, anni fa, fu indebolito da un'operazione. Ha perso il pollice della mano che gli serviva a tirare la palla. Il piú grande autore di "passaggi" da settanta metri nella storia della squadra di baseball del Riformatorio dello stato del New Mexico. E tuttavia... e tuttavia, non mi sono mai sentito meglio e piú a posto e piú in pace col mondo e felice di vedere gli incantevoli bambinetti giocare nel sole e sono cosí contento di rivederti, mio ottimo meraviglioso Sal, e so, *so* che tutto si sistemerà. Domani la vedrai, quel formidabile magnifico tesoro di mia figlia adesso riesce a stare in piedi da sola per trenta secondi di fila, pesa undici chili, è lunga settantré centimetri. Ho calcolato che è trentuno e un quarto per cento inglese, ventisette e mezzo per cento irlandese, venticinque per cento tedesca, otto e tre quarti per cento olandese, sette e mezzo per cento scozzese, cento per cento meravigliosa ». Si congratulò a lungo con me per il libro che avevo terminato, e che era stato ormai accettato dagli editori. « Noi conosciamo la vita, Sal, stiamo invecchiando, ognuno di noi, a poco a poco, e siamo sul punto di conoscere le cose. Capisco benissimo ciò che mi dici della tua vita, sono sempre andato a fondo dei tuoi sentimenti, e ora infatti sei pronto ad agganciarti a una ragazza in gamba sul serio se solo ti riesce di trovarla e coltivarla e far della sua mente l'anima tua proprio come mi sono sforzato di fare io con queste mie maledette donne. Merda! Merda! Merda! » urlò.

E al mattino Camille ci buttò fuori tutti e due, bagagli e tutto. Cominciò quando telefonammo a Roy Johnson, il vecchio Roy di Denver, e lo facemmo venire da noi a bere una birra, mentre Dean guardava la bambina e faceva i piatti e il bucato nel cortile ma nell'eccitazione fece un pasticcio di lavoro. Johnson acconsentí a portarci con la macchina fino a Mill City per andare a cercare Remi Boncoeur. Camille tornò a casa dal lavoro nello studio del dottore e lanciò a tutti noi delle tristi occhiate da donna perseguitata dalla vita. Io cercai di dimostrare a quella visionaria che non avevo alcuna cattiva intenzione riguardo la sua vita familiare, salutandola e parlando con lei il piú caldamente possibile, ma lei sapeva che era un'impostura e forse una di quelle che avevo imparato da Dean, e mi rispose solo con un breve sorriso. Al mattino ci fu una scena terribile: lei stava buttata sul letto, singhiozzando, e nel bel mezzo di questo mi venne all'improvviso il bisogno di andare in bagno, e l'unico modo per andarci era passare dalla sua camera da letto. « Dean, Dean » gridai « dov'è il bar piú vicino? ».

« Bar? » chiese lui, sorpreso; si stava lavando le mani nel lavandino, giú in cucina. Credette che volessi ubriacarmi. Gli spiegai il mio dilemma e lui disse: « Va' pure dentro, lei fa sempre cosí ». No, non me la sentivo proprio. Corsi fuori in cerca di un bar; andai su per la collina e poi giú a quattro isolati di distanza sul Russian Hill e non trovai altro che lavanderie automatiche, tintorie, rivendite di gazosa, profumerie. Tornai alla piccola casa contorta. Stavano inveendo l'uno contro l'altra mentre io passavo con un debole sorriso e mi chiudevo nel bagno. Pochi minuti dopo Camille buttava sul pavimento della stanza di soggiorno tutte le cose di Dean e gli ordinava di far le valigie. Con mio grande stupore vidi sul divano un ritratto a olio in grandezza naturale di Galatea Dunkel. Mi resi conto tutto a un tratto che tutte queste donne passavano mesi di solitudine e di femminilità insieme, a discorrere della pazzia dei loro uomini. Sentii il riso pazzo di Dean per la casa, insieme con i pianti della sua bambina. La prima cosa di cui mi resi conto in seguito fu che lui stava girando furtivo per casa al pari di Groucho Marx, col suo dito rotto avvolto in un'enorme fasciatura bianca che sporgeva in fuori come un faro dritto e immobile sulla furia delle onde. Ancora una volta vidi il suo misero enorme scassato baule con i calzini e la biancheria sporca che ne uscivano; lui ci si curvò sopra, buttandoci dentro tutto quel che gli veniva sotto mano. Poi prese la sua valigia, la piú malandata valigia degli Stati Uniti. Era fatta di cartone con sopra disegni di similcuoio, e certe strane cerniere incollate su. Un grosso strappo correva sulla parte superiore; Dean ci avvolse attorno una corda. Poi afferrò il suo sacco da marinaio e ci buttò dentro cose varie. Io presi la mia valigia, la riempii, e mentre Camille stava a letto dicendo: « Bugiardo! Bugiardo! Bugiardo! » schizzammo fuori di casa e arrancammo giú per la strada verso la piú vicina funicolare: ammasso di uomini e valigie con quell'enorme pollice bendato che si protendeva nell'aria.

Quel dito diventò il simbolo dello sviluppo finale di Dean. Non si curava piú di nulla (come prima) ma adesso gli *importava anche di ogni cosa per principio*; cioè, per lui era tutto lo stesso ed egli apparteneva al mondo e non c'era nulla che lui potesse farci. Mi fermò in mezzo alla strada.

« Ora, amico, io so che probabilmente sei completamente imbestialito; sei appena arrivato in città e ci buttano fuori il primo giorno e tu ti stai chiedendo cosa ho fatto per meritarmi questo e cosí via... insieme con tutti gli orribili annessi e connessi... ih! ih! ih!... ma guardami. Ti prego, Sal, guardami. »

Lo guardai. Portava una maglietta, pantaloni logori che gli scendevano giú sulla pancia, scarpe lacere; aveva la barba lunga, i capelli erano spettinati e arruffati, gli occhi iniettati di sangue, e quel tremendo pollice bendato gli stava sospeso a mezz'aria all'altezza del cuore (doveva tenerlo in su a quel modo) e sul suo viso c'era il piú melenso ghigno che avessi mai visto. Fece un giro incespicando e guardando dappertutto.

« Cosa vedono le mie pupille? Ah... il cielo azzurro. Long-felloy! » Barcollò e ammiccò. Si strofinò gli occhi. « E anche le finestre... hai mai studiato le finestre? Parliamo un po' delle finestre. Io ho visto delle finestre veramente impazzite che mi facevano le smorfie, e alcune di esse avevano le persiane abbassate e cosí mi facevano l'occhiolino. » Dal sacco di marinaio pescò una copia de *I misteri di Parigi* di Eugenio Sue, e aggiustandosi la maglietta sul petto si mise a leggere all'angolo della strada con aria pedante. « Adesso, Sal, davvero, svisceriamo tutto mentre procediamo... » Se ne dimenticò in un baleno e si guardò d'attorno con occhi vuoti. Ero contento d'esser venuto, adesso aveva bisogno di me.

« Perché t'ha buttato fuori Camille? Che farai adesso? »

« Eh? » disse lui. « Eh? Eh? » Ci spremmemmo le meningi su cosa fare e dove andare. Mi resi conto che dipendeva da me. Povero, povero Dean... il diavolo stesso non era mai caduto piú in basso; mezzo idiota, col pollice infetto, circondato dalle logore valigie della sua febbrile vita orba di madre attraverso l'America avanti e indietro innumerevoli volte, un uccello abbandonato. « Andiamo a New York a piedi » propose « e mentre ci andiamo riepiloghiamo completamente la situazione lungo la strada... ma sí! » Tirai fuori i miei soldi e li contai; glieli feci vedere.

« Ho qui la somma di ottantatré dollari e rotti » dissi « e se vieni con me andiamo pure a New York... e dopo andiamocene in Italia. »

« In Italia? » ripeté lui. Gli si accesero gli occhi. « L'Italia sí... come ci arriveremo, caro Sal? »

Ci riflettei su. « Devo raccogliere un po' di soldi, gli editori mi daranno un migliaio di dollari. Andremo a provare tutte le pazze donne di Roma, Parigi, tutti quei posti; sederemo ai caffè sui marciapiedi; vivremo nei casini; perché non andare in Italia? »

« Ma certo » disse Dean, e poi si rese conto che facevo sul serio e mi guardò con la coda dell'occhio per la prima volta, poiché in passato non mi ero mai impegnato per quel che riguardava la sua travagliata esistenza, e quella era l'occhiata di un uomo che soppesava le sue probabilità di vincita all'ultimo momento prima della scommessa. Nei suoi occhi c'erano trionfo e insolenza, uno sguardo diabolico, e non li distolse piú dai miei per lungo tempo. Io lo guardai a mia volta e arrossii.

Dissi: « Che c'è? ». Mi sentii miserabile quando lo chiesi. Lui non mi diede risposta ma continuò a guardarmi con la stessa occhiata circospetta e insolente di striscio.

Cercai di ricordare tutto quel che aveva fatto in vita sua e se non ci fosse alcunché in fondo alla sua mente che ora lo rendesse sospettoso di qualcosa. Ripetei fermo e risoluto quel che avevo detto: « Vieni con me a New York; i soldi ce li ho ». Lo guardai; i miei occhi erano bagnati di lacrime e d'imbarazzo. Lui mi fissava sempre. Ora i suoi occhi erano vuoti e guardavano attraverso a me. Fu probabilmente il punto cruciale della nostra amicizia quando si rese conto che in realtà avevo passato alcune ore pensando a lui e ai suoi guai, ed egli stava cercando di collocare il fatto nelle sue categorie mentali tremendamente involute e tormentate. Qualcosa scattò in tutti e due noi. In me ci fu una sollecitudine improvvisa per uno che era di molti anni piú giovane di me, cinque, e il cui destino era intrecciato al mio attraverso il percorso degli anni recenti; in lui fu un fatto che io posso dedurre solo da quanto fece in seguito. Diventò estremamente allegro e disse che tutto era sistemato. « Cos'era quella faccia? » chiesi. Fu addolorato di sentirmelo dire. Aggrottò la fronte. Era raro che Dean aggrottasse la fronte. Ci sentimmo entrambi perplessi e incerti su qualcosa. Stavamo fermi sulla cima di un colle in un bellissimo giorno di sole a San Francisco; le nostre ombre cadevano sul marciapiede. Dalla casa accanto a quella di Camille undici greci, uomini e donne, uscirono in fila e subito si allinearono sul selciato pieno di sole mentre un altro faceva alcuni passi indietro nella via stretta e sorrideva loro di sopra una macchina fotografica. Noi guardammo a bocca aperta quella gente antica che celebrava la festa di nozze di una delle loro figlie, probabilmente la millesima in una ininterrotta oscura generazione di esseri umani sorridenti nel sole. Erano tutti ben vestiti, ed erano strani. Dean e io avremmo potuto trovarci a Cipro, a rigor di fatti. I gabbiani ci volavano sulla testa nell'aria luminosa.

« Be' » disse Dean con voce timidissima e dolce « andiamo? »

« Sí » risposi « andiamo in Italia. » E cosí prendemmo su le nostre valigie, lui il baule con l'unico braccio sano e io il resto, e ci avviammo traballando verso la fermata della funicolare; in un momento scivolammo giú per la collina con le gambe ciondoloni verso il marciapiede dal predellino sobbalzante, due eroi sconfitti della notte del West.

3

Prima di tutto andammo a un bar giú in Market Street e decidemmo ogni cosa: che saremmo rimasti assieme e la nostra amicizia sarebbe durata fino alla morte. Dean era molto silenzioso e preoccupato, guardando nel locale i vecchi vagabondi che gli ricordavano suo padre. « Io credo che si trovi a Denver... questa volta dobbiamo assolutamente trovarlo, può darsi che sia nel carcere della contea, o di nuovo nei pressi di Larimer Street, però bisogna che lo troviamo. D'accordo? »

Sí, d'accordo; ci accingevamo a fare tutto ciò che non avevamo mai fatto prima e che eravamo stati troppo sciocchi per fare nel passato. Poi ci ripromettemmo due giorni di baldoria a San Francisco prima della partenza, e naturalmente decidemmo di viaggiare con le macchine dell'agenzia di viaggi, pagando la nostra parte di benzina in modo da risparmiare piú soldi che fosse possibile. Dean affermò di non aver piú bisogno di Marylou quantunque l'amasse sempre. Fummo entrambi d'accordo sul fatto che lui se la sarebbe cavata a New York.

Dean si mise l'abito a righine e una camicia sportiva, schiaffammo i nostri averi in una cassetta di sicurezza della stazione dei pullman Greyhound per dieci centesimi, e partimmo per andare a incontrare Roy Johnson che sarebbe stato il nostro autista per due giorni di baldoria a Frisco. Roy, per telefono, aveva acconsentito a farlo. Arrivò poco dopo all'angolo fra Market Street e la Terza e ci prese su. Adesso Roy abitava a Frisco, faceva l'impiegato ed era sposato con una graziosa biondina di nome Dorothy. Dean mi confidò che lei aveva un naso troppo lungo – questo è il punto principale sul quale lui trovava da ridire sul suo conto, per chissà quale strana ragione – ma il naso di Dorothy non era affatto troppo lungo. Roy Johnson è un bel ragazzo magro, bruno, con una faccia a punta e capelli ben pettinati che lui continua a spingere indietro ai lati della testa. Ci salutò con aria estremamente seria e un largo sorriso. Evidentemente sua moglie, Dorothy, l'aveva strapazzato a proposito di quell'idea di far l'autista: ed egli, deciso a farsi rispettare come capo di casa (vivevano in una piccola stanza), mantenne egualmente la promessa fattaci, ma non senza conseguenze; il suo dilemma mentale si risolse in un amaro silenzio. Scarrozzò Dean e me per tutta Frisco a tutte le ore del giorno e della notte e non disse mai una parola; tutto quel che fece fu passare con i semafori al rosso e prendere le svolte su due ruote sole, e ciò ci faceva capire in quali frangenti l'avevamo messo. Si trovava a metà strada fra il richiamo della sua nuova moglie e quello del caporione della sua vecchia banda dei biliardi a Denver. Dean era soddisfatto, e naturalmente per niente scosso dal modo di guidare di Roy. Noi non gli badavamo assolutamente e sedevamo dietro blaterando.

Quel che facemmo subito dopo fu andare a Mill City per vedere se riuscivamo a trovare Remi Boncoeur. Notai con una certa meraviglia che la vecchia nave *Admiral Freebee* non stava piú nella baia; e poi che naturalmente Remi non abitava piú nel terz'ultimo appartamento della baracca nel canyon. Una bella ragazza di colore ci aprí la porta in vece sua; Dean e io ci intrattenemmo a lungo con lei. Roy Johnson aspettava in macchina, leggendo *I misteri di Parigi* di Eugenio Sue. Io diedi un ultimo sguardo a Mill City e capii che non c'era senso a cercar di rivangare l'intricato passato; decidemmo invece di andare a interpellare Galatea Dunkel a proposito del dormire. Ed l'aveva lasciata di nuovo, stava a Denver, e accidenti a me se lei non progettava un'altra volta di farlo tornare. La trovammo seduta a gambe incrociate sul tappeto di tipo orientale del suo appartamento di quattro stanze nella parte alta di Mission Street, preso in affitto, con un mazzo di carte da indovina. Brava ragazza. Vidi da tristi segni che Ed Dunkel aveva vissuto là per un po' e poi era partito spinto solo da apatia e fastidio.

« Tornerà » affermò Galatea. « Quel ragazzo non può badare a se stesso, senza di me. » Diede una furiosa occhiata a Dean e a Roy Johnson. « Questa volta è stata colpa di Tommy Snark. Tutto il tempo, prima che lui venisse, Ed era stato perfettamente felice e lavorava e uscivamo la sera e ce la passavamo magnificamente. Dean, tu lo sai benissimo. Poi cominciarono a mettersi seduti nel bagno per ore e ore, Ed nella vasca e Snarky sul sedile di legno del vaso, e parlavano e parlavano e parlavano... certe sciocchezze incredibili. »

Dean rise. Era stato per anni il primo profeta di quella banda e adesso essi stavano imparando la sua tecnica. Tommy Snark s'era fatto crescere la barba e i suoi grandi e dolenti occhi azzurri erano venuti a Frisco in cerca di Ed Dunkel; quel che successe (veramente e senza bugie), fu che a Denver Tommy ebbe amputato il dito mignolo in seguito a un incidente e si fece un bel gruzzolo. Senza alcuna ragione al mondo decisero di piantare in asso Galatea e di andare a Portland, nel Maine, dove pareva che Snark avesse una zia. Cosí adesso dovevano essere a Denver, nel viaggio di andata, oppure già a Portland.

« Quando i soldi di Tom finiranno Ed tornerà » disse Galatea, guardando le carte. « Maledetto idiota... non capisce niente e non ha mai capito niente. Tutto quel che deve fare è capire che io l'amo. »

Galatea pareva la figlia di quei greci con la macchina fotografica piena di sole, cosí seduta là sul tappeto, coi lunghi capelli fluttuanti sul pavimento, mentre consultava le carte da indovina. Cominciai a prenderla in simpatia. Decidemmo persino di uscire quella sera e di andare a sentire del jazz, e Dean si sarebbe portato dietro una bionda alta un metro e ottanta che abitava giú per la strada, Marie.

Quella sera Galatea, Dean e io andammo a prendere Marie. Questa ragazza aveva un appartamento seminterrato, una figlia piccola, e una vecchia macchina che funzionava a stento e che Dean e io dovemmo spingere per la strada mentre le ragazze pigiavano la messa in moto. Andammo da Galatea e là tutti loro sedettero in cerchio: Marie, sua figlia, Galatea, Roy Johnson, sua moglie Dorothy... tutti malinconici in mezzo ai mobili stracarichi di ninnoli mentre io me ne stavo in un angolo, neutrale ai problemi di Frisco, e Dean era in piedi, sghignazzante, nel centro della stanza, col suo pollice a forma di pallone sospeso all'altezza del petto. « Porco diavolo » disse « stiamo tutti perdendo le dita... ohr... ohr... ohr... »

« Dean, perché ti comporti come uno scemo? » disse Galatea. « Camille ha telefonato e ha detto che l'hai piantata. Non ti rendi conto che hai una figlia? »

« Non è lui che l'ha lasciata, è stata lei a buttarlo fuori! » dissi, rompendo la mia neutralità. Mi diedero tutti delle occhiatacce; Dean scoprí i denti in un sorriso. « E con quel dito, che volete che faccia, povero ragazzo? » aggiunsi. Tutti mi guardarono; specialmente Dorothy Johnson mi lanciò dall'alto uno sguardo malvagio. Non era altro che un circolo femminile di mezze calzette, e il centro di esso era il colpevole, Dean... responsabile, forse, per tutto quello che andava a rovescio. Guardai fuori della finestra la notte ronzante di Mission Street; volevo prender su e andare a sentire il meraviglioso jazz di Frisco: e, ricordatevi, questa era solo la mia seconda notte in città.

« Io penso che Marylou è stata molto, ma molto saggia a lasciarti, Dean » disse Galatea. « Sono anni ormai che tu non hai alcun senso di responsabilità per nessuno. Hai fatto tante di quelle cose orribili che io non so proprio che dirti. »

E infatti quella era la questione, e loro stavano tutti seduti là in giro guardando Dean dall'alto in basso e con occhi pieni di odio, e lui stava in piedi sul tappeto in mezzo a loro e ridacchiava... ridacchiava e basta. Fece alcuni passi di danza. La sua benda stava diventando sempre piú sporca; cominciò a pendere e a svolgersi. Io mi resi conto all'improvviso che Dean, per virtú della sua enorme serie di peccati, stava diventando l'Idiota, l'Imbecille, il Santo della congrega.

« Non hai assolutamente riguardi per nessuno all'infuori di te stesso e delle tue maledette voglie. Tutto quello di cui ti preoccupi è quel coso che ti pende fra le gambe e quanto denaro o divertimento puoi spremere dalla gente e poi li butti da una parte e basta. Non solo questo, mai sei sciocco in tutto e per tutto. Non ti viene mai in mente che la vita è seria e che c'è gente che cerca di tirarne fuori qualcosa di decente invece che di far gli scemi di continuo. »

Ecco quel che era Dean, il SACRO SCEMO.

« Camille sta piangendo stasera tutte le sue lacrime, ma non pensare nemmeno per un minuto che ti rivoglia indietro, ha detto che non vuol vederti mai piú e ha detto che questa volta era per sempre. Eppure tu te ne stai qui e fai delle facce buffe, e io credo che nel tuo cuore non ci sia nessun sentimento. »

Questo non era vero; io lo sapevo meglio di loro e avrei potuto dirglielo a tutti. Pensai che non valesse nemmeno la pena di tentarlo. Morivo dalla voglia di andare a mettere le braccia attorno a Dean e dire: "Sentite un po', voialtri, ricordatevi una cosa sola: questo ragazzo ha anche lui le sue preoccupazioni, e un'altra cosa, non si lamenta mai e ha fatto maledettamente divertire tutti voi semplicemente essendo se stesso, e se questo per voi non è abbastanza allora mandatelo davanti al plotone d'esecuzione, poiché pare che moriate dalla voglia di fare proprio questo, comunque...".

Ciò nonostante Galatea Dunkel era l'unica della comitiva che non avesse paura di Dean e se ne stesse lí seduta serenamente, con la faccia sporta in fuori, a dirgliene di cotte e di crude davanti a tutti. C'erano stati giorni, tempo addietro, a Denver, quando Dean faceva sedere tutti al buio insieme con le ragazze e parlava, e parlava, parlava soltanto, con una voce che una volta era ipnotica e strana e si diceva che conquistasse le ragazze per pura forza di persuasione e per il contenuto di ciò che diceva. Questo accadeva quando aveva quindici, sedici anni. Adesso i suoi discepoli erano sposati e le loro mogli l'avevano messo al tappeto per la sessualità e la vita ch'egli aveva aiutato ad attuare. Stetti ancora a sentire.

« Adesso te ne vai all'Est con Sal » disse Galatea « e con questo cosa credi di concludere? Camille deve stare a casa a guardare la bambina adesso che te ne sei andato... come potrebbe tenere il suo impiego?... E non vuole rivederti mai piú e non la condanno per questo.

Se vedi Ed per strada digli di tornare da me se non vuole che l'ammazzi. »

Disse proprio cosí chiaro e tondo. Era una notte tristissima. Avevo l'impressione di trovarmi con strani fratelli e sorelle in un sogno pietoso. Poi su tutti calò un completo silenzio; mentre un tempo Dean se la sarebbe cavata a furia di chiacchiere, adesso se ne stava zitto zitto, ma in piedi di fronte a loro, stracciato e schiantato e demente, proprio sotto le lampadine, la sua pazza faccia ossuta coperta di sudore e le vene pulsanti, a dire: « Sí, sí, sí », come se terribili rivelazioni colassero adesso dentro di lui di continuo, e sono convinto che cosí era, e anche gli altri lo sospettavano e ne erano spaventati. Era BRUCIATO: e il rogo è il fondamento della Beatitudine. Che ne sapeva lui? Cercò con tutte le sue forze di spiegarmi quel che sapeva, e loro mi invidiavano questo, la mia posizione al suo fianco, mentre lo difendevo e bevevo le sue parole come una volta avevano cercato di fare anch'essi. Poi mi guardarono. Che stavo facendo io, uno straniero, in quella dolce notte sulla Costa del West? Rifuggii da quel pensiero.

« Noi andiamo in Italia » dissi, lavandomi le mani dell'intera faccenda. Allora ci fu anche, nell'aria, uno strano senso di materna soddisfazione, poiché le ragazze in realtà guardavano Dean come una madre guarda il suo figlio piú caro e scapestrato, e lui, con quel suo triste pollice e tutte le sue rivelazioni lo sapeva benissimo, ed è per questo che gli fu possibile, nel silenzio di tomba, uscire dall'appartamento senza una parola, e aspettarci di sotto non appena ci fossimo decisi a proposito dell'*ora*. Questa fu la nostra sensazione circa il fantasma sul marciapiede. Guardai fuori dalla finestra. Stava solo davanti al portone, scrutando la strada. Amarezza, recriminazioni, consigli, moralità, tristezza: dietro di lui c'era di tutto, e davanti gli stava l'aspra ed estatica gioia del puro essere.

« Avanti, Galatea, Marie, andiamo a ficcarci in qualche locale da jazz e non pensiamoci piú. Un giorno o l'altro Dean sarà morto. Allora che potrete dirgli? »

« Prima muore e meglio è » disse Galatea, e parlò ufficialmente per quasi tutti coloro che si trovavano nella stanza.

« Benissimo, allora » risposi « ma adesso è vivo e scommetto che vi piacerebbe sapere quel che combinerà in seguito, e ciò perché lui possiede il segreto che tutti noi ci affanniamo a cercare e questo segreto gli sta spaccando la testa in due e se diventa matto non preoccupatevi, non sarà colpa vostra ma di Dio. »

Essi contrastarono le mie parole; dissero che non conoscevo Dean a fondo; dissero che era il peggior mascalzone che fosse mai vissuto e che un giorno o l'altro me ne sarei accorto a mie spese. Mi divertivo a sentirli inveire con tale violenza. Roy Johnson si alzò in difesa delle signore e disse che conosceva Dean meglio di chiunque altro, e che semplicemente Dean non era altro che un interessantissimo e persino divertentissimo ciarlatano. Uscii a cercare Dean e tenemmo un breve discorso in proposito.

« Ah, amico, non crucciarti, tutto è perfetto e meraviglioso. » Si strofinò il ventre e si leccò le labbra.

4

Le ragazze scesero e noi ci avviammo verso la nostra grande serata, spingendo ancora una volta la macchina giú per la strada. « Ui-hi! Si parte! » gridò Dean, e saltammo sul sedile posteriore e sferragliammo verso la piccola Harlem in Folsom Street.

Saltammo fuori nella notte calda, selvaggia, sentendo un indiavolato sax-tenore che faceva ululare il suo strumento dall'altra parte della strada, in questo modo: "Ii-iah! Ii-iah! Ii-iah!" mentre delle mani battevano a tempo e la gente urlava: « Dài, dài, dài! ». Dean già s'era messo a correre attraverso la strada col pollice per aria, urlando: « Suona, amico, suona! ». Un gruppo di negri con l'abito del sabato sera si scalmanavano davanti all'ingresso. Era una sala col pavimento coperto di segatura e un piccolo palco per l'orchestra sul quale i suonatori stavano ammucchiati col cappello in capo, suonando sopra le teste della gente, un luogo fantastico; ogni tanto pazze donne sfasciate andavano in giro in accappatoio, nei vicoli si sentiva uno sbatacchiar di bottiglie. Nel retro del locale in un corridoio oscuro dietro i gabinetti insozzati decine di uomini e di donne stavano appoggiati al muro bevendo e sputando alle stelle... vino e whisky. Il sax-tenore col cappello stava suonando sull'onda di un meraviglioso soddisfacente motivo improvvisato, una frase ripetuta che si alzava e ricadeva e andava da "Ii-iah!" fino a un piú indiavolato "Ii-di-li-iah!" e imperversava al suono della cascata scrosciante della batteria incrinata, martellata da un grosso negro brutale dal collo taurino cui non importava un corno di niente fuorché di castigare i suoi logori tamburi. "crak, ta-ra-ta-bum, crak". Scrosciar di musica col sax-tenore ch'era in istato di grazia e tutti lo sapevano. Dean si stava afferrando la testa tra la folla, ed era una folla di pazzi. Stavano tutti a incitare il sassofonista, con urli e stralunar d'occhi, perché tenesse duro e continuasse, e lui si sollevava sulle ginocchia e si abbassava di nuovo col suo strumento, lanciandolo alto in un chiaro grido sopra il furore. Una negra ossuta altissima dondolava le sue ossa contro la bocca del sassofono di lui, ed egli lo spingeva verso di lei: "Iih! iih! iih!".

Tutti si dondolavano e ruggivano. Galatea e Marie con una bottiglia di birra fra le mani stavano in piedi sulle loro sedie scuotendosi e saltando. Gruppi di negri entravano inciampando dalla strada, cadendo l'uno sopra l'altro per arrivare prima. «Non mollare, amico!» strepitava un uomo dalla voce come una sirena di piroscafo, e faceva uscire un grosso muggito che avrebbe potuto essere udito fino a Sacramento: «Ah-aah!». «Uh!» disse Dean. Si strofinava il petto, il ventre; il sudore gli schizzava dal viso. Bum, una pedata, quel batterista dava calci al tamburo giú in fondo e rullava il ritmo di sopra con quelle bacchette assassine, "ta-ra-ta-bum!". Un grassone enorme saltellava sul palco, facendolo incavare e scricchiolare. «Iuh!» Il pianista pestava tasti solo con le mani aperte, accordi, ad intervalli, solo quando il grande sax-tenore si riempiva i polmoni per un'altra tirata... accordi cinesi, che facevano rabbrividire il piano in ogni legno, plink, e ogni corda, boong! Il sax-tenore saltò giú dal palco e stette in piedi tra la folla, suonando in tutte le direzioni; aveva il cappello sugli occhi; qualcuno glielo spinse all'indietro. Lui indietreggiò e batté un piede e soffiò una nota rauca, ululante, e tirò il fiato, e alzò lo strumento e lanciò una nota alta, larga e stridula nell'aria. Dean stava proprio di fronte a lui col viso abbassato verso la bocca del sassofono, battendo le mani, col sudore che gocciolava sui tasti del suonatore, e quello se ne accorse e rise dentro allo strumento una lunga tremante pazza risata, e tutti gli altri risero e si dondolarono e dondolarono; e alla fine il sassofonista decise di superare se stesso e si accoccolò giú e tenne un do acuto per un tempo lunghissimo mentre tutto il resto crollava all'intorno e le urla si accrescevano e io pensai che i poliziotti sarebbero arrivati a squadre dal piú vicino commissariato. Dean era in trance. Gli occhi del sax-tenore stavano puntati dritti nei suoi; là c'era un pazzo che non solo capiva ma s'interessava e voleva capire di piú e molto di piú di quanto non ci fosse, ed essi cominciarono a duellare per questo: tutto uscí dallo strumento, non piú frasi, solo gridi, gridi: "Booh" e giú fino a "Biip!" e su in alto "Iiiiih!" e giú fino a note discordanti e ancora su, suoni di corno echeggianti di fianco. Tentò di tutto su, giú, di lato, sottosopra, orizzontalmente, a trenta gradi, quaranta gradi, e finalmente ricadde fra le braccia di qualcuno e si diede per vinto e tutti gli si accalcarono intorno e gridarono: «Sí! Sí! L'ha suonato come un dio!». Dean si asciugò col fazzoletto.

Poi il sax-tenore si fece avanti sul palco e domandò un ritmo lento e guardò tristemente oltre la porta aperta sopra le teste della gente e cominciò a cantare *Close Your Eyes*[1]. Il tumulto si calmò in un attimo. Il sax-tenore portava un logoro giaccone di camoscio, una camicia color porpora, scarpe scalcagnate, e pantaloni vistosi senza piega; non gliene importava. Pareva un Hassel

[1] Chiudi gli occhi. (*N. d. T.*)

negro. I suoi grandi occhi scuri esprimevano tristezza, e il proposito di cantare lentamente e con prolungate pause pensose. Ma al secondo *chorus* si eccitò e afferrò il microfono e saltò giú dal palco e ci si chinò sopra. Per cantare una nota doveva toccarsi la punta delle scarpe e tirarsi su tutto di nuovo per prender fiato, e ne prese tanto che barcollò per lo sforzo, e si riprese appena in tempo per la prossima lunga nota lenta. « *Mu-u-usic pla-a-a-a-a-ay!* » Si curvò all'indietro con il viso verso il soffitto, il microfono tenuto basso. Si scosse, ondeggiò. Poi si curvò in avanti, quasi cadendo con la faccia sul microfono. « *Ma-a-a-ake it dream-y for dan-cing* » – e guardò fuori nella strada con le labbra incurvate in disprezzo, il ghigno ossessivo di Billie Holiday – « *while we go roman-n-n-cing* » – barcollò da un lato – « *Lo-o-o-ove's holida-a-ay* » l'amore è una vacanza – scosse la testa con disgusto e stanchezza verso il mondo intero – « *Will make it seem* » e tutto sembrerà – com'è che sarebbe sembrato? Tutti aspettavano; lui singhiozzò: « *O-kay* ». Il piano suonò un accordo. « *So baby come on just clo-o-o-se your pretty little ey-y-y-y-yes* » – la bocca gli tremò, ci guardò, Dean e me, con un'espressione che pareva dire: "Ehi, dite, cos'è che stiamo facendo tutti in questo triste buio mondo?" – e quindi arrivò alla fine della canzone, e per questo ci volevano elaborati preparativi, durante i quali avreste potuto mandare tutti i messaggi a Garcia intorno al mondo per dodici volte e che cosa poteva importare a chicchessia? Perché qui adesso avevamo a che fare con l'abisso e l'aspro succo della povera miserabile vita stessa nelle strade dell'uomo invise a Dio, cosí disse lui e lo cantò: « *Close - your -* » e lo cantò su dritto verso il soffitto e attraverso le stelle e piú alto ancora: « *Ey-y-y-y-y-y-es* » – e barcollò giú dal palco per meditare. Si mise a sedere in un angolo con un gruppo di ragazzi e non li guardò nemmeno. Teneva gli occhi bassi e piangeva. Fu insuperabile.

Dean e io gli andammo vicino per parlargli. Lo invitammo a salire sulla nostra automobile. In macchina improvvisamente si mise a urlare: « Sí! Non c'è niente che mi piaccia piú di una bella baldoria! Dove andiamo? ».

Dean saltava su e giú sul sedile, ridacchiando come un pazzo. « Dopo! Dopo! » esclamò il sax-tenore. « Dirò al mio ragazzo che ci porti al Jamson's Nook, devo cantare. Amico, io *vivo* per cantare. Sono due settimane che canto *Close your eyes...* Non voglio cantare nient'altro. Che intenzioni avete voialtri, ragazzi? » Gli raccontammo che fra due giorni saremmo partiti per New York. « Gesú, io non ci sono mai stato e m'hanno detto che è una città proprio indiavolata ma non ho motivo di lamentarmi di dove sono. Sono sposato, sapete. »
« Oh, sí? » fece Dean, illuminandosi tutto. « E dov'è quel tesoro stasera? »
« Che *vuoi dire*? » chiese il sax-tenore, guardandolo con la coda dell'occhio. « T'ho detto che è mia *moglie*, no? »
« Oh già, oh già » rispose Dean. « Era solo per chiedere. Forse ha delle amiche? O delle sorelle? Per divertirmi, capisci, io ho solo voglia di divertirmi. »
« Già, a che serve il divertimento, la vita è troppo triste per divertirsi di continuo » disse il sax-tenore, abbassando gli occhi verso la strada. « Me-e-erda! » fece. « Non ho soldi e stanotte me ne infischio. »
Tornammo dentro per un altro po'. Le ragazze erano talmente disgustate con Dean e me per essercela svignata e aver fatto tutto quel baccano che se n'erano andate e s'erano avviate a piedi verso il Jamson's Nook; la macchina non voleva partire, comunque. Nel bar assistemmo a una scena edificante: era entrato un gagà bianco, pederasta, indossando una camicia hawayana, e stava chiedendo al grosso batterista se poteva sedersi a suonare con loro. I suonatori lo guardarono con sospetto. « Ci sai fare? » Lui disse di sí, con voce miagolante. Quelli si guardarono fra loro e dissero: « Già, già, ecco quello che fa, lui, me-er-da! ». Cosí il finocchio sedette davanti alla batteria e quelli cominciarono a ritmare un pezzo di swing e lui si mise a percuotere i tamburelli con le leggere fruscianti inconcludenti bacchette a spazzola da be-bop, ciondolando il collo con quella compiacente estasi Reichianalizzata[1] che non significa nient'altro che trop-

---

[1] Da W. Reich, psicoanalista contemporaneo. (*N. d. T.*)

pa marijuana e buoni cibi e sciocche baldorie a mente
fredda. Ma lui non se ne curava. Sorrideva felice nel
vuoto e teneva il ritmo, quantunque in sordina, con sot-
tigliezze da be-bop, un ridacchiante, arruffato sfondo per
i grandi solidi rauchi blues che i ragazzi stavano suonando, inconsapevoli di lui. Il grosso batterista negro dal
collo taurino sedeva aspettando il suo turno. «Che fa
quello?» disse. «Fa del jazz!» continuò. «Che diavolo!» disse. «Me-er-da!» e guardò da un'altra parte, disgustato.
Arrivò l'autista del sax-tenore; era un piccolo solido negro con una Cadillac enorme. Ci saltammo tutti dentro.
Lui si raggomitolò sul volante e lanciò la macchina
dritto attraverso Frisco senza fermarsi neppure una volta,
a piú di cento all'ora, proprio in mezzo al traffico e nessuno s'accorgeva di lui, tanto era bravo. Dean era in
estasi. «Guarda quello lí, amico! Guarda come se ne
sta là seduto senza muovere un osso e la fa andare come
un bolide ed è persino capace di parlare tutta la notte
mentre lo fa, solo che non gli importa di parlare, ah,
caro mio, le cose, le cose che potrei... che vorrei... oh,
sí. Andiamo, non fermiamoci... va' va'! Sí!» E il ragazzo
girò attorno a una cantonata e ci sbatté dritto davanti
al Jamson's Nook e parcheggiò. Un tassí accostò al marciapiede; ne saltò fuori un ossuto, piccolo predicatore
negro che lanciò un dollaro al tassista e urlò: «Suona-
te!» e corse dentro al club e schizzò dritto attraverso il
bar a pianterreno, gridando: «Suonatesuonatesuonate!»
e andò di sopra incespicando, quasi cadendo a faccia in
giú, e spalancò la porta e piombò nel mezzo della stanza
del jazz con le mani protese per sostenersi contro qualsiasi ostacolo gli si parasse davanti, e cadde dritto su
Lampshade, che quella stagione lavorava come cameriere
al Jamson's Nook, e lí la musica imperversava e lui rimase inchiodato sulla porta aperta, strillando: «Suona
per me, amico, suona!» E l'amico in questione era un
piccolo basso negro con un sax-alto, il quale, disse Dean,
probabilmente viveva con sua nonna proprio come Tom
Snark, dormendo tutto il giorno e suonando tutta la

notte, ed eseguiva un centinaio di motivi prima d'esser pronto a darci dentro sul serio, ed è questo appunto che stava facendo.

« Pare Carlo Marx! » urlò Dean sopra il tumulto.

E cosí era. Quel piccolo cocco della nonna col sax-alto munito di sordina aveva occhi piccoli, scintillanti; piedi minuti, storti; gambe come stecchi; e saltava e ricadeva giú col suo strumento e buttava i piedi qua e là e teneva gli occhi fissi sul pubblico (che era fatto solo di gente che rideva seduta a una dozzina di tavoli, la stanza nove metri per nove e col soffitto basso), e non si fermava mai. Aveva idee musicali semplicissime. Quel che gli piaceva era sorprendere con una nuova semplice variazione di un *chorus*. Andava da un "ta-tap-tadir-rara... ta-tap-tadir-rara", ripetendolo e saltellando a ritmo e lanciando baci e sorridendo nello strumento, fino a "ta-tap-ii-da-di-dira-rap! ta-tap-ii-da-di-dira-rap!" e sempre provocava gran momenti di risa e di comprensione per lui e per tutti gli altri che stavano a sentire. Il suo timbro era chiaro come una campana, alto, puro, e ci squillava dritto in faccia da mezzo metro di distanza. Dean stava in piedi davanti a lui, dimentico di ogni altra cosa al mondo, con la testa bassa, dandosi pugni nelle palme, tutto il corpo saltellante sui calcagni e il sudore, sempre quel sudore, che gli colava giú e gl'inondava il colletto tormentato per raccogliersi letteralmente in una pozza ai suoi piedi. C'erano anche Galatea e Marie, e ci vollero cinque minuti perché ce ne rendessimo conto. Uuh, le notti di Frisco, fine del continente, fine dei dubbi, di tutti i melanconici dubbi e stupidaggini, addio. Lampshade stava urlando qua e là coi suoi vassoi di birra; tutto quel che faceva lo faceva a tempo di musica; gridava alla cameriera seguendo il ritmo: « Su coraggio, bellabella, fammi strada, fammi strada, sono io che vengo, bada » e la spingeva da parte con le birre sollevate in aria e ruggiva passando in cucina dalle porte a molla e ballava con i cuochi e ritornava indietro tutto sudato. Il cornettista sedeva assolutamente immobile a un tavolo d'angolo con davanti un bicchiere intatto, fissando il vuoto con occhi opachi, le mani pendenti lungo i fianchi cosí che quasi toccavano il pavimento, i piedi volti in fuori come due lingue penzolanti, il corpo abbandonato in assoluta inerzia e incantato dolore e tutto quello che aveva in mente: un uomo che ogni sera si metteva fuori combattimento da sé e lasciava che gli altri lo finissero nella notte. Attorno a lui tutto volteggiava come una nuvola. E quel piccolo sax-alto di nonna, quel piccolo Carlo Marx, saltellava e danzava come una scimmia col suo magico strumento e lanciava duecento motivi di blues, ognuno piú indiavolato dell'altro, senza alcun segno di energie in declino o desiderio di farla finita. L'intera sala rabbrividiva.

Un'ora dopo mi fermai all'angolo fra la Quarta e la Folsom con Ed Fournier, un sax-alto di San Francisco che aspettava con me mentre Dean faceva una telefonata in un bar per farci venire a prendere da Roy Johnson. Non c'era niente di speciale, stavamo semplicemente chiacchierando, solo che tutto a un tratto vedemmo uno spettacolo stranissimo e pazzesco. Era Dean. Voleva dare a Roy Johnson l'indirizzo del bar, cosí gli aveva detto di rimanere in linea un momento e s'era precipitato fuori a vedere, e per farlo gli era toccato correre all'impazzata attraverso una lunga fila di bevitori scalmanati in maniche di camicia, mettersi in mezzo alla strada, e guardare l'insegna del locale. Questo lo fece accucciato per terra come Groucho Marx, coi piedi che lo portavano a velocità incredibile fuori del bar, come un'apparizione, col suo pollice levato su nella notte, come un pallone, e arrivò in mezzo alla strada con una frenata vertiginosa, cercando dappertutto la scritta con gli occhi volti verso l'alto. Questa difficilmente si poteva vedere nel buio, e cosí lui girò su se stesso una dozzina di volte in mezzo alla strada, col dito sollevato, in un ansioso, pazzo silenzio, una sagoma dai capelli scarmigliati con un pollice a mo' di pallone tenuto su come un'enorme anitra nel cielo, girando e rigirandosi nel buio, e l'altra mano ficcata distrattamente nei pantaloni. Ed Fournier stava dicendo: «Dovunque vado, io suono con un timbro dolce e se alla gente non piace non posso farci niente. Dí, amico, quel tuo compagno è mezzo matto, guardalo un po' là...», e noi guardammo. C'era un gran silenzio dappertutto quando Dean trovò l'insegna e si precipitò indietro verso il bar, praticamente infilandosi sotto le gambe di quelli che uscivano e scivolando a tale velocità in mezzo al bar che tutti dovettero girarsi due volte per vederlo. Un momento dopo comparve Roy Johnson e, con la stessa incredibile velocità, Dean sfrecciò attraverso la strada e salí in macchina, senza pronunciar parola. Eravamo di nuovo in moto.

« Ora, Roy, so che stai passando i guai con tua moglie per questa faccenda ma noi dobbiamo assolutamente arrivare all'angolo fra la Quarantaseiesima e la Geary nell'incredibile tempo di tre minuti o tutto è perduto. Ehm! Sí! » (Tossicchiò.) « Domattina Sal e io partiamo per New York e questa è assolutamente la nostra ultima notte di baldoria e so che tu non ci farai caso. »

No, Roy Johnson non ci fece caso; si limitò a passare con tutti i semafori rossi che gli riuscí di trovare e ci sospinse avanti nella nostra follia. All'alba tornò a casa a dormire. Dean e io ci trovammo alla fine insieme con un negro di nome Walter che ordinò da bere al bar e fece allineare i bicchieri e disse: « Spodiodi al vino! », che era una mistura fatta di uno schizzo di porto, uno di whisky, e un altro di porto. « Un bel travestimento per tutto questo cattivo whisky! » urlò.

C'invitò a casa sua a bere una bottiglia di birra. Abitava in un appartamento in affitto dietro la Howard. Sua moglie dormiva quando entrammo. L'unica luce nell'appartamento era la lampadina sopra il letto. Dovemmo salire su una sedia e svitare la lampadina mentre lei giaceva lí sorridente; lo fece Dean, sbattendo le ciglia. Lei era di circa quindici anni piú vecchia di Walter e la piú dolce donna al mondo. Poi ci toccò infilare il prolungamento nella spina sopra il letto, e lei sorrideva e sorrideva. Non chiese mai a Walter dove fosse stato, che ora fosse, nulla. Finalmente ci sistemammo in cucina col filo e ci sedemmo intorno all'umile tavolo a bere birra e a raccontarci storie. L'alba. Era ora di partire e riportare il prolungamento nella camera da letto e riavvitare la lampadina. La moglie di Walter sorrideva e sorrideva mentre noi ripetevamo la pazza operazione tutta da capo. Non disse mai una parola.

Fuori sulla strada nell'alba Dean disse: « Ecco, vedi, amico, quella sí che sarebbe una *vera* donna per te. Mai una parola dura, mai una lamentela, o un cambiamento d'umore; il suo uomo può venire a casa con chicchessia e a qualunque ora della notte e far quattro chiacchiere in cucina e bere birra e andarsene ogni volta che gli pare. Questo è un uomo, e quello è il suo castello ». Indicò l'appartamento. Uscimmo incespicando. La gran nottata era finita. Un'autopattuglia della polizia ci seguí sospettosa per alcuni isolati. Comprammo ciambelle calde in una panetteria nella Terza Strada e ce le mangiammo nella strada grigia, desolata. Un tipo alto, ben vestito, con gli occhiali avanzò barcollando lungo la via insieme con un negro con un berretto da camionista. Erano una strana coppia. Passò un grosso autocarro e il negro lo additò eccitato e tentò di esprimere quel che sentiva. L'alto uomo bianco si guardò furtivamente alle spalle e contò il denaro che aveva. « Pare il vecchio Bull Lee! » ridacchio Dean. « Conta i soldi e si preoccupa di tutto, e invece l'unica cosa che l'altro ragazzo desidera è parlare di autocarri e delle cose che conosce. » Li seguimmo per un po'.

Sacri fiori fluttuanti nell'aria, ecco che cos'erano tutte quelle facce stanche nell'alba dell'America del Jazz.

Dovevamo dormire; Galatea Dunkel era fuori questione. Dean conosceva un frenatore delle ferrovie che si chiamava Ernest Burke e viveva con suo padre in una stanza d'albergo nella Terza Strada. Una volta era stato in buoni rapporti con loro, ma in seguito non tanto, e l'idea era che io cercassi di persuaderli a farci dormire sul loro pavimento. Fu orribile. Dovetti telefonare da una latteria. Il vecchio rispose al telefono con tono sospettoso. Si ricordava di me da quel che gli aveva detto suo figlio. Con nostra sorpresa venne giú nella hall e ci fece entrare. Era solo un triste vecchio grigio albergo di Frisco. Andammo di sopra e il vecchio fu cosí gentile da offrirci tutto il letto. « Tanto io devo alzarmi lo stesso » disse e si ritirò nella cucinetta per preparare il caffè. Cominciò a raccontare storie sul suo periodo passato nelle ferrovie. Mi fece venire in mente mio padre. Io stetti su a sentire le storie. Dean, senza ascoltarlo, si stava lavando i denti e si dava da fare in giro e rispondeva: « Sí, appunto » a tutto quello che l'altro diceva. Finalmente dormimmo; e durante la mattinata Ernest tornò dal turno alla Western Division e occupò il letto mentre Dean e io ci alzavamo. Adesso il vecchio signor Burke si stava facendo bello per un appuntamento con la sua matura fidanzata. Indossò un abito di tweed verde, un berretto da ciclista, pure di tweed verde, e s'infilò un fiore all'occhiello.

« Questi romantici vecchi ruderi di frenatori di Frisco vivono una loro vita triste ma movimentata » dissi a Dean nel camerino da bagno. « È stato molto gentile da parte sua lasciarci dormire qui. »

« Sí... sí » fece Dean, senza ascoltare. Corse fuori a prendere la macchina all'agenzia di viaggi. Il mio compito era di correre a prendere i nostri bagagli da Galatea Dunkel. Sedeva sul pavimento con le sue carte da indovina.

« Be', addio, Galatea, e spero che tutto si metta a posto. »

« Quando torna Ed voglio portarlo ogni sera al Jamson's Nook e lasciare che si rimpinzi bene di pazzia. Credi che questo gioverà, Sal? Io non so piú che fare. »

« Che dicono le carte? »

« L'asso di picche è lontano da lui. Le carte di cuori lo circondano sempre... la regina di cuori non lo lascia mai. Vedi questo fante di picche? Questo è Dean, gli sta sempre fra i piedi. »

« Be', fra un'ora partiamo per New York. »

« Un giorno o l'altro Dean s'imbarcherà per uno di questi viaggi e non tornerà mai piú. »

Permise che mi facessi una doccia e mi radessi, e poi la salutai e portai giú i bagagli e chiamai un tassí-carovana di Frisco, che sarebbe un normale tassí che percorre un itinerario fisso e si può farlo venire da qualsiasi angolo e viaggiarci su fino a qualsiasi altro angolo si voglia per circa quindici centesimi, pigiati dentro con altri passeggeri come su un autobus, ma chiacchierando e raccontando barzellette come su una macchina privata. Mission Street, quell'ultimo giorno a Frisco, era una gran confusione di cantieri in funzione, di ragazzini che giocavano, di negri scalmanati che tornavano a casa dal lavoro, di polvere, d'eccitazione, il gran ronzare sussurrante e vibrante di quella che è senz'altro la piú agitata città d'America... e sopra la testa il puro cielo azzurro e la gioia del mare di bruma che sempre si spinge avanti nella notte per rendere tutti affamati di cibo e di maggior eccitazione. Odiavo partire; la mia permanenza laggiú era durata sessanta ore buone. Insieme col frenetico Dean mi preparavo a correre attraverso il mondo senza una sola possibilità di vederlo. Il pomeriggio stavamo filando verso Sacramento e poi di nuovo verso l'Est.

5

L'automobile apparteneva a un pederasta alto e magro che stava tornando a casa nel Kansas e portava occhiali scuri e guidava con estrema prudenza; la macchina era di quel genere che Dean chiamava una "Plymouth da finocchi"; non aveva ripresa e nemmeno una potenza vera e propria. « Macchina effeminata! » mi sussurrò Dean all'orecchio. C'erano altri due passeggeri, una coppia, tipici turisti a tappe che volevano fermarsi dappertutto per dormire. La prima fermata avrebbe dovuto essere Sacramento, che non era nemmeno lontanamente l'inizio del viaggio verso Denver. Dean e io sedevamo soli sul sedile posteriore e lasciavamo decidere a loro e chiacchieravamo. « Sai, amico, quel sax-alto l'aveva afferrata, quella COSA: una volta che l'ha trovata, non se l'è lasciata piú scappare; non ne ho mai visto uno che sapesse tenere una nota come lui. » Io volli sapere che cosa volesse dire quella COSA. « Ah, be'... » Dean rise. « Adesso mi stai chiedendo l'im-pon-de-ra-bi-le... ehm! Qua c'è un tale e là stanno tutti gli altri, giusto? Tocca a lui esprimere quello che essi hanno in mente. Comincia il primo *chorus*, poi organizza le sue trovate... la gente dice... sí, sí, ma hai voglia, e poi egli affronta il suo destino e gli tocca suonare in modo da esserne degno. Tutto a un tratto a un certo punto nel bel mezzo del *chorus* conquista quella COSA: tutti guardano su e capiscono; ascoltano; lui la prende su, quella cosa, e la porta avanti. Il tempo si ferma. Egli riempie lo spazio vuoto con la sostanza delle nostre vite, confessioni dello sforzo dal profondo del ventre suo, rimembranze di idee, rimpasti di vecchi motivi. Gli tocca attraversare il punto centrale del ritornello e tornare indietro e farlo con un sentimento talmente intenso di esplorazione d'anime per il motivo del momento che tutti capiscono che non è il motivo che conta ma quella COSA... » A Dean non riuscí di continuare; sudava a parlarne.

Poi cominciai a parlare io; non chiacchierai mai tanto in vita mia. Dissi a Dean che quando ero bambino e viaggiavo in automobile ero solito immaginare di tenere in mano una grossa falce e di abbattere con essa tutti gli alberi e i pali e persino di affettare ogni collina che sfrecciava accanto al finestrino. « Sí! Sí » gridò Dean. « Lo facevo anch'io solo che io usavo falci diverse... ti dico perché. Andando in macchina attraverso il West per lunghi percorsi la mia falce doveva essere infinitamente piú lunga e doveva curvarsi fin oltre le montagne lontane, per reciderne la cima, e raggiungere un altro livello per arrivare a montagne piú lontane ancora e nello stesso tempo decapitare ogni palo lungo la strada, veri e propri pali pulsanti. Per questa ragione – Oh, amico, bisogna che te lo dica, ADESSO, io ce l'ho quella COSA – bisogna che ti racconti di quando mio padre e io e un infimo vagabondo di Larimer Street facemmo un viaggio nel Nebraska al culmine della crisi per vendere scacciamosche. E come li facemmo, comprammo pezzi della solita vecchia normale rete metallica e pezzi di fil di ferro che girammo intorno due volte e pezzetti di stoffa blu e rossa da cucire agli orli e il tutto era una questione di pochi centesimi in un emporio a prezzo unico e facemmo migliaia di scacciamosche e salimmo sul vecchio macinino del vagabondo e andammo in giro per tutto il Nebraska in ogni casa di contadini e li vendemmo per un nichelino al pezzo: loro ci davano quei nichelini piú che altro per farci la carità, due vagabondi e un bambino, torte di mele nel cielo, e in quei giorni il mio vecchio cantava sempre: "Alleluia, sono un vagabondo, di nuovo vagabondo". E, caro mio, adesso senti questo, dopo due settimane intere di incredibile sfaticare e andare in giro e sudare nell'afa per vendere quegli orribili scacciamosche fatti in casa loro cominciarono a discutere sulla divisione dei proventi e fecero una grossa litigata al margine della strada e poi fecero pace e comprarono del vino e si misero a berlo e non smisero per cinque giorni e cinque notti mentre io stavo raggomitolato e strillante nel fondo, e quando ebbero finito non c'era piú un solo centesimo e ci ritrovammo esattamente da dove eravamo partiti, in Larimer Street. E il mio vecchio fu arrestato e io dovetti ricorrere al giudice in tribunale che lo lasciassero andare siccome era papà mio e non avevo la mamma. Sal, all'età di otto anni ho fatto lunghi discorsi maturi di fronte agli avvocati attenti... » Avevamo caldo; stavamo andando ad est; eravamo eccitati.

« Lascia che ti dica di piú » dissi io « e solo come parentesi a quello che hai raccontato tu e per concludere il mio precedente pensiero. Da bambino, mentre stavo sdraiato sul sedile posteriore nell'automobile di mio padre, ebbi anche una visione di me stesso su un cavallo bianco che cavalcavo a fianco della macchina superando tutti i possibili ostacoli che mi si presentassero: questo voleva dire schivare i pali, correre intorno alle case, qualche volta superarle d'un balzo quando le vedevo troppo tardi, correre sulle colline, attraverso piazze improvvise piene di traffico che dovevo scansare in modo incredibile.. »

« Sí! Sí! Sí » ansimò Dean estatico. « L'unica differenza per quanto mi riguarda era che io correvo a piedi, e non avevo cavallo. Tu eri un ragazzo dell'Est e sognavi i cavalli; naturalmente noi non ammettiamo cose simili poiché sappiamo entrambi che in realtà sono idee da scartare e puramente letterarie, sennonché io nella mia schizofrenia probabilmente ancora piú selvaggia in realtà *correvo* a piedi accanto alla macchina e a velocità incredibili, qualche volta a centocinquanta l'ora, saltando ogni cespuglio e steccato e fattoria e qualche volta facendo brevi puntate sulle colline e tornando indietro senza perdere terreno nemmeno per un momento... »

Ci stavamo raccontando queste cose e sudavamo entrambi. Avevamo completamente dimenticato la gente che sedeva davanti, la quale aveva cominciato a chiedersi che cosa stesse succedendo nel sedile posteriore. A un certo punto quello al volante disse: « Per amor di Dio, state facendo dondolare la barca là dietro ». Cosí era in realtà; la macchina ondeggiava mentre Dean e io ondeggiavamo entrambi sospinti dal ritmo e da quella COSA che era la nostra definitiva eccitata gioia di parlare e di vivere nella fine informe ed estatica di tutti quegli innumerevoli disordinati angelici particolari che ci erano rimasti assopiti nell'anima per tutta la nostra vita.

« Oh, amico! Amico! Amico! » si lamentava Dean. « E questo non è nemmeno il principio... e adesso eccoci qua finalmente che stiamo andando insieme verso l'Est, non siamo mai andati all'Est insieme, Sal, pensaci un po', andremo ad esplorare Denver insieme e vedremo quel che fanno tutti quantunque non ce ne importi gran che, poiché la questione è che noi sappiamo cos'è quella COSA e abbiamo la nozione del TEMPO e sappiamo che tutto procede veramente BENE. » Poi bisbigliò, afferrandosi alla mia manica, sudando: « Adesso considera un po' questi qua davanti. Hanno preoccupazioni, contano i chilometri, pensano a dove devono dormire stanotte, quanti soldi per la benzina, il tempo, come ci arriveranno... e in tutti i casi ci arriveranno lo stesso, capisci. Però hanno bisogno di preoccuparsi e d'ingannare il tempo con necessità fasulle o d'altro genere, le loro anime puramente ansiose e piagnucolose non saranno in pace finché non riusciranno ad agganciarsi a qualche preoccupazione affermata e provata e una volta che l'avranno trovata assumeranno un'espressione facciale che le si adatti e l'accompagni, il che, come vedi, è solo infelicità, e per tutto il tempo questa aleggia intorno a loro ed essi lo sanno e *anche* questo li preoccupa senza fine. Ascolta! Ascolta! "Be', dunque" » recitò, rifacendo loro il verso, « "Non so... forse sarebbe meglio che non prendessimo la benzina a quel distributore. Ho letto di recente nella *Gazzetta Nazionale dei Petroli Petroffi* che questo genere di benzina ha un elevato numero di Zero-Ottani Glu-Glu e qualcuno mi ha detto che dentro c'è persino del Glo-Glo semiufficiale ad alta frequenza, e io non saprei, be', proprio non mi va, insomma..." Caro mio, considera tutto questo ». Mi pungolava furiosamente nelle costole perché capissi. Io tentai con tutte le mie povere forze. Bing, bang, erano tutti Sí! Sí! Sí! nel sedile di dietro e la gente davanti si asciugava la fronte per il terrore e si rammaricava di averci presi su all'agenzia di viaggi. Ma anche questo era solo l'inizio.

A Sacramento il pederasta prese astutamente una camera in albergo e invitò Dean e me a salir da lui a bere qualcosa, mentre la coppia andava a dormire in casa di parenti, e nella camera d'albergo Dean tentò con tutti i mezzi possibili di spillar denaro all'invertito. Fu una cosa pazzesca. Quello cominciò col dire che era felicissimo che fossimo andati da lui perché gli piacevano i giovanotti come noi e, l'avremmo mai creduto?, ma davvero le ragazze non gli andavano e aveva concluso di recente una relazione con un uomo di Frisco nella quale lui aveva fatto la parte del maschio e l'altro quella della donna. Dean lo sollecitava con domande concrete e assentiva con serietà. Il pederasta disse che nessun'altra cosa gli avrebbe procurato piú piacere che sapere ciò che Dean pensava in proposito. Avvertendolo prima che una volta, in gioventú, era stato uno sfruttatore di omosessuali, Dean gli chiese quanto denaro avesse. Io ero nel bagno. Il pederasta diventò estremamente circospetto e io penso sospettoso dei veri fini di Dean, non sborsò denaro alcuno, e fece vaghe promesse per Denver. Continuò a contare il suo denaro e a controllare il portafogli. Dean alzò le mani al cielo e ci rinunciò. « Vedi, amico, è meglio non impicciarsene. Tu gli offri quel che segretamente desiderano e loro naturalmente si fanno subito prendere dal panico. » Però aveva sufficientemente conquistato il proprietario della Plymouth perché quello gli cedesse il volante senza rimostranze, e adesso viaggiammo sul serio.

Lasciammo Sacramento all'alba e a mezzogiorno stavamo attraversando il deserto del Nevada, dopo aver superato d'impeto le Sierras, il che fece sí che il pederasta e i turisti si aggrappassero l'uno all'altro sul sedile posteriore. Noi eravamo davanti, avevamo il comando. Dean era di nuovo felice. Tutto quel che gli ci voleva era un volante fra le mani e quattro ruote sulla strada. Raccontava del vecchio Bull Lee e di come fosse un pessimo guidatore, e per dimostrarlo...: « Tutte le volte che un autocarro enorme come quello che sta venendo si stagliava all'orizzonte gli ci voleva un tempo infinito, al vecchio Bull, per individuarlo, perché non ci *vedeva bene*, caro mio, non ci *vedeva bene* ». Per dimostrarlo si strofinò furiosamente gli occhi. « E io dicevo: "Uuh, sta attento, Bull, un autocarro", e lui rispondeva: "Eh? Cos'è che hai detto, Dean?". "Autocarro! Autocarro!" e all'*ultimissimo* momento andava dritto sotto l'autocarro in questo modo... » E Dean lanciava la Plymouth a muso avanti verso l'autocarro che si dirigeva rombando verso di noi, serpeggiando e indugiando un attimo davanti ad esso, mentre la faccia del camionista si faceva grigia davanti agli occhi nostri, e la gente nel sedile posteriore si abbandonava a singulti di orrore, e poi sterzava via all'ultimo istante. « Cosí, vedi, esattamente cosí, talmente guidava male. » Io non ero affatto spaventato; conoscevo Dean. Le persone sul sedile posteriore erano senza parole. In realtà avevano paura di protestare: Dio solo sapeva quel che avrebbe fatto Dean, pensavano, se mai avessero protestato. A questa maniera ci sballottò attraverso il deserto, dimostrando i vari modi in cui non si deve guidare, come suo padre era solito portare le vecchie automobili, come prendevano le curve i guidatori famosi, come i cattivi guidatori le prendevano troppo larghe e dovevano poi faticare per tenersi sulla strada, e cosí via. Era un caldo pomeriggio assolato. Reno, Battle Mountain, Elko, tutte le città lungo la strada per il Nevada sfrecciarono l'una dopo l'altra, e al crepuscolo eravamo sulle pianure del Lago Salato con le luci di Salt Lake City che lanciavano barlumi infinitesimali almeno a centosessanta chilometri oltre il miraggio delle pianure, mostrandosi due volte, sopra e sotto la curvatura della terra, una volta chiare, una volta opache. Dissi a Dean che ciò che ci legava tutti assieme in questo mondo era invisibile, e per provarlo indicai le lunghe file di pali del telefono che si curvavano a perdita d'occhio di là della curva dei centosessanta chilometri di sale. Mentre la sua fasciatura cascante, tutta sporca ormai, tremava nell'aria, la sua faccia era tutta luce. « Oh, sí, amico, buon Dio, sí, sí. » Improvvisamente fermò la macchina e crollò. Mi girai e lo vidi rannicchiato nell'angolo del sedile, che dormiva. La sua faccia stava posata sulla mano sana mentre quella bendata era rimasta automaticamente e ubbidientemente per aria.

Le persone nel sedile posteriore tirarono un sospiro di sollievo. Li sentii che complottavano l'ammutinamento. « Non possiamo lasciarlo guidare ancora, è completamente pazzo, devono averlo rilasciato da un manicomio o qualcosa del genere. »

Io presi le difese di Dean e mi sporsi all'indietro per parlamentare con loro. « Non è matto, starà benissimo, e non preoccupatevi di come guida, è il miglior guidatore al mondo ».

« Io non ci resisto proprio » disse la ragazza con un sommesso, isterico bisbiglio. Sedetti dietro e mi godetti il calar della notte sul deserto e aspettai che quel povero piccolo angelo di Dean si risvegliasse. Eravamo su una collina dalla quale si vedevano i precisi contorni di luce di Salt Lake City ed egli aprí gli occhi in quel punto di mondo spettrale nel quale era nato, ignoto e infangato, anni prima.

« Sal, Sal, guarda, è qui che sono nato, pensa un po'! La gente cambia, consuma i pasti un anno dopo l'altro e a ogni pasto cambia. Iih! Guarda! » Era talmente eccitato che mi fece piangere. Dove ci avrebbe portati tutto questo? I turisti insistettero per guidare la macchina per il resto del viaggio fino a Denver. Okay, non ce ne importava. Sedemmo sul sedile di dietro e chiacchierammo. Ma al mattino quelli si stancarono e a Craig, nel deserto orientale del Colorado, Dean riprese il volante. Avevamo percorso quasi tutta la notte arrampicandoci con prudenza sul Passo della Fragola nell'Utah e avevamo perso un sacco di tempo. Gli altri si addormentarono. Dean si lanciò come un bolide verso la possente muraglia del Passo Berthoud che stava ritta a centosessanta chilometri di distanza sul tetto del mondo, una terribile porta di Gibilterra ammantata di nubi. Lui prese il Passo Berthoud come un maggiolino: la stessa cosa che a Tehachapi, spegnendo il motore e scivolando giú, sorpassando tutti e senza interrompere mai quell'avanzare ritmico che le montagne stesse intendevano, finché non fummo di nuovo sopra la grande pianura ardente di Denver... e Dean fu a casa.

Fu con una notevole quantità di stupido sollievo che quella gente ci fece scendere dalla macchina all'angolo fra la 27ma e la Federal. Le nostre valigie logore stavano di nuovo ammucchiate sul marciapiede; avevamo altro e piú lungo cammino da percorrere. Ma non importa, la strada è vita.

6

Adesso c'era una serie di circostanze con le quali fare i conti, a Denver, ed erano di un genere completamente diverso da quelle del 1947. Potevamo prendere subito un'altra macchina dell'agenzia di viaggio oppure fermarci qualche giorno per divertirci e ricercare suo padre.

Eravamo entrambi esausti e sporchi. Nel gabinetto di un ristorante io mi trovavo all'orinatoio precludendo la strada a Dean verso il lavabo e me ne allontanai prima di aver finito e completai l'operazione in un altro orinatoio, quindi dissi a Dean: « Impara questo trucco ».

« Sissignore » disse lui, lavandosi le mani nel lavandino « è un bellissimo trucco, ma ti rovina i reni, specialmente ora che stai diventando sempre piú vecchio e ogni volta che lo fai ti procuri anni di patimenti per la vecchiaia, orribili sofferenze ai reni per i giorni nei quali starai seduto nei parchi. »

Questo mi fece arrabbiare. « Chi è vecchio? Non sono certo molto piú vecchio di te, io! »

« Non volevo dir questo, amico! »

« Ah » risposi « fai sempre lo spiritoso a proposito della mia età. Non sono mica un vecchio pederasta come quello là, non c'è bisogno che mi dài consigli sui *miei* reni. » Tornammo al nostro tavolino isolato e proprio mentre la cameriera ci metteva davanti i panini con l'arrosto caldo – e normalmente Dean avrebbe spazzato via il cibo in un baleno – io dissi per sfogare la rabbia: « E non voglio sentirne parlare mai piú ». E tutto a un tratto gli occhi di Dean si riempirono di lacrime ed egli si alzò e piantò là il cibo fumante e uscí dal ristorante. Mi chiesi se se ne stesse andando per sempre. Non me ne importava, tanto ero arrabbiato... Ero sbottato per un momento e me l'ero presa con Dean. Ma la vista del suo cibo intatto mi attristò piú di qualsiasi altra cosa in tutti quegli anni. Non avrei dovuto dirglielo... gli piace tanto mangiare... Non ha mai abbandonato il suo cibo a questo modo... Che diavolo. Gli servirà di lezione, comunque.

Dean stette fuori del ristorante cinque minuti esatti e poi tornò e si mise a sedere. « Be' » dissi « che stavi facendo là fuori a torcerti le mani? Mi stavi maledicendo, pensando nuove spiritosaggini sui miei reni? »

Dean scosse la testa senza parlare. « No, amico, no, amico, sei completamente in torto. Se proprio lo vuoi sapere, be'... »

« Avanti, dimmelo. » Tutto questo glielo dissi senza mai alzare la testa dal piatto. Mi sentivo una bestia.

« Piangevo » disse Dean.

« Ah, diavolo, tu non piangi mai. »

« Lo dici tu. Perché credi che non pianga? »

« Non sei abbastanza morto per piangere. » Ognuna di queste cose che dicevo era una coltellata inflitta a me stesso. Tutto ciò che avevo segretamente covato contro il fratello mio, stava venendo fuori: com'ero brutto e quale lordura stavo scoprendo nelle profondità della mia impura psicologia.

Dean stava scotendo la testa. « No, amico, piangevo. »

« Ma va', scommetto che eri tanto arrabbiato che hai dovuto uscire. »

« Credimi, Sal, credimi davvero se pure hai mai creduto niente sul conto mio. » Sapevo che diceva il vero eppure non volevo avere a che fare con la verità e quando alzai il viso per guardarlo mi parve che mi si stralunassero gli occhi per i violenti crampi intestinali del mio orribile ventre. Allora capii che avevo torto.

« Ah, Dean, caro, mi dispiace, non mi sono mai comportato cosí con te. Be', adesso mi conosci. Sai che non ho piú alcuna intima amicizia con nessuno... Non so che farmene di queste cose. Le tengo in mano come se fossero pezzi di merda e non so dove poggiarle. Non pensiamoci piú. » Quel benedetto imbroglione cominciò a mangiare. « Non è colpa mia! Non è colpa mia! » gli dissi. « Nessuna cosa di questo schifoso mondo è colpa mia, non capisci? Non voglio avercela e non può essere cosí e non *sarà* cosí. »

« Sí, amico, sí, amico. Ma ti prego fa' un passo indietro e credimi. »

« Sí che ti credo, e come. » Questa è la triste storia di quel pomeriggio. Quando Dean e io andammo ad abitare con la famiglia dell'Oklahoma, quella notte, sorsero ogni genere di terribili complicazioni.

Costoro abitavano vicino a me nella mia solitudine di Denver due settimane prima. La madre era una meravigliosa donna in blue-jeans che guidava autocarri carichi di carbone su per le montagne l'inverno per mantenere i suoi bambini, quattro in tutto, poiché suo marito l'aveva lasciata anni prima mentre viaggiavano attraverso il continente in un rimorchio. Avevano fatto tutta la strada dall'Indiana a Los Angeles in quel rimorchio. Dopo essersi divertito da matto e dopo una grossa bevuta ai bar dei crocevia un sabato pomeriggio, e risate e suonar di chitarra nella notte, quel gran mascalzone si era incamminato a un tratto verso i campi nel buio e non era ritornato mai piú. I suoi bambini erano meravigliosi. Il maggiore era un maschio; quell'estate non stava lí ma in un campeggio sulle montagne; la seconda era un'incantevole bambina di tredici anni che scriveva poesie e raccoglieva fiori nei campi e voleva crescere per fare l'attrice a Hollywood, di nome Janet; poi venivano i minori, il piccolo Jimmy che la notte sedeva accanto ai fuochi e strillava che gli dessero la sua "pi-ta-ta" prima ancora che fosse arrostita, e la piccola Lucy che s'era fatta protettrice di vermi, rospi cornuti, scarabei, e di tutto quel che strisciava, e assegnava loro nomi e posti dove abitare. Avevano quattro cani. Vivevano la loro povera e gioiosa vita nella piccola strada del quartiere nuovo ed erano lo scorno del semirispettabile senso del decoro del vicinato solo perché il marito della povera donna l'aveva lasciata e perché insudiciavano il cortile. La notte tutte le luci di Denver giacevano come una grande ruota sulla pianura giú in basso, poiché la casa si trovava in quella parte del West dove le montagne scendono con le falde delle colline fino alla pianura e dove nei tempi primordiali le morbide onde dovevano esser passate dal Mississippi simile a un mare per formare piedistalli cosí rotondi e perfetti per i picchi a mo' di isole come Evans e Pike e Longs. Dean andò là e naturalmente uscí fuori di sé dalla gioia e dall'entusiasmo appena li vide, specialmente per Janet, ma l'avvertii di non toccarla, e probabilmente non ce ne sarebbe stato bisogno. La donna era quel che di meglio poteva esserci per un uomo e prese subito Dean in simpatia ma era timida e cosí era lui. Disse che Dean le ricordava il marito fuggito. «Proprio come lui... oh, quello era matto, ve l'assicuro io. »

Il risultato furono strepitose bevute di birra nella disordinata stanza di soggiorno, cene rumorose, e alla radio la canzone del Cavaliere Solitario a tutto volume. Le complicazioni sorsero come sciami di farfalle: la donna – Frankie, cosí la chiamavano tutti – s'era finalmente decisa a comprare una vecchia automobile come aveva minacciato di fare da anni, ed era riuscita di recente a risparmiare qualche dollaro per prenderne una. Dean si assunse immediatamente la responsabilità di scegliere e indicare il prezzo della macchina, perché naturalmente voleva usarla lui in modo da potere, come nei tempi andati, prender su le ragazze che uscivano dal liceo al pomeriggio e portarle sulle montagne. La povera innocente Frankie era sempre consenziente su tutto. Però aveva paura di separarsi dai suoi soldi quando arrivarono allo spiazzo dov'erano le automobili e si trovarono davanti al rivenditore. Dean addirittura si sedette nella polvere di Alameda Boulevard e si diede pugni in testa. « Per soli cento dollari non *puoi* prender niente di meglio! » Giurò che non le avrebbe parlato mai piú, imprecò fino a farsi diventare la faccia paonazza, fu sul punto di saltare sulla macchina e portarsela via in tutti i modi. « Oh questa stupida stupida stupida gente dell'Oklahoma, non cambieranno mai, quanto sono completamente e incredibilmente stupidi, arrivato il momento di agire, diventano paralizzati, spaventati, isterici, niente li spaventa di piú di quel che *vogliono*: è *mio padre mio padre mio padre* preciso sputato! »

Quella sera Dean era eccitatissimo perché suo cugino Sam Brady aveva appuntamento con noi in un bar. S'era messo una maglietta pulita ed era tutto raggiante. « Adesso stammi a sentire, Sal, devo parlarti di Sam... è mio cugino. »

« A proposito, hai cercato tuo padre? »

« Questo pomeriggio, caro mio, sono andato giú al Jiggs' Buffet dove un tempo lui apriva il rubinetto della birra alla spina, in preda a dolce confusione e si faceva mandare al diavolo dal padrone e usciva barcollando... no... e sono andato alla vecchia bottega di barbiere vicino al Windsor... no, là nemmeno... un vecchio m'ha detto che credeva stesse – immagina! – a lavorare per il *Boston and Maine* del New England in una baracca-ristorante con dancing tipo dopolavoro sulla ferrovia o qualcosa del genere! Ma io non gli credo, ti imbastiscono gratis storie senza capo né coda. Adesso stammi a sentire. Sam Brady, mio cugino stretto, è stato l'unico eroe della mia infanzia. Portava whisky di contrabbando giú dalle montagne e una volta in cortile fece una tremenda scazzottatura con suo fratello che durò due ore e fece urlare e terrorizzare le donne. Eravamo soliti dormire insieme. L'unico uomo della famiglia che si occupasse teneramente di me. E stasera sto per rivederlo, la prima volta in sette anni, è appena tornato dal Missouri. »

« E quale sarebbe lo scopo di tutto questo? »

« Nessuno scopo, amico, voglio solo sapere cos'è successo della famiglia – ho una famiglia, ricordati – e soprattutto, Sal, voglio che mi racconti le cose della mia infanzia che ho dimenticata. Voglio ricordare, ricordare, voglio! » Non avevo mai visto Dean cosí felice ed eccitato. Mentre aspettavamo suo cugino nel bar si mise a parlare con un gruppo di giovani esaltati e teppisti del centro e indagò sulle nuove bande e quel che succedeva. Poi fece indagini su Marylou, poiché era stata a Denver di recente. « Sal, quando, nei miei verdi anni, ero solito venire in quest'angolo a rubare monetine al chiosco di giornali per comprarmi lo stufato di manzo alla trattoria, quel tipo losco che vedi là in piedi non aveva altro in mente che la voglia di far fuori qualcuno, e si ficcava in mezzo a risse orribili, l'una dopo l'altra, ricordo persino le sue cicatrici, finché adesso finalmente anni e an-ni di stare in piedi all'angolo di una via l'hanno addolcito e messo duramente alla prova, ed ecco che è diventato assolutamente dolce e compiacente e paziente con tutti, è diventato un *ornamento* della strada, vedi come vanno le cose. »

Poi arrivò Sam, un uomo peloso e ricciuto di trentacinque anni con le mani callose per il lavoro. Dean stette fermo davanti a lui pieno di rispetto. « No » disse Sam Brady « non bevo piú. »

« Vedi? Vedi » mi sussurrò Dean all'orecchio. « Non beve piú, eppure un tempo era il miglior bevitore di whisky della città; adesso è religioso, me l'ha detto al telefono, osservalo, osserva il cambiamento di quest'uomo... il mio eroe è diventato cosí strano. » Sam Brady era sospettoso del suo giovane cugino. Ci portò a fare un giretto nella sua vecchia sferragliante guida interna e definí subito con chiarezza la sua posizione nei confronti di Dean.

« Ora sta a sentire, Dean, io non credo piú né a te né a qualsiasi cosa tu cerchi di raccontarmi. Sono venuto a vederti stasera perché c'è un documento che ti voglio far firmare per la famiglia. Tuo padre non lo si nomina piú fra noi e non vogliamo aver assolutamente niente a che fare con lui, e, mi dispiace dirlo, nemmeno con te, mai piú. » Guardai Dean. Fece una faccia scura e avvilita.

« Sí, sí » disse. Il cugino continuò a scarrozzarci in giro e ci comprò persino le granite. Ciò nonostante Dean lo tormentò con innumerevoli domande sul passato e il cugino forní le risposte e per un momento Dean quasi ricominciò a sudare per l'eccitazione. Oh, dov'era il suo derelitto padre quella notte? Il cugino ci fece scendere in mezzo alle tristi luci di un luna-park all'incrocio fra Alameda Boulevard e la Federal. Prese appuntamento con Dean per la firma del documento il pomeriggio seguente e se ne andò. Dissi a Dean quanto mi dispiaceva ch'egli non avesse nessuno al mondo che ponesse fiducia in lui.

« Ricorda che io ti credo. Mi dispiace infinitamente per l'assurdo rancore che ho manifestato contro di te ieri pomeriggio. »

« Va bene, amico, siamo d'accordo » rispose Dean. Esplorammo insieme il luna-park. C'erano giostre, ruote giganti, popcorn, giochi di roulette, e centinaia di ragazzini di Denver in blue-jeans che vagavano qua e là. La polvere saliva alle stelle insieme con tutte le tristi musiche della terra. Dean portava pantaloni stretti e stinti e una maglietta e improvvisamente ebbe di nuovo l'aria d'un tipo caratteristico di Denver. C'erano giovani motociclisti con visiera e baffetti e giacchettoni pieni di bottoni che si aggiravano in mezzo ai cordami dietro le tende con graziose ragazze in pantaloni e camicette rosa. C'era anche una quantità di ragazze messicane, e una sorprendente ragazzina alta circa un metro, una nana, con il piú bello e piú dolce viso del mondo, che si volse alla sua compagna e disse: « Diamine,

telefoniamo a Gomez e battiamocela». Dean si fermò di botto vedendola. Un gran coltello lo lacerò dall'oscurità della notte. «Amico, ne vado pazzo, oh, ne *vado pazzo...*» Ci toccò seguirla per lungo tempo. Lei finalmente attraversò l'autostrada per fare una telefonata nella cabina di un autostello e Dean fece finta di scorrere le pagine dell'elenco ma in realtà era tutto teso a guardarla. Io cercai di attaccar discorso con le amiche di quell'incantevole bambola ma quelle non ci diedero retta per niente. Arrivò Gomez in un autocarro sferragliante e portò via le ragazze. Dean stette fermo in mezzo alla strada, ficcandosi le unghie nel petto. «Oh, amico, quasi morivo...»
«Perché diavolo non le hai parlato?»
«Non posso, non avrei potuto...» Decidemmo di comprare della birra e andar su da Frankie dell'Oklahoma a suonar dischi. Risalimmo la strada con un pacco di lattine di birra. La piccola Janet, la figlia tredicenne di Frankie, era la piú graziosa fanciulla al mondo e si stava facendo una donna coi fiocchi. La sua cosa piú bella erano le lunghe dita affusolate e sensibili con le quali era solita aiutarsi a parlare, come in una danza egiziana alla Cleopatra. Dean stava seduto nell'angolo piú lontano della stanza, osservandola con gli occhi semichiusi e diceva: «Sí, sí, sí». Janet era già consapevole di lui; si volgeva a me per protezione. Qualche mese prima, quell'estate, avevo passato un sacco di tempo con lei, parlando di libri e delle piccole cose che la interessavano.

7

Quella sera non accadde nulla; andammo a dormire. Tutto accadde il giorno dopo. Il pomeriggio Dean e io andammo a Denver, in centro, per commissioni varie e per vedere se all'agenzia di viaggi ci fosse una macchina diretta a New York. Sulla via del ritorno nel tardo pomeriggio ci avviammo verso la casa di Frankie dell'Oklahoma, su per la Broadway, dove Dean improvvisamente si ficcò in un negozio di articoli sportivi, prese con calma un pallone dal banco, e uscí dal negozio palleggiandolo sulle palme. Nessuno se ne accorse; nessuno si accorge mai di cose del genere. Era un pomeriggio torrido, sonnacchioso. Mentre camminavamo giocammo a tirarci la palla. « Domani ci daranno senz'altro una macchina all'agenzia di viaggi. »

Un'amica mi aveva regalato una grossa bottiglia da un litro di Bourbon *Old Granddad*. Ci mettemmo a berlo nella casa di Frankie. Dall'altra parte del campo di granoturco, sul dietro, abitava una bella giovane pollastrella che Dean aveva cercato di conquistare sin da quando era arrivato. Si stavano preparando guai. Lui buttò troppi sassolini contro la sua finestra e la spaventò. Mentre bevevamo il whisky nella disordinata stanza di soggiorno con tutti i cani e i giocattoli sparpagliati qua e là e i tristi discorsi, Dean non fece altro che correr fuori della porta di servizio sul dietro e attraversare il campo di granoturco per buttar sassolini e fischiettare. Di tanto in tanto Janet andava fuori a curiosare. A un tratto Dean tornò tutto pallido. « Guai, figliolo mio. La madre della ragazza mi sta inseguendo con un fucile e ha raccolto per la strada una banda di ragazzi della scuola media per bastonarmi. »

« Che vuoi dire? Dove sono? »

« Di là dal campo di granoturco, ragazzo mio. » Dean era ubriaco e se ne infischiava. Uscimmo insieme e attraversammo il campo di granoturco nel chiaro di luna. Vidi gruppi di gente sulla buia strada terrosa.

« Ecco che vengono! » sentii che dicevano.

« Un momento » gridai. « Che succede, scusate? »

La madre stava nascosta sullo sfondo con un grosso fucile fra le braccia. « Quel maledetto amico suo ci ha seccati abbastanza. Io non sono di quelle che chiamano la polizia. Se torna qua ancora una volta gli sparo, e gli sparo per ammazzarlo. » I ragazzi della scuola si tenevano stretti in gruppo con i pugni chiusi. Io ero talmente ubriaco che me ne infischiavo anch'io, ma in certo modo riuscii a calmarli un po'.

Dissi: « Non lo farà piú. Lo sorveglierò io; è mio

fratello e mi dà retta. Metta via il fucile, per favore, e non si preoccupi di nulla ».

« Se solo torna ancora una volta! » disse lei con fermezza minacciosa nel buio. « Quando mio marito rincasa ve lo mando appresso. »

« Non c'è bisogno che lei lo faccia, non vi darà piú fastidio, capito? Adesso calmatevi e tutto andrà bene. » Dietro di me Dean stava imprecando a bassa voce. La ragazza sbirciava dalla finestra della sua camera. Conoscevo da prima quella gente ed essi avevano in me abbastanza fiducia per calmarsi un po'. Presi Dean per il braccio e tornammo indietro verso i filari del granoturco bagnati di luna.

« Uuuh-iih! » urlò lui. « Stanotte mi sbronzo. » Tornammo da Frankie e dai ragazzi. Tutto a un tratto Dean si arrabbiò per un disco che la piccola Janet stava suonando e lo spezzò sul ginocchio: era un disco di musica di cow-boy. C'era un Dizzie Gillespie della prima maniera che lui apprezzava molto: *Congo Blues* con Max West alla batteria. L'avevo regalato io a Janet tempo avanti, e siccome piangeva le dissi di prenderlo e di romperlo sulla testa di Dean. Lei gli andò vicino e cosí fece. Dean rimase a bocca aperta come un allocco, dolorante per la botta. Ci mettemmo tutti a ridere. Ogni cosa andava a meraviglia. Poi Mamma Frankie volle uscire per bere la birra al bar della casa cantoniera. « Andiamo! » urlò Dean. « Accidenti, se tu avessi comprato quella macchina che t'ho fatto vedere martedí adesso non ci toccherebbe andare a piedi. »

« Non mi piaceva quella maledetta automobile! » gridò Frankie. Uè, uè, i ragazzini si misero a piangere. Un'eternità densa, come falene, incombeva sull'assurdo salottino scuro con la triste carta alle pareti, la lampada rosa, le facce eccitate. Il piccolo Jimmy era spaventato; lo misi a dormire sul divano e gli accoccolai il cane accanto. Frankie ubriaca chiamò un tassí e mentre lo stavamo aspettando arrivò improvvisamente una telefonata per me da quell'amica mia. Costei aveva un cugino maturo che non mi poteva soffrire, e quel pomeriggio presto avevo scritto una lettera al vecchio Bull Lee, che si trovava ora a Città del Messico, riferendogli le avventure di Dean e mie e in quali circostanze ci trovavamo a Denver. Gli dicevo: "Ho un'amica che mi regala whisky e soldi e cene succulente".

Stupidamente avevo consegnato questa lettera al suo cugino maturo perché l'imbucasse, subito dopo una cena a base di pollo fritto. Lui l'aveva aperta, letta, e portata difilato alla mia amica per provarle che ero un impostore. Adesso lei mi stava telefonando in lacrime e dichiarava di non volermi rivedere mai piú. Poi al telefono s'intromise il cugino trionfante e cominciò a darmi del bastardo. Mentre il tassí suonava il clacson là fuori e i ragazzini piangevano e i cani abbaiavano e Dean ballava con Frankie io urlavo in quel telefono tutti i possibili insulti che mi venivano in mente e ne aggiungevo ogni genere di nuovi, e nella mia frenesia di ubriaco dissi al telefono che andassero tutti al diavolo e poi lo sbattei giú e andai fuori a ubriacarmi.

Per uscire dal tassí alla casa cantoniera inciampammo l'uno sull'altro; era una casa alla boscaiola vicina alle colline, ed entrammo e ordinammo delle birre. Tutto stava crollando, e per rendere le cose ancor piú inconcepibilmente frenetiche, nel bar c'era un estatico tipo affetto da tic che buttò le braccia al collo di Dean e gli mugolò sulla faccia, e Dean si scatenò un'altra volta pieno di sudore e di pazzia e, per accrescere ancor piú l'insopportabile confusione, subito dopo corse fuori e rubò una macchina proprio dal viale d'accesso e fece una volata fin giú in centro, a Denver, e ne tornò con una piú nuova e piú bella. Tutto a un tratto alzai gli occhi nel bar e vidi alcuni poliziotti e gente che si agitava nel viale alla luce dei fari dell'autopattuglia, discutendo della macchina rubata. « Qualcuno s'è messo a rubare macchine a destra e a sinistra da queste parti! » diceva il poliziotto. Dean stava in piedi proprio dietro di lui, ascoltando e dicendo: « Ah, sí, ah, sí ». I poliziotti andarono via per indagare. Dean tornò dentro al bar e ciondolò avanti e indietro insieme col povero ragazzo col tic che si era appena sposato quel giorno stesso e si stava prendendo una formidabile sbornia mentre la sposa aspettava da qualche parte. « Oh, amico, questo qua è il tipo piú in gamba del mondo! » gridò Dean. « Sal, Frankie, io esco e vado a prendermi una macchina come si deve questa volta e poi partiremo tutti insieme e verrà anche Tony » (il santo col tic) « e ci faremo una bella scarrozzata su per le montagne. » E si precipitò fuori. Nello stesso istante entrò di corsa un poliziotto e disse che una macchina rubata nel centro di Denver si trovava parcheggiata sul passaggio. La gente discusse la faccenda in capannelli. Dalla finestra scorsi Dean che saltava nella macchina piú vicina e partiva a razzo, e non un'anima s'accorse di lui. Pochi minuti dopo era di ritorno con una macchina del tutto diversa, una trasformabile nuova fiammante. « Questa sí ch'è una bellezza! » mi sussurrò all'orecchio. « Quell'altra tossiva un po' troppo... L'ho lasciata al crocevia, ho visto questa magnificenza parcheggiata davanti a una fattoria. Ho fatto una capatina a Denver. Vieni, amico, andiamo *tutti* a fare un giretto. » Tutta l'amarezza e la pazzia della sua intera vita di Denver si stava scatenando dal suo organismo come tanti pugnali. La sua faccia era rossa e sudata e cattiva.

« No, non voglio aver niente a che fare con le macchine rubate. »

« Oh, andiamo, amico! Tony verrà con me, non è vero, meraviglioso Tony caro? » E Tony – magro, bruno di capelli, piagnucolante e bavosa anima sperduta dagli occhi angelici – si appoggiò a Dean e mugolò e mugolò, poiché tutto a un tratto si sentiva male e poi per qualche strana intuitiva ragione gli venne una paura folle di Dean e levò alte le mani e si tirò indietro col terrore che gli raggrinziva la faccia. Dean abbassò il capo sudando. Corse fuori e partí con la macchina. Frankie e io trovammo un tassí nel vialetto e decidemmo di tornare a casa. Mentre il tassí ci portava su per l'infinitamente oscuro Alameda Boulevard lungo il quale avevo passeggiato tante di quelle notti solitarie durante i mesi della precedente estate, cantando e delirando e cibandomi di stelle e facendo cadere a goccia a goccia il succo del mio cuore sull'asfalto bollente, Dean comparve improvvisamente dietro a noi nella trasformabile rubata e cominciò a suonare e a suonare il clacson e a cercare di farci andare fuori strada e a urlare. La faccia dell'autista diventò bianca.

« È solo un amico mio » dissi. Dean si disgustò di noi e improvvisamente schizzò in avanti a centocinquanta l'ora, lanciando una polvere spettrale dallo scappamento. Poi voltò nella strada di Frankie e si fermò davanti alla casa; con la stessa rapidità partí di nuovo, girò a U, e tornò indietro verso la città mentre noi scendevamo dal tassí e pagavamo la corsa. Pochi momenti dopo mentre aspettavamo ansiosamente nel cortile buio, ritornò con un'altra macchina ancora, una guida interna malridotta, frenò in una nube di polvere davanti alla casa, e ne uscí barcollando e filò dritto in camera e piombò sul letto ubriaco fradicio. E cosí ci trovavamo con un'automobile rubata proprio sulla porta di casa.

Mi toccò svegliarlo: non mi riusciva di avviare la macchina per mollarla lontano in qualche parte. Lui scese inciampando dal letto, coperto solo degli slip, e insieme entrammo in macchina, mentre i ragazzini ridacchiavano alle finestre, e procedemmo sobbalzando e volando dritti di là dai duri filari di alfalfa in fondo alla strada bumpete-bum finché alla fine la macchina non poté farcela piú e si fermò di botto sotto un pioppo annoso accanto al vecchio mulino. « Non posso andare piú avanti » disse Dean semplicemente e scese e si avviò sulla via del ritorno attraverso il campo di granoturco, circa un chilometro, in mutande nel chiaro di luna. Arrivammo a casa e lui si mise a dormire. Dappertutto regnava un'orribile confusione, in tutte le cose di Denver, la mia amica, le automobili, i bambini, la povera Frankie, la stanza di soggiorno insudiciata di birra e di lattine; cercai di dormire. Un grillo mi tenne sveglio per un certo tempo. La notte, in questa parte del West, le stelle come le avevo viste nel Wyoming sono grandi come fuochi d'artificio e solitarie come il Principe di Dharma che ha perduto il suo boschetto avito e viaggia attraverso gli spazi da un punto all'altro del timone del Gran Carro, cercando di ritrovarlo. Cosí rotavano lente nella notte, e poi, molto prima dell'aurora vera e propria, la grande luce rossa apparve lontano sopra la cupa terra desolata verso il Kansas occidentale e gli uccelli lanciarono i loro trilli su Denver.

8

Al mattino fummo assaliti da terribili nausee. La prima cosa che fece Dean fu di attraversare il campo di granoturco per vedere se la macchina ci avrebbe portati a est. Io gli dissi di non farlo, ma lui ci andò lo stesso. Tornò tutto pallido. « Amico, quella è la macchina di un poliziotto e ogni posto di polizia in città conosce le mie impronte digitali dall'anno in cui rubai cinquecento macchine. Tu lo vedi quel che me ne faccio, io voglio solo fare un giretto, amico! Non posso farne a meno! Senti, se non ce la battiamo di qua in questo preciso momento ci schiaffano dritti in galera. »

« Hai maledettamente ragione » risposi, e cominciammo a fare i bagagli con tanta furia quanto ce lo permettevano le mani. Con la cravatta ciondoloni e le code della camicia di fuori, salutammo in fretta la nostra dolce famigliola e ci avviammo traballanti verso la strada protettrice dove nessuno ci conosceva. La piccola Janet piangeva vedendo che noi, o io, o chiunque fosse, partivamo... e Frankie era tutta gentile, e io la baciai e mi scusai.

« Quello è matto davvero » disse lei. « Mi ricorda proprio mio marito che è scappato. Esattamente lo stesso tipo. Spero proprio che il mio Mickey non venga su a quel modo, crescono tutti cosí adesso. »

E dissi addio alla piccola Lucy, che teneva in mano il suo scarabeo domestico, mentre il piccolo Jimmy dormiva. Tutto questo nello spazio di pochi secondi, nell'alba incantevole di un mattino di domenica, mentre partivamo arrancando col nostro bagaglio sfasciato. Corremmo. Ci aspettavamo di veder spuntare da un momento all'altro un'auto della polizia dietro a una curva nella campagna e che ci venissero addosso tagliandoci la strada.

« Se viene a saperlo quella donna col fucile, siamo fritti » disse Dean. « *Dobbiamo* prendere un tassí. Allora siamo salvi. » Stavamo per svegliare una famiglia di contadini per usare il loro telefono, ma il cane ci cacciò via. Ogni minuto le cose si facevano piú pericolose: la guida interna sarebbe stata trovata sfasciata nel campo di granoturco da un contadino mattiniero. Un'adorabile vecchia signora ci permise finalmente di usare il suo telefono, e chiamammo un tassí dal centro di Denver, ma quello non veniva. Riprendemmo ad arrancare lungo la strada. Cominciò il traffico del primo mattino, e ogni macchina pareva un'autopattuglia. Poi tutto a un tratto vedemmo arrivare la macchina della polizia e io capii che era la fine della mia vita come l'avevo vissuta fino allora e che questa stava per entrare in una nuova e orribile fase di prigioni e di sofferenze dietro le sbarre. Ma la macchina della polizia era il nostro tassí, e da quel momento in poi volammo verso est. All'agenzia di viaggi c'era una splendida occasione: cercavano qualcuno che guidasse una berlina Cadillac del '47 fino a Chicago. Il proprietario era venuto in macchina sin dal Messico insieme con la famiglia e si era stancato e aveva messo tutti su un treno. L'unica cosa che esigeva erano dei documenti e che la macchina arrivasse a destinazione. I miei documenti lo rassicurarono che tutto sarebbe finito bene. Gli dissi di non preoccuparsi. Raccomandai a Dean: « E non infierire su questa macchina ». Dean faceva salti su e giú per l'ansia di vederla. Dovemmo aspettare un'ora. Ci stendemmo sul prato accanto alla chiesa dove nel 1947 avevo trascorso qualche tempo con i vagabondi che chiedevano l'elemosina dopo essere andato a trovare Rita Bettencourt a casa sua, e là mi addormentai stremato dalla paura e dalla fatica con la faccia rivolta agli uccelli del pomeriggio. Effettivamente stavano suonando musica d'organo da qualche parte. Ma Dean si diede da fare in città. Attaccò discorso con la cameriera di una rosticceria, le diede appuntamento per portarla in giro con la Cadillac quel pomeriggio, e tornò per svegliarmi con la notizia. Adesso mi sentivo meglio. Mi alzai per affrontare le nuove complicazioni.

Quando arrivò la Cadillac, Dean partí immediatamente a bordo di essa per "rifornirsi di benzina" e l'impiegato dell'agenzia mi guardò e disse: « Quando torna? I passeggeri sono tutti pronti a partire ». Mi indicò due ragazzi irlandesi di un collegio di gesuiti dell'Est che aspettavano con le loro valigie sulle panche.

« È solo andato per far benzina. Tornerà subito. » Andai fino all'angolo e osservai Dean che, a motore acceso, aspettava la cameriera, la quale si stava cambiando nella sua camera d'albergo; infatti da dove stavo potevo vederla di fronte allo specchio, che si faceva bella e si aggiustava le calze di seta, e desiderai poter andare con loro. Lei uscí di corsa e saltò sulla Cadillac. Tornai indietro per rassicurare il padrone dell'agenzia e i passeggeri. Dal punto in cui stavo, sulla porta, ebbi una fugace visione della Cadillac che attraversava Cleveland Place con Dean, in maglietta e tutto felice, che agitava le mani e chiacchierava con la ragazza e si aggrappava al volante durante la corsa mentre lei sedeva triste e orgogliosa accanto a lui. Andarono in pieno giorno a un parcheggio, sostarono accanto al muro di mattoni sul dietro (un luogo nel quale Dean aveva lavorato una volta), e là, affermò lui, se la fece in un batter d'occhio, non solo questo, ma la convinse a seguirci nell'Est non appena avesse riscosso la sua paga, quel venerdí, a partire con l'autobus, e incontrarci all'appartamento di Ian Mac-Arthur in Lexington Avenue a New York. Lei accettò di venire; il suo nome era Beverly. Mezz'ora, e Dean tornò rombando, depositò la ragazza all'albergo, con baci, addii, promesse, e filò dritto all'agenzia di viaggi per prender su la squadra.

« Be', era ora! » disse il padrone dell'agenzia Broadway Sam. « Credevo che se la fosse squagliata con la Cadillac. »

« Ne rispondo io » affermai « non si preoccupi... » e lo dissi perché Dean era preda di tale evidente frenesia che ognuno poteva immaginare quanto fosse pazzo. Dean prese un tono professionale e aiutò i ragazzi del collegio a sistemare il loro bagaglio. S'erano appena seduti, e io avevo appena avuto il tempo di salutare Denver con la mano, che lui era già partito, col grosso motore che cantava con l'immensa potenza di un uccello. A nemmeno tre chilometri fuori Denver si ruppe il tachimetro perché Dean era lanciato a centottanta l'ora.

« Be', niente tachimetro, cosí non saprò a che velocità vado. Lancerò questo bolide fino a Chicago e lo dedurrò dal tempo impiegato. » Pareva che non andassimo nemmeno a centodieci l'ora ma tutte le macchine si staccavano da noi come mosche morte sull'autostrada diritta che portava a Greeley. « La ragione per cui ci dirigiamo a nord-est, Sal, è che dobbiamo assolutamente andare a vedere il ranch di Ed Wall a Sterling, devi conoscerlo e vedere il suo ranch e questa bagnarola fila cosí presto che ce la farà senza alcuna preoccupazione di tempo e arriverà a Chicago molto prima del treno di quel tizio. » Benissimo, ero d'accordo. Cominciò a piovere ma Dean non rallentò mai. Era una bella grande macchina, l'ultimo esemplare della berlina vecchio stile, nera, con un lungo corpo allungato e copertoni coi fianchi bianchi e probabilmente i finestrini a prova di proiettile. I ragazzi del collegio dei gesuiti – il San Bonaventura – sedevano dietro, tutti allegri e contenti di essere partiti, e non avevano la minima idea di quanto corressimo. Cercarono di far conversazione ma Dean non rispose e si tolse la maglietta e guidò a torso nudo. « Oh, quella Beverly è una bambina proprio dolce e in gamba... mi raggiungerà a New York... ci sposeremo non appena avrò ottenuto le carte per divorziare da Camille... tutto va a gonfie vele, Sal, e siamo in viaggio. Sí! » Piú presto ci allontanavamo da Denver e meglio mi sentivo, e ci stavamo allontanando *presto* davvero. Si stava facendo buio quando svoltammo per lasciare l'autostrada a Junction e ci mettemmo su una strada non asfaltata che ci portò attraverso le tetre pianure del Colorado orientale fino al ranch di Ed Wall in mezzo al regno dei coyote. Però pioveva ancora e il fango era scivoloso e Dean rallentò a centodieci l'ora, ma io gli dissi di andare ancora piú piano altrimenti avremmo slittato, e lui rispose: «Non preoccuparti, amico, tu mi conosci».

«Non questa volta» dissi. «Davvero stai andando troppo forte.» E infatti volava su quella mota scivolosa e proprio mentre dicevo questo piombammo su una brusca curva a sinistra della strada e Dean sterzò di colpo per farcela ma la grossa automobile slittò nella melma e sbandò paurosamente.

«Attento» urlò Dean, che se ne infischiava completamente e per un momento lottò col suo angelo, e cosí andammo a finire col di dietro della macchina nel fossato e il muso sulla strada. Un grave silenzio immoto piombò su tutto. Sentivamo i lamenti del vento. Ci trovavamo in mezzo alla prateria selvaggia. A mezzo chilometro piú avanti sulla strada c'era una casa di contadini. Non riuscivo a smettere di bestemmiare, tanto ero arrabbiato e disgustato con Dean. Lui non disse nulla e si avviò sotto la pioggia verso la fattoria, con la giacca, in cerca di aiuto.

«È suo fratello?» chiesero i ragazzi dal sedile posteriore. «È un diavolo, con le macchine, no?... e stando a quel che dice dev'essere lo stesso anche con le donne.»

«È pazzo» risposi «e sí, è mio fratello.» Vidi Dean che tornava col contadino nel suo trattore. Agganciarono alla macchina le catene e il contadino ci tirò fuori del fosso. La macchina era scura di mota, un parafango era tutto rotto. Il contadino si fece pagare cinque dollari. Le sue figlie stavano a guardare sotto la pioggia. La piú bella e timida si teneva nascosta nella parte piú lontana del campo ad osservare e ne aveva tutte le ragioni perché era assolutamente e decisamente la piú bella fanciulla che Dean e io avessimo mai vista in vita nostra. Aveva circa sedici anni, e l'aspetto tipico della gente delle praterie simile alle rose selvagge, e gli occhi piú azzurri, e i capelli piú incantevoli del mondo, e la modestia e l'ombrosità di un'antilope selvaggia. Ad ogni nostra occhiata si ritirava in se stessa. Stava là ritta con gli immensi venti che soffiavano giú dal Saskatchewan e le scompigliavano i capelli intorno alla testa adorabile come tanti veli, riccioli vivi dei venti stessi. Arrossiva e arrossiva.

Finita l'operazione col contadino, lanciammo un'ultima occhiata all'angolo della prateria, e ripartimmo, piú adagio ora, finché si fece buio e Dean disse che il ranch di Ed Wall stava dritto davanti a noi. « Oh, una ragazza cosí mi mette paura » dissi. « Rinuncerei a tutto e mi butterei in ginocchio davanti a lei e se non mi volesse andrei con tutta semplicità a buttarmi giú dal picco piú alto del mondo. » I ragazzi del collegio ridacchiavano. Erano pieni di battute insulse e di espressioni da collegio dell'Est e nei loro cervellini di gallina non avevano altro che una quantità di filosofia scolastica mal digerita con la quale rimpolpare i loro frizzi. Dean e io non stavamo a sentirli per niente. Mentre attraversavamo le pianure fangose raccontò episodi della sua vita di cowboy, ci fece vedere il tratto di strada dove aveva passato un'intera mattinata a cavallo; e dov'era stato a riparare staccionate, proprio mentre entravamo nella proprietà di Wall, che era immensa; e dove il vecchio Wall, padre di Ed, era solito arrivar sferragliando sull'erba della prateria inseguendo una giovenca e urlando: "Prendila, prendila, porco diavolo!". « Ogni sei mesi gli toccava comprarsi una macchina nuova » disse Dean. « Non riusciva a tenerle da conto. Quando un animale disperso ci scappava via lui gli correva dietro con la macchina fino al piú vicino abbeveratoio e poi scendeva e gli andava dietro a piedi. Contava ogni centesimo che guadagnava e lo metteva in una pentola. Un vecchio pazzo di allevatore. Ti farò vedere qualcuno di quei rottami vicino alla stalla. È qui che sono venuto in libertà condizionata dopo la mia ultima puntata in prigione. È qui che abitavo quando ho scritto quelle lettere a Chad King che hai viste anche tu. » Lasciammo la strada e girammo su per una carreggiabile attraverso i pascoli invernali. Una melanconica mandria di vacche col muso bianco ondeggiò disordinata all'improvviso nel fascio di luce dei nostri fari. « Eccole qua! Le vacche di Wall! Non riusciremo mai a passarci in mezzo. Ci toccherà scendere e spingerle da parte. Iih-iih-iih! » Ma non fu necessario far

questo e ci limitammo a procedere centimetro per centimetro in mezzo a loro, talvolta urtandole con gentilezza
mentre si agitavano e muggivano come un mare attorno a-
gli sportelli della macchina. Dietro di esse vedemmo la
luce della fattoria di Ed Wall. Attorno a questa luce solitaria si stendevano centinaia di chilometri di praterie.
Il genere di totale oscurità che cade su una prateria come questa è inconcepibile per un abitante dell'Est. Non
c'erano stelle, né luna, né qualsiasi altra luce tranne quella nella cucina della moglie di Wall. Ciò che giaceva dietro le ombre del cortile era la sterminata visuale di un
mondo che non si sarebbe potuto vedere prima dell'alba.
Dopo aver bussato alla porta e aver chiamato nel buio
Ed Wall, che stava mungendo le mucche nella stalla,
feci una breve guardinga passeggiata in quell'oscurità,
circa dieci metri e non piú. Mi parve di sentire i coyote.
Wall disse che probabilmente si trattava di qualcuno dei
cavalli selvaggi di suo padre che nitriva in lontananza.
Ed Wall aveva press'a poco la nostra età, alto, longilineo, coi denti aguzzi, laconico. Un tempo lui e Dean sostavano agli angoli di Curtis Street e fischiavano alle ragazze. Adesso egli ci introdusse gentilmente nel suo
tetro, oscuro salottino disabitato e cercò in giro finché
non ebbe trovato qualche lampada smorta che accese e
disse a Dean: «Che diavolo t'è successo al pollice?».
«Ho dato una botta a Marylou e s'è infettato a tal punto che hanno dovuto amputarne l'estremità.»
«Perché diavolo sei andato a fare una cosa simile?»
Potei capire che un tempo era stato per Dean una specie di fratello maggiore. Scosse la testa; il secchio del
latte stava ancora ai suoi piedi. «Ad ogni modo, sei
sempre stato un figlio di cane dal cervello bacato.»
Nel frattempo la sua giovane moglie aveva preparato una
magnifica imbandigione nella gran cucina della fattoria.
Si scusò per il gelato di pesche: «È solo panna e pesche fatte gelare insieme». Naturalmente era l'unico vero gelato che avessi mai mangiato in vita mia. Le cominciò con parsimonia e finí in abbondanza: mentre man-
giavamo, sempre nuovi piatti comparivano in tavola. Era
una bionda ben fatta ma come tutte le donne che vivono

negli spazi aperti si lamentava un po' della noia. Elencò i programmi radio ch'era solita ascoltare a quell'ora della notte. Ed Wall sedeva guardandosi le mani. Dean mangiava voracemente. Voleva che gli tenessi bordone con la commedia che la Cadillac mi apparteneva, che ero ricchissimo e che lui era il mio amico ed autista. Ciò non impressionò affatto Ed Wall. Tutte le volte che il bestiame faceva rumori nella stalla alzava il capo ad ascoltare.

« Be', spero che voi, ragazzi, ce la farete ad arrivare a New York. » Lungi dal credere la storiella che ero il proprietario della Cadillac, era convinto che Dean l'avesse rubata. Rimanemmo al ranch circa un'ora. Ed Wall aveva perso ogni fiducia in Dean proprio come Sam Brady: quando lo guardava lo faceva con aria preoccupata. In passato c'erano stati giorni di baldoria nei quali avevano vagato insieme per le strade di Laramie, nel Wyoming, a braccetto, alla fine della fienagione, ma tutto questo era morto e sepolto.

Dean si dimenò convulsamente sulla sedia. « Be', sí, be', sí, e adesso credo sarà meglio che ci rimettiamo in marcia perché domani sera dobbiamo trovarci a Chicago e abbiamo già perso parecchie ore. » I ragazzi del collegio ringraziarono cortesemente Wall ed eccoci di nuovo in viaggio. Mi voltai a guardare la luce nella cucina che spariva nel mare della notte. Poi mi protesi in avanti.

9

In un baleno ci ritrovammo sull'autostrada e quella notte vidi scorrere davanti ai miei occhi l'intero stato del Nebraska. Centottanta chilometri l'ora per tutto il percorso, una strada dritta come una freccia, città addormentate, niente traffico, e il rapido della Union Pacific che ci restava indietro nel chiaro di luna. Quella notte non avevo affatto paura; era perfettamente logico fare i centottanta e chiacchierare e veder passare tutte le città del Nebraska – Ogallala, Gothenburg, Kearney, Grand Island, Columbus – con rapidità di sogno mentre filavamo innanzi e parlavamo. Era un'automobile meravigliosa; era capace di tenere la strada come una nave tiene l'acqua. Nelle curve ampie cantava ch'era un piacere. « Ah, amico, che macchina di sogno » sospirava Dean. « Pensa se tu e io avessimo una macchina cosí che cosa non potremmo fare. Lo sai che c'è una strada che va dritto fino al Messico e oltre, fino al Panama?... E forse addirittura fino in fondo all'America del Sud dove gl'indiani sono alti piú di due metri e mangiano cocaina sulle falde delle montagne? Sí! Tu e io, Sal, esploreremo il mondo intero con un'automobile cosí perché, amico, in fondo la strada è fatta apposta per farci girare il mondo. Non c'è altro luogo cui possa arrivare, no? Oh, e come scorrazzeremo per la vecchia Chicago con quest'arnese! Pensaci un po', Sal, non sono mai stato a Chicago in tutta la mia vita, non mi ci sono fermato mai. »

« Ci entreremo come gangster con questa Cadillac! »

« Sí! E le ragazze! Possiamo prender su delle ragazze, Sal, appunto per questo ho deciso di andare a velocità extra in modo da poterci tenere un'intera serata per andare in giro con quest'affare. Adesso tu riposati pure e io lancerò questo bolide fino alla fine del viaggio. »

« Be', a che velocità stai andando adesso? »

« A centottanta buoni, immagino... non te ne accorgi nemmeno. Ci resta da fare ancora tutto lo Iowa durante il giorno e poi passerò nell'Illinois in un baleno. » I ragazzi si addormentarono e noi continuammo a parlare tutta la notte.

Era incredibile come Dean potesse impazzire e poi tutto a un tratto continuare il soliloquio con la sua anima – che suppongo sia racchiusa in una veloce automobile, una costa da raggiungere, e una donna alla fine del viaggio – con calma e serenità come se niente fosse successo. « Adesso ogni volta che arrivo a Denver mi accade la stessa cosa... non posso starci piú in quella città. Oh, che spasso, Dean è un asso. Zum! » Gli dissi che tempo avanti nel 1947 avevo già percorso quella strada del Nebraska. L'aveva fatta anche lui. « Sal quando lavoravo per la lavanderia New Era a Los Angeles, nel 1944, mentendo sulla mia età, ho fatto un viaggio all'autodromo di Indianapolis con il preciso proposito di andare a vedere il classico Circuito del Memorial Day, facendo l'autostop durante il giorno e rubando automobili la notte per guadagnar tempo. A Los Angeles possedevo anche una Buick da venti dollari, la mia prima macchina, che non superò il controllo dei freni e delle luci, perciò decisi che avevo bisogno di una licenza di circolazione di qualche altro stato per guidare la macchina senza essere arrestato, cosí arrivai fin qui per prenderla. Mentre stavo facendo l'autostop in uno di questi paesi, con le targhe nascoste sotto la giacca, uno sceriffo ficcanaso pensò che ero troppo giovane per fare l'autostop e mi bloccò sulla strada maestra. Trovò le targhe e mi schiaffò in un carcere di due sole celle insieme con un delinquente della contea che avrebbe dovuto essere in un ospizio di vecchi dato che non era in grado di nutrirsi da sé (lo imboccava la moglie dello sceriffo) e sedeva là tutto il giorno a farfugliare e a sbavarsi. Dopo l'indagine, che comprese una serie di scemenze basate su domande fatte con tono paterno, seguite da un improvviso voltafaccia per spaventarmi a furia di minacce, un confronto della mia calligrafia, eccetera, eccetera, e dopo che ebbi fatto il piú eloquente discorso della mia vita per uscirne fuori, concludendo con la confessione che avevo mentito sul mio passato di ladro di automobili e che ero semplicemente alla ricerca di mio papà, il quale lavorava in una fattoria da quelle parti, mi lasciò andare. Naturalmente persi le corse. L'autunno seguente rifeci la stessa cosa tutta da capo per vedere la partita Notre Dame-California a South Bend, nell'Indiana: questa volta non ebbi guai e, Sal, avevo solo i soldi per il biglietto e non un centesimo di piú e non mangiai niente andata e ritorno eccetto quel che mi riuscí di elemosinare da tutte le specie di strani individui che incontravo sulla strada e nello stesso tempo facevo la corte alle ragazze. L'unico individuo negli Stati Uniti d'America che si sia mai imbarcato in tanti fastidi per vedere una partita di baseball. »

Gli chiesi in quali circostanze si trovasse a Los Angeles nel 1944. « Mi arrestarono nell'Arizona, il carcere era decisamente il peggiore che mi sia mai capitato. Dovevo scappare e cosí feci la piú straordinaria evasione della mia vita, parlando di evasioni, capisci, in linea generale. Nei boschi, sai, e strisciando, e paludi... su su per quella zona montagnosa. Per evitare torture varie, come i getti d'acqua e una cosiddetta morte accidentale che mi pendevano sul capo, mi toccò squagliarmela da quei boschi lungo il costone in modo da tenermi lontano da viottoli e sentieri e strade. Dovetti sbarazzarmi della divisa da galeotto e arraffai in modo veramente magistrale una camicia e un paio di pantaloni a un distributore di benzina fuori Flagstaff, arrivando a Los Angeles due giorni dopo camuffato da benzinaro, e camminai fino alla prima stazione di rifornimento che vidi e venni assunto e mi presi una stanza e cambiai nome (Lee Buliay) e passai un anno intenso a Los Angeles, insieme con un'intera banda di nuovi amici e ad alcune ragazze veramente in gamba, e la stagione finí una notte che andavamo tutti in macchina lungo il Hollywood Boulevard e io dissi al mio amico di prendere il volante mentre baciavo la mia ragazza – stavo guidando io, capisci – e *lui non mi sentí* e andammo a sbattere dritti contro un palo, ma procedevamo solo a trenta l'ora, e cosí mi ruppi il naso. L'hai già visto, il mio naso: questa curva sinuosa alla greca, qua in alto. Dopodiché andai a Denver e quella primavera incontrai Marylou in un chiosco di bibite. Oh, caro mio, aveva solo quindici anni e portava i blue-jeans e semplicemente aspettava che qualcuno la cogliesse. Tre giorni e tre notti di chiacchiere all'Ace Hotel, terzo piano, camera d'angolo a levante, camera di santi ricordi e sacra scena dei miei verdi anni: lei era cosí dolce, allora, cosí *giovane*, ehm, aah! Ma, ehi, guarda laggiú nella notte, hop, hop, un gruppo di vecchi vagabondi accanto al fuoco sulla ferrovia, accidenti. » Quasi rallentò. « Vedi, non so mai se mio padre sta lí o no. » C'erano alcune figure accanto ai binari, che si aggiravano attorno a un fuoco di legna. « Non so mai se devo chiedere o no. Lui può essere dovunque. » Proseguimmo. In qualche parte dietro o davanti a noi nella notte immensa suo padre giaceva ubriaco sotto un cespuglio, e non c'erano dubbi in proposito: con dello sputo sul mento, dell'orina sui pantaloni, cerume negli orecchi, croste sul naso, forse sangue nei capelli e la luna che riluceva sopra di lui.

Afferrai Dean per il braccio. « Ah, amico, adesso andiamo a casa, certamente. » Per la prima volta New York sarebbe stata per lui la casa definitiva. Dava tutto in smanie; non ne vedeva l'ora.

« E pensa, Sal, quando arriviamo in Pennsylvania cominceremo a sentire quel fantastico be-bop dell'Est sui programmi radio. Urrà, corri, vecchia carretta, corri! » La magnifica macchina faceva sibilare il vento; faceva sì che le pianure si svolgessero come un foglio di carta; staccava da sé l'asfalto bollente che la rispettava: una macchina da re. Aprii gli occhi alle brezze dell'alba; le andavamo incontro a tutta forza. La faccia impietrita e ostinata di Dean stava sempre piegata sul cruscotto con un'ossuta decisione tutta sua.

« A che pensi, camerata? »

« Ah, ah, ah, ah, alla stessa vecchia cosa, lo sai: ragazze ragazze ragazze. »

Mi addormentai e mi svegliai nella secca, torrida atmosfera di una mattina domenicale di luglio nello Iowa, e Dean era sempre lí che guidava e guidava senza mai diminuire la velocità; prendeva le curve lungo le vallate a granoturco dello Iowa a un minimo di centotrenta e i rettifili a centottanta come al solito, ammenocché il traffico in entrambe le direzioni non lo costringesse a mettersi in colonna e a strisciare a miserabili cento l'ora. Quando ce n'era la possibilità schizzava in testa e sorpassava le macchine a mezze dozzine alla volta e se le lasciava dietro in un nuvolone di polvere. Un pazzo su una Buick nuova fiammante lungo la strada vide tutto questo e decise di gareggiare con noi. Mentre Dean si accingeva a superare un gruppo di macchine quel tipo ci sfrecciò accanto senza nemmeno avvertire e suonò e strombazzò col clacson e accese i fanali di coda in segno di sfida. Noi partimmo dietro a lui come un grande uccello. « Aspetta un po' » rise Dean « ho voglia di prenderlo in giro, quel figlio di cagna, per una ventina di chilometri circa. Guarda. » Lasciò che la Buick andasse avanti per un tratto e poi accelerò e la raggiunse senza nessun riguardo. Il pazzo della Buick non ci vide piú; lanciò la macchina a centosessanta l'ora. Avemmo modo di vedere chi fosse. Pareva un classico tipo di Chicago e viaggiava con una donna abbastanza vecchia da essere sua madre, e probabilmente lo era davvero. Dio sa se lei stesse protestando, però lui filava lo stesso. Aveva i capelli scuri e scompigliati, un italiano della vecchia Chicago; portava una camicia sportiva. Forse s'era messo in mente che noi fossimo una nuova banda venuta da Los Angeles a invadere Chicago, forse degli uomini di Mickey Cohen, perché la berlina era tutta in carattere e la targa era della California. Soprattutto si trattava solo di divertirsi lungo la strada. Corse rischi terribili per tenersi in testa a noi; superò macchine in curva e s'era appena messo sulla sua mano quando un autocarro gli si parò davanti torreggiandogli sopra. Andammo avanti nello Iowa a questa maniera per centotrenta chilometri e la gara era cosí interessante che non ebbi modo di spaventarmi. Poi quel matto ci rinunciò, accostò a un distributore di benzina, probabilmente dietro ordine della vecchia signora, e mentre passavamo rombando fece un gioioso cenno di saluto con la mano. Noi proseguimmo, con Dean a torso nudo, io coi piedi sul cruscotto, e i ragazzi del collegio che dormivano dietro. Ci fermammo a fare colazione in un'osteria gestita da una signora coi capelli bianchi che ci diede porzioni immense di patate mentre le campane di una chiesa suonavano in un paese vicino. Poi ci rimettemmo in viaggio.

« Dean, non andare cosí forte durante il giorno. »

« Non preoccuparti, amico, so quel che faccio. » Cominciai a sbigottire. Dean piombava su intere colonne di macchine come l'Angelo del Terrore. Quasi le prendeva a pestate mentre cercava di aprirsi un varco. Accarezzava loro i paraurti, rallentava e spingeva e allungava il collo per vedere la curva, poi la grossa mcchina balzava al suo tocco e passava avanti, e sempre ce la facevamo per un pelo a tornare sulla nostra mano mentre altre colonne filavano in direzione opposta e io rabbrividivo. Non ne potevo piú. È solo di rado che si può trovare nello Iowa un lungo rettilineo come quelli del Nebraska, e quando finalmente ne imbroccammo uno Dean fece i suoi soliti centottanta l'ora mentre io vedevo sfrecciar fuori diversi scenari che ricordavo ancora dal 1947: un lungo tratto dove Eddie e io eravamo rimasti in secca per due ore. Tutta quella vecchia strada del passato si svolgeva confusa come se la coppa della vita fosse stata rovesciata e ogni cosa fosse impazzita. Gli occhi mi bruciavano in quell'incubo diurno.

« Ah, diavolo, Dean, io me ne vado sul sedile di dietro, non ce la faccio piú, non riesco a guardare. »

« Ih-ih-ih! » rise convulso Dean e sorpassò una macchina su un ponte stretto e sbandò nella polvere e proseguí con fracasso. Io saltai sul sedile posteriore e mi rannicchiai per dormire. Uno dei ragazzi saltò sul sedile davanti tanto per divertirsi. Una sfrenata paura che saremmo andati a sbattere quella mattina stessa s'impossessò di me e mi stesi sul pavimento e chiusi gli occhi e cercai di addormentarmi. Quand'ero marinaio solevo pensare alle onde che scorrevano sotto la carena della nave e alle sue profondità senza fine là sotto... adesso ero in grado di sentire a circa mezzo metro sotto di me la strada che si srotolava e volava e sibilava a velocità incredibile attraverso il continente mugghiante con quel pazzo Ahab alla guida. Quando chiudevo gli occhi tutto quel che potevo vedere era la strada che mi si avventava addosso. Quando li riaprivo vedevo le ombre sfreccianti degli alberi vibrare sul pavimento della macchina. Non avevo scampo. Mi rassegnai a tutto. E Dean guidava sempre, non gli venne nemmeno in mente di dormire finché non arrivammo a Chicago. Nel pomeriggio atraversammo di nuovo la vecchia Des Moines. Qui naturalmente ci trovammo imbottigliati nel traffico e dovemmo rallentare e io tornai sul sedile anteriore. Successe uno strano patetico incidente. Un grasso uomo di colore viaggiava con l'intera famiglia in una berlina davanti a noi; dal paraurti posteriore pendeva uno di quegli otri di tela per il deserto che vendono ai turisti in quella zona. Quello frenò all'improvviso, Dean stava parlando con i ragazzi di dietro e non se ne accorse, e cosí andammo a sbattere a passo d'uomo contro l'otre, che scoppiò come una vescica e schizzò l'acqua nell'aria. Nessun altro danno eccetto un'ammaccatura al paraurti. Dean e io scendemmo per parlargli. Il risultato fu uno scambio di indirizzi e qualche chiacchiera, mentre Dean non levava gli occhi di dosso alla moglie dell'uomo il cui bel petto bruno era a malapena coperto da una larga camicetta di cotone. « Sí, sí. » Gli demmo l'indirizzo del nostro magnate di Chicago e proseguimmo.

All'altra estremità di Des Moines un'autopattuglia ci corse dietro a sirena spiegata, con l'ordine di fermarci. « Adesso che c'è? »

Il poliziotto scese. « Siete voi quelli che hanno provocato un incidente entrando in città? »

« Incidente? Al bivio abbiamo rotto un otre a un tale. »

« Lui dice che è stato urtato da certi tipi che poi sono scappati in una macchina rubata. » Questo era uno dei pochi casi a conoscenza di Dean e mia in cui un negro si fosse comportato da vecchio scemo sospettoso. Ci sorprese talmente che ci venne da ridere. Ci toccò seguire il poliziotto fino al posto di polizia e là passammo un'ora ad aspettare sul prato mentre quelli telefonavano a Chicago per parlare col proprietario della Cadillac e controllare la nostra posizione di autisti alle sue dipendenze. Il signor magnate disse, stando a quel che riferí il poliziotto: « Sí, quella macchina è mia ma io non rispondo di qualsiasi altra cosa quei ragazzi possano aver fatto ».

« Sono implicati in un lieve incidente qui a Des Moines. »

« Sí, questo me l'ha già detto... quel che voglio dire è che non posso rispondere di qualsiasi altra cosa possano aver combinato in passato. »

Tutto fu chiarito e noi proseguimmo. Ecco Newton, nello Iowa, dove avevo fatto quella camminata all'alba nel 1947. Nel pomeriggio attraversammo di nuovo la vecchia sonnolenta Davenport e il Mississippi in magra coricato nel suo letto di segatura; poi Rock Island, alcu-

296

ni minuti di traffico, il sole che si faceva rosso, e improvvise visioni degl'incantevoli piccoli affluenti che scorrevano dolcemente in mezzo ad alberi magici e al verdeggiare dell'Illinois nel centro dell'America. Le cose cominciavano a riprendere l'aspetto del dolce morbido Est; l'immenso arido West era passato e superato. Lo stato dell'Illinois si svolse davanti ai miei occhi in un unico vasto movimento che durò alcune ore mentre Dean andava dritto avanti come un bolide sempre alla stessa velocità. Stanco com'era stava correndo rischi piú grandi che mai. Su uno stretto ponte a cavallo di uno di quei piccoli incantevoli fiumi si lanciò a precipizio in una situazione impossibile. Due macchine lente davanti a noi stavano sobbalzando sul ponte; in direzione opposta veniva un grosso autocarro con rimorchio con un autista intento a fare un calcolo preciso del tempo che le due macchine lente avrebbero impiegato ad attraversare il ponte, e il suo calcolo era che al momento in cui ci sarebbe arrivato lui quelle sarebbero già state dall'altra parte. Sul ponte non c'era assolutamente spazio per l'autocarro e per qualsiasi altra macchina che andasse contemporaneamente in direzione opposta. Dietro all'autocarro si affacciarono altre macchine e sbirciarono per vedere se c'era modo di superarlo. Davanti alle macchine lente procedevano altre macchine lente. La strada era gremita e tutti scoppiavano dalla voglia di passare. Dean piombò su tutta la situazione e centottanta l'ora e non ebbe un attimo di esitazione. Raggiunse le macchine lente, sterzò, e quasi andò a sbattere contro la ringhiera di sinistra del ponte, puntò a testa avanti nell'ombra dell'autocarro che non rallentava, tagliò bruscamente verso destra, schivò per un pelo la ruota sinistra anteriore dell'autocarro, quasi investí la prima macchina lenta, si spinse in fuori per sorpassare, e poi dovette rimettersi in colonna quando un'altra automobile spuntò fuori da dietro l'autotreno per vedere, tutto questo nel giro di due secondi, sfrecciando di lato e non lasciandosi dietro che una nube di polvere invece di un orribile scontro a cinque con automobili all'agguato in tutte le direzioni e il dorso del grosso autocarro che si stagliava nel fatale pomeriggio rosso dell'Illinois in mezzo a quei campi di sogno. Inoltre, non riuscivo a togliermi dalla mente che un famoso clarinettista be-bop era morto recentemente in un incidente d'automobile nell'Illinois, probabilmente in un giorno simile. Tornai sul sedile posteriore.

Anche i ragazzi stavano dietro, adesso. Dean s'era impuntato ad arrivare a Chicago prima di notte. A un passaggio a livello prendemmo su due vagabondi che fra di loro misero insieme un mezzo dollaro per la benzina. Un momento prima stavano seduti su mucchi di traversine, a scolarsi l'ultimo sorso di vino, adesso si ritrovavano in una Cadillac di lusso infangata ma pur sempre splendida e indomita diretta a Chicago a velocità vertiginosa. Effettivamente il vecchietto che stava seduto davanti accanto a Dean non distolse mai gli occhi dalla strada e recitò le sue preghiere di povero vagabondo, ve l'assicuro io. « Be' » dissero « non avremmo mai creduto di arrivare a Chicago cosí presto. » Mentre attraversavamo le sonnolente città dell'Illinois dove la gente è profondamente conscia delle bande di Chicago che passano cosí ogni giorno a bordo di berline, noi offrivamo uno strano spettacolo: tutti con la barba lunga, un'autista a torso nudo, due vagabondi, io nel sedile posteriore, aggrappato a una cinghia e con la testa appoggiata indietro sul cuscino e l'occhio dall'espressione imperiosa rivolto alla campagna: proprio come una nuova banda della California venuta a contendere le spoglie di Chicago, una banda di desperados evasi dalle prigioni sotto la luna dell'Utah. Quando ci fermammo a bere Coca Cola e a fare benzina al distributore di un piccolo centro la gente venne fuori a contemplarci però senza dir mai una parola e io credo che si annotassero mentalmente il nostro aspetto e la statura in caso di future necessità. Per concludere l'affare con la ragazza che mandava avanti la pompa della benzina Dean si limitò ad avvolgersi nella maglietta come in uno scialle e fu breve e brusco come al solito e risalí in macchina e di nuovo partimmo rombando. Ben presto il rosso del cielo si fece porpora. l'ultimo dei fiumi incantati ci sfrecciò a lato, e vedemmo i lontani fumi di Chicago in fondo alla strada. Eravamo ve-

nuti da Denver a Chicago passando dal ranch di Ed
Wall, millenovecento chilometri, impiegandoci diciassette
ore esatte, senza contare le due ore passate nel fosso e
le tre al ranch e le due con la polizia a Newton, nello
Iowa, a una media di centodieci l'ora per tutto il percorso, con un solo autista. E questo è una specie di primato pazzesco.

10

La grande Chicago splendeva rossa davanti ai nostri occhi. Ci trovammo all'improvviso in Madison Street in
mezzo a orde di vagabondi, alcuni di essi sdraiati sulla strada coi piedi sulla cunetta del marciapiede, altri
affollantisi a centinaia sulle soglie delle bettole e all'ingresso dei vicoli. « Uhup! Uhup! Aguzzate gli occhi per
cercare il vecchio Dean Moriarty, può darsi che si trovi
a Chicago quest'anno, per puro caso. » Lasciammo gli
stracconi di quella strada e procedemmo verso il centro
di Chicago. Filobus cigolanti, strilloni di giornali, ragazze che passavano, odore di cibo fritto e di birra nell'aria,
insegne al neon ammiccanti... « Siamo nella gran città,
Sal! Urrà! » La prima cosa da fare era parcheggiare la
Cadillac in un bel posticino oscuro e lavarsi e vestirsi per
la sera. Di là dalla strada, davanti all'YMCA, trovammo
un vicolo di mattoni rossi in mezzo agli edifici; là cac-
ciammo la Cadillac col muso rivolto alla strada e pronta
a marciare, quindi seguimmo i ragazzi del collegio su
all'YMCA, dove essi presero una stanza e ci permisero
di usare i loro impianti igienici per un'ora. Dean e io ci
facemmo la barba e prendemmo una doccia, io lasciai cadere il portafogli nell'ingresso, Dean lo trovò e stava
per nasconderselo sotto la camicia quando si rese conto
che era nostro e ne fu amaramente deluso. Poi dicemmo
addio ai due ragazzi, che erano contenti di essersela cavata tutti d'un pezzo, e andammo a mangiare in una rosticceria. La vecchia scura Chicago dagli strani tipi metà
dell'Est e metà dell'Ovest che andavano al lavoro e spu-
tavano. Dean stava lí nella rosticceria strofinandosi il

ventre e assorbendosi tutto. Voleva attaccare discorso con una strana negra di mezz'età che era entrata nel locale raccontando che era senza soldi però aveva con sé qualche biscotto e se le davano del burro. Entrò dondolando i fianchi, le risposero picche, e se ne andò sculettando. « Uhuh! » disse Dean. « Seguiamola per strada, portiamocela nella vecchia Cadillac nel vicolo. Ce la spasseremo. » Però non ci pensammo piú e puntammo dritti su North Clark Street, dopo una capatina al Loop, per visitare le sale da ballo e sentire il be-bop. E che notte fu quella. « Oh, amico » mi disse Dean mentre stavamo fermi di fronte a un bar « guarda le strade della vita, i cinesi che passano per Chicago. Che città astrusa... uauh, e quella donna alla finestra lassú, che guarda in basso mentre le grosse mammelle le pendono dalla camicia da notte, gli occhi immensi e spalancati. Iih! Sal, dobbiamo andare e non fermarci mai finché non arriviamo. »

« Per andare dove, amico? »

« Non lo so, ma dobbiamo andare. » Poi arrivò una banda di giovani musicisti di be-bop che cominciarono a tirar gli strumenti fuori delle automobili. Si riunirono in una taverna e noi li seguimmo. Si sistemarono e cominciarono a suonare. Ecco che c'eravamo! Il *leader* era un sax-tenore snello, ciondolante, coi capelli ricciuti, la bocca prominente, stretto di spalle, addosso un'abbondante camicia sportiva, fresco nella notte calda, con l'autocompiacimento scritto negli occhi; egli prese su il suo strumento e lo scrutò corrugando la fronte e suonò *cool* e complicato, battendo graziosamente il piede quando afferrava un'idea, e chinandosi per scartarne un'altra... e diceva: « Suona », con tutta calma, quando gli altri ragazzi facevano gli a solo. Poi c'era Prez, un bel biondo tenebroso che pareva un pugile lentigginoso, accuratamente avvolto nel suo vestito di popelin scozzese con la giacca lunga e cascante e il collo scostato all'indietro e la cravatta disfatta per una calcolata eleganza tutta negligé, il quale sudava e sollevava il suo strumento e si contorceva dietro a esso, e aveva un timbro proprio uguale a quello di Lester Young. « Vedi, amico, Perez ha le

ansietà tecniche di un musicista che fa soldi, è l'unico
che sia vestito bene, guarda come si fa scuro quando
suona una nota falsa, ma il *leader,* quel tipo a sangue
freddo, gli dice di non preoccuparsi e di suonare e suonare soltanto: il puro suono e la seria esuberanza della
musica sono le uniche cose che *gli* importino. È un artista. S'è messo a insegnare a Perez, il giovane pugile.
Adesso provano gli altri!! » Il terzo sassofono era un
sax-alto, un *cool* di diciott'anni, un giovane negro con-
templativo tipo Charlie Parker, studente di liceo, con
una bocca come una larga ferita, piú alto degli altri,
serio. Alzava il sassofono e ci soffiava dentro calmo e
pensoso e ne tirava fuori frasi come suoni d'uccello e lo-
giche architettoniche alla Miles Davis. Costoro erano i
figli dei grandi innovatori del be-bop.
Una volta c'era Louis Armstrong che suonava come un
dio in mezzo alla feccia di New Orleans; prima di lui
c'erano stati i pazzi musicisti che avevano sfilato in pa-
rata nelle celebrazioni ufficiali e avevano corrotto le mar-
ce di Sousa in ragtime. Poi ci fu lo swing, e Roy El-
dridge, vigoroso e virile, che imperversava con la sua
tromba traendone tutto quello che essa poteva dare in
onde di potenza e logica e sottigliezza: abbandonandocisi
con occhi scintillanti e un adorabile sorriso e sbandieran-
dola ai quattro venti perché scuotesse il mondo del jazz.
Poi era venuto Charlie Parker, un ragazzo che abitava a
Kansas City nella capanna di legno di sua madre, e soffiava nel suo sax-alto con la sordina in mezzo ai tronchi,
esercitandosi nei giorni di pioggia; il quale andava a vedere il vecchio Basie che faceva dello swing e l'orchestra
di Benny Moten con Hot Lips Page e il resto... Charlie
Parker che lasciava casa sua e veniva a Harlem, e incontrava il pazzo Thelonius Monk e l'ancor piú pazzo Gillespie... Charlie Parker dei suoi verdi anni quando faceva
il matto e camminava in tondo suonando. Un po' piú
giovane di Lester Young, pure di Kansas City, quel malinconico, angelico incosciente che racchiudeva in sé tutta la storia del jazz; poiché quando teneva alto il suo
strumeno e orizzontale rispetto alla bocca suonava come
un dio; e man mano che i capelli gli s'allungavano e di-

ventava piú pigro e abbandonato, lo strumento scendeva a metà strada; finché da ultimo l'aveva lasciato cadere del tutto e oggi, mentre porta le scarpe a suola spessa in modo da non dover avvertire i marciapiedi della vita, il sassofono gli sta mollemente appoggiato sul petto, ed egli suona di getto frasi facili e *cool*. Questi erano i figli della notte americana del be-bop.

Strani fiori, comunque – poiché mentre il sax-alto negro meditava con dignità sopra le teste di tutti, il giovane di Curtis Street, Denver, alto snello e biondo, in bluejeans e cintura con le borchie, succhiava l'imboccatura del suo strumento aspettando che gli altri finissero; e quando finivano cominciava lui, e bisognava guardarsi attorno per vedere da che punto giungeva l'a-solo, poiché veniva da angeliche labbra sorridenti posate sull'imboccatura ed era un morbido, dolce a-solo da favola suonato su un sax-alto. Solitario come l'America, un suono gutturale nella notte.

Che dire degli altri e del loro modo di suonare? C'era il suonatore di contrabbasso, un rosso dai capelli ispidi e gli occhi spiritati, che pichiava i fianchi contro lo strumento ad ogni potente palmata, e la bocca che gli pendeva, come in trance, nei momenti piú intensi. « Amico, ecco là un tipo davvero capace di *piegare* la sua ragazza! » Il batterista triste, come il nostro finocchio bianco di Frisco a Folsom Street, completamente imbambolato, con lo sguardo fisso nel vuoto, che masticava gomma, ad occhi spalancati, dondolando il collo con uno scatto alla Reich e un'estasi compiaciuta. Il pianista: un grosso ragazzo italiano tenebroso dall'aria di camionista e le mani massicce, pieno di gioia sanguigna e pensosa. Suonarono per un'ora. Nessuno stava a sentire. I vecchi straccioni della Old North Clark oziavano al bar, le prostitute strillavano arrabbiate. Passavano dei cinesi schivi. Rumori di locali notturni si frammischiavano agli altri. Quelli continuarono a darci dentro. Sul marciapiedi apparve una visione: un ragazzo di sedici anni col pizzetto e una custodia da trombone. Di una magrezza da rachitico, con la faccia spiritata, voleva unirsi alla banda e suonare con loro. Quelli lo conoscevano e non volevano avere a che fare con lui. Egli sgusciò nel bar e di nascosto tirò fuori il trombone e se l'accostò alle labbra. Non gli diedero modo di attaccare. Nessuno lo guardò. Finirono, chiusero gli strumenti, e se ne andarono in un altro bar. Lui voleva fare dello swing, scarno ragazzo di Chicago. Inforcò gli occhiali scuri, alzò il trombone all'altezza delle labbra, tutto solo nel bar, e fece: "Booh!". Poi si precipitò fuori dietro a quelli. Non volevano lasciarlo suonare con loro, proprio come quella squadra di palla a volo nel campo incolto dietro il gassometro. « Tutti questi ragazzi vivono con la loro nonna proprio come Tom Snark e il nostro sax-alto che pare Carlo Marx » disse Dean. Corremmo appresso a tutta la banda. Andarono al club di Anita O'Day e là tirarono fuori gli strumenti e suonarono fino alle nove del mattino. Dean e io restammo là a bere birra.

Negli intervalli correvamo fuori con la Cadillac e cercavamo di prender su qualche ragazza avanti e indietro per tutta Chicago. Erano spaventate dalla nostra grossa, sfregiata, profetica automobile. Dean fece marcia indietro nella sua pazza frenesia e andò a sbattere contro delle bocche da incendio, sghignazzando come un pazzo. Alle nove la macchina era ridotta un completo rottame; i freni non funzionavano piú; i parafanghi erano tutti ammaccati; i pistoni sbatacchiavano. Dean non riusciva a frenarla ai semafori rossi, e questa continuava a sobbalzare convulsamente per la strada. Aveva pagato lo scotto della nottata. Era un arnese infangato e non piú una luccicante berlina. « Ueeh! » I ragazzi stavano sempre suonando da Neets.

Tutto a un tratto Dean guardò fisso nell'oscurità di un angolo dietro il palco dell'orchestra e disse: « Sal, è arrivato il dio ».

Guardai. *George Shearing*. E come sempre egli poggiava la testa sulla mano pallida, le orecchie aperte come quelle di un elefante, tese verso i suoni d'America e impadronendosene per suo uso personale nelle notti di estate in Inghilterra. Poi insistettero perché si alzasse e suonasse. Egli acconsentí. Suonò innumerevoli *choruses* con accordi sorprendenti che salivano sempre piú alti finché il sudore gli colò tutto sul pianoforte e ognuno stava a sentire pieno di stupore e di paura. Lo guidarono giú dal palco dopo un'ora. Lui tornò nel suo angolo buio, vecchio Dio Shearing, e i ragazzi dissero: « Dopo questo non ci rimane piú nulla ».

Ma lo snello *leader* corrugò la fronte. « Suoniamo lo stesso. »

Qualcosa ne sarebbe pur venuto fuori. C'è sempre qualcosa di piú, un po' piú in là... non finisce mai. Si adoperarono a cercare nuove frasi melodiche dopo le esplorazioni di Shearing; cercarono in tutti i modi. Si contorsero e soffrirono e suonarono. Ogni tanto un chiaro grido armonico dava delle nuove idee di un motivo che un giorno o l'altro sarebbe stato l'unico al mondo e avrebbe innalzato alla gioia le anime degli uomini. Lo trovavano, lo perdevano, ci si affaticavano sopra, lo ritrovavano, ridevano, gemevano... e Dean sudava al tavolo e gridava loro di suonare, suonare, suonare. Alle nove del mattino tutti – musicisti, ragazze in pantaloni, baristi, e il solitario ossuto, piccolo e triste suonatore di trombone – uscirono barcollando dal club nel gran frastuono del giorno di Chicago per dormire fino a una nuova sfrenata notte di be-bop.

Dean e io rabbrividemmo per la spossatezza. Era ora, adesso, di restituire la Cadillac al suo proprietario, che viveva sul lungolago in un lussuoso appartamento con sotto un'enorme rimessa tenuta da negri segnati di grasso. Andammo fin là con la macchina e riportammo alla base il rottame infangato. Il meccanico non riconobbe la Cadillac. Noi consegnammo i documenti. Lui si grattò la testa alla vista della macchina. Era bene battercela al piú presto. Cosí facemmo. Prendemmo un autobus fino al centro di Chicago e quello fu tutto. E non avemmo mai piú notizie del nostro magnate di Chicago circa lo stato in cui era la macchina, nonostante egli fosse in possesso dei nostri indirizzi e potesse fare delle rimostranze.

Era tempo di rimettersi in viaggio. Prendemmo un autobus fino a Detroit. Il nostro gruzzolo stava cominciando ad assottigliarsi. Trascinammo il nostro bagaglio mal ridotto nella stazione. A quell'ora la fasciatura del pollice di Dean era nera quasi come il carbone e tutta allentata. Avevamo entrambi l'aspetto miserabile che avrebbe avuto chiunque, dopo tutto quello che avevamo combinato. Esausto, Dean si addormentò nell'autobus che rombava attraverso lo stato del Michigan. Io attaccai discorso con una splendida ragazza di campagna che portava una camicetta di cotone molto scollata e rivelava la sommità abbronzata del suo bel seno. Era ottusa. Parlò di serate in campagna passate a fare il popcorn sotto il portico. Un tempo ciò mi avrebbe rallegrato il cuore ma poiché il cuore di lei non se ne rallegrava mentre lo diceva, capii che in esso non c'era altro che l'idea di ciò che si dovrebbe fare. « E in quale altro modo si diverte? » Cercai di tirar nel discorso le amicizie maschili e il sesso. I suoi grandi occhi scuri mi scrutarono vacui e con una specie di dolore nel sangue che risaliva a generazioni addietro per non aver fatto ciò che urgeva venisse fatto... qualsiasi cosa fosse, e tutti sanno cosa sia. « Cos'è che esige dalla vita? » Volevo prenderla e spremere da lei la risposta. Non aveva la minima idea di quel che volesse. Farfugliò di impieghi, di film, di andare da sua nonna durante l'estate, del desiderio di recarsi a New York a vedere il Roxy, di che specie di completo avrebbe indossato: qualcosa di simile a quello che portava la Pasqua scorsa, cappellino bianco, rose, scarpine pure rosa, e un soprabito di gabardine color lavanda. « Cosa fa la domenica pomeriggio? » domandai. Stava seduta sotto il portico. I suoi amici passavano in bicicletta e si fermavano a chiacchierare. Leggeva giornaletti umoristici, si sdraiava nell'amaca. « Cosa fa in una calda notte d'estate? » Sedeva sotto il portico guardava le macchine sulla strada. Lei e sua madre facevano il popcorn. « Cosa fa suo padre in una notte d'estate? » Lavora, fa il turno di notte in una fabbrica di caldaie, ha passato la sua vita intera a mantenere una donna e i suoi rampolli e senza credito né adorazione. « Cosa fa suo fratello in una notte d'estate? » Va in giro in bicicletta e passeggia davanti al chiosco delle bibite. « Cos'è che egli muore dalla voglia di fare? Cos'è che tutti noi moriamo dalla voglia di fare? Cosa vogliamo? » Non lo sapeva. Sbadigliò. Aveva sonno. Era troppo. Nessuno poteva dirlo. Nessuno avrebbe potuto dirlo mai. Tutto era finito. Aveva diciott'anni ed era estremamente adorabile, e mancata.

Cosí Dean e io, stracciati e sporchi come se ci fossimo nutriti di locuste, scendemmo barcollanti dall'autobus a Detroit. Decidemmo di passar la notte in uno dei cinema aperti fino al mattino nel quartiere malfamato. Era troppo freddo per andare nei parchi. Hassel era stato lí in quella zona di Detroit, era entrato in ogni baraccone di tiro a segno e in ogni cinema notturno e in ogni bar chiassoso con i suoi occhi scuri, piú di una volta. Il suo fantasma ci perseguitava. Non l'avremmo mai piú trovato in Times Square. Pensammo che forse, per puro caso, anche il vecchio Dean Moriarty poteva trovarsi qui; ma non c'era. Per trentacinque centesimi a testa entrammo nel vecchio cinema sgangherato e sedemmo in galleria fino al mattino, quando ci buttarono fuori in malo modo. La gente che stava in quel cinema notturno era d'infimo ordine. Negri male in arnese che erano venuti su dall'Alabama per lavorare nelle fabbriche d'automobili solo avendone sentito parlare; vecchi straccioni bianchi; giovani debosciati dai capelli lunghi che avevano raggiunto la fine della china e bevevano vino; prostitute, coppie regolari, e massaie con niente da fare; nessun luogo dove andare, nessuno in cui credere. Se si fosse setacciata tutta Detroit con un cestello di fil di ferro non si sarebbe potuto raccoglier meglio in piú infimo solido nucleo della feccia. Il film era con Eddie Dean, il cow-boy canterino, e il suo gagliardo cavallo bianco Bloop, questo era il primo film; il secondo dei due era una pellicola su Istanbul con George Raft, Sidney Greenstreet e Peter Lorre. Vedemmo entrambe queste robe per sei volte durante la notte. Li vedemmo da svegli, li

sentimmo mentre dormivamo, li percepimmo quando so-
gnavamo; all'arrivo del mattino, eravamo completamente permeati dello strano grigio mito dell'Occidente e del
fatale oscuro mito dell'Oriente. Da allora tutte le mie
azioni vennero automaticamente dettate al mio subco-
sciente da questa orribile esperienza osmotica. Sentii il
grosso Greenstreet sogghignare un centinaio di volte;
sentii i passi sinistri di Peter Lorre; fui insieme a George Raft nei suoi terrori di paranoico; cavalcai e cantai
con Eddie Dean e sparai ai ladri di bestiame innumerevoli volte. La gente beveva sorsate dalle bottiglie e si
girava intorno e guardava in tutte le direzioni nel teatro
buio in cerca di qualcosa da fare, di qualcuno cui parlare. Il cervello di tutti era colpevolmente tranquillo,
nessuno parlava. Nell'alba grigia che alitava come un fantasma intorno alle finestre del teatro e ne abbracciava
il cornicione io stavo dormendo con la testa sul brac-
ciolo di legno di un sedile mentre sei inservienti del cinema radunavano l'insieme dei rifiuti notturni che avevano scopato e creavano un immenso mucchio polveroso
che raggiunse il mio naso mentre russavo a testa in giú...
finché quasi non spazzarono via anche me. Questo mi
fu riferito da Dean, che stava a guardare dieci sedili
piú indietro. Tutti i mozziconi di sigarette, le bottiglie,
le scatole di fiammiferi, il vecchio e il nuovo furono sco-
pati in questo mucchio. Se ci avessero messo anche me,
Dean non mi avrebbe rivisto mai piú. Gli sarebbe toccato errare per tutti gli Stati Uniti e guardare in ogni
bidone dell'immondezza da costa a costa prima di trovarmi avvoltolato come un embrione in mezzo ai rifiuti
della mia vita, della sua, e di quella di tutti gli interessati e i non interessati. Cosa gli avrei detto da quell'ute-
ro immondo? "Non seccarmi, amico, sono felice dove
mi trovo. Una notte, a Detroit, nell'agosto del 1949,
mi hai perduto. Che diritto hai di venire a disturbare la
mia fantasticheria in questo bidone stomachevole?" Nel
1942 fui il protagonista di uno dei piú sporchi drammi
di tutti i tempi. Ero in marina, e andai al caffè Impe-
riale in Scollay Square a Boston per bere qualcosa; mi
scolai sessanta bicchieri di birra e mi ritirai nella toilette,

dove mi rannicchiai intorno alla tazza e mi addormentai. Durante la notte almeno un centinaio di marinai e di civili vari entrarono e mi schizzarono addosso i loro fetidi escrementi finché fui imbrattato fino ad essere irriconoscibile. Che differenza c'è, dopo tutto? L'anonimato nel mondo degli uomini è migliore che la fama in cielo, poiché, cos'è il cielo? Cos'è la terra? Sono tutte cose cerebrali.

Dean e io uscimmo all'alba da quel buco di orrori farfugliando e barcollando e andammo a cercare la solita macchina all'agenzia di viaggi. Dopo aver passato buona parte della mattinata nei bar negri a correr dietro alle ragazze e ad ascoltare dischi di jazz sui juke box, sfacchinammo per otto chilometri sugli autobus urbani con tutto il nostro assurdo bagaglio e arrivammo a casa di uno che ci avrebbe fatto pagare quattro dollari a testa per il viaggio fino a New York. Era un uomo biondo di mezz'età, con gli occhiali, una moglie e un bambino e una bella casa. Aspettammo nel cortile mentre lui si preparava. Sua moglie, adorabile in un grembiule di cotone, ci offrí del caffè ma noi eravamo troppo occupati a parlare. In quel momento Dean era cosí esausto e fuori di sé che qualsiasi cosa vedesse lo deliziava. Era sul punto di farsi prendere da un'altra crisi mistica. Sudava e sudava. Il momento che fummo nella Chrysler nuova e in viaggio per New York quel poveraccio si accorse di aver preso un impegno con due maniaci, però fece buon viso a cattivo gioco e addirittura si abituò a noi proprio mentre passavamo davanti al Briggs Stadium e parlavamo della squadra delle "Tigri" di Detroit del prossimo anno.

Attraversammo Toledo nella notte nebbiosa e proseguimmo avanti attraverso il vecchio Ohio. Mi resi conto che stavo cominciando a passare e ripassare dalle città d'America come se fossi un commesso viaggiatore: viaggi scomodi, campionario di poco interesse, dei fagioli ammuffiti in fondo alla mia borsa di trucchi, nessun compratore. L'uomo si stancò nei pressi del confine della Pennsylvania e Dean prese il volante e guidò per tutto il resto del viaggio fino a New York, e cominciammo a sentire alla radio il programma di Symphony Sid con tutti gli ultimi be-bop, e ora stavamo entrando nell'immensa e definitiva città d'America. Ci arrivammo il mattino presto. Times Square era sconvolta dai lavori, poiché New York non riposa mai. Cercammo automaticamente Hassel mentre passavamo.

Un'ora dopo Dean e io eravamo al nuovo appartamento di mia zia a Long Island, e anche lei era intensamente occupata con i pittori che erano amici di famiglia, e discuteva con loro sul prezzo mentre noi, arrivati da San Francisco, salivamo le scale barcollando. « Sal » disse mia zia « Dean può rimanere qui alcuni giorni e dopo deve andarsene, m'hai capito? » Il viaggio era finito. Dean e io facemmo una passeggiata quella notte in mezzo ai depositi di benzina e i ponti della ferrovia e le lampade per la nebbia di Long Island. Ricordo Dean fermo sotto un lampione.

« Proprio mentre passavamo davanti a quell'altro lampione stavo per dirti un'altra cosa, Sal, ma adesso continuo per inciso con un nuovo pensiero e nel momento in cui raggiungeremo il prossimo lampione tornerò al soggetto originale, d'accordo? » Naturalmente fui d'accordo. Eravamo talmente abituati a viaggiare che dovemmo camminare per tutta Long Island, ma piú in là non c'era altra terra, solo l'Oceano Atlantico, e non potevamo andare piú lontano di cosí. Ci stringemmo le mani e decidemmo di essere amici per sempre.

Neanche cinque sere dopo andammo a una festa a New York e io vidi una ragazza di nome Inez e le dissi che con me c'era un amico mio che lei avrebbe dovuto conoscere un giorno o l'altro. Ero ubriaco e le dissi che era un cow-boy. « Oh, ho sempre desiderato conoscere un cow-boy. »

« Dean! » urlai sopra la folla, che comprendeva Angel Luz García, il poeta; Walter Evans; Victor Villanueva, il poeta venezuelano; Jinny Jones, una mia antica fiamma; Carlo Marx; Gene Dexter; e innumerevoli altri... « Vieni un po' qua, amico. » Dean si presentò tutto timido. Un'ora dopo, nell'ebbrezza e decadentismo della festa (« È in onore della fine dell'estate, naturalmente »), lui stava inginocchiato sul pavimento col mento sul ventre di lei e le diceva e prometteva di tutto e sudava. Lei era un bruna grande e provocante: come diceva García: "Qualcosa preso di peso da Degas", e in complesso simile a una bella civetta parigina. Nel giro di pochi giorni stavano trafficando con Camille a San Francisco per mezzo di telefonate interurbane per le carte necessarie al divorzio in modo da potersi sposare. Non solo questo, ma pochi mesi dopo Camille diede alla luce la seconda bimba di Dean, risultato dei rapporti di poche notti al principio dell'anno. E nel giro di altri pochi mesi anche Inez ebbe un bambino. Con un figlio illegittimo in qualche punto dell'Ovest, Dean aveva a quell'epoca quattro piccoli suoi e non un centesimo, e come sempre era pieno di guai e di estasi e di "verve". Cosí non andammo in Italia.

Parte quarta

1

Mi arrivarono dei soldi in seguito alla pubblicazione del
mio libro. Sistemai mia zia con l'affitto sino alla fine
dell'anno. Tutte le volte che la primavera arriva a New
York non riesco a resistere ai richiami della terra che
arrivano col vento di là dal fiume, dal New Jersey, e
devo andare. Cosí partii. Per la prima volta nella nostra
vita dissi addio a Dean a New York e lo lasciai là. Lui
lavorava in un parcheggio all'angolo fra la Madison e la
40ma. Come sempre correva qua e là nelle sue scarpe
scalcagnate e in maglietta e pantaloni che gli scendevano
sul ventre, tutto da solo, sistemando immense ondate di
macchine sul mezzogiorno.
Quando come al solito andavo a trovarlo verso il tramonto non c'era niente da fare. Lui stava in piedi nella
baracca, contando biglietti e strofinandosi il ventre. La
radio era sempre accesa. « Amico, hai sentito quel fenomeno di Marty Glickman trasmettere le partite di pallacanestro?... Su - a - metà - campo - palleggio - finta -
arresto - tiro, cesto, due punti. Decisamente il piú gran
cronista sportivo che abbia mai sentito ». S'era ridotto a
dei semplici piaceri come questi. Viveva con Inez in un
appartamento con sola acqua fredda corrente nei pressi
dell'Ottantesima Strada Est. Quando tornava a casa la
sera si toglieva tutto quel che aveva indosso e si metteva una giacchetta cinese di seta che gli arrivava ai fianchi e sedeva in poltrona a fumare un narghilé carico di
marijuana. Questi erano i suoi piaceri domestici, insieme con un mazzo di carte da gioco pornografiche. « In
questi ultimi tempi mi sono concentrato su questo due
di quadri. Hai notato dov'è l'altra mano della donna?
Scommetto che non riesci a scoprirlo. Guarda a lungo e

cerca di capire. » Voleva prestarmi il due di quadri, sul quale era disegnato un tipo alto e lugubre e una puttana triste e lasciva su un letto mentre provavano una posizione. « Avanti, amico, io l'ho usata molte volte! » Inez cucinava in cucina; fece capolino con un sorriso obliquo. Tutto le andava magnificamente. « La vedi? La vedi, amico? Cosí è Inez. Capisci, questo è tutto quel che fa, s'affaccia dalla porta e sorride. Oh, ho parlato con lei e abbiamo chiarito tutto nel modo migliore. Quest'estate ce ne andremo a vivere in una fattoria della Pennsylvania: una giardinetta tutta mia per filare a New York a divertirmi, una bella casa grande, e un sacco di bambini nei prossimi anni. Ehem! Herrumpf! Perbacco! » Balzò su dalla poltrona e mise un disco di Willie Jackson: *Gator Tail*. Ci si piantò dritto davanti, afferrandosi le mani e dondolandosi e flettendosi a tempo sulle ginocchia. « Uhuh! Quel figlio di cane! La prima volta che l'ho sentito credevo che sarebbe morto la notte dopo, e invece è ancora vivo. »

Questo era esattamente ciò che aveva fatto con Camille a Frisco nella parte opposta del continente. Lo stesso baule scassato sporgeva dal letto, pronto per il volo. Inez chiamava ripetutamente al telefono Camille e faceva con lei lunghi discorsi; avevano persino parlato del suo membro, almeno cosí affermava Dean. S'erano scambiate lettere a proposito dell'eccentricità di Dean. Naturalmente lui doveva mandare mensilmente a Camille parte della sua paga per il mantenimento altrimenti si sarebbe buscato sei mesi di lavori forzati. Per rifarsi del denaro perduto faceva dei trucchi nel parcheggio, era un artista di prim'ordine nel dare il resto. Lo vidi augurare il buon Natale a un uomo facoltoso con tale volubilità che quello non si accorse nemmeno di aver avuto in resto una moneta da cinque invece che da venti. Andammo fuori e spendemmo i soldi al Birdland, il locale di be-bop. Sul podio c'era Lester Young, l'eternità sulle sue grosse palpebre.

Una notte chiacchierammo all'angolo fra la 47ma Strada e la Madison alle tre del mattino. « Be', Sal, che sia dannato, vorrei che tu non partissi, davvero, sarà la prima volta che rimango a New York senza il mio vecchio compagno ». E aggiunse: « New York per me è una sosta, la mia patria è Frisco. Tutto il tempo che sono stato qui non ho avuto altra ragazza che Inez... questo mi capita solo a New York! Accidenti! Ma il solo pensiero di attraversare di nuovo quell'orribile continente... Sal, è parecchio tempo che non ci parliamo chiaro ». A New York andavamo sempre in giro come pazzi con gruppi di amici a feste di ubriachi. Pareva che questo in certo modo non si adattasse a Dean. Lui sembrava maggiormente se stesso quando si aggirava la notte nei freddi, nebbiosi spruzzi di pioggia in Madison Avenue deserta. « Inez mi ama; mi ha detto e mi ha promesso che posso fare quel che mi pare e che mi darà meno grattacapi possibili. Vedi, amico, si diventa vecchi e i guai si ammucchiano. Un giorno o l'altro tu e io scenderemo insieme giú da un viale al tramonto e guarderemo dentro ai bidoni in cerca di roba. »

« Vuoi dire che finiremo la nostra vita come vecchi mendicanti? »

« Perché no, mio caro? Certamente lo diventeremo, se lo vorremo, e cosí via. Non c'è niente di male a finire a quel modo. Passi una vita intera senza interferire coi desideri altrui, compresi quelli dei politicanti e dei ricchi, e nessuno ti scoccia e tu tiri avanti e te la vedi come ti pare. » Fui d'accordo con lui. Stava per raggiungere delle decisioni taoistiche nel modo piú semplice e diretto. « Qual è la tua strada, amico?... la strada del santo, la strada del pazzo, la strada dell'arcobaleno, la strada dell'imbecille, qualsiasi strada. È una strada in tutte le direzioni per tutti gli uomini in tutti i modi. Che direzione che uomo che modo? » Approvammo nella pioggia. « Merda, e hai il dovere di pensare a tuo figlio. Non sarà un uomo se non saprà darsi da fare... Devi fare quel che dice il dottore. Ti dirò, Sal, chiaro e tondo, non importa dove io abiti, il mio baule spunta sempre di sotto al letto, sono pronto a partire o a venir buttato fuori. Ho deciso di lavarmi le mani di tutto. *Tu m'hai visto* tentare e rompermi il culo per farcela e *tu* sai che questo non ha importanza

313

e che noi sappiamo il valore del tempo: come rallentarlo e camminare e guardare e solo fare delle scatenate baldorie vecchio stile, che altro genere di baldoria esiste? *Noi* lo sappiamo. » Sospirammo sotto la pioggia. Cadeva sulla cima e sul fondo della vallata dell'Hudson, quella notte. I grandi moli mondiali del fiume vasto come un mare ne erano zuppi, vecchi imbarcaderi per piroscafi a Poughkeepsie ne erano zuppi, il vecchio Split Rock Pond delle sorgenti ne era zuppo, il Vanderwhacker Mount ne era zuppo.

« Perciò » disse Dean, « io tiro avanti per la mia vita come quella spira. Lo sai che tempo fa ho scritto al mio vecchio nel carcere di Seattle?... L'altro giorno ho avuto la sua prima lettera in tanti anni. »

« Davvero? »

« Sí, sí. Ha detto che vuol vedere il "banbino" scritto con la enne, quando gli riesce di arrivare a Frisco. Ho trovato un appartamento con sola acqua fredda nella Quarta Strada Est per tredici dollari al mese; se ce la faccio a mandargli il denaro verrà a vivere a New York... se ci arriva. Non ti ho mai parlato gran che di mia sorella, ma tu sai che ho anche una piccola dolce sorellina; mi piacerebbe far venire anche lei a vivere con me. »

« Dov'è? »

« Be', purtroppo c'è questo, che non lo so... lui cercherà di rintracciarla, il vecchio, ma lo sai *tu*, quel che farà veramente? »

« Cosí è andato a Seattle? "

« E dritto in quell'orribile carcere. »

« Dov'era? »

« Nel Texas, nel Texas... cosí vedi, amico, l'anima mia, lo stato delle cose, la mia posizione... ti sarai accorto che sto diventando piú tranquillo... »

« Sí, è vero. » Dean a New York s'era calmato. Voleva chiacchierare. Stavamo gelando da morire nella pioggia fredda. Ci demmo appuntamento a casa di mia zia prima della mia partenza.

Venne la domenica dopo, il pomeriggio. Io avevo la televisione. Vedemmo una partita di baseball alla TV, un'altra la sentimmo per radio, e intanto continuavamo a girare le manopole su una terza e a seguire tutto ciò che si stava svolgendo in ogni momento. « Ricordati, Sal, Todges è sulla seconda base a Brooklyn, cosí mentre entra il lanciatore sostituto dei Phillies passiamo a sentire la Giants-Boston e nello stesso tempo osserva che Di Maggio ha un punteggio di tre palle e il lanciatore sta perdendo tempo col sacchetto della resina, cosí vediamo presto cos'è successo a Bobby Thomson quando l'abbiamo lasciato trenta secondi fa con un giocatore sulla terza base. Sí! »

Piú in là nel pomeriggio uscimmo e giocammo a baseball con dei ragazzini nel campo fuligginoso accanto allo scalo ferroviaro di Long Island. Giocammo anche a pallacanestro con tale frenesia che i ragazzi piú piccoli dicevano: « Prendetevela calma, non c'è bisogno che vi ammazzate ». Ci ballavano intorno con leggerezza e ci battevano senza difficoltà. Dean e io sudavamo. A un certo punto Dean cadde lungo disteso a faccia in giú sul campo di cemento. Ansavamo e sbuffavamo per portar via la palla ai ragazzini; loro si voltavano e ce la facevano sgusciare via. Altri schizzavano e tiravano elegantemente sopra la nostra testa. Noi saltavamo verso il cesto come pazzi, e i ragazzi piú piccoli non facevano che allungare le mani e strapparci la palla dalle mani sudate e "dribblavano" via. Era come se lo scalmanato sassofonista swing dalla pancia nera delle vignette di *Mad*[1] sulla musica americana di successo nei locali di terz'ordine, cercasse di giocare a pallacanestro contro Stan Getz e Charlie Parker il "Freddo". Pensavano che eravamo pazzi. Dean e io tornammo a casa giocando a palla da un marciapiede all'altro. Tentammo delle prese specialissime, tuffandoci nei cespugli e schivando per un pelo i lampioni. Quando passò una macchina io le corsi accanto e lanciai la palla a Dean proprio appena dietro al paraurti che scompariva. Lui schizzò e la prese e rotolò nell'erba, e me la rilanciò perché l'afferrassi dietro un autocarro del pane in sosta. Ce la feci appena con

[1] Mensile umoristico americano. (*N. d. T.*)

la mia mano massiccia e la ributtai indietro cosicché Dean dovette girare su se stesso e indietreggiare e cadere sulla schiena di là dalla siepe. Una volta a casa Dean tirò fuori il portafogli, grugní, e porse a mia zia i quindici dollari che le doveva dall'epoca in cui ci diedero quella multa per eccesso di velocità a Washington. Lei ne fu assolutamente sbalordita e compiaciuta. Facemmo una gran cena. « Be', Dean » disse mia zia, « spero che riuscirai a prenderti cura del nuovo bambino in arrivo e resterai sposato, questa volta! »

« Sí, ma sí, sí. »

« Non puoi andar in giro per il continente mettendo al mondo bambini in questo modo. Quelle povere creature cresceranno senza protezione. Devi offrir loro una possibilità di vivere. » Lui si guardò i piedi e assentí. Ci dicemmo addio nel crudo tramonto rosso, sopra un ponte a cavallo di una superautostrada.

« Spero di trovarti a New York quando ritorno » gli dissi. « Tutto quel che spero, Dean, è che un giorno noi si riesca a vivere nella stessa strada insieme alle nostre famiglie e che si possa diventare insieme una coppia di vecchi buontemponi. »

« Proprio cosí, amico... tu sai bene che io prego che ciò avvenga del tutto memore dei guai che abbiamo passato e di quelli che passeremo, come tua zia sa e mi ricorda. Io non volevo il nuovo bambino, Inez ha insistito, e abbiamo litigato. Lo sai che Marylou s'è sposata a Frisco con un commerciante di macchine usate e sta anche lei per avere un bambino? »

« Sí. Adesso poco alla volta ci stiamo arrivando tutti. » Piccole increspature nel lago capovolto del vuoto, è quello che avrei dovuto dire. Il fondo del mondo è d'oro e il mondo è capovolto. Dean tirò fuori un'istantanea di Camille a Frisco con l'ultima nata. L'ombra di un uomo cadeva attraverso la bimba sul selciato assolato, due lunghe gambe in pantaloni piene di tristezza.

« Chi è quello? »

« È solo Ed Dunkel. È tornato da Galatea, adesso sono andati a Denver. Hanno passato una giornata intera a prender fotografie. »

Ed Dunkel, la sua compassione inosservata come quella dei santi. Dean tirò fuori altre fotografie. Mi resi conto che queste erano tutte istantanee che i nostri bambini avrebbero guardate un giorno con stupore, convinti che i loro genitori avessero vissuto una vita liscia, ben ordinata, delimitata nella cornice di quelle fotografie e si fossero alzati al mattino per incamminarsi orgogliosi sui marciapiedi della vita, senza mai sognare la stracciata pazzia e la ribellione della nostra vita reale, della nostra notte reale, l'inferno di essa, l'insensata strada piena di incubi. Tutto questo dentro un vuoto senza principio e senza fine. Compassionevoli forme d'ignoranza. « Addio, addio. » Dean s'allontanò nel lungo crepuscolo rosso. Le locomotive fumavano e correvano sopra di lui. La sua ombra lo seguiva, scimmiottando la sua andatura e i suoi pensieri e la sua vera essenza. Si voltò e salutò con la mano furtivamente, timidamente. Mi fece il segnale di partenza dei ferrovieri, saltò su e giú, urlò qualcosa che non afferrai. Corse tutt'in giro. Man mano si avvicinava sempre piú all'angolo in cemento del cavalcavia. Fece un ultimo gesto. Io salutai in risposta. D'un tratto partí curvo in avanti verso la sua vita e scomparve rapido alla mia vista. Io rimasi boccheggiante nello squallore delle mie giornate. Avevo anch'io il mio lungo orribile percorso da compiere.

2

A mezzanotte del giorno dopo, cantando questa canzoncina,

Casa a Missoula,
Casa a Truckee,
Casa a Opelousas,
Non c'è casa per me.
Casa nella vecchia Medora,
Casa a Wounded Knee,
Casa a Ogallala,
Mai ci sarà una casa per me,

presi l'autobus per Washington; persi un po' di tempo laggiú a girare qua e là; feci una deviazione per vedere i Blue Ridge, ascoltai l'uccello di Shenandoah e visitai la tomba di Stonewall Jackons; al tramonto rimasi a schiarirmi la gola sul fiume Kanawha e a Charleston, nel West Virginia, camminai nella notte montanara; a mezzanotte Ashland, nel Kentucky, e una ragazza solitaria sotto la tettoia di un teatro chiuso. Il buio e misterioso Ohio, e Cincinnati all'alba. Poi di nuovo i campi dell'Indiana, e St. Louis avvolto come sempre dalle sue grandi nuvole nelle vallate, al pomeriggio. La ghiaia fangosa e i tronchi del Montana, i piroscafi sfasciati, le vecchie insegne, l'erba e i cordami sul fiume. Il poema senza fine. Di notte il Missouri, i campi del Kansas, le mucche notturne del Kansas nei segreti spazi aperti, paesi di rimorchi con un mare ad ogni fine di strada; l'alba in Abilene. I prati del Kansas orientale diventano le alture del Kansas occidentale che si arrampicano su per le colline della notte del West.

Henry Glass viaggiava nell'autobus con me. Era salito a Terre Haute, nell'Indiana, e adesso mi diceva: « Ti ho detto perché odio il vestito che indosso, è orribile... ma non è tutto ». Mi fece vedere certi documenti. Lo avevano appena rilasciato dal penitenziario federale di Terre Haute; la condanna era per furto e vendita di automobili a Cincinnati. Un ragazzo giovane, ricciuto, di vent'anni. « Appena arrivo a Denver vado a vendere questo vestito a un'agenzia di pegni e mi prendo dei blue-jeans. Sai che m'hanno fatto in quella prigione? Cella d'isolamento con una Bibbia; io di solito ci sedevo sopra sul pavimento di pietra; quando si accorsero che facevo cosí mi levarono la Bibbia e me ne portarono una piccola in edizione tascabile grande cosí. Non potevo starci seduto cosí mi sono letto tutta la Bibbia e il Testamento. Ehi ehi... » mi pungolò nelle costole, sgranocchiando un dolce, mangiava sempre dolci perché nel penitenziario s'era rovinato lo stomaco e non poteva tollerare nient'altro « lo sai che in quella Bib-bia ci sono delle cose davvero fantastiche. » Mi disse cosa voleva dire "significare". « Quando uno sta per lasciare il carcere e comincia a parlare della data del suo rilascio, questo vuol dire "significare" per quei ragazzi che devono rimanerci. Noi lo prendiamo per il collo e diciamo: "Non stare a significare con *me*!". Brutta cosa, significare... mi capisci? »

« Io non "significherò" con te, Henry. »

« Appena qualcuno "significa" con me, le narici mi si dilatano, mi arrabbio tanto che sarei capace di uccidere. Lo sai perché sono stato in carcere tutta la mia vita? Perché quando avevo tredici anni ho perso le staffe. Ero al cinema con un ragazzo e lui disse una spiritosaggine su mia madre – sai, quella brutta parola – e io tirai fuori il temperino e gli tagliai la gola e se non me l'avessero tolto di mano l'avrei ammazzato. Il giudice disse: "Sapevi quel che facevi quando hai assalito il tuo amico?". "Sissignore, Vostro Onore, lo sapevo, volevo uccidere quel figlio di cagna e lo farei ancora." Cosí non mi concessero la condizionale e andai dritto al riformatorio. Mi sono persino venute le emorroidi a sedere nella cella di isolamento. Non andare mai in un penitenziario federale, sono i "piú pessimi". Merda, potrei stare a parlare tutta la notte, tanto tempo è passato da quando ho parlato con qualcuno. Tu non sai quanto mi sento *buono* dacché sono uscito. Quando sono salito, passando da Terre Haute, tu stavi là seduto in quell'autobus... A che pensavi? »

« Sedevo lí nell'autobus e basta. »

« Io stavo cantando, io. Mi sono messo vicino a te perché avevo paura di sedermi accanto a una ragazza col terrore di uscir di senno e ficcarle le mani sotto al vestito. Bisogna che aspetti un po'. »

« Un'altra puntata in prigione e ti rinchiudono per la vita intera. È meglio che d'ora in poi ci vai piano. »

« È questo che voglio fare, l'unico guaio è che le narici mi si dilatano e non so piú quel che combino. »

Andava a vivere con suo fratello e sua cognata; avevano per lui un lavoro nel Colorado. Il biglietto era stato pagato dalle autorità federali, la sua destinazione era la libertà vigilata. Ecco qua un ragazzo simile a quello ch'era stato Dean; il sangue gli ribolliva troppo perché lui potesse sopportarlo; le narici gli si dilatavano; però non aveva alcuna strana santità innata che lo salvasse dal destino fra le sbarre.

« Sal, dammi la tua amicizia e sta' attento che le narici non mi si dilatino a Denver, per favore. Forse riesco ad arrivare sano e salvo da mio fratello. »

Quando arrivammo a Denver lo condussi sottobraccio in Larimer Street a impegnare il vestito del penitenziario. Il vecchio ebreo intuí immediatamente di che si trattava prima che il pacco fosse svolto del tutto. « Non voglio qua quella dannata roba; ne ricevo ogni giorno dai ragazzi di Canyon City. »

Tutta Larimer Street era battuta da ex-carcerati che tentavano di vendere gli abiti tessuti nelle prigioni. Henry finí col portarsi quella roba sotto il braccio in un sacchetto di carta e andò in giro con dei blue-jeans nuovi di zecca e una camicia sportiva. Andammo al vecchio bar Glenarm di Dean – per strada Henry buttò il vestito in un bidone della spazzatura – e telefonammo a Tim Gray. Era sera ormai.

« Tu? » ridacchiò Tim Gray. « Vengo subito. »

Dieci minuti dopo arrivò trotterellando nel bar insieme con Stan Shephard. Avevano fatto entrambi un viaggio in Francia ed erano terribilmente delusi della loro vita a Denver. Simpatizzarono con Henry e gli pagarono delle birre. Lui cominciò a spendere a destra e a sinistra tutti i soldi che gli erano rimasti del penitenziario. Ecco che mi ritrovavo nella dolce, oscura notte di Denver coi suoi benedetti vicoli e le sue pazze case. Ci mettemmo a perlustrare tutti i bar del centro, case cantoniere fuori città sulla West Colfax, bar negri ai Five Points, un finimondo.

Erano anni che Stan Shephard aspettava di conoscermi e ora per la prima volta stavamo sospesi insieme davanti a un'avventura. « Sal, da quando sono tornato dalla Francia non ho piú avuto la minima idea su che fare di me stesso. È vero che stai andando al Messico? Accidentaccio, potessi venire con te! Forse riesco a procurarmi un centinaio di dollari e una volta arrivato là potrei trasferire all'università di Città del Messico la mia borsa di studio di reduce. »

Okay, eravamo d'accordo, Stan sarebbe venuto con me. Era un timido ragazzo longilineo di Denver, con i capelli cespugliosi e un largo sorriso da ciarlatano e movenze lente, menefreghiste alla Gary Cooper. « Accidentaccio! » disse e si ficcò i pollici nella cintura e scese la strada dondolandosi, oscillando da una parte all'altra ma con lentezza. Suo nonno s'era impuntato con lui. Si era opposto all'epoca del viaggio in Francia e adesso si opponeva all'idea di andare nel Messico. Stan girava per Denver come un mendicante a causa della lite con suo nonno. Quella notte, dopo che demmo fondo alle nostre bevute e impedimmo a Henry di farsi dilatare le narici al Hot Shoppe sulla Colfax, Stan si rifugiò per dormire nella camera d'albergo di Henry a Glenarm. « Non posso nemmeno tornare a casa tardi... mio nonno comincia a litigare con me, poi se la prende con mia madre. Ti assicuro, Sal, bisogna che me la batta presto da Denver altrimenti divento pazzo. »

Be', rimasi a dormire da Tim Gray e poi piú tardi Babe Rawlins mi sistemò in una bella stanzetta in un interrato e ci andammo a finire tutti ogni notte a far baldoria per una settimana intera. Henry scomparve per andare da suo fratello e non lo vedemmo mai piú e non sapremo mai se da allora qualcuno ha mai "significato" con lui, e se l'hanno cacciato in una cella sbarrata o se invece fila libero e a vele spiegate nella notte.

Tim Gray, Stan, Babe e io passammo i pomeriggi di un'intera settimana nei deliziosi bar di Denver dove le cameriere portano i pantaloni e si aggirano qua e là con occhi timidi e adoranti, non cameriere indurite ma di quelle che si innamorano della clientela e hanno relazioni esplosive e s'affannano e sudano e soffrono da un bar all'altro; e quella stessa settimana passavamo le notti ai Five Points, ascoltando il jazz, bevendo liquori in formidabili bettole negre e chiacchierando nel mio interrato fino alle cinque del mattino. Il mezzogiorno ci trovava di solito sdraiati nel cortile di Babe in mezzo ai ragazzini di Denver che giocavano ai cow-boy e agli indiani e ci saltavano addosso dai ciliegi in fiore. Passavo ore meravigliose e il mondo intero mi si schiudeva davanti perché ero privo di sogni. Stan e io complottammo per far venire con noi Tim Gray, ma Tim era legato alla sua vita di Denver.

Stavo preparandomi per andare al Messico quando Denver Doll mi telefonò improvvisamente una sera e disse: « Be', Sal, indovina un po' chi sta venendo a Denver? ». Non ne avevo la minima idea. « È già in viaggio, ho avuto la notizia dai miei informatori segreti. Dean ha comprato una macchina e sta arrivando qui per raggiungerti. » Ebbi a un tratto la visione di Dean che, simile a un ardente tremante terribile Angelo, palpitava verso di me attraverso la strada, avvicinandosi come una nube, a velocità folle, inseguendomi come il Cavaliere Misterioso sulla prateria, piombandomi addosso. Vidi la sua enorme faccia sopra la pianura, piena di un'ossuta, pazza ostinazione e gli occhi risplendenti; vidi le sue ali; vidi quel suo vecchio macinino simile a un cocchio celeste con migliaia di fiamme scintillanti che ne sprizzavano fuori; vidi la traccia che bruciava lungo il cammino; si apriva persino una strada da sé e andava sopra i campi di grano, attraverso le città, distruggendo i ponti, seccando i fiumi. Veniva come un castigo per l'Ovest. Capii che Dean era impazzito di nuovo. Non c'era speranza che mandasse soldi a nessuna delle sue mogli se ritirava dalla banca tutti i risparmi e comprava una macchina. Tutto ricominciava, eravamo in ballo di nuovo. Dietro di lui fumavano rovine carbonizzate. Di nuovo s'era precipitato ad ovest, attraversando il continente dolorante e orribile, e sarebbe arrivato da un momento all'altro. Facemmo per Dean frettolosi preparativi. Si diceva che mi avrebbe portato al Messico con la sua macchina.

« Credi che mi lascerà venire? » chiese Stan con trepidazione.

« Gli parlerò io » dissi con fermezza. Non sapevamo cosa aspettarci. « Dove andrà a dormire? Cosa mangerà? Ci sono ragazze per lui? » Pareva l'imminente arrivo di Gargantua; bisognava fare preparativi per allargare le fogne di Denver ed emendare certe leggi per adattarle alla sua corporatura sofferente e all'esplodere delle sue estasi.

3

Quando Dean arrivò fu come in un film vecchio stampo. Io ero a casa di Babe in un pomeriggio dorato. Dirò una parola sulla casa. Sua madre era via in Europa. La via che faceva da *chaperon* si chiamava Charity; aveva settantacinque anni ed era arzilla come un pollastra. Nella famiglia Rawlins, che si espandeva per tutto il West, lei faceva continuamente la spola da una casa all'altra e in un modo o nell'altro si rendeva utile. A suo tempo aveva avuto dozzine di figlioli. Se n'erano andati tutti; tutti l'avevano abbandonata. Lei era vecchia ma s'interessava di qualsiasi cosa facessimo e dicessimo. Quando prendevamo sorsate di whisky nella stanza di soggiorno scuoteva la testa tristemente. "Ecco, potrebbe andarsene in cortile a far questo, giovanotto." Di sopra – quell'estate la casa era una specie di pensione – abitava un tipo di nome Tom che era perdutamente innamorato di Babe. Veniva dal Vermont, da una famiglia ricca, dicevano, e aveva laggiú una carriera che l'aspettava e tutto, ma lui preferiva stare dov'era Babe. La sera sedeva in sala di soggiorno con la faccia accesa nascosta dietro il giornale e ogni volta che uno di noi diceva qualcosa lui sentiva ma non dava segni di vita. Arrossiva tutto specialmente quand'era Babe a dire qualcosa. Quando lo costringevamo a posar giú il giornale lui ci guardava con incalcolabile noia e sofferenza. « Eh? Oh, sí, credo di sí. » Di solito diceva questo e basta.

Charity sedeva nel suo angolo, a sferruzzare, osservando tutti noi con quei suoi occhi da uccello. Era suo compito sorvegliare, era suo compito vedere che nessuno bestemmiasse. Babe sedeva sul divano facendo risolini. Tim Gray, Stan Shephard e io stavamo buttati in giro su delle sedie. Il povero Tom soffriva le pene dell'inferno. Si alzava, sbadigliava e diceva: "Be', giorno nuovo, vita nuova, buona notte", e scompariva di sopra. Babe non sapeva che farsene di lui come innamorato. Era cotta di Tim Gray; lui sgusciava come un'anguilla dalla sua presa. Stavamo seduti cosí in cerchio un pomeriggio di sole verso l'ora di cena quando Dean si fermò davanti alla casa col suo catenaccio e ne saltò fuori in un vestito di tweed completo di panciotto e catena per l'orologio.

« Hop! Hop! » sentii giú nella strada. Era con Roy Johnson, il quale era appena tornato da Frisco insieme con sua moglie Dorothy e abitava di nuovo a Denver. Cosí Dunkel e Galatea Dunkel, e Tom Snark. Erano tutti tornati a Denver. Uscii sul portico. « Be', ragazzo mio » disse Dean, porgendo la sua grossa mano « vedo che tutto va bene a quest'altro capo del filo. Salve salve salve » disse a tutti. « Oh sí, Tim Gray, Stan Shephard, come state? » Lo presentammo a Charity. « Oh sí, molto piacere. Questo qui è il mio amico Roy Johnson, è stato cosí gentile da accompagnarmi, herrumpf! perbacco! ehm! ehm! Maggiore Hoople, signore » disse, porgendo la mano a Tom, che lo fissava. « Sí, sí. Be', Sal, vecchio mio, com'è questa faccenda, quand'è che partiamo per il Messico? Domani pomeriggio? Bene, bene. Ehem! E ora, Sal, ho esattamente sedici minuti per arrivare fino alla casa di Ed Dunkel, nella quale mi accingo a recuperare il mio vecchio orologio di quand'ero nelle ferrovie, che potrei impegnare a Larimer Street prima che chiudano, e nello stesso tempo filare a gran velocità e altrettanto coscienziosamente quanto me lo concede il tempo per vedere se il mio vecchio si trovi per caso al Jiggs' Buffet o in qualcuno degli altri bar e poi ho appuntamento con quel barbiere del quale Doll mi ha sempre consigliato di servirmi e quanto a me sono anni che non cambio e continuo con quella politica... ehm! Ehm! Alle sei *in punto!* – in punto, capito? – voglio trovarti qui, quando verrò a prenderti di volata per una veloce puntata a casa di Roy Johnson, per suonare Gillespie e dischi assortiti di be-bop, un'ora di riposo che preceda qualsiasi genere di svolgimento della serata che tu e Tim e Stan e Babe possiate aver combinato per stasera senza alcun riguardo per il mio arrivo che tra parentesi è avvenuto esattamente quarantacinque minuti fa nella mia vecchia Ford del '37 che potete vedere parcheggiata laggiú, ce l'ho fatta nonostante una lunga sosta a Kansas City per vedere mio cugino, non Sam Brady ma quello piú giovane... » E mentre diceva tutte queste cose, si levava affannosamente la giacca del completo per mettersi in maglietta dietro un vano della stanza di soggiorno al riparo dagli occhi di tutti e trasferiva l'orologio in un altro paio di pantaloni che aveva tirato fuori dallo stesso vecchio scassato baule.

« E Inez? » chiesi. « Cos'è successo a New York? »

« Ufficialmente, Sal, questo viaggio ha lo scopo di ottenere un divorzio messicano, meno costoso e piú spiccio di qualsiasi altro. Ho avuto finalmente il consenso di Camille e tutto è in ordine, tutto è magnifico, tutto è perfetto e noi sappiamo che adesso non dobbiamo preoccuparci della minima cosa, non è cosí, Sal? »

Be', va bene, io sono sempre pronto a seguire Dean, cosí ci demmo tutti da fare a combinare nuovi progetti e a organizzare una grande serata, e fu una serata indimenticabile. C'era una festa a casa del fratello di Ed Dunkel. Altri due suoi fratelli fanno i conducenti d'autobus. Sedevano lí sbalorditi di tutto quel che succedeva. Sulla tavola c'era una magnifica imbandigione, dolci e liquori. Ed Dunkel aveva l'aspetto felice e prosperoso. « Be', sei a posto con Galatea adesso? »

« Sissignore » rispose Ed « certo che lo sono. Stiamo per andare all'Università di Denver, io e Roy, lo sapevi? »

« Che facoltà prendi? »

« Oh, sociologia e tutto quel campo lí, sai. Di', Dean diventa ogni anno piú matto, no? »

« Proprio cosí. »

C'era anche Galatea Dunkel. Stava cercando di parlare con qualcuno, ma Dean intratteneva tutta la compagnia. Era in piedi e si esibiva davanti a Shephard, Tim, Babe e me, che sedevamo l'uno accanto all'altro su sedie di cucina messe lungo il muro. Ed Dunkel si dimenava nervosamente dietro di lui. Il suo povero fratello era stato spinto in secondo piano. « Hop! Hop! » diceva Dean, dandosi strattoni alla maglietta, strofinandosi il ventre, saltando su e giú. « Sí, bene... adesso siamo tutti uniti e gli anni sono passati copiosi dietro di noi eppure vedete che nessuno di noi è veramente cambiato, e questo è cosí straordinario, la conti... la conti...nuità... infatti per provare ciò ho qui un mazzo di carte con le quali sono in grado di predire infallibilmente destini di ogni genere. » Erano le carte pornografiche. Dorothy Johnson e Roy Johnson sedevano impettiti in un angolo. Fu una lugubre festa. Poi Dean diventò improvvisamente tranquillo e si mise a sedere su una sedia di cucina in mezzo a Stan e a me, fissando davanti a sé con impietrito stupore canino e senza dar retta a nessuno. Per un momento, fece semplicemente come se non esistesse nemmeno, con l'intento di raccogliere maggiori energie. Se lo si fosse toccato si sarebbe girato come un masso in bilico su un ciottolo sull'orlo di un burrone. Avrebbe potuto rovinare di sotto oppure semplicemente oscillare pesantemente. Poi il masso esplose in un fiore e il suo viso s'illuminò di un sorriso adorabile ed egli si guardò intorno come uno che si fosse appena svegliato e disse: « Ah, guardate tutte queste simpatiche persone che stanno sedute qui con me. Non è carino? Ecco, Sal, come stavo appunto dicendo a Min proprio l'altro giorno, ecco, urp, ah sí! ». Si alzò e attraversò la stanza, la mano tesa verso uno dei conducenti d'autobus alla festa. « Molto piacere. Mi chiamo Dean Moriarty. Sí, la ricordo benissimo. Va tutto bene? Bene, bene. Guardi che bella torta. Oh, posso prenderne un po'? Solo io? Me misero? » La sorella di Ed disse di sí. « Oh, che meraviglia. La gente è cosí gentile. Dei dolci e delle belle cose sistemate su un tavolo e tutto in nome di meravigliose piccole gioie e delizie. Eehmm, ah, sí, eccellente, splendido, herrumpf, per Giove! » E stava lí in piedi dondolandosi in mezzo alla stanza, mangiando la torta e guardando tutti pieno di meraviglia. Si girò e si guardò alle spalle. Tutto lo sorprendeva, tutto quel che vedeva. La gente chiacchierava a gruppi tutto intorno alla stanza, e lui diceva: « Sí! Proprio cosí! ». Un quadro alla parete lo fece irrigidire per l'attenzione. Andò là e guardò piú da vicino, indietreggiò, inciampò, fece un salto, volle vederlo da tutti i lati e gli angoli possibili, si tirò la maglietta esclamando: « Accidenti! ». Non aveva idea dell'impressione che stava creando e tanto meno se ne preoccupava. Adesso la gente cominciava a guardare Dean con affetto materno e paterno dipinto sui volti. In definitiva egli era un Angelo, come avevo sempre saputo che sarebbe diventato; ma come ogni angelo andava tuttora soggetto a rabbie e sfuriate, e quella sera quando lasciammo tutti la festa e riparammo al bar Windsor in un'unica banda schiamazzante, Dean diventò freneticamente e diabolicamente e seraficamente ubriaco.

Non dimenticate che il Windsor, una volta il piú rinomato albergo di Denver ai tempi della febbre dell'oro e sotto molti punti di vista un luogo interessante (nel gran salone di sotto ci sono ancora nei muri dei buchi di proiettili) era stato un tempo la casa di Dean. Lui abitava con suo padre in una delle camere al piano di sopra. Non certo come turista. In questa sala si mise a bere come se fosse il fantasma di suo padre; buttava giú vino, birra e whisky come acqua. La faccia gli si fece rossa e sudata mentre lui ruggiva e urlava al bar e traballava lungo la piattaforma da ballo dove tipi di cafoni del West ballavano con le ragazze e cercavano di suonare il piano, e buttava le braccia al collo di ex detenuti e vociferava insieme a loro nel frastuono. Nel frattempo tutti quelli della nostra compagnia sedevano attorno a due immensi tavoli uniti insieme. C'erano Denver D. Doll, Dorothy e Roy Johnson, una ragazza di Buffalo, nel Wyoming, che era amica di Dorothy, Stan, Tim Gray, Babe, io, Ed Dunkel, Tom Snark, e parecchi altri, tredici in tutto. Doll si stava divertendo un mondo; aveva preso una macchina distributrice di noccioline e se l'era messa davanti sul tavolo e ci ficcava dentro le monetine e mangiava le noccioline. Suggerí che noi tutti si scrivesse qualcosa su una cartolina da un penny e la si mandasse a Carlo Marx a New York. Scrivemmo pazze cose. La musica dei violini piangeva nella notte di Larimer Street. « Non è divertente? » gridava Doll. Nel gabinetto degli uomini Dean e io prendemmo a pugni la porta e tentammo di sfondarla ma era spessa tre centimetri. Mi spezzai un osso al dito medio e non me ne accorsi nemmeno, fino al giorno dopo. Eravamo ubriachi fradici. Cinquanta bicchieri di birra stavano allineati contemporaneamente sui nostri tavoli. Tutto quel che dovevamo fare era correre in giro e berne un sorso da ognuno. Ex detenuti di Canyon City volteggiavano e farfugliavano insieme a noi. Nel foyer fuori della sala vecchi ex cercatori sedevano sognando davanti ai loro bastoni sotto l'antico orologio a pendolo. Avevano conosciuto anch'essi questo furore in giorni piú belli. Tutto vorticava. Davano feste dappertutto, sparse qua e là. C'era una festa persino in un castello al quale ci recammo tutti con la macchina – eccetto Dean, che era corso da un'altra parte – e in quel castello sedemmo a una larga tavola nell'ingresso e ci mettemmo a gridare. Fuori c'era una piscina e delle grotte. Avevo finalmente trovato il castello dal quale il gran serpente del mondo era sul punto di alzarsi.

Poi a notte fonda in un'unica automobile restammo solo Dean e io e Stan Shephard e Tim Gray e Ed Dunkel e Tommy Snark e avevamo tutto di fronte a noi. Andammo al quartiere messicano, andammo ai Five Points, corremmo qua e là. Stan Shephard era fuori di sé per la gioia. Continuava a urlare: « *Figlio di cagna! Accidentaccio!* » con un'acuta voce stridula e dandosi delle manate sulle ginocchia. Dean andava matto per lui. Ripeteva tutto quel che Stan diceva e sbuffava e si asciugava il sudore della faccia. « Ne faremo di baldorie, Sal, viaggiando per il Messico con questa sagoma di Stan! Sí! » Era la nostra ultima notte nella benedetta Denver, ce la godemmo tutta e ci scatenammo. Finimmo col bere vino nell'interrato a lume di candela, mentre Charity strisciava al piano di sopra in camicia da notte con una torcia elettrica. Adesso c'era con noi

un ragazzo di colore, che diceva di chiamarsi Gomez. L'avevamo trovato che girellava per i Five Points, infischiandosi di tutto. Quando lo vedemmo Tommy Snark gridò: « Ehi, ti chiami Johnny, tu? ».
Gomez fece un passo indietro e ci passò nuovamente davanti e rispose: « Vuoi ripetermi quel che hai detto? ».
« Ho detto sei tu che ti chiami Johnny? »
Gomez veleggiò indietro e ritentò. « Ti pare che cosí gli somiglio un po'? Come vedi sto facendo del mio meglio per parere questo Johnny ma non riesco a trovare la via giusta. »
« Be', *amico*, vieni con noi! » aveva gridato Dean, e Gomez era saltato dentro ed eravamo ripartiti. Nell'interrato bisbigliavamo freneticamente per non dar noia ai vicini. Alle nove del mattino se n'erano andati tutti, eccetto Dean e Shephard, che stavano tuttora strepitando come ossessi. La gente si alzava per preparare la prima colazione e sentiva delle strane voci sottoterra che dicevano: « Sí! Sí! ». Babe cucinò una magnifica colazione. Era venuta l'ora di squagliarcela al Messico.
Dean portò la macchina al garage piú vicino e la fece rimettere tutta in perfetto ordine. Era una Ford chiusa del '37 con lo sportello di destra scardinato e legato alla carrozzeria. Anche il sedile anteriore destro era rotto, e ci si stava seduti all'indietro con la faccia rivolta al tetto scassato. « Proprio come Minnie e Topolino » disse Dean. « Andremo fino al Messico tossendo e traballando; ci vorranno giorni e giorni. » Guardai la carta stradale: un totale di parecchie migliaia di chilometri, per lo piú nel Texas, fino al confine a Laredo, e poi altri milleduecentotrentaquattro chilometri attraverso tutto il Messico fino alla gran città vicina all'istmo spaccato e alle alture di Oaxaca. Non riuscivo a raffigurarmi questo viaggio. Era fantastico quanto nessun altro. Non si sarebbe piú andati in direzione Est-Ovest, ma verso il magico *Sud*. Avemmo la visione dell'Intero emisfero occidentale irradiantesi con le sue costole di roccia fino alla Terra del Fuoco mentre noi seguivamo a volo la curva del mondo che finiva in altri tropici e in altri mondi. « Amico, questo sí che ci farà finalmente raggiungere

quella COSA! » disse Dean con fede incrollabile. Mi tamburellò sul braccio. « Aspetta e vedrai. Iu-hu! Iih! »
Andai con Shephard a sbrigare le sue ultime commissioni a Denver, e conobbi quel poveretto di suo nonno, che stava ritto sulla soglia di casa, dicendo: « Stan... Stan... Stan... ».
« Che c'è, nonnetto? »
« Non partire. »
« Oh, tutto è sistemato, adesso *devo* andare; perché devi fare cosí? » Il vecchio aveva i capelli grigi e larghi occhi a mandorla e il collo teso, patetico.
« Stan » disse lui con semplicità « non andare. Non far piangere il tuo vecchio nonno. Non lasciarmi solo di nuovo. » Mi si spezzava il cuore a veder tutto questo.
« Dean » disse il vecchio, rivolgendosi a me « non portarmi via il mio Stan. Una volta, quand'era piccolino, lo portavo al parco e gli spiegavo i cigni. Poi la sua sorellina è annegata proprio in quello stagno. Non voglio che mi porti via il mio ragazzo. »
« No » rispose Stan « adesso stiamo partendo. Addio. » Si liberò a fatica dal suo abbraccio.
Suo nonno lo prese per il braccio. « Stan, Stan, Stan, non andare, non andare. »
Filammo via a testa bassa, e il vecchio stava sempre fermo sulla soglia del suo cottage in quella traversa di Denver con le cornici sporgenti sulle porte e la mobilia piena di ninnoli nel salotto. Era bianco come un lenzuolo. Stava ancora chiamando Stan. C'era qualcosa di paralizzato nei suoi movimenti, e nulla fece per lasciare la porta, ma semplicemente rimase lí immobile, mormorando: « Stan » e: « Non andare », e guardando dietro a noi pieno d'ansia mentre svoltavamo l'angolo.
« Perdio, Shep, non so che dire. »
« Non ci badare! » borbottò Stan. « Ha sempre fatto cosí. »
Alla banca incontrammo la madre di Stan, che stava ritirando dei soldi per lui. Era un'adorabile donna dai capelli bianchi, ancora giovanissima d'aspetto. Lei e suo figlio rimasero fermi sul pavimento di marmo della banca, a bisbigliare. Stan indossava una specie di sahariana,

con giacca e tutto, e aveva, senza possibilità di equivoci, l'aspetto di uno che si recasse al Messico. Questa era la sua facile esistenza di Denver, ed egli era sul punto di involarsi con l'appassionato neofita Dean. Dean spuntò saltando dall'angolo e ci raggiunse appena in tempo. La signora Shephard insistette per offrire a tutti noi una tazza di caffè.

« Abbia cura del mio Stan » disse. « Non si può mai dire quel che succederà in quel paese. »

« Ci guarderemo tutti l'uno con l'altro » risposi. Stan e sua madre camminavano davanti a noi, e io venivo dietro con quel matto di Dean; mi stava intrattenendo sulle scritte graffite sui muri dei gabinetti dell'Est e dell'Ovest.

« Sono completamente diverse; nell'Est ci mettono spiritosaggini e battute insulse e allusioni ovvie, frammenti osceni di frasi e disegni; nell'Ovest scrivono solo i loro nomi, Red O'Hara, Blufftown Montana, sono passato di qui, la data, davvero solenni, come Ed Dunkel, tanto per dire, e la ragione di questo è l'immensa solitudine che si differenzia solo di un pelo e di un millimetro mentre si passa di là dal Mississippi. » Be', anche davanti a noi c'era un ragazzo solitario, poiché la madre di Shephard era una madre adorabile ed ella odiava veder partire suo figlio, però capiva ch'egli doveva andare. Mi resi conto che scappava da suo nonno. Eccoci qua, noi tre... Dean in cerca di suo padre, il mio morto, Stan che fuggiva dal suo vecchio, e pronti a partire insieme nella notte. Stan baciò sua madre nell'andirivieni della folla sulla 17ma Strada e lei salì su un tassì e ci salutò con la mano. Addio, addio.

Salimmo in macchina davanti alla casa di Babe e la salutammo. Tim sarebbe venuto con noi fino a casa sua fuori città. Babe era bella quel giorno; i suoi capelli erano lunghi e biondi e scandinavi, le sue lentiggini risaltavano nel sole. Pareva esattamente quel che era stata da bambina. C'era un velo nei suoi occhi. Poteva darsi che ci raggiungesse in seguito con Tim... ma non lo fece. Addio, addio.

Partimmo. Lasciammo Tim nel suo giardino sulla pra-

teria fuori città e io mi voltai a guardare Tim Gray che
spariva nella pianura. Quello strano ragazzo stette lí fermo per due minuti buoni a guardarci andar via e rimu-
ginando Dio sa quali tristi pensieri. Diventava sempre
piú piccolo, e tuttavia rimaneva là immobile con una mano posata su un filo della biancheria, come un capitano, mentre io stavo col collo girato per vedere un altro
po' di Tim Gray finché non ci fu altro che una crescente assenza di spazio, e lo spazio era la veduta orientale
verso il Kansas che portava indietro fino alla mia casa
ad Atlantis.
Adesso puntavamo il muso sferragliante della macchina
verso sud e ci dirigevamo in direzione di Castle Rock,
nel Colorado, mentre il sole si faceva rosso e i picchi
delle montagne volte ad ovest parevano una birreria di
Brooklyn nei crepuscoli di novembre. Su su nelle ombre color porpora della roccia c'era qualcuno che camminava, camminava, ma non potevamo vederlo; forse quel
vecchio dai capelli bianchi del quale avevo avuto la per-
cezione su tra i picchi, anni prima. Jack di Zacatecas.
Ma egli mi si stava avvicinando, anche se restava sempre un po' indietro a me. E Denver si dileguava da noi
come la città del sale, coi fiumi che si liberavano nell'a-
ria e si dissolvevano ai nostri occhi.

4

Era maggio. E come possono quei pomeriggi casalinghi
del Colorado con le loro fattorie e i canali d'irrigazione
e le gole ombrose – i posti nei quali i bambini vanno a
nuotare – come possono produrre un insetto simile a
quello che punse Stan Shephard? Aveva il braccio appeso allo sportello rotto e viaggiava con noi e chiacchierava felice quando a un tratto un insetto gli volò sul
braccio e gli ficcò dentro un lungo pungiglione che lo fece urlare. Era uscito da un pomeriggio d'America. Lui
scosse il braccio e se lo picchiò e ne tirò fuori il pungiglione, e in pochi minuti il braccio aveva cominciato a
gonfiarsi e a dolere. Dean e io non potevamo capire che

cosa fosse. L'unica cosa da fare era aspettare e vedere se il gonfiore diminuiva. Eccoci qua, diretti verso sconosciute terre del Sud, e neanche a cinque chilometri dalla città natale, povera vecchia città natale dell'infanzia, e uno strano insetto esotico apportatore di febbre si sollevava da segrete decomposizioni e ci metteva la paura nel cuore. « Cos'è? »

« Non ho mai sentito parlare di un insetto da queste parti capace di far venire un gonfiore cosí. »

« Accidenti! » Tutto ciò dava al viaggio una luce sinistra e malefica. Andammo avanti. Il braccio di Stan peggiorava. Ci saremmo fermati al primo ospedale e gli avremmo fatto fare un'iniezione di penicillina. Sorpassammo Castle Rock, arrivammo col buio a Colorado Springs. La grande ombra del Pike's Peak incombeva alla nostra destra. Filammo giú per l'autostrada di Pueblo. « Ho fatto l'autostop su questa strada migliaia e migliaia di volte » disse Dean. « Stavo nascosto precisamente dietro quella rete metallica una notte quando improvvisamente ebbi paura, senza una ragione al mondo. »

Decidemmo tutti di raccontarci la nostra storia, però uno alla volta, e fu Stan a cominciare. « Dobbiamo percorrere una lunga strada » fece Dean come preambolo « e perciò dovrete avere la massima indulgenza ed esporre ogni singolo dettaglio che riuscirete a far affiorare nella vostra mente... e ancora non avrete detto tutto. Piano, piano » ammoní Stan, il quale si accingeva a raccontare la sua storia « devi anche riposarti. » Stan s'immerse nel racconto della sua vita mentre filavamo nel buio. Iniziò con le sue esperienze in Francia ma per aggirare difficoltà sempre maggiori fece un passo indietro e cominciò dal principio con la sua infanzia a Denver. Lui e Dean si misero a enumerare le volte che si erano visti mentre scorrazzavano in bicicletta. « Te ne sei dimenticata una, lo so: al garage Arapahoe. Ricordi? Io lanciai la palla in un angolo e tu me la ributtasti indietro col pugno e andò a finire nella fogna. Erano giorni di scuola. Te lo ricordi adesso? » Stan era nervoso e febbricitante. Voleva raccontare tutto a Dean. Dean adesso faceva da arbitro, da papà, da giudice, da pubblico, da incoraggiatore, da claque. « Sí, sí, continua, ti prego. » Ci lasciammo dietro Walsenburg; improvvisamente passammo da Trinidad, dove Chad King stava da qualche parte nei pressi della strada davanti a un fuoco di campeggio forse con un gruppo di antropologi e come per il passato si accingeva anche lui a raccontare la storia della sua vita senza sognarsi nemmeno che in quel preciso momento stavamo passando sull'autostrada, diretti al Messico e intenti a narrare le nostre storie. Oh, triste notte d'America! Poi arrivammo nel New Mexico e superammo le rocce arrotondate di Raton e ci fermammo in una trattoria, affamati come lupi, a mangiar polpette, e alcune le avvolgemmo in una salvietta per consumarle di là dal confine, giú in basso. « L'intero Stato del Texas si stende longitudinalmente davanti a noi, Sal » disse Dean. « L'altra volta l'abbiamo fatto nel senso della latitudine. È lungo esattamente altrettanto. Fra pochi minuti entreremo nel Texas e non ne saremo fuori prima di domani a quest'ora e non smetteremo mai di guidare. Pensateci un po'. »

Proseguimmo. Oltre l'immensa pianura nella notte si stendeva il primo centro del Texas, Dalhart, che io avevo attraversato nel 1947. Giaceva mandando luci fioche sul pavimento scuro della terra, a ottanta chilometri di distanza. La terra alla luce di luna era tutta mesquite e deserto. La luna stava posata sull'orizzonte. Ingrossò, diventò enorme e rugginosa, maturò e ruotò, finché la stella del mattino non fece a gara con lei e le rugiade cominciarono a schizzare sui finestrini: e noi andavamo sempre. Dopo Dalhart – un vuoto villaggio di rimorchi – sfrecciammo verso Amarillo, e lo raggiungemmo al mattino in mezzo a distese di gramigna agitate dal vento che solo pochi anni prima ondeggiavano attorno a un accampamento di tende di bufalo. Adesso c'erano stazioni di rifornimento e nuovi giradischi a gettone del 1950 con immense sporgenze decorate e fessure per le monete da dieci centesimi e orribili canzoni. Per tutta la strada da Amarillo a Childress, Dean e io imbottimmo Stan di intrecci di libri che avevamo letto, l'uno dopo l'altro, che lui ci chiedeva perché voleva conoscerli. A

Childress nel sole rovente girammo direttamente a sud su una strada secondaria e filammo come bolidi attraverso gli spazi abissali fino a Paducah, Guthrie, e Abilene, nel Texas. Adesso toccava a Dean dormire, e Stan e io sedemmo sul sedile anteriore e guidammo. La vecchia macchina bruciava e singhiozzava e s'affannava andando. Grandi nuvole di un vento sabbioso ci soffiavano addosso dagli spazi traslucidi. Stan viaggiava raccontando senza sosta storie su Montecarlo e Cagnes-sur-Mer e i posti azzurri vicino a Mentone dove la gente dal volto abbronzato vagava in mezzo a muri bianchi.

Il Texas è innegabile: procedemmo lentamente dentro Abilene e tutti ci svegliammo per guardarla. « Pensate un po', vivere in questo paese a migliaia di chilometri dalle città. Hop, hop, là accanto ai binari, il vecchio paese di Abilene dal quale spedivano le vacche e dove si sparavano per delle inezie e bevevano l'acquavite. Guardate da quella parte! » urlò Dean fuori del finestrino con la bocca storta come quella di W. C. Field. Se ne infischiava del Texas o di qualsiasi altro posto. Gli abitanti del Texas dalla faccia rossa non gli badavano e si affrettavano lungo i marciapiedi infuocati. Ci fermammo a mangiare sull'autostrada a sud del paese. Pareva che il cadere della notte fosse ancora a milioni di chilometri di distanza, quando ci rimettemmo in viaggio per Coleman e Brady – nel cuore del Texas, immense distese di sterpi con una casa ogni tanto vicino a un torrente assetato e una strada secondaria di terra battuta lunga ottanta chilometri e un'afa senza fine. « Il vecchio Messico dai mattoni crudi è un bel pezzo avanti » disse Dean insonnolito dal sedile di dietro « perciò, ragazzi, dateci dentro, e all'alba baceremo le señoritas perché questa vecchia Ford è capace di filare se solo sapete parlarle e aiutarla lungo la strada... peccato che l'estremità dietro sta per sfasciarsi però voi non preoccupatevi finché non arriviamo laggiú. » E si mise a dormire.

Presi io il volante e guidai fino a Fredericksburg, ed ecco che stavo di nuovo intersecando la vecchia carta geografica, nello stesso posto in cui Marylou e io c'eravamo tenuti per mano in una nevosa mattina del 1949, e adesso dov'era Marylou? « Suona! » urlò Dean nel sonno e immagino che stesse sognando il jazz di Frisco e forse il mambo messicano che s'annunziava. Stan parlava e parlava; Dean gli aveva dato la carica la sera prima e adesso non voleva saperne di fermarsi. A questo punto era all'Inghilterra, e raccontava avventure di viaggio di quando faceva l'autostop sulla strada inglese, da Londra a Liverpool, con i capelli lunghi e i pantaloni strappati, e di strani camionisti inglesi che gli davano dei passaggi nella desolazione del vuoto d'Europa. Avevamo tutti gli occhi arrossati per i continui venti tipo mistral del vecchio fondo del Texas. Al posto dello stomaco avevamo tutti una pietra e sapevamo che stavamo per arrivare, anche se lentamente. La macchina faceva i settanta l'ora squassandosi tutta per lo sforzo. Da Fredericksburg scendemmo giú dagli immensi altipiani del West. Le falene cominciarono a schiacciarsi sul parabrezza. « Adesso stiamo per raggiungere la terra ardente, ragazzi, i gangster del deserto e la "tequila". E questa è la prima volta che mi spingo cosí a sud nel Texas » aggiunse Dean con stupore. « Porco diavolo! È qua che il mio vecchio viene l'inverno, furbacchione d'un vagabondo ».

Tutto a un tratto ci trovammo in mezzo al piú assoluto calore tropicale in fondo a una collina lunga dieci chilometri, e su davanti a noi vedemmo le luci della vecchia San Antonio. Si aveva infatti la sensazione che tutto questo fosse stato una volta territorio messicano. Le case ai lati della strada erano differenti, i distributori di benzina piú malandati, le lampadine piú rade. Dean prese con delizia il volante per farci fare l'ingresso a San Antonio. Entrammo in città in mezzo a una desolazione di cadenti meridionali capanne messicane senza fondamenta e con vecchie sedie a dondolo sotto il portico. Ci fermammo a un assurdo distributore di benzina per fare l'ingrassaggio alla macchina. I messicani stavano fermi là attorno, nella calda luce delle lampade sovrastanti oscurate da moscerini estivi della vallata, pescando in una cassetta da bibite e tirandone fuori bottiglie di birra e buttando i soldi al venditore. Intere famiglie oziavano qua a là senza far altro. Tutt'intorno c'erano baracche e alberi curvi e nell'aria un selvaggio profumo di cinnamomo. Indiavolate ragazze messicane sotto i venti si avvicinarono insieme con dei coetanei. «Uhu! » urlava Dean. « *Sí. Mañana!* » Si sentiva musica venire da tutte le parti, e ogni genere di musica. Stan e io bevemmo parecchie bottiglie di birra e ci sbronzammo. Eravamo già quasi fuori dell'America e tuttavia decisamente dentro ad essa e nel centro del punto piú pazzo. Macchine dal motore potente sfrecciavano per via. San Antonio, ahaha!

« Dunque, amici, ascoltatemi... tanto vale che gironzoliamo un paio d'ore per San Antonio e quindi andremo a cercare un ospedale per il braccio di Stan e tu e io, Sal, andremo in giro e ci studieremo queste vie... guarda quelle case di là della strada, si può vedere fin dentro la stanza di soggiorno e tutte quelle graziose figliole buttate qua e là con i giornaletti tipo "Vero Amore", ih-ih! Su, andiamo! »

Girammo qua e là senza meta per un po' e chiedemmo alla gente l'ospedale piú vicino. Si trovava vicino al centro, dove le cose apparivano piú lucide e americane, parecchi mezzi grattacieli e molte insegne al neon e filiali di negozi alimentari, eppure le macchine sbucavano con fracasso dall'oscurità che cingeva il paese come se non ci fossero norme per il traffico. Parcheggiammo la macchina nel viale di accesso all'ospedale e io andai con Stan a vedere un assistente mentre Dean restava nella macchina e si cambiava. L'ingresso dell'ospedale era pieno di povere donne messicane, alcune delle quali incinte, altre ammalate o venute a portare i loro piccoli ammalati. Era triste. Pensai alla povera Terry e mi chiesi che cosa stesse facendo adesso. Stan dovette aspettare un'ora buona finché arrivò un assistente e guardò il suo braccio gonfio. C'era un nome per l'infezione che aveva, ma nessuno di noi si curò di pronunciarlo. Gli fecero un'iniezione di penicillina.

Nel frattempo Dean e io ce ne andammo a perlustrare le vie del quartiere messicano di San Antonio. L'aria era soffice e fragrante – la piú soffice che avessi mai conosciuto – e buia, e misteriosa, e ronzante. Improvvise figure di ragazze con sciarpe bianche apparivano nel buio sonoro. Dean camminava furtivo e non diceva una parola. « Oh, questo è troppo meraviglioso per far qualcosa! » bisbigliò. « Andiamo solo in giro in punta di piedi e vediamoci tutto. Guarda! Guarda! una pazzesca sala da biliardo di San Antonio. » Entrammo. Un dozzina di ragazzi lanciavano le palle a tre tavoli, tutti messicani. Dean e io comprammo delle Coca Cola e spingemmo gettoni nel juke box e suonammo dischi di Wynonie Blues Harris e Lionel Hampton e Lucky Millinder e saltellammo. Nel frattempo Dean mi avvertí di osservare.

« Adesso, guarda con la coda dell'occhio e mentre ascoltiamo Wynonie che canta del dolce fattogli dalla sua ragazza e mentre odoriamo anche l'aria soffice come dici tu – guarda quel ragazzo, il ragazzo storpio che gioca a biliardo al tavolo numero uno, il bersaglio dei frizzi del locale, vedi, è stato un bersaglio per tutta la sua vita. Gli altri tipi sono senza pietà però gli vogliono bene. »

Lo storpio era una specie di nano malformato con una grande e bella faccia, veramente troppo grande, nella quale brillavano due enormi occhi scuri e umidi. « Non capisci, Sal, un Tom Snark messicano di San Antonio, la stessa storia per tutto il mondo. Vedo, lo picchiano sul sedere con una stecca. Ah-ah-ah! sentili ridere. Vedi, lui vuol vincere la partita, ha scommesso quattro dollari. Osserva! Osserva! » Restammo a guardare mentre il giovane nano angelico prendeva la mira per un tiro di sponda. Lo fallí. Gli altri tipi schiamazzarono. « Ah, amico » disse Dean, « e guarda adesso. » Avevano preso il ragazzo per la collottola e gli davano strattoni scherzosi. Lui strillava. Se ne andò fuori barcollando nella notte ma non senza lanciare indietro una occhiata dolce, vergognosa. « Ah, mio caro, come mi piacerebbe conoscere quel piccoletto formidabile e sapere ciò che pensa e che genere di ragazze frequenta... oh, amico, come mi sento euforico in quest'aria! » Fuori andammo a zonzo e passammo in mezzo a vari isolati scuri, misteriosi. Innumerevoli case si nascondevano dietro a giardini verdeggianti, quasi simili a giungle; avemmo fugaci visioni di ragazze nelle camere sul davanti, ragazze sotto i porticati, ragazze nei cespugli insieme agli innamorati. « Non avevo mai visto questa fantastica San Antonio! Pensa cosa sarà il Messico! Andiamo! Andiamo! » Tornammo di corsa all'ospedale. Stan era pronto e disse di sentirsi molto meglio. Gli mettemmo le braccia al collo e gli raccontammo tutto quel che avevamo fatto.

E adesso eravamo pronti a far gli ultimi duecentocinquanta chilometri fino al magico confine. Saltammo in macchina e partimmo. Ero talmente esausto ormai che dormii per tutta la strada attraverso Dilley ed Encinal fino a Laredo e non mi svegliai che quando stavano parcheggiando la macchina davanti a una trattoria alle due del mattino. « Ah » sospirò Dean « la fine del Texas, la fine dell'America, non conosciamo altro. » Faceva un caldo terribile: eravamo tutti grondanti di sudore. Non c'erano rugiade notturne, non un alito di vento, nulla eccetto miliardi di falene che si schiacciavano contro le lampadine in ogni luogo e il basso, greve odore di un fiume caldo e vicino nella notte, il Rio Grande, che comincia nelle fresche valli delle Montagne Rocciose e finisce formando vallate immense per mescolare le sue calure ai fanghi del Mississippi nel Gran Golfo.

Laredo era un paese sinistro quella mattina. Ogni genere di tassisti e trafficanti di confine gironzolavano qua e là, in cerca di occasioni. Non ce n'erano molte; era troppo tardi. Quello era il fondo e la sentina dell'America dove vanno a finire tutti i bassi criminali, dove la gente disorientata è costretta ad andare per trovarsi vicina a qualche specifico "altrove" nel quale sgusciare senza venir notati. Il contrabbando incombeva nella greve aria sciropposa. I poliziotti avevano la faccia rossa e tetra e sudata, l'aria dimessa. Le cameriere erano sporche e disgustate. Proprio dietro, si poteva sentire l'enorme presenza di tutto l'immenso Messico e quasi rifiutare i miliardi di tortillas che friggevano e fumavano nella notte. Non avevamo idea di come potesse veramente apparire il Messico. Ci trovavamo di nuovo a livello del mare, e quando tentammo di mandar giú un panino facemmo fatica a inghiottirlo. Io ne avvolsi i resti in una salvietta per il viaggio, ad ogni buon conto. Ci sentivamo malissimo ed eravamo tristi. Ma tutto cambiò quando attraversammo il misterioso ponte sul fiume e le nostre ruote corsero ufficialmente sul suolo messicano, quantunque non fosse altro che una rotabile per il controllo di frontiera. Proprio di là dalla strada cominciava il Messico. Guardammo stupiti. Con nostro sbalordimento, pareva tale e quale il Messico. Erano le tre del mattino, e tipi con cappelli di paglia e pantaloni bianchi oziavano a dozzine davanti a cadenti soglie di negozi pieni di buchi.

« Guardate-quelle-sagome! » sussurrò Dean. « Uh » respirò appena, « aspettate, aspettate. » I funzionari messicani vennero avanti, sorridendo, e ci chiesero se per favore tiravamo fuori le valigie. Obbedimmo. Non riuscivamo a levar gli occhi da quel punto dall'altra parte della strada. Eravamo ansiosi di correre là e perderci in quelle misteriose strade spagnole. Era solo Nuevo Laredo ma a noi sembrava la Sacra Lhasa. « Caro mio, quelli là stanno alzati tutta la notte » bisbigliò Dean. Corremmo a farci mettere in ordine i documenti. Ci avvertirono di non bere acqua di rubinetto adesso che avevamo varcato il confine. I messicani ci guardarono il bagaglio in modo frettoloso. Non parevano affatto dei funzionari. Erano pigri e indulgenti. Dean non riusciva a smettere di contemplarli. Si rivolse a me. « Vedi come sono i *poliziotti* in questo paese. Non posso crederci! » Si stropicciò gli occhi. « Sto sognando. » Poi venne il momento di cambiare il nostro denaro. Vedemmo sulla tavola grossi mucchi di pesos e imparammo che otto di essi facevano un dollaro americano, o pressappoco. Cambiammo la maggior parte dei nostri soldi e ci riempimmo le tasche dei grossi fasci di banconote.

5

Poi volgemmo il viso al Messico con timidezza e meraviglia mentre quelle dozzine di sagome messicane ci osservavano di sotto la tesa segreta dei loro cappelli nella notte. Dietro di essi c'erano musiche e ristoranti aper-

ti tutta la notte col fumo che filtrava dalla porta. « Ihi »
sussurrò Dean a voce bassissima.
« Tutto fatto! » Un funzionario messicano fece un largo sorriso. « Voi ragazzi tutti a posto. Andare pure.
Bienvenuti in Mehico. Divertitevi. Attenti a soldi. Attenti guidare. Dico questo voi personalmente, sono el Rosso, tutti mi chiamano el Rosso. Mangiate bene. Non
preoccupatevi. Tutto bene. Non difficile divertirsi in Mehico. »
« Sí » farfugliò Dean e via ce ne andammo nel Messico
dall'altra parte della strada in punta di piedi. Lasciammo la macchina parcheggiata, e tutti e tre in fila ci incamminammo lungo la strada spagnola in mezzo alle fioche luci brune. Alcuni vecchi sedevano sulle sedie nella
notte e parevano tanti ninnoli e idoli orientali. Nessuno
in verità guardava verso di noi, eppure ognuno era con-
scio di tutto ciò che facevamo. Tagliammo a sinistra in
una trattoria fumosa ed entrammo in mezzo alla musica
delle chitarre che veniva da un juke box americano di
vent'anni prima. Conducenti di tassí messicani in maniche di camicia e giovanotti messicani con cappelli di
paglia sedevano su sgabelli, divorando masse informi di
tortillas, fagioli, tacos, e chissà cosa. Comprammo tre
bottiglie di birra ghiacciata – la birra la chiamavano cer-
veza – per circa trenta centesimi messicani, ossia dieci
centesimi americani l'una. Comprammo pacchetti di sigarette messicane a sei centesimi l'uno. Contemplavamo senza stancarci quella nostra meravigliosa moneta messicana
che arrivava cosí lontano, e ci giocavamo, guardandoci intorno e sorridendo a tutti. Dietro a noi giaceva l'America
intera e tutto quel che Dean e io avevamo precedente-
mente conosciuto della vita, e della vita sulla strada. Avevamo finalmente trovato la terra incantata alla fine del
viaggio e non ci saremmo mai sognati quanto fosse grande quella magia. « Pensa a questi tipi che stanno su tutte
le ore della notte » sussurrò Dean. « E pensa a questo
grosso continente davanti a noi con quelle immense montagne della Sierra Madre che abbiamo visto al cinema, e
le giungle in fondo e un intero altopiano desertico grande
come i nostri e che arriva dritto al Guatemala e Dio sa

dove, uuh! Che facciamo? Che facciamo? Muoviamoci! »
Uscimmo e tornammo alla macchina. Un'ultima visione
dell'America oltre le luci ardenti del ponte sul Rio Grande, e poi le voltammo le spalle e i paraurti e partimmo
rombando.

In un attimo ci trovammo in mezzo al deserto e non
c'era una luce o una macchina per ottanta chilometri da
una parte all'altra delle pianure. E proprio allora l'alba
s'allargava sul Golfo del Messico e noi cominciammo a
intravedere le forme spettrali dei cactus yucca e delle
"canne d'organo" da tutte le parti. « Che paese selvaggio! » gridai. Dean e io eravamo completamente svegli.
A Laredo eravamo mezzo morti. Stan, ch'era già stato
all'estero due volte, dormiva tranquillo sul sedile posteriore. Dean e io avevamo l'intero Messico davanti a noi.
« Ora, Sal, stiamo per lasciarci tutto alle spalle ed entrare in una nuova e sconosciuta fase delle cose. Tutti
questi anni e i guai e le baldorie... e ora *questo*! Così
che riusciremo indisturbati a non pensare a nient'altro
e semplicemente a proseguire con le facce protese avanti così, vedi, e *comprendere* il mondo come, per parlare
realmente e genuinamente, altri americani non hanno
mai fatto prima di noi... ci sono pur stati qui, no? La
guerra messicana. Sono passati di qua con i cannoni. »
« Questa strada » gli dissi, « è anche la strada dei vecchi
fuorilegge americani che erano soliti rifuggiarsi di là
dal confine e scendere nella vecchia Monterrey, così se
guardi laggiú in quel deserto grigiastro e ti raffiguri il
fantasma di un vecchio pendaglio da forca di Tombstone
che fa la sua solitaria galoppata verso l'esilio nell'ignoto,
vedrai inoltre che... »
« Questo sí che è il mondo » m'interruppe Dean. « Mio
Dio! » gridò, dando dei colpi al volante. « Questo sí che
è il mondo! Possiamo andar dritti fino al Sud America se
ci va la strada. Pensaci! *Figlio di cane! Porco diavolo!* »
Corremmo avanti. L'alba si allargò rapida e cominciammo a vedere la bianca sabbia del deserto, e capanne ogni
tanto in lontananza, fuor della strada. Dean rallentò
per guardarle attentamente. « Capanne proprio sfondate,
caro mio, di quel genere che si trova solo nella Valle

della Morte e peggio ancora. Questa gente *non si preoccupa* delle apparenze. » Il primo paese davanti a noi che avesse una certa importanza sulla carta geografica si chiamava Sabinas Hidalgo. Non vedevamo l'ora di arrivarci. « E la strada non sembra affatto diversa da una strada americana » gridò Dean « tranne per una sola cosa assurda e se te ne sei accorto, proprio là, le pietre miliari sono conteggiate in chilometri e segnano la distanza fino a Città del Messico. Vedi, è l'unica città in tutta la regione, ogni cosa punta verso di essa. » C'erano sole altre 767 miglia che ci separavano da quella metropoli; in chilometri il calcolo superava il migliaio. « Accidenti! Devo andare! » urlò Dean. Chiusi gli occhi per un po' tanto ero sfinito e continuai a sentire Dean che picchiava il pugno sul volante e diceva: « Diavolo » e « Che divertimento! » e « Oh, che paese! » e « Sí! ». Arrivammo a Sabinas Hidalgo, di là del deserto, verso le sette del mattino. Rallentammo quasi del tutto per vederla. Svegliammo Stan sul sedile di dietro. Sedemmo dritti per guardare. Il corso era fangoso e pieno di buche. Da entrambi i lati c'erano facciate sporche e cadenti di mattoni cotti al sole. Gli asini andavano per la strada carichi di pesi. Donne a piedi scalzi ci osservavano dalle soglie oscure. La strada era completamente affollata di pedoni che cominciavano un giorno nuovo nella campagna messicana. Vecchi con baffi simili a manubri di bicicletta ci fissavano. La vista di tre giovanotti americani inzaccherati e con la barba invece dei soliti turisti ben vestiti era per loro di insolito interesse. Procedemmo a sbalzi lungo la via principale a venti chilometri l'ora, assorbendoci tutto. Un gruppo di ragazze ci vennero dritte incontro. Mentre le incrociavamo, una di loro disse: « Dove vai, amico? ». Io mi rivolsi a Dean, sbalordito. « Hai sentito cosa ha detto? »

Dean era cosí meravigliato che continuò a guidare lentamente, e a dire: « Sí, ho sentito cosa ha detto, l'ho sentito maledettamente bene e senza equivoci, oh, povero me, oh Dio, non so cosa fare tanto sono eccitato e commosso in questo universo mattutino. Abbiamo finalmente raggiunto il cielo. Non potrebbe essere piú riposante, non potrebbe essere piú meraviglioso, non potrebbe essere *nient'altro* ».

« Be', torniamo indietro a prendiamole su » suggerii.

« Sí » fece Dean e continuò ad andare a dieci l'ora. Era intontito, non aveva piú l'obbligo di fare le stesse cose che avrebbe fatto in America. « Ce n'è milioni, lungo tutta la strada! » disse. Ciò nonostante tornò indietro dopo aver girato a U e si avvicinò di nuovo alle ragazze. Erano dirette al lavoro nei campi; ci sorrisero. Dean le fissò con occhi impietriti. « Accidenti » disse a bassa voce. « *Oh!* questo è troppo bello per essere vero. Ragazze, ragazze. E soprattutto proprio adesso nel mio stato e nelle mie condizioni, Sal, mi sto studiando l'interno di queste case mentre ci passiamo davanti: queste fantastiche soglie e tu guardi dentro e vedi letti di paglia e piccoli bimbi scuri che dormono e si stiracchiano nel risveglio, coi pensieri che si condensano nella mente vuota del sonno, i loro "io" che si ergono, mentre le madri preparano la colazione in pentole di ferro, e guarda quelle imposte che hanno per finestre e i vecchi, *i vecchi* sono cosí pacifici e imponenti e mai scossi da qualcosa. Qua non c'è *sospetto*, non c'è niente del genere. Tutti sono pacifici, tutti ti guardano con quegli occhi scuri cosí dritti e non dicono niente, *guardano* soltanto, e in quello sguardo tutte le qualità umane sono dolci e sottomesse e sempre presenti. Pensa a tutte le sciocche dicerie che si leggono sul Messico e l'indigeno addormentato e tutte quelle fesserie... e le calunnie sul carattere latino e cosí via: e la morale è che qua la gente è onesta e gentile e non gioca tiri mancini. Io ne sono talmente sbalordito. » Allevato nella nuda strada notturna, Dean era giunto nel mondo per vederlo. Stava curvo sul volante e guardava in entrambe le direzioni e procedeva lentamente. Ci fermammo per far benzina all'altra estremità di Sabinas Hidalgo. Qui una congregazione di rancheri locali con cappelli di paglia e baffi come manubri sghignazzavano e scherzavano davanti a un'antiquata pompa per la benzina. Di là dai campi un vecchio faticava spingendo avanti a sé a bastonate un somaro. Il sole sorse puro su pure e antiche attività della vita umana.

Riprendemmo allora la strada per Monterrey. Davanti a noi si levavano le grandi montagne incappucciate di neve; filammo dritti nella loro direzione. Una strettoia si allargò e si aprí in un valico e noi lo seguimmo. Nel giro di pochi minuti ci trovammo fuori del deserto di mesquite e ci arrampicammo nell'aria fresca su per una strada con un muro di pietra lungo il fianco del precipizio e grandi nomi di presidenti scritti a calce sulla parete a monte: *Aleman!* Su questa strada alta non incontrammo nessuno. Girava in mezzo alle nuvole e ci portò in cima al grande altopiano. Oltre questo la grande città industriale di Monterrey fumava verso i cieli azzurri con quelle enormi nuvole del Golfo scritte sulla coppa del giorno come bioccoli. Entrare a Monterrey fu come entrare a Detroit, in mezzo a grandi lunghe muraglie di fabbriche, se non fosse stato per i somari che prendevano il sole nell'erba davanti ad esse e la vista di fitti rioni cittadini con case di mattoni cotti al sole e migliaia di loschi giovinastri ozianti sulle soglie e prostitute affacciate alle finestre e strane botteghe nelle quali avrebbe potuto vendersi qualsiasi cosa e stretti marciapiedi affollati di un'umanità tipo Hongkong. « Uauh! » urlò Dean. « E tutto sotto il sole. Hai visto questo sole messicano, Sal? Ti rende brillo. Uuh! Voglio andare avanti e avanti ancora... questa strada *mi spinge*!! » Noi due accennammo a fermarci nella confusione di Monterrey, ma Dean voleva andare a velocità extra per arrivare a Città del Messico, e inoltre capiva che la strada si sarebbe fatta piú interessante specialmente piú avanti, sempre piú avanti. Guidava come un demonio e non si riposava mai. Stan e io eravamo completamente abbrutiti e rinunciavamo a discutere e volevamo dormire. Usciti da Monterrey guardai in alto e vidi due enormi misteriosi picchi gemelli dietro Monterrey Vecchia, oltre il punto in cui andavano i fuorilegge.

Davanti c'era Montemorelos, un'altra discesa verso piú infuocate altitudini. Faceva un caldo sempre piú insopportabile e strano. Dean assolutamente dovette svegliarmi per farmelo notare. « Guarda, Sal, questo *non devi* perderlo. » Guardai. Stavamo andando in mezzo alle paludi e ai lati della strada ad intervalli irregolari degli strani messicani stracciati e sbrindellati camminavano con *machete* appesi alle cinture di corda, e alcuni di loro tagliavano i cespugli. Si fermavano tutti a guardarci senza espressione. Attraverso i cespugli intricati vedemmo alcune capanne di paglia con le pareti di bambú come quelle africane, semplici capanne di sterpi. Strane giovani ragazze, impenetrabili come la luna, ci fissavano da misteriose soglie verdeggianti. «Oh, amico, voglio fermarmi a giocherellare con quelle care figliole» gridò Dean «ma hai notato che la vecchia madre o il vecchio padre sta sempre fra i piedi: sullo sfondo, di solito, a volte un centinaio di metri piú in là, a raccoglier fascine o legni o a curare le bestie. Non sono mai sole. In questo paese nessuno è mai solo. Mentre dormivi ho osservato questa strada e questo paese, e se solo potessi raccontarti tutti i pensieri che mi sono venuti, caro mio! » Sudava. Aveva gli occhi iniettati di sangue e stravolti e nello stesso tempo sottomessi e commossi: aveva trovato gente come lui. Filammo dritti attraverso la sconfinata regione delle paludi tenendo una media di settanta l'ora. « Sal, ho idea che il paese non cambierà per un bel pezzo. Se vuoi guidare, adesso dormirò io. »

Presi il volante e guidai abbandonandomi alle mie fantasticherie, attraverso Linares, attraverso la contrada infuocata vicino a Hidalgo, e avanti ancora. Una grande vallata verdeggiante come una giungla con campi sterminati di messi verdi mi si aprí davanti. Gruppi di uomini ci guardarono passare da uno stretto ponte vecchio stile. Il fiume caldo scorreva. Poi ci alzammo di quota finché cominciò a ricomparire una specie di regione desertica. Davanti c'era la città di Gregoria. I ragazzi dormivano, e io ero solo al volante con la mia eternità, e la strada correva dritta come una freccia. Non era come guidare attraverso la Carolina, o il Texas, o l'Arizona, o l'Illinois; ma come guidare attraverso il mondo stesso e in quei luoghi nei quali avremmo finalmente imparato a conoscere noi stessi in mezzo ai fellàh indios della terra, la vena essenziale della primitività fondamentale, umanità piangente che si stende come una cintura attorno al ventre equatoriale del mondo dalla Malacca (la lunga unghia della Cina) fino all'India l'immenso subcontinente all'Arabia al Marocco agli stessi deserti e giungle del Messico e oltre le onde alla Polinesia al mistico Siam dal Manto Giallo e tutto intorno, intorno ancora, cosí che lo stesso lugubre lamento che si sente accanto alle sbrecciate mura di Cadice, nella Spagna, si può sentire nelle profondità di Benares, Capitale del Mondo a dodicimila miglia di distanza. Questa gente era inequivocabilmente india e per niente simili ai Pedro e ai Pancho dello sciocco folklore civilizzato dell'America: avevano zigomi alti, e occhi obliqui, e dolci maniere; non erano sciocchi, non erano pagliacci; erano indii meravigliosi e gravi ed erano la sorgente dell'umanità e i padri di essa. Le onde sono cinesi, ma la terra è cosa indiana. Essenziali come rocce nel deserto della "storia". Ed essi lo sapevano, mentre noi passavamo, appariscenti americani pieni di soldi e di arie in gita di piacere nella loro terra; essi sapevano chi era il padre e chi era il figlio dell'antica vita sulla terra, e non facevano commenti. Poiché quando arriva la distruzione nel mondo della "storia" e l'apocalisse dei fellàh torna ancora una volta come tante altre volte prima, la gente starà sempre a guardare con gli stessi occhi dalle caverne del Messico come da quelle di Bali, dove ogni cosa ebbe inizio e dove Adamo venne allattato e istruito nella sapienza. Questi erano i pensieri che andavano sviluppandosi nel mio cervello mentre guidavo la macchina nell'ardente paese di Gregoria arroventato dal sole.

Poco prima, laggiú a San Antonio, avevo promesso a Dean, per scherzo, che gli avrei procurato una ragazza. Era una scommessa e una sfida. Mentre fermavo la macchina al distributore di benzina vicino all'assolata Gregoria un giovane attraversò la strada coi piedi avvolti di stracci, portando un enorme schermo da parabrezza, e s'informò se volevo comprarlo. « Piace? Sessanta pesos. *Habla Español? Sesenta peso.* Mio nome Victor. »

« Macché » dissi scherzando « comprare señorita. »

« Certo, certo! » gridò tutto eccitato. « Io dare voi señoritas, quando volere. Troppo caldo adesso » aggiunse con disgusto. « Non belle ragazze quando fa caldo. A-spettare stanotte. Piace schermo? »

Non volevo lo schermo, volevo le ragazze. Svegliai Dean. « Ehi, amico, t'ho detto nel Texas che ti avrei procurato una ragazza... Bene, stiracchia le tue ossa e svegliati, fi-glio mio; abbiamo delle fanciulle che ci aspettano. »·

« Che? Che? » gridò lui, saltando su, spiritato. « Dove? Dove? »

« Questo giovanotto, Victor, ci farà vedere dove. »

« Be', andiamo, andiamo! » Dean saltò fuori della mac-china e afferrò la mano di Victor. Attorno al distributo-re di benzina c'era un altro gruppetto di ragazzi che sta-vano lí sorridenti senza far niente, la metà di essi a piedi nudi, tutti con cascanti cappelli di paglia. « Amico » mi disse Dean « non è un modo carino, questo, di passare un pomeriggio? È tanto piú *eccitante* delle sale di bi-liardo di Denver. Victor, hai delle ragazze? Dove? *A donde*? » gridò in spagnolo. « Prendi nota di questo, Sal, sto parlando spagnolo. »

« Chiedigli se possiamo avere un po' di marijuana. Ehi, ragazzo, ce l'hai un po' di ma-ri-jua-na? »

Il giovane fece di sí gravemente. « Certo, quando vuoi, amigo. Vieni con me. »

« Iih! Iii! Uuh! » urlò Dean. Era sveglio del tutto e sal-tellava su e giú in quella sonnolenta strada messicana. « Andiamo tutti! » Stavo passando delle Lucky Strike agli altri ragazzi. Quelli si divertivano un mondo con noi e specialmente con Dean. Si rivolgevano l'uno all'altro facendosi schermo alla bocca con le mani e bisbigliavano commenti su quel mattacchione di americano. « Guar-dali, Sal, parlano di noi e ci studiano. Oh bontà divina, che mondo! » Victor salí in macchina con noi, e partim-mo a sobbalzi. Stan Shephard stava dormendo della grossa e si risvegliò in mezzo a tutto quel baccano.

Andammo fuori nel deserto all'altro lato del paese e gi-rammo su una strada terrosa piena di solchi che faceva-no rimbalzare la macchina come mai era successo pri-ma. Davanti a noi c'era la casa di Victor. Stava posata sull'orlo di un campo di cactus sormontato da pochi al-beri, un semplice capannone di mattoni cotti al sole, con alcuni uomini che oziavano nel cortile. « Chi sono quelli? » gridò Dean, tutto eccitato.

« Quelli miei fratelli. Anche mia madre lí. Anche mie sorelle. Quella mia famiglia. Io sposato, vivo in città ».

« Che dirà tua madre? » Dean sbigottí. « Che ne dirà della marijuana? »

« Oh, lei darla a me. » E mentre aspettavamo in macchina Victor scese e s'avviò leggero verso la casa e disse alcune parole a una vecchia signora, che subito si girò e andò nel giardino dietro la casa e si mise a raccogliere fronde secche di marijuana che erano state strappate dalle piante e lasciate a seccare nel sole del deserto. Nel frattempo i fratelli di Victor ridacchiavano sotto un albero. Stavano preparandosi a venirci incontro ma gli ci sarebbe voluto un po' di tempo per alzarsi e incamminarsi. Victor tornò, sorridendo con dolcezza.

« Amico » disse Dean « quel Victor è il piú dolce, il piú fantastico, il piú straordinario tipo di mattacchione che abbia mai incontrato in vita mia. Guardalo soltanto, guarda quella sua camminata lenta e riposante. Da queste parti non c'è bisogno di correre. » Una continua, insistente brezza del deserto soffiava verso la macchina. Faceva molto caldo.

« Vedete come caldo? » disse Victor, sedendosi accanto a Dean sul sedile davanti e indicando il tetto infuocato della Ford. « Voi prendere ma-ri-gua-na e non piú caldo. Aspettate. »

« Sí » rispose Dean, aggiustandosi gli occhiali scuri « io aspetto. Certo che aspetto, Victor, ragazzo mio. »

Poco dopo arrivò ciondolando il fratello piú alto di Victor con un po' di foglie ammucchiate dentro una pagina di giornale. Le buttò in grembo a Victor e si appoggiò con noncuranza alla portiera della macchina facendo di sí col capo e sorridendo e disse: « Salve ». Dean chinò la testa e gli sorrise graziosamente. Nessuno parlò; tutto andava bene. Victor si accinse ad arrotolare il piú grosso siluro che alcuno avesse mai visto. Arrotolò (usando carta da pacchi) una quantità di droga corrispondente a un formidabile sigaro Corona. Era enorme. Dean lo fissava, con gli occhi di fuori. Victor l'accese con indifferenza e lo passò in giro. Aspirare quella roba equivaleva a curvarsi sopra un camino e inalare. Ti invadeva la gola con una grande ondata di calore. Noi tenemmo il fiato e lo soffiammo fuori quasi nello stesso momento. Immediatamente tutti diventammo ebbri. Il sudore ci si gelò sulla fronte e a un tratto fu come trovarsi sulla spiaggia di Acapulco. Guardai fuori del finestrino posteriore della macchina, e un altro e il piú strano dei fratelli di Victor – un altro indio del Perú con una sciarpa sulle spalle – si appoggiò ridendo a un palo, troppo timido per venir da noi a stringerci la mano. Pareva che la macchina fosse circondata da fratelli, poiché a fianco di Dean ne apparve un altro. Quindi successe una cosa stranissima. Diventammo tutti cosí ebbri che si fece a meno delle solite formalità e ci si concentrò sulle cose di interesse immediato, e ora si assisteva alla stranezza di americani e messicani che si drogavano insieme nel deserto, e piú che questo, la stranezza di vedere a distanza ravvicinata le facce e i pori della pelle e i calli delle dita e gli zigomi sconcertanti propri di un altro mondo. Cosí i fratelli indi cominciarono a parlare di noi a bassa voce e a commentare; li vedevi guardare, e soppesare, e paragonare le comuni impressioni, oppure correggere e modificare: « Sí, sí »; mentre Dean e Stan e io facevamo commenti su di loro in inglese.

« Fammi il pi-a-cere di osservare quel curioso fratello là dietro che non s'è mosso da quel palo e non ha diminuito neanche di un filo l'intensità della felice *comica* timidezza del suo sorriso. E questo qua alla mia sinistra, piú anziano, piú sicuro di sé ma triste, in certo senso impacciato, persino come un mendicante cittadino forse, mentre Victor è rispettabilmente sposato... pare un maledetto re egiziano, lo vedi da te. Questi ragazzi sono delle vere sagome. Non ho mai visto niente del genere. E stanno parlando e facendo congetture su di noi, non vedi? Proprio come facciamo noi ma con una differenza tutta particolare, poiché il loro interesse probabilmente verte sul nostro modo di vestire... che noi contraccambiamo, in verità... ma anche sulle cose bizzarre che abbiamo nella macchina e lo strano modo di ridere che abbiamo cosí diverso dal loro, e forse perfino il nostro odore paragonato al loro. Con tutto questo darei la luce dei miei occhi per sapere quel che stanno dicendo di noi. » E Dean fece un tentativo. « Ehi, Victor, amico, che stanno dicendo in questo momento i tuoi fratelli? »

Victor volse verso Dean gli occhi all'insú dolenti e bruni. « Già, già. »

« No, non hai capito la mia domanda. Di che state parlando voi ragazzi? »

« Oh » rispose Victor con gran turbamento « non piacere voi questa mari-guana? »

« Oh, sí, sí, buonissima! Di che state *parlando*? »

« Parlando? Sí, noi parliamo. Piacere voi el Mexico? »

Era difficile giungere a un'intesa senza un linguaggio comune. E tutti diventammo tranquilli e felici e brilli di nuovo e ci limitammo a goderci la brezza del deserto e a rimuginare separati nazionali e razziali e personali pensieri di celeste eternità.

Era tempo di cercare le ragazze. I fratelli tornarono alla loro posizione sotto l'albero, la madre guardava dalla soglia assolata, e noi tornammo sobbalzando, lentamente, verso il paese.

Ma ora quel rimbalzare non era piú spiacevole; fu la piú dolce e incantevole e dondolante passeggiata al mondo, come sopra un mare azzurro, e il viso di Dean era soffuso di una lucentezza innaturale che pareva di oro mentre ci esortava a capire ora per la prima volta il molleggio della macchina e a godere il viaggio. Rimbalzammo su e giú, e persino Victor capí e rise. Poi ci indicò la sinistra per mostrarci qual era la via da seguire per trovare le ragazze, e Dean, guardando a sinistra con indescrivibile delizia e piegandosi da quella parte, fece girare il volante e ci portò dolcemente e decisamente alla meta, mentre noi ascoltavamo i tentativi che faceva Victor per esprimersi e dicevamo in tono indulgente e magniloquente: « Sí, ma certo! Non c'è neanche un dubbio nel mio cervello! Decisamente, amico! Oh, infatti! Come, pic, pac, mi stai dicendo la cosa piú gradita! Ma certo! Sí! Ti prego, continua! ». A queste nostre parole Victor rispondeva gravemente e con magnifica eloquenza spagnola. Per un pazzesco momento credetti che Dean capisse tutto quel che lui diceva per una pura straordinaria visione interiore e un improvviso genio rivelatore inconcepibilmente ispirato dalla sua raggiante felicità. In quel momento, inoltre, egli aveva talmente l'aspetto di Franklin Delano Roosevelt – un'illusione dei miei occhi infiammati e del cervello annebbiato – che mi tirai su sul sedile e boccheggiai preso da sbalordimento. In mezzo a miriadi di scintille di celesti radiazioni dovetti penare per vedere la figura di Dean, e mi parve simile a Dio. Ero talmente ebbro che dovetti appoggiare la testa sullo schienale; lo sballottare della macchina mi mandava dentro brividi d'estasi. Il solo pensiero di guardare dal finestrino il Messico – che ora nella mia mente era qualcosa di diverso – fu come strapparsi da qualche scintillante cassa del tesoro trionfalmente scovata nella quale si ha paura di guardare per non farsi male agli occhi, i quali strabuzzano addirittura, poiché le ricchezze e i tesori sono troppi per guardarli tutti in una volta. Inghiottii saliva. Vedevo fiumi d'oro riversarsi dal cielo e dritto attraverso il tetto scassato della povera vecchia macchina, dritto attraverso le mie pupille e proprio dentro ad esse; l'oro era dovunque. Guardai dal finestrino la calda strada assolata e vidi una donna su una soglia e pensai che stesse ascoltando ogni parola che pronunciavamo e approvasse fra di sé: solite visioni paranoiche causate dalla droga. Ma il torrente d'oro continuava. Per lungo tempo nella mia mente inferiore persi la nozione di ciò che stavamo facendo e mi ripresi solo piú tardi quando guardai su dal fuoco e dal silenzio, come svegliandomi al mondo dal sonno, o svegliandomi al sogno dal vuoto, e loro mi dissero che c'eravamo fermati davanti alla casa di Victor e questi era già davanti allo sportello della macchina col suo figlioletto in braccio, e ce lo mostrava.

« Vedete mio bambino? Suo nome Pérez, ha sei mesi. »

« Come » disse Dean, con la faccia tuttora trasfigurata da un'ondata di supremo piacere e quasi di estasi « ma questo è il piú grazioso bambino che abbia mai visto. Guardate quegli occhi. Su, Sal e Stan » disse volgendosi a noi con aria seria e intenerita « voglio che vediate in par-ti-co-la-re gli occhi di questo piccolo messicano che è il figlio del nostro meraviglioso amico Victor, e che comprendiate come egli giungerà alla virilità con la sua particolare anima che si manifesta da quelle finestre che sono gli occhi, e degli occhi cosí incantevoli certamente profetizzano e stanno a indicare la piú incantevole delle anime. » Era un bellissimo discorso. Ed era un bellissimo bambino. Victor abbassò gli occhi tristi per guardare il suo angelo. Desiderammo tutti poter avere un figlioletto come quello. Il nostro interesse per l'anima del bimbo era cosí intenso ch'egli avvertí qualcosa e si mise a far delle smorfie che finirono in amare lacrime e un certo sconosciuto dolore che noi non avevamo alcun potere di placare perché si addentrava troppo profondamente in innumerevoli misteri e tempi. Tentammo di tutto; Victor lo picchiettò sul collo e lo cullò, Dean fece dei versi, io mi protesi e accarezzai le braccine del bimbo. I suoi urli si fecero piú forti. « Ah » disse Dean « mi dispiace terribilmente, Victor, che l'abbiamo fatto diventar triste. »

« Lui non è triste, bambino piange. » Sulla soglia dietro Victor, troppo timida per venir fuori, stava la sua piccola moglie, a piedi scalzi, la quale aspettava con ansiosa tenerezza che il piccino le fosse rimesso fra le braccia cosí brune e morbide. Victor, dopo averci fatto vedere il suo bambino, risalí sulla macchina e orgogliosamente indicò a destra.

« Sí » disse Dean e girò la macchina da quella parte e la diresse attraverso le strette strade algerine piene da entrambi i lati di visi che ci osservavano con dolce meraviglia. Arrivammo al bordello. Era una magnifica costruzione di stucco nel sole dorato. Nella strada, appoggiati ai davanzali delle finestre che si aprivano nel casino, c'erano due poliziotti, coi pantaloni a sbuffo, mezzo addormentati, annoiati, che ci lanciarono brevi occhiate incuriosite mentre entravamo, e rimasero lí per tutte le tre ore durante le quali noi folleggiammo sotto il loro naso, finché non fummo usciti al tramonto e seguendo il consiglio di Victor demmo loro l'equivalente di ventiquattro centesimi ciascuno, tanto per salvare le forme.

E là dentro trovammo le ragazze. Alcune di loro stavano sdraiate su divani posti di traverso sulla pista da ballo, altre stavano sbronzandosi al lungo bar sulla destra. Un'arcata nel centro portava verso le piccole baracche a cubo che sembravano quelle capanne dove ci si mette il costume da bagno negli stabilimenti balneari. Queste capanne stavano sotto il sole del cortile. Dietro il bar c'era il proprietario, un giovanotto che subito corse fuori, quando gli dicemmo che volevamo sentire dei mambi, per tornare con una pila di dischi, la maggior parte di Pérez Prado, e li mise su con l'altoparlante. In un attimo tutta la città di Gregorià fu in grado di sentire che la gente si divertiva alla Sala de Baile. Nella sala poi, il fracasso della musica – poiché questo è il vero modo di suonare un juke box e lo scopo per il quale è stato creato in origine – era cosí formidabile che per un attimo sconvolse Dean e Stan e me quando ci rendemmo conto che non avevamo mai osato suonare dei dischi forte come volevamo, ed era forte cosí che volevamo. Ci investiva e tuonava proprio nella nostra direzione. In pochi minuti metà di quella parte di paese era alle finestre, a guardare gli *americanos* che ballavano con le ragazze. Stavano tutti in piedi a fianco a fianco, accanto ai poliziotti, sul marciapiede polveroso, appoggiati con indifferenza e noncuranza. *More Mambo Jambo, Chattanooga de Mambo, Mambo Numero Ocho*, tutti questi formidabili numeri echeggiavano e imperversavano nel dorato, misterioso pomeriggio come i suoni che ci si aspetterebbe di sentire nell'ultimo giorno del mondo e la seconda venuta di Cristo. Le trombe erano cosí forti che io pensai si sarebbero potute sentire fin nel deserto, dal quale comunque le trombe traggono la loro origine. La batteria era eccezionale. Il ritmo del mambo è il ritmo della conga del Congo, il fiume dell'Africa e del mondo intero; è davvero il ritmo del mondo. Um-*ta*, ta-pu-*puum*-uum-*ta*, ta-pu-*puum*. Gli arpeggi del piano ci scrosciavano addosso dall'altoparlante. Le grida del direttore d'orchestra erano come gran singulti nell'aria. Le battute finali di tromba che arrivavano con i "fortissimo" di tamburi conga e bongo, su quel meraviglioso indiavolato disco di Chattanooga, fecero per un attimo raggelare Dean finché si mise a tremare e a sudare; poi quando le trombe percossero l'aria sonnolenta coi loro echi assordanti, come in una caverna o in una cantina, i suoi occhi si fecero larghi e rotondi come se avesse visto il diavolo, e li chiuse stretti stretti. Io stesso ne ero scosso come una marionetta; sentii le trombe flagellare la luce che avevo visto e tremai fin nelle scarpe.

Al ritmo svelto di *Mambo Jambo* ballammo freneticamente con le ragazze. Attraverso i nostri deliri cominciavamo a distinguere le loro varie personalità. Erano ragazze fantastiche. Cosa strana, la piú sfrenata era una mezzo indiana, mezzo bianca, e veniva dal Venezuela, ed era appena diciottenne. Aveva l'aria di provenire da una buona famiglia. Cosa facesse là nel Messico a prostituirsi a quell'età e con quelle gote tenere e l'aspetto gentile, Dio solo sa. Qualche orribile sofferenza doveva averla indotta a questo. Beveva oltre ogni limite. Buttava giú bicchieri interi quando pareva aver scolato l'ultimo della serie. Rovesciava bicchieri di continuo, anche con l'idea di farci spendere piú soldi possibile. Con indosso una vestaglia trasparente in pieno pomeriggio, ballava freneticamente con Dean e gli si appendeva al collo e chiedeva, chiedeva di tutto. Dean era cosí rimbambito che non sapeva con che cosa cominciare, se con le ragazze o col mambo. Corsero via insieme verso le capanne. Io ero stato requisito da una ragazza grassa e poco interessante con un cucciolo, la quale cominciò a prendersela con me quando mostrai di non gradire il cane perché questo continuava a tentare di mordermi. Scese a compromessi mettendolo via nel retro, ma il momento che tornò io ero stato agganciato da un'altra ragazza, di migliore aspetto però non la migliore, che mi si aggrappava al collo come una sanguisuga. Cercavo di liberarmi per arrivare a una ragazza di colore di sedici anni che sedeva malinconica dall'altra parte della sala ispezionandosi l'ombelico attraverso un'apertura nel vestito corto come una camicia. Non ce la feci. Stan s'era preso una ragazza quindicenne, dalla pelle color mandorla e un vestito abbottonato metà in alto e metà in basso. Era pazzesco. Una buona ventina d'uomini stavano affacciati a quella finestra, a guardare.

A un certo punto la madre della piccola ragazza di colore – non di colore, ma scura – entrò e tenne una breve e funerea concione con la figlia. Quando vidi questo, ebbi troppa vergogna per cercare di avere l'unica donna che veramente desiderassi. Lasciai che la sanguisuga mi portasse sul retro, dove, come in sogno, al fracasso e allo strepito di altri altoparlanti interni, facemmo sobbalzare il letto per una mezz'ora. Era solo una stanza quadrata con persiane di legno e niente soffitto, con una icona in un angolo, un lavandino nell'altro. Su e giú per tutto il corridoio buio le ragazze gridavano: « *Agua, agua caliente!* » che vuol dire "acqua calda". Stan e Dean erano anch'essi fuori circolazione. La mia ragazza volle trenta pesos, ossia circa tre dollari e mezzo, e chiese dieci pesos extra e raccontò una lunga storia a proposito di non so che. Non conoscevo il valore della moneta messicana; per quanto ne sapevo, potevo avere un milione di pesos. La ricoprii di denaro. Tornammo di corsa a ballare. Nella strada s'era raccolta una folla ancor piú numerosa. I poliziotti guardavano annoiati come al solito. La bella venezuelana di Dean mi trascinò attraverso una porta in un altro strano bar che evidentemente faceva parte del bordello. Qui un giovane barista stava parlando e ripulendo bicchieri e un vecchio coi baffi a manubrio sedeva discutendo qualcosa con impegno. E anche qui i mambi ruggivano da un altro altoparlante. Pareva che tutto il mondo fosse sottosopra. Venezuela mi si aggrappò al collo e mi chiese da bere. Il barista non voleva dargliene. Lei implorò e supplicò, e quando lui le porse un bicchiere lei lo rovesciò e questa volta non lo fece apposta, poiché io stesso vidi il dispiacere nei suoi poveri occhi incavati e perduti. « Non te la prendere, piccola » le dissi. Dovetti tenerla ferma sullo sgabello; lei continuava a scivolar giú. Non ho mai visto una donna piú ubriaca, e aveva solo diciott'anni. Le pagai un altro bicchiere; mi tirava i pantaloni perché glielo offrissi. Lo buttò giú d'un fiato. Non ebbi il coraggio di prenderla. La mia ragazza aveva circa trent'anni e si sapeva guardare meglio. Mentre Venezuela si contorceva e soffriva fra le mie braccia, mi venne un acuto desiderio di portarla sul retro e spogliarla e solo parlare con lei... cosí almeno dicevo a me stesso. Deliravo per il desiderio di lei e dell'altra ragazzina scura.

Povero Victor, tutto questo tempo lui rimase appoggiato alla sbarra d'ottone del bar con la schiena rivolta al banco e saltellava tutto contento nel vedere i suoi tre amici americani darsi alla pazza gioia. Gli offrimmo da bere. I suoi occhi scintillavano per il desiderio di una donna, ma non volle accettarne alcuna, poiché era fedele a sua moglie. Dean lo costrinse ad accettare del denaro. In questo turbine di pazzia ebbi modo di vedere cosa stava combinando Dean. Era talmente fuori di sé che non capí chi ero quando lo scrutai in faccia. « Sí, sí! » fu tutto quel che disse. Pareva che tutto questo non dovesse finire mai piú. Era come un lungo spettrale sogno d'Arabia nel pomeriggio di un'altra vita: Alí Babà e le viuzze e le cortigiane. Di nuovo corsi con la mia ragazza nella sua stanza; Dean e Stan si scambiarono le ragazze che avevano avute prima; e per un momento uscimmo dalla scena, e gli spettatori dovettero attendere che lo spettacolo riprendesse. Il pomeriggio si fece lungo e fresco.

Presto la notte misteriosa sarebbe scesa nella vecchia fantastica Gregoria. Il mambo non smise nemmeno per un momento, continuò a imperversare come un viaggio senza fine nella giungla. Io non riuscivo a distogliere gli occhi dalla piccola ragazza bruna e dal modo che aveva di andare in giro, come una regina, mentre il barista imbronciato la costringeva addirittura a bassi servizi come servire i liquori e scopare il pavimento del retro. Di tutte le ragazze là dentro lei era quella che aveva piú bisogno di denaro; forse sua madre era venuta a prendere soldi da lei per le sorelline e i fratellini piú piccoli. I messicani sono poveri. Mai, mai mi passò nemmeno per la mente, di avvicinarmi a lei e di darle del denaro. Avevo la sensazione che lei l'avrebbe accettato

357

con una sfumatura di disprezzo, e il disprezzo da tipi come lei mi faceva inorridire. Nella mia pazzia fui addirittura innamorato di lei per le poche ore che durò tutto questo; era la stessa inequivocabile fitta e dolore attraverso la mente, gli stessi sospiri, la stessa pena, e soprattutto la stessa riluttanza e terrore di accostarmi. Strano che anche Dean e Stan si astenessero dall'avvicinarla; la sua irreprensibile dignità era la causa della sua povertà in una pazza vecchia casa di piacere, e pensate un po' a questo... A un certo punto vidi Dean avviarsi come un automa verso di lei, pronto a partire, e l'imbarazzo dipingerglisi sul viso quando lei guardò fredda e imperiosa dalla sua parte e lui che smetteva di strofinarsi il ventre e boccheggiava e alla fine chinava la testa. Poiché ella era una regina.

In quel momento Victor ci afferrò improvvisamente le braccia in una specie di furore e fece dei gesti frenetici.

« Che succede? » Tentò di tutto per farci capire. Poi corse al bar e strappò il conto al barista, che lo guardò brutto, e ce lo portò perché lo vedessimo. Il conto era oltre i trecento pesos, cioè trentasei dollari americani, il che è un mucchio di soldi per qualsiasi casino. Tuttavia non riuscivamo a rinsavire e non volevamo andarcene, e quantunque tutti fossimo esausti volevamo fermarci ancora con le nostre adorabili ragazze in quello strano paradiso d'Arabia che avevamo finalmente trovato alla fine della dura, dura strada. Ma la notte stava per giungere e noi dovevamo proseguire fino alla fine; e Dean lo capí, e cominciò a corrugar la fronte e a pensare e a cercare di rimettersi in sesto, e finalmente io lanciai l'idea di partire immediatamente, una volta per tutte. « C'è ancora tanto davanti a noi, amico, non fa nessuna differenza. »

« Giusto! » gridò Dean, con gli occhi vitrei, e si voltò verso la sua venezuelana. Lei era finalmente fuori combattimento e stava buttata su una panca di legno con le gambe bianche che spuntavano dalla seta. Il pubblico alla finestra si godeva lo spettacolo; dietro a loro cominciavano a striscire delle ombre rosse, e in un silenzio improvviso sentii piangere un bimbo da qualche parte, e mi ricordai che dopo tutto ero nel Messico e non in cielo, nel mezzo di un sogno erotico ad occhi aperti dato dall'hascisc.

Uscimmo barcollando; c'eravamo dimenticati di Stan; corremmo indietro a prenderlo e lo trovammo che si inchinava graziosamente alle nuove prostitute serali, che erano appena arrivate per il turno di notte. Voleva ricominciare tutto da capo. Quando è ubriaco cammina curvo come un uomo alto tre metri e sempre quando è ubriaco non si riesce a staccarlo dalle donne. Per di piú queste gli si appiccicano come l'edera. Insisteva per rimanere e provare alcune delle nuove, piú strane, piú efficienti señoritas. Dean e io gli demmo delle pacche sulla schiena e lo trascinammo fuori. Lui si profuse in addii per tutti: le ragazze, i poliziotti, la folla, i ragazzini fuori sulla strada; lanciò baci in tutte le direzioni tra gli evviva dei gregoriani e uscí orgoglioso e barcollante in mezzo ai capannelli di gente e tentò di parlare con loro e comunicare la sua gioia e amore di ogni cosa in quel magnifico pomeriggio di vita. Tutti ridevano; qualcuno gli batté sulle spalle. Dean corse dai poliziotti e pagò i quattro pesos e scambiò con loro strette di mano e sorrisi e inchini. Poi saltò in macchina, e le ragazze che avevamo conosciuto, persino Venezuela, che venne svegliata per l'addio, si raccolsero attorno alla macchina, affollandosi con le loro vesti trasparenti, e ci salutarono cinguettando e ci baciarono, e Venezuela si mise persino a piangere quantunque non per noi, lo sapevamo, non proprio del tutto per noi, ma solo un po', e questo ci bastava. Il mio bel tesoro tenebroso era scomparso all'interno nell'ombra. Tutto era finito. Ci mettemmo in moto e ci lasciammo dietro gioia e feste e in piú qualche centinaio di pesos, e quella ci parve una giornata di buon lavoro. Il mambo onnipresente ci inseguí per qualche isolato. Tutto era finito.

« Addio, Gregoria! » urlò Dean, lanciandole un bacio. Victor era orgoglioso di noi e orgoglioso di se stesso. « Ora voi fare piacere bagno? » chiese. Sí, volevamo tutti un magnifico bagno.

Ed egli ci condusse verso la cosa piú strana al mondo:

era un normale stabilimento di bagni tipo americano a
due chilometri dal paese sull'autostrada, pieno di ragazzini che sguazzavano in una piscina e con delle docce
all'interno di un edificio di pietra, per pochi centavos
a ingresso, con sapone e asciugamani forniti dal custode.
Accanto a questo, c'era anche un triste parco di diver-
timenti per bambini con altalene e una giostra tutta
scassata, e nel sole rosso calante pareva cosí strano e
cosí bello. Stan e io prendemmo degli asciugamani e saltammo subito sotto le docce gelate, dentro allo stabilimento, e ne venimmo fuori rinfrescati e come nuovi.
Dean non si preoccupò di prendere una doccia, e noi lo
vedemmo lontano di là dal parco triste, che passeggiava col buon Victor sottobraccio e chiacchierava volubil-
mente e graziosamente e persino si chinava eccitato verso di lui per chiarire un argomento, battendosi il palmo
col pugno chiuso. Poi essi ripresero la posizione a braccetto e passeggiarono. Si stava avvicinando l'ora di dire
addio a Victor, perciò Dean coglieva l'occasione per stare
qualche momento solo con lui e ispezionare il parco e
apprendere le vedute di lui sulle cose in generale e insomma sviscerarlo come solo Dean sapeva fare.
Victor era molto triste adesso che dovevamo partire.
« Se tornare Gregoria, venire trovarmi? »
« Certo, amico! » disse Dean. Promise persino di portarsi Victor negli Stati Uniti se lui lo desiderava. Victor
disse che avrebbe dovuto rifletterci su.
« Io avere moglie e bambino... non avere soldi... ve-
drò. » Il suo dolce sorriso gentile balenò nel rosso del
cielo mentre lo salutavamo con la mano dalla macchina.
Dietro a lui c'erano il parco triste e i bambini.

6

Subito fuori Gregoria la strada cominciò a scendere,
grandi alberi si rizzarono da entrambi i lati, e mentre
si faceva scuro sentimmo in mezzo agli alberi il gran ronzare di miliardi di insetti che risuonava come un acuto
e continuo grido stridulo. « Uuh! » fece Dean, e accese

i fari davanti ma non funzionavano. « Che! Che! Accidenti cosa c'è adesso? » E diede dei pugni e s'infuriò col cruscotto. « Oh, povero me, dovremo viaggiare nella giungla senza fari, pensate che orrore, le sole volte che riuscirò a vedere sarà quando incroceremo un'altra macchina e qua semplicemente *non esistono* macchine! E naturalmente non c'è nemmeno una luce. Oh, che faremo, accidenti? »

« Andiamo avanti lo stesso. Forse sarebbe meglio tornare indietro, però. »

« No, mai... mai! Andiamo avanti. Riesco appena a vedere la strada. Ce la faremo. » E cosí filammo in una oscurità d'inchiostro in mezzo al frinire degli insetti, mentre il forte, ricco, quasi putrescente sentore ci avvolgeva, e ricordammo e capimmo che la carta geografica indicava proprio dopo Gregoria l'inizio del Tropico del Cancro. « Siamo in un nuovo Tropico! Non c'è da meravigliarsi dell'odore! Sentite! » Sporsi la testa dal finestrino; degli insetti mi si appiccicarono sulla faccia; un immenso ronzío si levò il momento che drizzai le orecchie verso il vento. Tutto a un tratto i fari si accesero di nuovo e frugarono avanti, illuminando la strada deserta che correva in mezzo a solide mura di alberi cadenti e contorti alti fino a trenta metri.

« *Figlio di cagna!* » urlò Stan dietro. « *Accidentaccio!* » Era sempre sbronzo. Ci rendemmo improvvisamente conto che era tuttora ubriaco e che la giungla e i guai non incidevano affatto sulla sua anima felice. Ci mettemmo a ridere, tutti e due.

« Al diavolo! Ci tufferemo in questa maledetta giungla, stanotte ci dormiremo dentro, andiamo! » gridò Dean. « Il vecchio Stan ha ragione. Il vecchio Stan se ne frega! È cosí sbronzo di quelle donne e di quella marijuana e di quel pazzo mambo fuori del mondo impossibile ad assorbire urlante cosí forte che le mie orecchie ancora ne rintronano... ui-hi! è cosí sbronzo che sa quello che fa! » Ci levammo le magliette e filammo avanti nella giungla, a torso nudo. Nessun paese, niente, solo la giungla sperduta, per chilometri e chilometri, e in discesa, sempre piú infuocata, con gli insetti che stridevano sempre piú forte, la vegetazione che cresceva sempre piú alta, la puzza piú densa e piú calda finché cominciammo ad abituarci ad essa e a goderne. « È come se ci mettessimo nudi e ci rotolassimo e rotolassimo in questa giungla » disse Dean. « No, diavolo, amico, è proprio quel che farò appena avrò trovato un bel posticino. » E tutto a un tratto davanti ci apparve Limón, un paese della giungla, poche luci fioche, ombre scure, immensi cieli sul capo, e un gruppo di uomini davanti a un agglomerato di capanne di legno: un crocevia tropicale.

Ci fermammo nell'inconcepibile dolcezza. Faceva caldo come nell'interno di un forno da panettiere in una notte di giugno a New Orleans. Su e giú per tutta la strada intere famiglie stavano sedute in cerchio nel buio, a chiacchierare; ogni tanto si avvicinava qualche ragazza, ma estremamente giovane e solo curiosa di vedere com'eravamo fatti. Erano scalze e sporche. Ci appoggiammo sul portico di legno di uno scalcinato magazzino di generi vari con sacchi 'di farina e ananassi freschi che marcivano sul banco per le mosche. Là dentro c'era un unico lume a petrolio, e fuori qualche altra luce fioca, e tutto il resto era nero, nero, nero. Adesso naturalmente eravamo talmente stanchi che dovevamo metterci subito a dormire e cosí spostammo la macchina di pochi metri lungo una strada polverosa verso l'altra parte del paese. Faceva un caldo talmente incredibile ch'era impossibile dormire. Perciò Dean prese una coperta e la stese fuori sulla soffice sabbia calda della strada e ci si buttò sopra. Stan s'era steso sul sedile davanti della Ford con tutti e due gli sportelli aperti per fare un po' di corrente, ma non c'era nemmeno il piú leggero alito di vento. Io, nel sedile di dietro, soffrivo immerso in una pozza di sudore. Uscii dalla macchina e rimasi a barcollare nel buio. L'intero paese era andato a dormire in un lampo; l'unico rumore era adesso l'abbaiare dei cani. Come avrei mai potuto dormire? Migliaia di zanzare avevano già punto tutti noi sul petto, sulle braccia e le caviglie. Poi mi venne un'idea luminosa: saltai sul tetto d'acciaio della macchina e mi stesi supino. L'aria era sempre immota, ma l'acciaio aveva dentro un elemento di frescura e m'asciugò il sudore sulla schiena, formando sulla mia pelle grumi di migliaia d'insetti morti, e io capii che la giungla ti sopraffà e tu ti immedesimi in essa. Giacere sulla cima della macchina col viso rivolto al cielo nero era lo stesso che giacere in un baule chiuso in una notte d'estate. Per la prima volta in vita mia il clima fu qualcosa che non mi toccava, non mi accarezzava, ghiacciava o impregnava di sudore, ma qualcosa che diventava me stesso. L'atmosfera e io diventammo un'unica cosa. Dolci infinitesimali cascate di microscopici insetti mi sventagliavano sul viso mentre dormivo, ed erano estremamente piacevoli e carezzevoli. Il cielo era senza stelle, completamente invisibile e greve. Avrei potuto giacer lí tutta la notte col volto esposto ai cieli, e non mi avrebbe fatto piú male di un drappo di velluto steso su di me. Gli insetti morti si mescolarono al mio sangue; le zanzare vive ne scambiarono altre porzioni; cominciai a formicolare dappertutto e a mandare lo stesso odore della greve, calda e putrida giungla, dovunque, dai capelli e dal viso ai piedi e alle dita dei piedi. Naturalmente ero scalzo. Per sudare il meno possibile indossai la maglietta tutta schizzata di insetti e mi stesi di nuovo. Una massa scura sulla strada ancora piú scura indicava il punto dove Dean dormiva. Potevo sentirlo russare. Anche Stan russava.

Di tanto in tanto una luce fioca lampeggiava in paese, e si trattava dello sceriffo che faceva la sua ronda con una debole torcia elettrica e borbottava da solo nella notte della giungla. Poi vidi la sua luce zigzagare verso di noi e sentii i suoi passi giungere attutiti sul tappeto di sabbia e di vegetazione. Si fermò e investí di luce la macchina. Io mi rizzai a sedere e lo guardai. Con voce tremolante, quasi querula ed estremamente intenerita disse: « *Dormiendo?* » indicando Dean sulla strada. Sapevo che questo voleva dire "dormire".

« *Sí, dormiendo.* »

« *Bueno, bueno* » disse come fra sé e si voltò pieno di riluttanza e di tristezza per tornare alla sua ronda solitaria. Dei poliziotti cosí adorabili Dio mai ha creato in

America. Nessun sospetto, nessuna storia, nessuna noia: egli era il custode del paese addormentato, punto e basta.

Tornai al mio letto d'acciaio e mi distesi a braccia spalancate. Non sapevo nemmeno se proprio sopra di me ci fossero rami o il cielo aperto, e tanto non faceva nessuna differenza. Aprii la bocca verso di esso e aspirai profonde boccate dell'atmosfera della giungla. Non era aria, mai aria, ma l'emanazione palpabile e vivente di alberi e paludi. Rimasi sveglio. Galli cominciarono ad annunciare l'alba in qualche punto di là dai cespugli. Ancora niente aria, niente brezza, niente rugiada, ma sempre quella pesantezza del Tropico del Cancro che ci teneva tutti agganciati alla terra, alla quale appartenevano e che ci faceva rabbrividire. Non c'era segno di alba nel cielo. A un tratto sentii i cani abbaiare furiosamente nel buio, e poi il debole clip-clop degli zoccoli di un cavallo. Si avvicinava sempre di più. Che genere di pazzo cavalcatore notturno poteva essere quello? Poi vidi un'apparizione: un cavallo selvaggio, bianco come un fantasma, arrivò trottando lungo la strada proprio in direzione di Dean. Dietro a lui i cani abbaiavano e litigavano. Non riuscivo a vederli, erano sporchi vecchi cani della giungla, ma il cavallo era bianco come la neve e immenso e quasi fosforescente e facile a vedersi. Non sentii paura per Dean. Il cavallo lo vide e trotterellò proprio accanto alla sua testa, superò la macchina come un vascello, nitrí dolcemente, e tirò avanti attraverso il paese, tormentato dai cani, e col suo clip-clop tornò dall'altra parte verso al giungla, e tutto quel che sentii fu il debole scalpitare svanire in mezzo al bosco. I cani si chetarono e s'accucciarono per leccarsi. Cos'era quel cavallo? Quale mito e fantasma, quale spirito? Lo raccontai a Dean quando si svegliò. Lui pensò che avessi sognato. Poi ricordò vagamente di aver sognato di un cavallo bianco, e io gli dissi che non si trattava di un sogno. Stan Shephard si svegliò lentamente. Al minimo movimento eravamo nuovamente immersi di sudore da capo a piedi. Era sempre buio fitto. « Mettiamo in moto

la macchina e facciamo circolare un po' d'aria! » gridai.
« Sto morendo di caldo ».

« Giusto! » Uscimmo dal paese e continuammo lungo
l'assurda autostrada con i capelli al vento. L'alba giunse rapida in una nebbia grigia, rivelando dense paludi
affondanti a entrambi i lati, con alti alberi sperduti e
avviticchiati, inclinati e ricurvi su un fondo sconvolto.
Filammo dritti per un tratto lungo i binari della ferrovia.
La strana antenna della stazione radio di Ciudad Mante
apparve davanti, come se ci trovassimo nel Nebraska.
Trovammo un distributore di benzina e facemmo il pieno proprio mentre gli ultimi insetti notturni della giungla si affollavano in una massa nerastra contro le lampade e ricadevano sfarfallando ai nostri piedi in enormi
gruppi ondeggianti, taluni con le ali lunghe dieci centimetri buoni, altri delle orripilanti libellule abbastanza
grandi da mangiare un uccello, e migliaia di enormi zanzare ronzanti e innominabili insetti simili a ragni di ogni
specie. Io saltavo su e giú sul selciato per il terrore che
mi mettevano; alla fine mi rifugiai nella macchina te-
nendomi i piedi con le mani, guardando terrorizzato per
terra dove brulicavano attorno alle ruote. « Andiamo! »
urlai. Dean e Stan non erano affatto disturbati dagli insetti; bevettero con calma un paio di bottiglie di aran-
ciata, cacciandoli a calci dalla ghiacciaia. Le loro magliette e i pantaloni, come i miei, erano zuppi di sangue e neri per le migliaia di insetti morti. Annusammo
profondamente l'odore dei nostri vestiti.
« Sai, comincia a piacermi quest'odore » disse Stan. « Il
mio, non riesco a sentirlo piú. »
« È uno strano, buon odore » disse Dean. « Non voglio cambiarmi la maglietta fino a Città del Messico,
voglio assorbirlo completamente e ricordarmelo. » Cosí
partimmo di nuovo, facendo corrente attorno ai nostri
volti infuocati, impiastricciati.
Poi vedemmo torreggiare davanti a noi le montagne,
tutte verdi. Dopo quest'arrampicata ci saremmo trovati
di nuovo sul grande altopiano centrale e pronti a filare
avanti verso Città del Messico. In un baleno spiccammo
il volo fino a un'altitudine di millecinquecento metri in

mezzo a foschi valichi che sovrastavano gialli fiumi fumanti a un chilometro piú sotto. Era l'immenso fiume Moctezuma. Gli indi lungo la strada cominciarono a farsi estremamente misteriosi. Erano una nazione a parte, indiani delle montagne, tagliati fuori da qualsiasi altra cosa che non fosse l'Autostrada Panamericana. Erano bassi e massicci e scuri, con i denti cariati; portavano enormi pesi sulle spalle. Di là da immensi burroni pieni di vegetazione vedemmo toppe di campi coltivati su scoscesi pendii. Essi andavano su e giú per quei pendii e coltivavano le messi. Dean guidò la macchina a passo d'uomo per vedere. « Ui-hi! Non avrei mai creduto che esistesse una cosa simile! » Alte sul picco piú alto, grande come qualsiasi picco delle Montagne Rocciose, vedemmo crescere le banane. Dean uscí dalla macchina per indicare, e restò lí a strofinarsi il ventre. Ci trovavamo su una sporgenza dove una piccola capanna di paglia stava sospesa sul precipizio del mondo. Il sole creava una nebbia dorata che oscurava il Moctezuma, ora a oltre un chilometro e mezzo piú sotto.

Sulla spianata davanti alla capanna stava una bambinetta india di tre anni col dito in bocca, e ci guardava con grandi occhi scuri. « Probabilmente non ha mai visto nessuno fermarsi qui con una macchina in tutta la sua vita! » disse Dean con affanno. « Sal-ve, bambina. Come stai? Ti siamo simpatici? » La piccola distolse gli occhi vergognosa e fece il broncio. Ci mettemmo a parlare e lei tornò a esaminarci col ditino in bocca. « Gesú, vorrei aver qualcosa da darle! *Pensate un po'*, nascere e vivere su questo dirupo: questo dirupo che rappresenta tutto quel che si sa della vita. Suo padre probabilmente sta brancolando giú nel burrone con una corda e tirando fuori i suoi ananassi da una caverna e facendo legna su una pendenza di ottanta gradi con tutto il precipizio di sotto. Lei non partirà, non partirà mai di qua e non saprà mai niente del mondo di fuori. È una nazione. Pensate come dev'essere selvaggio il loro capo! Probabilmente, di là dalla strada, di là da quella parete rocciosa, chilometri piú in dentro, devono essere ancora piú selvaggi e strani, sí, perché l'Autostrada Panamericana civilizza in parte la nazione su questa strada. Guardate le gocce di sudore sulla sua fronte » Dean le indicò con una smorfia di sofferenza. « Non è il genere di sudore che abbiamo noi, è oleoso e *rimane sempre lí* perché fa *sempre* caldo per tutto l'anno e lei non ne sa niente del *non-sudore*, è nata col sudore e morirà col sudore. » Le gocce sulla sua piccola fronte erano grevi, pigre; non scorrevano; stavano lí e basta e scintillavano come puro olio d'oliva. « Cosa deve voler dire questo per le loro anime! Quanto devono essere diversi nei loro interessi privati e nelle valutazioni e nei desideri! » Dean riprese a guidare con la bocca spalancata per lo stupore, a quindici chilometri l'ora, desideroso di vedere ogni possibile essere umano sulla strada. Continuammo ad arrampicarci.

Mentre salivamo, l'aria si faceva piú fresca e le ragazze indie sulla strada portavano scialli sulla testa e sulle spalle. Ci chiamavano disperatamente; noi ci fermammo a vedere. Volevano venderci piccoli frammenti di cristallo di rocca. I loro grandi innocenti occhi bruni guardavano nei nostri con tale intensità d'animo che nessuno di noi ebbe il minimo pensiero carnale su di loro; inoltre erano giovanissime, alcune di undici anni e quasi con l'aspetto di trentenni. « Guardate quegli occhi! » ansimava Dean. Parevano quelli della Vergine Maria quand'era fanciulla. Vedemmo in essi la tenera e indulgente espressione di Gesú. E fissavano i nostri senza batter ciglio. Ci strofinammo i nostri nervosi occhi azzurri e guardammo di nuovo. Continuavano a penetrarci con un lucore dolente e ipnotico. Quando le ragazze parlarono divennero improvvisamente frenetici e quasi sciocchi. Solo nel silenzio erano se stessi. « Hanno imparato soltanto *di recente* a vendere questi cristalli, dal momento che l'autostrada è stata costruita circa dieci anni fa: prima di allora tutta questa nazione dev'essere stata *silenziosa*! »

Le ragazze cinguettavano intorno alla macchina. Una bimba particolarmente espressiva s'aggrappò al braccio sudato di Dean. Chiacchierava in indio. « Ah sí, ah sí, carissima » disse Dean con tenerezza e quasi con tristezza. Uscí dalla macchina e si mise a frugare qua e là dentro allo scassato baule sul sedile di dietro – sempre lo stesso vecchio torturato baule americano – e ne tirò fuori un orologio da polso. Lo mostrò alla bambina. Lei uggiolò per la gioia. Le altre si affollarono intorno piene di stupore. Allora Dean pescò nel palmo della bambinetta in cerca « del piú dolce e puro e piccolo cristallo che lei ha personalmente scelto per me dalla montagna ». Ne trovò uno non piú grande di una bacca. E le porse l'orologio facendolo dondolare. Le loro bocche si arrotondarono come quelle dei bimbi coristi. La fortunata bambinetta se lo strinse contro gli stracci che le coprivano il petto. Accarezzarono Dean e lo ringraziarono. Lui stette ritto in mezzo a loro con la faccia scavata volta al cielo, in cerca del prossimo e ancor piú alto valico finale, e pareva il Profeta giunto apposta per loro. Tornò alla macchina. Esse non volevano che noi partissimo. Per un tempo lunghissimo, mentre salivamo su per un valico diritto, ci salutarono con la mano e ci corsero dietro. Svoltammo a una curva e non le vedemmo mai piú, ed esse non avevano smesso di correrci dietro. « Ah, questo mi spezza il cuore! » esclamò Dean, battendosi il petto. « Come vanno lontano con le loro lealtà e i loro stupori! Che succederà di quelle fanciulle? Sarebbero capaci di seguire la macchina per tutta la strada fino a Città del Messico se andassimo abbastanza piano? »

« Sí » risposi, perché lo sapevo.

Arrivammo nelle vertiginose altitudini della Sierra Madre Orientale. Gli alberi di banane scintillavano dorati nella caligine. Grandi nebbie sbadigliavano dietro le muraglie di pietra lungo il precipizio. Sotto, il Moctezuma era un sottile filo d'oro sul tappeto verde della giungla. Passavano strani paesi agli incroci sulla cima del mondo, con indi coperti di scialli che ci scrutavano da sotto le tese dei cappelloni e dei *rebozos*. La vita era densa, oscura, antica. Guardavano Dean, serio e maniaco al suo pazzo volante, con occhi di falchi. Tutti avevano le mani tese. Erano venuti giú dalle montagne dell'interno e da luoghi piú alti per protendere le mani verso qualcosa che essi pensavano la civiltà potesse offrire, e non s'erano mai sognati la tristezza e le povere spezzate illusioni di essa. Non sapevano che era stata creata una bomba capace di infrangere tutti i nostri ponti e le nostre strade e ridurli a un ammasso di rovine, e che un giorno o l'altro saremmo anche noi diventati poveri come loro, e avremmo teso la mano nella stessa, identica maniera. La nostra Ford scassata, vecchia Ford di vent'anni prima che percorreva l'America, sferragliò in mezzo a loro e svaní nella polvere.

Avevamo raggiunto i costoni dell'ultimo altopiano. Adesso il sole era dorato, l'aria di un puro azzurro, e il deserto coi suoi fiumi radi una distesa di spazio sabbioso, infuocato e con ombre improvvise di alberi biblici. Adesso Dean dormiva e Stan guidava. Apparvero i pastori, vestiti come ai tempi antichi, con lunghi mantelli svolazzanti, le donne cariche di biondi fasci di lino, gli uomini con i bastoni. I pastori sedevano e si riunivano sotto immensi alberi nel deserto baluginante, e le pecore s'affannavano nel sole e sollevavano la polvere dietro di sé. « Amico, amico » gridai a Dean « svegliati e guarda i pastori, svegliati e guarda il mondo dorato dal quale è venuto Gesú, potrai capirlo con gli occhi tuoi. »

Lui alzò di scatto la testa dal sedile, e di tutto ciò ebbe una fugace visione nel sole rosso calante, e ricadde a dormire. Quando si svegliò me lo descrisse in tutti i particolari e disse: « Sí, mio caro, sono contento che tu mi abbia detto di guardare. Oh, Signore, che devo fare? Dove devo andare? ». Si strofinò il ventre, guardò verso il cielo con gli occhi arrossati, quasi pianse.

La fine del nostro viaggio era imminente. Immensi campi si stendevano da entrambi i lati; un nobile vento soffiava attraverso quei rari gruppi di alberi immensi sopra delle vecchie missioni che si facevano rosa salmone nel sole calante. Le nuvole erano serrate ed enormi e rosate. « Città del Messico al tramonto! » Ce l'avevamo fatta, un totale di tremila chilometri dai giardini nel pomeriggio di Denver a queste vaste e bibliche aree del mondo, e adesso stavamo per raggiungere la fine del viaggio.

« Vogliamo cambiarci le magliette sporche d'insetti? »

« No, teniamole fino in città, porca miseria. » Ed entrammo a Città del Messico.

Un breve passo di montagna ci portò improvvisamente su un'altura dalla quale vedevamo tutta Città del Messico adagiata nel suo cratere vulcanico in basso e vomitante fumate cittadine nelle luci del primo crepuscolo. Puntammo giú, in basso, lungo il Boulevard Insurgentes, dritto verso il cuore della città al Reforma Boulevard. Ragazzini giocavano al calcio in enormi campi tristi e sollevavano polvere. Alcuni tassisti ci raggiunsero e ci chiesero se volevamo ragazze. No, non ne volevamo, adesso. Povere, allungate catapecchie di mattoni crudi si stendevano sulla pianura; vedemmo figure solitarie nei vicoli che s'oscuravano. La notte sarebbe presto scesa. Poi la città ci venne incontro rumorosa e tutto a un tratto ci trovammo a passare davanti a caffè affollati e teatri e molte luci. Strilloni di giornali urlavano verso di noi. Meccanici ciondolavano a piedi scalzi, con in mano gli stracci e le chiavi inglesi. Pazzi autisti indios a piedi nudi ci tagliavano la strada e ci circondavano e premevano il clacson e rendevano pazzesco il traffico. Il fracasso era incredibile. Sulle automobili messicane non si usano silenziatori. I clacson suonano di continuo allegramente. « Ui-hi! » urlava Dean. « Attenti! » Manovrò la macchina a zig-zag in mezzo al traffico e si divertí con tutti. Guidava come un indio. Si mise su uno spiazzo circolare, un "rondò" sul Reforma Boulevard e ci girò attorno mentre i suoi otto raggi lanciavano verso di noi macchine da tutte le direzioni, a sinistra, a destra, *izquierda*, dritto di fronte, e gridava e saltava di gioia. « Questo è il traffico che ho sempre sognato! Tutti ci *danno dentro*! » Un'ambulanza arrivò sparata. Le ambulanze americane sfrecciano e si insinuano in mezzo al traffico con le sirene ululanti; le grosse ambulanze dei fellàh e degli indios di tutto il mondo passano semplicemente a centotrenta all'ora per le vie cittadine, e tutti devono semplicemente levarsi di torno mentre quelle non si fermano per nessuno o in nessuna circostanza e volano dritte avanti. La vedemmo correre fuor di vista sulle ruote slittanti nel turbine in fuga dell'intenso traffico del centro. I conducenti erano indi. La gente, persino delle vecchie signore, correvano dietro gli autobus che non si fermavano mai. Giovani uomini d'affari di Città del Messico facevano scommesse e correvano a squadre appresso agli autobus e vi saltavano su come atleti. I conducenti d'autobus erano scalzi, ghignanti e pazzi, e sedevano in maglietta bassi e schiacciati al volante basso, enorme. Icone ardevano sopra la loro testa. Le luci negli autobus erano scure e verdastre, e facce brune si allineavano sulle panche di legno.

Nel centro di Città del Messico migliaia di tipi con larghi cappelli di paglia e giacchette coi lunghi risvolti sul petto nudo battevano il corso principale, alcuni di loro vendendo crocefissi e droga nei vicoli, altri inginocchiati dentro cappelle in rovina vicino a baracconi messicani di spettacoli di varietà. Certi viali avevano il selciato rotto, con le fognature aperte, e piccole porte conducevano in bar grandi quanto uno spogliatoio incassati in pareti di mattoni crudi. Per bere qualcosa si doveva saltare di là da un fosso, e nel fondo del fosso c'era l'antico lago degli aztechi. Si usciva dal bar con la schiena rivolta al muro e si tornava sulla strada spostandosi di fianco, a passettini. Servivano caffè misto a rum e noce moscata. Mambi ruggivano da tutti gli angoli. Centinaia di prostitute stavano allineate nelle vie scure e strette e i loro occhi dolenti scintillavano verso di noi nella notte. Vagammo come immersi in un sogno frenetico. Mangiammo meravigliose bistecche per quarantotto centesimi l'una in una strana rosticceria messicana a mattonelle con generazioni di suonatori di marimba ritti a suonare un'immensa unica marimba, e inoltre con cantanti di chitarra girovaghi, e vecchi uomini negli angoli che suonavano la tromba. Ci si immergeva nell'aspra puzza delle rivendite di "pulque"[1]; là den-

¹ Bevanda fermentata fatta nel Messico con succo di cactus. (N. d. T.)

tro, per due centesimi, ti davano un bicchiere da acqua pieno di succo di cactus. Non c'era niente di stabile; le strade erano vive tutta la notte. Mendicanti dormivano avvolti in manifesti pubblicitari strappati dagli steccati. Intere famiglie di straccioni sedevano sul marciapiede, suonando piccoli flauti e ridacchiando nella notte. I loro piedi nudi sporgevano in fuori, le deboli candele ardevano, tutto il Messico era un unico vasto accampameno di zingari. Negli angoli, vecchie donne facevano a pezzi teste di vacca bollita e ne avvolgevano i pezzetti in tortillas e le servivano con salsa calda su salviette di carta di giornale. Questa era la grande e definitiva pazza e sfrenata città simile a un fanciullo fellàh che sapevamo avremmo trovato alla fine del viaggio. Dean camminava là in mezzo con le braccia penzoloni lungo i fianchi come un cadavere ambulante, la bocca aperta, gli occhi scintillanti, e fece una faticosa e devota camminata che durò fino all'alba e finì in un campo con un ragazzo in cappello di paglia che rideva e chiacchierava con noi e voleva giocare a palla, poiché nulla finiva mai.

Poi mi venne la febbre e cominciai a delirare e a perdere conoscenza. Dissenteria. Guardai su dal vortice oscuro della mia mente e capii che mi trovavo in un letto a 2500 metri sopra il livello del mare, su uno dei tetti del mondo, e seppi che avevo vissuto un'intera vita e molte altre ancora nel povero guscio della mia carne fatta d'atomi, e sognai tutti i sogni possibili. E vidi Dean che si curvava sul tavolo di cucina. Era parecchie notti dopo ed egli stava già per partire da Città del Messico. « Che stai facendo, amico? » farfugliai.

« Povero Sal, povero Sal, s'è ammalato. Stan si occuperà di te. Adesso sta a sentire se ce la fai, malato come sei: ho ottenuto quaggiú il divorzio da Camille e stanotte torno a New York da Inez se la macchina ce la fa. »

« Tutto daccapo? » gridai.

« Tutto daccapo, vecchio amico. Devo tornare alla mia vita. Vorrei poter rimanere con te. Prega che riesca a tornare ». Mi afferrai il ventre attanagliato dai crampi e gemetti. Quando guardai su di nuovo l'intrepido e nobile Dean stava ritto accanto al suo vecchio baule rotto e guardava giú verso di me. Non seppi piú chi fosse, ed egli lo capí, e si commosse, e mi tirò su le coperte fino alle spalle. « Sí, sí, sí, adesso devo andare. Vecchio Sal con la febbre, addio. » Ed era andato. Dodici ore dopo nella sofferenza febbrile riuscii finalmente a capire che se n'era andato. A quell'ora stava tornando indietro da solo guidando in mezzo a quelle montagne piene di banane, questa volta di notte.

Quando migliorai mi resi conto che mascalzone fosse, ma poi dovetti immedesimarmi nelle impossibili complicazioni della sua vita, come fosse stato costretto ad abbandonarmi laggiú, ammalato, per tirare avanti con le sue mogli e i suoi guai. "Okay, vecchio Dean, non dirò nulla."

Parte quinta

1

Dean partí da Città del Messico e rivide Victor a Gregoria e spinse quella vecchia macchina per tutto il percorso fino al lago Charles, nella Louisiana, prima che la parte posteriore finalmente cadesse sulla strada com'egli aveva sempre saputo che avrebbe fatto. Cosí telegrafò a Inez di mandargli i soldi del biglietto in aereo e fece in volo il resto del viaggio. Quando arrivò a New York con le carte del divorzio in mano, lui e Inez andarono immediatamente a Newark e si sposarono; e quella notte, raccontandole che tutto andava benissimo e di non preoccuparsi, e rendendo logico ciò che altro non era se non inestimabile doloroso sudore, saltò su un autobus e di nuovo partí rombando attraverso l'orribile continente verso San Francisco per raggiungere Camille e le due bambine. Cosí ora egli era sposato tre volte, due volte divorziato, e viveva con la seconda moglie.

Nell'autunno mi rimisi anch'io in cammino verso casa da Città del Messico e una notte, subito dopo il confine presso Laredo, a Dilley, nel Texas, stavo fermo sulla strada infuocata sotto una lampada ad arco con le falene estive che vi sbattevano contro quando sentii un suono di passi venire dietro dall'oscurità, ed ecco un vecchio alto con i bianchi capelli fluenti avanzare pesantemente con un fagotto sulle spalle, e quando mi vide passando, disse: « Va a piangere per l'uomo » e proseguí a passi pesanti nel suo buio. Questo voleva forse dire che infine avrei dovuto andare a piedi in pellegrinaggio sulle strade oscure in giro per l'America? Penai e mi affrettai verso New York, e una notte a Manhattan stetti fermo in una via buia a gridare su verso la finestra di una soffitta dove credevo che miei amici stessero dando una festa. Ma una graziosa ragazza sporse la testa dalla finestra e disse: « Sí? Chi è? ».

« Sal Paradiso » risposi, e sentii il mio nome risuonare nella via triste e vuota.

« Venga su » m'invitò lei. « Sto facendo la cioccolata calda. » Cosí salii ed eccola là, la ragazza dagli occhi puri e cari e innocenti che avevo sempre cercato e cosí a lungo. Decidemmo di amarci pazzamente. Nell'inverno progettammo di emigrare a San Francisco, portandoci dietro in un vecchio furgoncino tutta la nostra mobilia malandata e le nostre povere cose. Scrissi a Dean e gli raccontai tutto. Lui mi rispose con una lettera spropositata lunga diciottomila parole, tutta sugli anni della sua gioventú a Denver, e disse che stava venendo a prenderci e che avrebbe personalmente scelto il vecchio autocarro e che ci avrebbe condotti a casa. Avevamo sei settimane per metter da parte i soldi per l'autocarro e ci mettemmo a lavorare e a risparmiare ogni centesimo. E tutto a un tratto Dean arrivò lo stesso, cinque settimane e mezza prima del tempo, e nessuno aveva un soldo per mettere in atto il progetto.

Stavo facendo una passeggiata nel cuore della notte quando tornai dalla mia ragazza per raccontarle quel che avevo pensato durante la passeggiata. Lei stava in piedi nel piccolo appartamento buio con uno strano sorriso. Le dissi un sacco di cose e tutto a un tratto notai il silenzio nella stanza e mi guardai intorno e vidi un libro sgualcito sulla radio. Sapevo che apparteneva a Dean ed era l'alta-eternità-nel-pomeriggio di Proust. Come in sogno lo vidi entrare in punta di piedi e senza scarpe dal corridoio oscuro. Non riusciva piú a parlare. Saltellò e rise, balbettò e agitò le mani e disse: « Ah... Ah... devi starmi a sentire ». Stemmo a sentire, tutti orecchi. Ma lui dimenticò quel che voleva dire. « Davvero senti... ehem. Guarda, caro Sal... dolce Laura... sono venuto... sono andato... ma aspettate... ah sí. » E rimase a fissarsi le mani con uno sguardo impietrito e doloroso. « Non riesco piú a parlare... lo capite che questo è... o potrebbe essere... Ma ascoltate! » Noi ascoltammo. Lui stava a sentire i rumori della notte. « Sí! » bisbigliò stupito. « Ma vedete... non c'è bisogno che parli piú... né oltre. »

« Ma perché sei venuto cosí presto, Dean? »

« Ah » rispose lui, guardandomi come se lo facesse per la prima volta « cosí presto, già. Noi... noi sapremo... cioé, non so. Sono venuto col biglietto di servizio delle ferrovie... cabine per frenatori... vecchi vagoni con le panche di legno... il Texas... ho suonato il flauto e l'ocarina per tutta la strada. » Tirò fuori il suo nuovo flauto di legno. Suonò alcune note miagolanti e saltò su e giú coi piedi coperti dalle sole calze. « Vedi? » disse. « Ma naturalmente, Sal, riesco a parlare speditamente come prima e infatti ho tante di quelle cose da dirti con la mia piccola mente di mattacchione ho letto e riletto questo fantastico Proust per tutto il viaggio attraverso il continente e ho appreso un gran numero di cose che non avrò mai il *Tempo* di raccontarti perché *Ancora* non abbiamo parlato del Messico e della nostra separazione laggiú con la febbre... ma non c'è nessun bisogno di parlare. Assolutamente, adesso, no? »

« D'accordo, non parleremo. » E cominciò a raccontare la storia di quel che aveva fatto a Los Angeles nel viaggio d'andata con ogni possibile particolare, che era andato a trovare una famiglia, aveva cenato, chiacchierato col padre, i figli, le sorelle: che aspetto avevano, cosa mangiavano, i loro mobili, pensieri, interessi, l'intimo delle anime loro; gli ci vollero tre ore di dettagliate delucidazioni, e dopo aver concluso tutto ciò disse: « Ah, ma vedi quel che *Veramente* volevo dirti... molto piú tardi... l'Arkansas, passandoci col treno... suonando il flauto... ho giocato a carte coi ragazzi, quel mio mazzo sconcio... ho vinto dei soldi, ho suonato degli a solo di ocarina... per dei marinai. Un lungo, lunghissimo orribile viaggio di cinque giorni e cinque notti solo per *Vedere* te, Sal ».

« Che ne è di Camille? »

« M'ha dato il permesso naturalmente... mi sta aspettando. Camille e io tutto a posto per sempre-e-sempre ancora... »

« E Inez? »

« Io... io... io voglio che torni a Frisco con me per abitare all'altro lato della città... non ti pare? Non so perché sono venuto. » In seguito disse in un improvviso momento di boccheggiante stupore: « Be' e sí, certamente, volevo vedere la tua dolce ragazza e te... felice per te... ti voglio bene come sempre ». Restò a New York tre giorni e si diede a fare affannosi preparativi per tornare in treno coi suoi biglietti di servizio e riattraversare il continente, cinque giorni e cinque notti in vagoni polverosi e misere panche di legno, e naturalmente noi non avevamo i soldi per un autocarro e non potevamo tornar via con lui. Con Inez passò una notte a spiegare e sudare e litigare, e lei lo buttò fuori. Arrivò una lettera per lui, al mio indirizzo. Io la vidi. Era di Camille. "Mi s'è spezzato il cuore quando t'ho visto attraversare i binari con la tua valigia. Prego e prego che tu torni sano e salvo... Voglio che Sal e la sua amica vengano a vivere nella nostra strada... So che te la caverai ma non posso fare a meno di crucciarmi... ora che abbiamo deciso ogni cosa... Dean caro, è la fine della prima metà del secolo. T'invio l'augurio, insieme al mio amore e ai miei baci, che tu passi con noi l'altra metà. Ti aspettiamo tutti. (Firmato) Camille, Amy, e la piccola Joanie." Cosí la vita di Dean era sistemata con la piú costante, la piú amareggiata e la piú filosofa delle sue mogli, Camille, e io ringraziai Dio per lui.

L'ultima volta che lo vidi fu in una triste e strana circostanza. Era arrivato a New York Remi Boncoeur dopo aver fatto parecchie volte il giro del mondo sulle navi. Volevo che incontrasse e conoscesse Dean. Si incontrarono, ma Dean non riusciva piú a parlare e non disse niente, e Remi gli voltò le spalle. Remi aveva preso dei biglietti per il concerto di Duke Ellington al teatro Metropolitan e insistette perché Laura e io ci andassimo con lui e la sua ragazza. Remi era grasso e triste, ora, ma pur sempre quel gentiluomo attento e formale, e voleva far le cose come si deve, cosí teneva a sottolineare. Perciò aveva chiesto al suo allibratore di portarci al concerto in una Cadillac. Era una fredda sera d'inverno. La

Cadillac era parcheggiata e pronta a partire. Dean stava fuori del finestrino con la valigia, pronto ad andare alla stazione Pennsylvania per attraversare il continente. « Addio, Dean » dissi. « Vorrei proprio non dover andare al concerto. »

« Credi che potrei venire con voi fino alla Quarantesima Strada? » sussurrò. " Voglio restare con te il piú a lungo possibile, ragazzo mio, e inoltre fa cosí maledettamente freddo in questa New York... » Confabulai con Remi. No, non ne voleva sapere, io gli ero simpatico ma non gli piacevano i miei amici idioti. Non volevo ricominciare tutto da capo a scombinare di nuovo i suoi progetti serali come avevo fatto da Alfred a San Francisco nel 1947 insieme a Roland Major.

« Assolutamente fuori questione, Sal! » Povero Remi, s'era fatto fare una cravatta apposta per quella serata; sopra c'era dipinta un riproduzione dei biglietti del concerto, e i nomi di Sal, e Laura e Remi e Vicki, la sua ragazza, insieme con una serie di tristi schiocchezze e alcuni dei suoi detti preferiti come quello: "Non si può insegnare un nuovo motivo al vecchio maestro".

Cosí Dean non poté venire su nella città alta insieme a noi e l'unica cosa che mi restò da fare fu starmene seduto sul sedile posteriore della Cadillac e salutarlo con la mano. L'allibratore al volante non voleva neanche lui avere a che fare con Dean. Questi, cencioso in un cappotto tarmato che s'era portato apposta per il clima rigido dell'Est, s'allontanò da solo, e l'ultima volta che lo vidi fu mentre svoltava l'angolo della Settima Avenue, gli occhi fissi sulla strada davanti a sé, e di nuovo tesi verso di essa. Povera piccola Laura, bambina mia. Le avevo raccontato tutto di Dean e per poco non si mise a piangere.

« Oh, non avremmo dovuto lasciarlo andare cosí. Che facciamo? »

"Il vecchio Dean è partito" pensai, e ad alta voce dissi: « Gli andrà bene ». E via ce ne andammo al triste e svogliato concerto per il quale non sentivo il minimo desiderio e per tutto il tempo non feci altro che pensare a Dean e a come s'era rimesso in treno per farsi oltre cinquemila chilometri su quell'orribile terra e comunque non seppi mai perché fosse venuto, se non per vedere me.

Cosí in America quando il sole va giú e io siedo sul vecchio diroccato molo sul fiume a guardare i lunghi, lunghissimi cieli sopra il New Jersey e avverto tutta quella terra nuda che si svolge in un'unica incredibile enorme massa fino alla Costa Occidentale, e tutta quella strada che va, tutta la gente che sogna nell'immensità di essa, e so che nello Iowa a quell'ora i bambini stanno certo piangendo nella terra in cui lasciano piangere i bambini, e che stanotte usciranno le stelle, e non sapete che Dio è l'Orsa Maggiore?, e la stella della sera deve star tramontando e spargendo il suo fioco scintillío sulla prateria, il che avviene proprio prima dell'arrivo della notte completa che benedice la terra, oscura tutti i fiumi, avvolge i picchi e rimbocca le ultime spiagge, e nessuno, nessuno sa quel che succederà di nessun altro se non il desolato stillicidio del diventar vecchi, allora penso a Dean Moriarty, penso persino al vecchio Dean Moriarty, il padre che mai trovammo, penso a Dean Moriarty.